ARCTIQUE

OCÉAN
PACIFIQUE

OCÉAN
INDIEN

RUSSIE SOVIÉTIQUE

MONGOLIE

Iles Aléoutiennes

Kouriles

EMPIRE
CHINOIS

JAPON

Iles
Ryu Kyu

EMPIRE
OTTOMAN

AFGHANISTAN

Tibet

NÉPAL

BHOUTAN

Hong Kong

Formose

IRAK

IRAN

KOWEIT

Égypte

Hedjaz

ARABIE

Oman

Indes
britanniques

Chandernagor

Birmanie

Macao

Kouang-
Tchéou

Mariannes
du Nord

Yanaon

SIAM

Indochine
française

Philippines

Guam

Iles
Marshall

Soudan
anglo-
égyptien

Érythrée

Yémen

Côtes des Somalis

Goa

Mahé

Pondichéry

Karikal

ÉTHIOPIE

Somalie
britannique

Somalie
italienne

Iles
Laquédives

Ceylan

Maldives

Iles Carolines

Gilbert

Ouganda

Kenya

Ruanda-Urundi

Tanganyika

Seychelles

Indes
néerlandaises

Nouvelle
Guinée

Archipel
Bismarck

Nauru

Tuvalu

ongo
elge

Comores

OCÉAN

Timor

Iles
Salomon

Samoa
occidentales

Rhodésie

Mozambique

Maurice

La Réunion

INDIEN

Nouvelles-
Hébrides

Wallis-et-
Futuna

chuanaland

Madagascar

Swaziland

Basutoland

Australie

Fidji

Nouvelle-
Calédonie

caine

Kerguelen

Nouvelle-
Zélande

NE

UMANIE
LGARIE

0   2 000 km

à l'équateur

Mandats de la SDN

britannique   belge   australien

francais   japonais

1 ALLEMAGNE
2 LUXEMBOURG
3 LITUANIE
4 LETTONIE
5 ESTONIE
6 TCHÉCOSLOVAQUIE

7 SUISSE
8 AUTRICHE
9 HONGRIE
10 YOUGOSLAVIE
11 ALBANIE

HISTOIRE

Terminales ES, L

Regards historiques sur le monde actuel

Sous la direction de
Hugo BILLARD

Hugo BILLARD
Professeur d'histoire-géographie
Lycée Pierre-de-Coubertin (Meaux)

Franck BODIN
Professeur-documentaliste
Lycée Jacques-Brel (La Courneuve)

Pascal DESABRES
Professeur d'histoire-géographie
Lycée Guillaume-Apollinaire (Thiais)

Bertrand JOLIVET
Professeur d'histoire-géographie
Lycée Paul-Robert (Les Lilas)

Éric MAGNE
Professeur d'histoire-géographie
Lycée Claude-de-France (Romorantin)
Formateur IUFM (Centre Val-de-Loire)

Emmanuel MELMOUX
Professeur d'histoire-géographie
Lycée Emile-Dubois (Paris)

David MITZINMACKER
Professeur d'histoire-géographie
Lycée Pierre-de-Coubertin (Meaux)
Coordinateur pédagogique au musée
de la Grande Guerre de Meaux.

Xavier NADRIGNY
Professeur d'histoire-géographie
Lycée Galilée (Combs-la-ville)
Chargé de cours à l'École du Louvre
Chercheur associé au LAMOP (Paris-I)

Arnaud PAUTET
Professeur d'histoire-géographie
Classes préparatoires économiques
Lycée Sainte-Marie (Lyon)

Céline PAILLETTE
Professeur d'histoire-géographie
Doctorante monitrice en Histoire
contemporaine, université Paris-I

Bruno SENTIER
Professeur d'histoire-géographie
Lycée Saint-Jean (Douai)

Claire VIDALLET
Professeur d'histoire-géographie
Lycée Joliot-Curie (Nanterre)

Coordination multimédia
Jean-Marc VIDAL
Professeur d'histoire-géographie
Lycée Alain-Colas (Nevers)

Les auteurs et les éditions Magnard remercient **Pascal BRIOIST**, professeur d'Histoire moderne à l'université de Tours,
Aurore DEGLAIRE, professeur d'histoire-géographie au collège Lucie-Aubrac (Champigny)
et **Charles-François MATHIS**, ATER en Histoire contemporaine à l'université Paris-IV Sorbonne,
pour leur relecture attentive des chapitres de ce manuel.

MAGNARD
www.magnard.fr

Le programme d'Histoire
Regards historiques sur le monde actuel

B.O. Spécial n° 8 du 13 octobre 2011

Introduction

• Le programme de terminale des séries ES et L se situe dans la continuité de ceux de seconde et de première. Il en reprend l'organisation thématique déclinée en questions, elles-mêmes abordées à partir d'études précises. Il permet d'acquérir des connaissances et d'approfondir des capacités et des méthodes acquises lors des deux années précédentes, en accordant une grande place à l'organisation du travail autonome et au travail critique sur les sources. Parmi ces dernières, les productions artistiques doivent faire l'objet d'une attention particulière, conformément aux objectifs de l'enseignement de l'histoire des arts.

• Ce programme, qui offre l'opportunité de développer une réflexion historique et d'appréhender les démarches de la discipline, est ainsi de nature à préparer les élèves aux exigences de l'enseignement supérieur en leur permettant d'approfondir leur réflexion historique et d'appréhender les démarches de la discipline.

Le fil conducteur du programme

• Le programme propose un éclairage des enjeux majeurs du monde actuel à partir du regard spécifique de l'historien. Afin de faire comprendre d'emblée ce qui caractérise ce regard, le premier thème est consacré à une réflexion sur la discipline, montrant ce qui différencie l'histoire d'autres rapports des sociétés à leur passé, le rapport patrimonial et le rapport mémoriel, et mettant en évidence la démarche critique de l'historien et ses outils. Les trois thèmes suivants (« Idéologies, opinions et croyances en Europe et aux États-Unis de la fin du XIXe siècle à nos jours », « Puissances et tensions dans le monde de la fin de la Première Guerre mondiale à nos jours », « Les échelles de gouvernement dans le monde de la fin de la Seconde Guerre mondiale à nos jours ») ont été choisis de façon à ce que soient abordés des sujets essentiels à la compréhension du monde actuel, en faisant appel à des temporalités différentes adaptées à chacun des thèmes.

Pour traiter le programme

• Les quatre thèmes sont déclinés en dix questions dont la mise en œuvre se fait à partir d'études reliées aux problématiques des thèmes et des questions. Loin de constituer une juxtaposition d'objets singuliers, ces études, choisies en fonction de leur pertinence pour faire comprendre une période et/ou un phénomène historique, doivent être sous-tendues par une problématique et impliquent une mise en perspective par rapport à la question traitée.

• Le professeur exerce pleinement sa liberté et sa responsabilité pédagogiques. Il a la possibilité de construire son propre itinéraire en traitant les thèmes dans un ordre différent de celui de leur présentation, à l'exclusion du thème 1 qui doit ouvrir obligatoirement la mise en œuvre du programme. À l'intérieur de chaque thème, les questions peuvent être traitées dans un ordre différent.

Ressources multimédia

• Les vidéos INA proposées dans les chapitres du manuel
• Des activités à partir de sites Internet et de films
• Des études d'œuvres iconographiques et documents interactifs
• Des cartes animées ou interactives
• Des synthèses de cours à podcaster
• Des QCM pour s'entraîner pour le bac

... de nombreuses ressources pour réviser l'histoire au bac sur **www.tle.esl.histeleve.magnard.fr**

© Magnard-Paris, 2012
N° ISBN : 978-2-210-10416-7

Thème I — Le rapport des sociétés à leur passé (9-10 heures)

Questions	Mise en œuvre	Chapitres
Le patrimoine : lecture historique	Une étude au choix parmi les trois suivantes : • Le centre historique de Rome ; • La Vieille-Ville de Jérusalem ; • Le centre historique de Paris.	Chapitre 1 p. 14
Les mémoires : lecture historique	Une étude au choix parmi les deux suivantes : • L'historien et les mémoires de la Seconde Guerre mondiale en France ; • L'historien et les mémoires de la guerre d'Algérie.	Chapitre 2 p. 46 Chapitre 3 p. 74

Thème II — Idéologies, opinions et croyances en Europe et aux États-Unis de la fin du XIXᵉ siècle à nos jours (15-17 heures)

Questions	Mise en œuvre	Chapitres
Socialisme et mouvement ouvrier	• Socialisme, communisme et syndicalisme en Allemagne depuis 1875.	Chapitre 4 p. 100
Médias et opinion publique	• Médias et opinion publique dans les grandes crises politiques en France depuis l'Affaire Dreyfus.	Chapitre 5 p. 128
Religion et société	• Religion et société aux États-Unis depuis les années 1890.	Chapitre 6 p. 156

Thème III — Puissances et tensions dans le monde de la fin de la Première Guerre mondiale à nos jours (17-18 heures)

Questions	Mise en œuvre	Chapitres
Les chemins de la puissance	• Les États-Unis et le monde depuis les « 14 points » du président Wilson (1918). • La Chine et le monde depuis le « mouvement du 4 mai 1919 ».	Chapitre 7 p. 184 Chapitre 8 p. 216
Un foyer de conflits	• Le Proche et le Moyen-Orient, un foyer de conflits depuis la fin de la Première Guerre mondiale.	Chapitre 9 p. 244

Thème IV — Les échelles de gouvernement dans le monde de la fin de la Seconde Guerre mondiale à nos jours (16-17 heures)

Questions	Mise en œuvre	Chapitres
L'échelle de l'État-nation	• Gouverner la France depuis 1946 : État, gouvernement et administration. Héritages et évolutions.	Chapitre 10 p. 284
L'échelle continentale	• Le projet d'une Europe politique depuis le congrès de La Haye (1948).	Chapitre 11 p. 316
L'échelle mondiale	• La gouvernance économique mondiale depuis 1944.	Chapitre 12 p. 346

En histoire, comme en géographie, le programme est conçu pour être traité dans un horaire annuel de 57 à 62 heures.

SOMMAIRE

L'épreuve d'histoire-géographie au baccalauréat pour les séries ES et L

Définition de l'épreuve écrite
B.O.E.N. spécial n°7 du 6 octobre 2011

Modalités

– Série ES, durée 4 heures, coefficient 5
– Série L, durée 4 heures, coefficient 4

L'épreuve écrite d'histoire-géographie porte sur le programme de la classe de Terminale des séries ES et L. Les modalités de l'épreuve sont communes à ces deux séries.

Objectifs de l'épreuve

L'épreuve a pour objectif d'évaluer l'aptitude du candidat à :

– mobiliser, au service d'une réflexion historique et géographique, des connaissances fondamentales pour la compréhension du monde et la formation civique et culturelle du citoyen ;
– rédiger des réponses construites et argumentées, montrant une maîtrise correcte de la langue ;
– exploiter, organiser et confronter des informations ;
– analyser des documents de sources et de natures diverses et à en faire une étude critique ;
– comprendre, interpréter et pratiquer différents langages graphiques.

Organisation de l'épreuve (4 heures)

	Si l'épreuve majeure est l'histoire	Si l'épreuve majeure est la géographie
1re partie : épreuve majeure **Durée conseillée : 2h30** **± 12 points**	● Choix d'un sujet de composition d'histoire parmi deux proposés.	● Choix d'un sujet de composition de géographie parmi deux proposés.
2e partie : épreuve mineure **Durée conseillée : 1h30** **± 8 points**	● Étude critique d'un ou de deux documents de géographie. **OU** ● Réalisation d'un croquis ou d'un schéma d'organisation spatiale d'un territoire en réponse à un sujet.	● Étude critique d'un ou de deux documents d'histoire.

Évaluation et notation

L'évaluation de la copie du candidat est globale et doit utiliser tout l'éventail des notes de 0 à 20.
À titre indicatif, la première partie peut compter pour 12 points et la deuxième partie pour 8 points.

Cas des candidats handicapés

Les candidats reconnus handicapés moteurs ou sensoriels peuvent demander à bénéficier, pour les exercices de géographie de la deuxième partie de l'épreuve, de l'adaptation suivante : à partir du même sujet, le candidat remplace l'exercice de réalisation d'un croquis ou d'un schéma d'organisation spatiale d'un territoire par une rédaction d'une page environ.

Définition de l'épreuve orale de contrôle
B.O.E.N. spécial n°7 du 6 octobre 2011

Durée : 20 minutes.
Temps de préparation : 20 minutes.

1. L'épreuve porte à la fois sur le programme d'histoire et sur celui de géographie de la classe de terminale.
Le candidat tire au sort un sujet. Chaque sujet comporte une question d'histoire et une question de géographie.
2. Les questions du sujet portent sur des thèmes majeurs ou des ensembles géographiques du programme.
L'une des questions (histoire ou géographie) est accompagnée d'un document.
3. L'évaluation des réponses de chaque candidat est globale et doit utiliser tout l'éventail des notes de 0 à 20.
L'examinateur évalue la maîtrise des connaissances, la clarté de l'exposition et la capacité à tirer parti d'un document.
4. Le questionnement qui suit l'exposé peut déborder le cadre strict des sujets proposés et porter sur la compréhension d'ensemble des questions étudiées.

Nature des exercices de l'épreuve écrite

1. Première partie de l'épreuve

• Composition

Histoire ou **Géographie**

Sujet 1 :
Au choix
Sujet 2 :

Sujet 1 :
Au choix
Sujet 2 :

Durée : 2 heures 30
(12 points)

Extrait du B.O.E.N. spécial n° 7 du 6 octobre 2011

Le candidat traite un sujet au choix parmi deux proposés dans la même discipline.
Pour traiter le sujet choisi, en histoire comme en géographie :
– il montre qu'il sait analyser un sujet, qu'il maîtrise les connaissances nécessaires et qu'il sait les organiser ;
– il rédige un texte comportant une introduction (dégageant les enjeux du sujet et comportant une problématique), plusieurs parties structurées et une conclusion ;
– il peut y intégrer une (ou des) productions(s) graphique(s).
Le libellé du sujet peut prendre des formes diverses : reprise partielle ou totale d'intitulés du programme, question ou affirmation ; la problématique peut être explicite ou non.

2. Deuxième partie de l'épreuve

• Étude critique de document(s)

Géographie ou **Histoire**

Durée : 1 heure 30
(8 points)

Durée : 1 heure 30
(8 points)

ou

Extrait du B.O.E.N. spécial n° 7 du 6 octobre 2011

L'exercice d'étude critique de document(s), en histoire comme en géographie, comporte un titre, un ou deux document(s) et, si nécessaire, des notes explicatives. Il est accompagné d'une consigne visant à orienter le travail du candidat.
L'étude critique d'un ou de deux document(s)
Cette étude doit permettre au candidat de rendre compte du contenu du ou des document(s) proposé(s) et d'en dégager ce qu'il(s) apporte(nt) à la compréhension des situations, des phénomènes ou des processus historiques évoqués.
Le candidat doit mettre en œuvre les démarches de l'étude de document en histoire :
– en dégageant le sens général du ou des document(s) en relation avec la question historique à laquelle il(s) se rapporte(nt) ;
– en montrant **l'intérêt et les limites** éventuelles du ou des document(s) pour la compréhension de cette question historique et en prenant la distance critique nécessaire ;
– en montrant, le cas échéant, **l'intérêt** de la confrontation des documents.

• Réalisation d'un croquis ou d'un schéma

Géographie

Durée : 1 heure 30
(8 points)

BAC   La composition

Au brouillon, interroger le sujet

Comprendre le sujet
– Énoncez les bornes spatiales et chronologiques du sujet.
– Définissez les termes du sujet.

Analyser le sujet
Qui ? Quoi ? Quand ? Où ? Interrogez-vous sur le contexte : dans quel espace se déroule le sujet ? Que se passe-t-il au moment où se déroulent le (ou les) phénomènes lié(s) à votre sujet ?

Mobiliser ses connaissances
Recherchez dans le cours tout ce qui a un rapport avec le sujet posé : dressez la liste des faits, notions, personnages liés au sujet.

Problématiser le sujet
La formulation de la problématique doit être simple et s'exprimer en une affirmation ou une question claire.

Rédiger entièrement l'introduction et la conclusion
– Le lien entre la problématique en introduction et sa réponse en conclusion doit sembler facile à comprendre au lecteur.
– Vous perdrez moins de temps à réfléchir en fin d'épreuve, au moment de la rédaction de la conclusion.

Répondre au sujet

● **Introduction**
Rédigez l'introduction en deux paragraphes.

1er §

La phrase d'accroche
Par une citation ou une explication, vous introduisez le sujet. Vous pouvez utiliser les citations des pages de cours de votre manuel.

Cadrage et contexte
Explication contextualisée des termes du sujet. Il faut montrer ici que vous avez compris la signification de chacun des termes du sujet et les liens entre eux.

2e §

La problématique
Formulée en une affirmation ou une question, vous y répondrez en conclusion.

L'annonce du plan
Annoncez chaque grande partie en utilisant des mots de liaison, par exemple « d'abord nous présenterons…, ensuite nous expliquerons …, enfin nous nous interrogerons… ».

● **Développement**
Rédigez le développement en deux ou trois parties composées chacune de deux ou trois paragraphes.

Le paragraphe
– Un paragraphe = un argument expliqué + un ou deux exemples commentés + une transition avec le sujet du paragraphe qui suit : votre argumentation doit suivre une logique.
– Vous pouvez, y compris en histoire, utiliser des schémas pour accompagner votre argumentation.

Le plan
Plusieurs types de plans existent.
– **Le plan chronologique** est souvent utilisé pour les sujets de longue durée (« Place et rôle de la Chine dans le monde depuis 1919 » **p. 239**). Il s'organise en périodes délimitées par des moments charnières. Ces moments doivent être justifiés, en introduction ou au début de chacune des parties.
– **Le plan thématique** est parfois utilisé pour des sujets délimités dans un temps court (« Quelle Europe politique à partir de 1993 ? » **p. 341**). Il faut être capable d'organiser ses idées autrement que par la chronologie : c'est le type de plan le plus valorisé, mais aussi le plus difficile à réaliser.
– **Le plan tableau** est utilisé lorsque le sujet cerne une notion ou un espace à une date donnée (« L'Europe en 1945 »). Il faut être capable de dégager les grands éléments de l'époque, ceux qui montrent l'influence de la période précédente, qui sont particuliers à la date donnée, ou qui se retrouveront dans la période suivante.

Les transitions
Chaque partie est reliée à la suivante par une transition visible, en une phrase isolée, à la ligne.
Vous pouvez y affirmer un argument ou y poser une question : dans tous les cas vous devez y apporter une réponse dans la partie qui suit.

● **Conclusion**
Rédigez la conclusion en un seul paragraphe avec :
Un paragraphe bilan qui répond à la problématique sans reprendre le plan du développement et **une phrase d'ouverture**, qui montre l'intérêt du sujet traité et pose une question historique nouvelle.

Attention aux trois pièges de la composition !

Le déterminisme : Non, tel ou tel personnage n'est pas destiné, depuis son plus jeune âge, à prendre le pouvoir ou à écrire telle ou telle œuvre. Pour éviter le déterminisme, vous devez toujours faire attention au contexte.

La téléologie : Il n'est pas écrit qu'un événement en entraîne automatiquement un autre. Là aussi, expliquez toujours le contexte.

Le hors-sujet : Vous ne devez traiter que le sujet, en respectant le cadre des bornes chronologiques et spatiales indiquées par le sujet.

L'étude critique
d'un ou de deux document(s)

Au brouillon, analyser le ou les document(s) et mobiliser vos connaissances

Lire attentivement le titre posé par le sujet
Ce titre vous indique la **question à traiter**. Il vous permet de relier les documents à un ou plusieurs chapitres du programme.

Lire attentivement la consigne
La consigne indique la **structure à suivre** pour votre développement : autant de paragraphes que d'étapes indiquées dans la consigne.

Répondre à chaque élément de la consigne
Pour cela, vous devez :
– **Repérer** ce qu'indiquent les documents et les regrouper en une ou deux phrases ;

– **Comparer** ce qu'indiquent les documents et vos connaissances, et faire ainsi la critique des documents en expliquant les citations par votre connaissance du contexte ;
– **Constater** ce que taisent les documents par rapport à la question historique indiquée par le titre. Vous soulignerez ainsi leurs limites.

Avant d'écrire sur votre copie
Regrouper au brouillon les citations et explications qui correspondent à chacune des étapes posées par la consigne. Votre raisonnement sera ainsi plus rigoureux et vous pourrez enlever les répétitions éventuelles.

Répondre à la consigne

● **Introduction** *(en un court paragraphe)*
– **Identifiez et présentez les documents** (nature, date, auteur, source) **et le contexte historique**. S'il y a deux documents, précisez quels éléments de contexte sont en commun.
– **Énoncez une problématique** qui relie le ou les documents à la question historique concernée.

● **Explication structurée en réponse à la consigne**
  (le plus souvent en deux ou trois paragraphes)
– **Répondez en un paragraphe à chacune des étapes de la consigne**. Utilisez pour cela des mots de liaison (« d'abord », « ensuite », « enfin »…).

– **Demandez-vous si vous avez bien cité** (pour un texte) **ou décrit** (pour une image ou un tableau statistique) les documents. Chaque paragraphe doit reprendre quelques courts éléments de chaque document, expliqués dans leur contexte, et comparés dès que possible.
– **Précisez ce que les documents ne disent pas**, si le cas survient, et expliquez pourquoi en une ou deux phrases.

● **Conclusion** *(en un court paragraphe)*
– **Répondez à la problématique** posée en introduction.
– **Indiquez en une ou deux phrases l'intérêt des documents**, leur portée pour traiter la question historique posée.

Attention aux trois pièges de l'étude critique de document !

La paraphrase : N'utilisez que quelques mots pour citer les documents et resituez-les toujours dans le contexte.

Ne pas relier entre eux les documents : Au contraire, la comparaison entre eux doit être fréquente dans vos explications.

Expliquer tout ce que vous savez sur la période sans faire référence aux documents : Dans ce cas, vous ne montrez pas que vous savez critiquer des documents dans leur contexte, ce qui est l'objectif de l'épreuve.

Conseils pour la rédaction des épreuves du Bac

Aérer sa copie
Allez à la ligne à chaque paragraphe et sautez une ou deux lignes entre chaque partie. Le correcteur doit pouvoir, d'un coup d'œil, comprendre qu'il y a deux ou trois parties et combien de paragraphes.

Écrire lisiblement
Allez jusqu'au bout des lignes de vos copies, formez bien vos lettres. La lecture de votre copie doit être agréable pour que votre correcteur comprenne bien le sens de votre argumentation.

Utilisez le passé ou le présent
Conservez le même temps pour l'ensemble de la copie. Le futur ne peut être utilisé que dans l'annonce de plan.

Être logique
Utilisez des mots de liaison (« d'abord », « ensuite », « puis », « enfin »…) pour que votre correcteur comprenne la logique de votre argumentation. Attention aux bornes chronologiques : si votre sujet s'arrête en 1991, vous ne devez pas expliquer ce qui se déroule après 1991 : vous seriez hors-sujet.

Se relire
Consacrez quelques minutes à la relecture de votre copie pour corriger orthographe, grammaire et conjugaison. Une phrase mal écrite ou mal construite peut être ambiguë pour le correcteur ou faire comprendre l'inverse de ce que vous voulez.

Le rapport des sociétés à leur passé

Depuis le XIXe siècle, on appelle « patrimoine » des œuvres d'art, des bâtiments, des espaces ou des pratiques culturelles que l'on considère comme étant dignes d'être préservés, conservés et transmis d'une génération à l'autre. Le patrimoine est une source pour les historiens, comme le sont les archives, les témoignages, l'archéologie, les images... À partir de ces sources, les historiens proposent une interprétation du fonctionnement des sociétés passées et du temps présent.

La mémoire est le regard que porte une communauté humaine, à un moment donné, sur un événement passé. Les historiens contribuent à l'évolution de cette mémoire. Elle peut se trouver en contradiction avec leur travail et créer des tensions au sein de la société qui l'exprime. Ainsi, les mémoires contradictoires de la Seconde Guerre mondiale ou celles de la guerre d'Algérie s'apaisent, au fur et à mesure que leur histoire est mieux connue.

Commémoration du 25e anniversaire de la mort du général de Gaulle aux Invalides, à Paris, le 9 novembre 1995.

Les Invalides ont été construits sous le règne de Louis XIV et abritent la tombe de Napoléon. La croix de Lorraine est l'emblème de la France libre pendant la Seconde Guerre mondiale.

Une lecture historique du patrimoine

Le patrimoine est hérité du père, de la famille ou de la nation. Il peut être financier, culturel, politique, attaché à des objets, à des lieux ou à des symboles. Bâtiments, œuvres d'art, pratiques culturelles, sont protégés et étudiés comme des témoignages importants. Certains lieux sont considérés comme patrimoine commun à toute l'humanité. D'autres font l'objet de conflits entre États ou entre populations pour des raisons culturelles ou politiques. Par son œil critique, l'historien montre l'évolution du regard porté sur des lieux à travers le temps. Mais l'historien appartient aussi à son époque et peut se trouver prisonnier des querelles nées des différentes manières de comprendre le patrimoine.

➜ *Quel regard l'historien peut-il porter sur le patrimoine ?*

Rome
ITALIE

Dossier p. 18

Le forum romain et le Colisée, au cœur du centre historique de Rome.

Ier-IIe siècle Apogée de l'Empire romain

1922-1943 Italie fasciste

753 av. J.-C. Fondation mythique de Rome

476 Fin de l'Empire romain d'Occident

ISRAËL Cisjordanie
Gaza ● **Jérusalem**

Dossier p. 24

**La Vieille-
Ville de
Jérusalem.**

VIIᵉ siècle Construction du Dôme du Rocher et de la mosquée Al-Aqsa

Xᵉ siècle av. J.-C. Construction mythique du Temple de Jérusalem   **IVᵉ siècle** Construction du Saint-Sépulcre par Constantin   **1967** Conquête
de Jérusalem-Est par Israël

Paris
FRANCE

Dossier p. 30

**L'axe
de Paris :
du Louvre
à la Concorde,
des Champs-
Élysées
à La Défense.**

1367 Charles V fait du Louvre son palais royal   **1852-1870 Haussmann transforme Paris**

508 Clovis s'installe à Paris   **1830** Inspection générale des Monuments et des Sites   **1962** Loi Malraux
sur la sauvegarde des quartiers historiques

Comment travaillent les historiens ?

« Ce sont les hommes que l'histoire veut saisir. Qui n'y parvient pas ne sera jamais, au mieux, qu'un manœuvre de l'érudition. Le bon historien, lui, ressemble à l'ogre de la légende. Là où il flaire la chair humaine, il sait que là est son gibier. »

Marc Bloch, *Apologie pour l'histoire ou métier d'historien*, écrit en 1942. > Bio p. 66

1. Se poser des questions

Pour l'historien, le graffiti est trace du passé et source d'étude.
Qui sont les hommes qui ont gravé ces signes ? Pourquoi l'ont-ils fait ? D'autres historiens les ont-ils déjà étudiés ?

Graffitis et croix gravées au Moyen Âge sur un mur du Saint-Sépulcre à Jérusalem.

2. Lire et critiquer les sources

Pour lire et comprendre ce manuscrit enluminé, l'historien a besoin des apports du paléographe, qui en étudie l'écriture, de l'archiviste qui le date et en étudie les modes de conservation, de l'historien d'art qui en comprend les symboles, et d'un spécialiste des religions s'il s'agit d'un texte religieux.

Miniature du *Manuscrit du Frère Laurent*, Ms 870 f°5, 1494, Paris, Bibliothèque Mazarine.

3. Comprendre les traces archéologiques

La fouille d'un site révèle – notamment – le tracé au sol de bâtiments, des objets quotidiens, des vêtements et des modes d'enterrement. En France, dans la plupart des cas, la durée des fouilles est courte : la plus grande partie des sites est découverte à l'occasion de la construction d'une route ou du creusement de fondations, étudiés, puis recouverts.

4. Comprendre les mentalités

L'étude de la perspective, des objets, des bâtiments, est révélatrice du savoir de l'époque. Certains détails, comme l'escargot au bas de la toile, expriment un questionnement religieux : celui du temps passé entre la chute d'Adam et Ève (le judaïsme) et la naissance de Jésus (le christianisme).

Des archéologues sur le chantier de la cour du Louvre, en juin 1984.

5. L'historien est un expert

Le 27 octobre 1997, l'historien américain Robert Paxton, spécialiste du régime de Vichy, est appelé à témoigner à Bordeaux lors du procès Papon. Son intervention est déterminante pour expliquer aux juges le contexte dans lequel Maurice Papon, secrétaire général de la préfecture de Bordeaux, a pu participer à la déportation de Juifs pendant la Seconde Guerre mondiale.

Francesco del Cossa, *Annonciation*, 1470-1472, Dresde.

Le centre historique de Rome

Rome
ITALIE

Fondée, dit le mythe, en 753 av. J.-C., la ville de Rome est la capitale de l'Empire romain, de la chrétienté catholique et de l'Italie contemporaine. Son centre historique est à la fois le dépositaire de ces traditions politiques et culturelles, et le lieu d'affrontements politiques et archéologiques autour des traces de sa gloire passée et présente.

En 1830, dans son *Voyage à Rome*, l'écrivain et historien Jules Michelet s'enthousiasme de ces richesses en strates : « Sous la Rome papale, la féodale ; sous celle-ci, la chrétienne, dessous, l'impériale. Plus bas, la République. Ne vous arrêtez pas, creusez encore. »

→ *Comment l'organisation urbaine montre-t-elle la richesse du patrimoine romain ?*

A. Un théâtre urbain depuis l'Antiquité

Doc. 1 Le forum romain et le Colisée, au cœur du centre historique de Rome.

Doc. 2 La superposition des époques.
Thomas Cromek, *Le Théâtre de Marcellus*, milieu du XIXᵉ siècle, The Fine Art Society, Londres.

Doc. 3 Le mythe de la fondation de Rome.

Romulus choisit le Palatin, et Remus l'Aventin comme observatoires pour prendre les auspices.

C'est à Remus le premier que, dit-on, se présenta le présage de six vautours en vol ; à peine était-il annoncé qu'un nombre double de vautours se montra à Romulus. Chacun des deux groupes alors de saluer son propre meneur comme roi. Pour les uns, la priorité entrait seule en ligne de compte. Mais les autres revendiquaient le titre de roi à cause du nombre d'oiseaux. Au cours de la discussion la colère monta, ils en vinrent aux mains et la bagarre tourna au massacre. Dans la mêlée, Remus fut mortellement blessé. On s'en tient plus souvent à une autre version : pour narguer son frère, Remus avait sauté par dessus les remparts en construction. Romulus, en colère, l'injuria et le tua, en ajoutant : « Voilà le sort de quiconque voudra sauter au-dessus de mon rempart ! »

Ainsi, Romulus détint seul le pouvoir et donna son nom à la ville qu'il avait fondée. Il édifia d'abord une citadelle sur le Palatin, lieu où lui-même avait grandi.

Tite-Live, *Histoire de Rome depuis sa fondation*, livre I, trad. D. de Clercq, Bibliotheca Classica Selecta, Bruxelles, 2001.

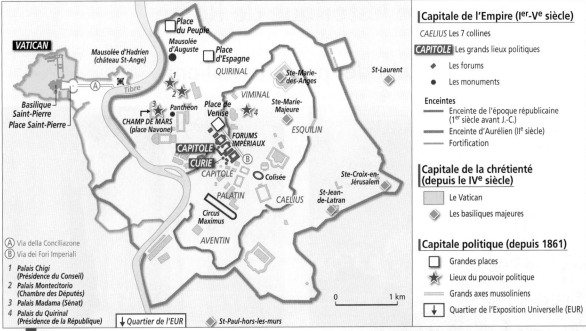

Doc. 4 Rome, capitale de l'Empire, de la chrétienté, de l'Italie.

Doc. 5 Le forum romain, juin 1965.

En 1965, les trois colonnes du temple de Vespasien (Ier s.) sont encore séparées de l'Arc de Septime Sévère (IIIe s.) et de l'église Saint-Luc-et-Sainte-Martine (XVIIe s.) par une rue moderne. Depuis, la plus grande partie de la zone des forums romains et impériaux a été déclarée zone touristique protégée et fermée à la circulation. Le centre historique de Rome a été classé en 1980 sur la liste du patrimoine mondial de l'Unesco.

Doc. 6 La fontaine de Trévi.

Fontaine monumentale du XVIIIe siècle, son eau vient d'un aqueduc de 22 km jusqu'au cœur de Rome. Dans *La Dolce Vita* (1960), Federico Fellini fait évoluer dans ses eaux Anita Ekberg.

POUR COMPRENDRE

1. Étudier les documents

Doc. 1, 4 et 6 Comment le patrimoine antique et baroque est-il mis en valeur ?

Doc. 3 et 4 Comment s'est progressivement constituée la ville de Rome ?

Doc. 2 et 5 Quelle place les monuments antiques prennent-ils dans l'organisation de la vie quotidienne ? Pourquoi ?

2. Analyse de deux documents

BAC À l'aide notamment des documents 2 et 5, vous montrerez la place que prend l'héritage romain antique dans l'espace urbain.

B. Une ville au cœur des pouvoirs italiens

Doc. 7 Une ville faite de couches superposées.

Au premier plan le forum romain, espace politique de la République et de l'Empire. Au milieu, la Rome chrétienne de l'église Saint-Luc-et-Sainte-Martine. En haut le Vittoriano (**doc. 8**).

Doc. 8 La tombe du soldat inconnu, érigée au cœur du Vittoriano.

Aussi appelé Autel de la patrie, le Vittoriano est dédié en 1911 au roi Victor-Emmanuel II pour le 50e anniversaire du mouvement d'unification italienne, le Risorgimento, et de l'unité italienne de 1860.

Doc. 9 Le patrimoine, un piège pour Rome ?

J'ai toujours désiré que se trouve à Rome la classe dirigeante, la classe intellectuelle, mais je n'ai jamais désiré que s'y trouvent de grandes agglomérations d'ouvriers. Dans une grande agglomération d'ouvriers à Rome, je verrais un véritable inconvénient, car je crois qu'ici se trouve le lieu où doivent être traitées de nombreuses questions qui requièrent une discussion intellectuelle, qui requièrent le concours de toutes les forces intellectuelles du pays, mais les mouvements populaires de grandes masses d'ouvriers ne seraient pas opportuns. Je croirais dangereuse ou du moins inadaptée une organisation de cette nature. Je pense même qu'il faut porter la production et le travail, sous toutes ses formes, dans les autres parties du royaume.

Quintino Sella, intervention à la Chambre des députés italienne, Rome, 27 juin 1876.

Rome n'a jamais été une ville de travail et d'industrie ; elle n'a pratiqué que la politique et l'art de tirer des ressources du dehors par le prestige religieux.

Rodolphe Rey, *Turin, Florence ou Rome. Étude sur la capitale italienne et la question romaine*, Paris, 1861.

Du XVIe au XVIIIe siècle, le Grand Tour conduit les enfants de l'aristocratie européenne à parcourir le continent pour parfaire leur éducation. L'Italie en est l'une des principales étapes, au cours de laquelle la fréquentation du patrimoine antique et humaniste doit enrichir leur bagage culturel. Ces pérégrinations, de Florence à Pompéi en passant par Rome, déterminent ensuite les itinéraires des voyageurs du XIXe siècle, puis des artistes contemporains.

Aurélien Delpirou et Stéphane Mourlane, *Atlas de l'Italie contemporaine*, Paris, Autrement, 2011.

**Portrait futuriste de Mussolini sur le plan
de la Rome de Jules César.**

Alfredo Gauro Ambrosi, *Aeroritratto di Benito
Mussolini aviatore*, 1930.

« Dans cinquante ans, Rome devra apparaître merveilleuse à tous les peuples du monde : vaste, ordonnée, puissante, comme elle l'était aux temps du premier Empire d'Auguste » (Mussolini). En 1942, le 20ᵉ anniversaire de la « Révolution fasciste » aurait dû être célébré par une grandiose Exposition Universelle de Rome (EUR), organisée au sud de la Ville dans un nouveau quartier.

Jean-Luc Pouthier,
« Les grands projets de Mussolini »,
Les Collections de l'Histoire, n° 50, janvier 2011.

Doc. 11

Le forum romain et le Colisée, cœur des manifestations mussoliniennes.

Le 28 octobre 1932, Benito Mussolini défile sur le forum romain, à la tête de ses 13 légions, tel un nouveau César. Pour ériger de grandes avenues, il fait détruire, entre 1926 et 1932, une partie des ruines antiques.

POUR COMPRENDRE

1. Étudier les documents

Doc. 7 et 8 Qu'est-ce que le Vittoriano ? Comment s'inscrit-il dans le paysage urbain ?

Doc. 9 Quelle est la vocation de la ville de Rome ? Pourquoi ?

Doc. 10 et 11 Pourquoi Mussolini défile-t-il sur le forum romain ? Pourquoi créer un nouveau quartier ?

2. Analyse de deux documents

BAC À l'aide des documents 7 et 11, vous montrerez quel usage Mussolini a voulu faire du passé romain.

C. Une « ville éternelle », patrimoine de l'humanité

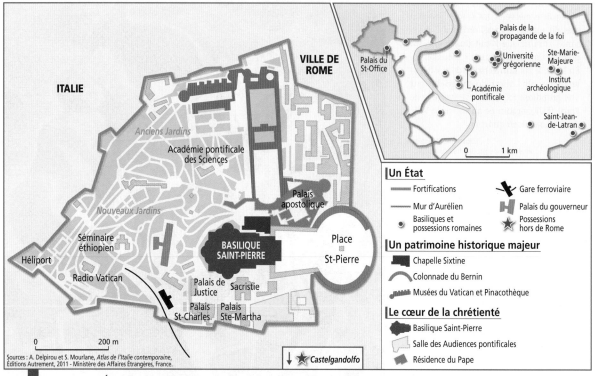

ITALIE

VILLE DE ROME

Anciens Jardins

Académie pontificale des Sciences

Nouveaux Jardins

Palais apostolique

Séminaire éthiopien

Héliport

Radio Vatican

BASILIQUE SAINT-PIERRE

Place St-Pierre

Palais de Justice

Sacristie

Palais St-Charles

Palais Ste-Martha

0   200 m

Sources : A. Delpirou et S. Mourlane, *Atlas de l'Italie contemporaine*, Éditions Autrement, 2011 - Ministère des Affaires Étrangères, France.

Palais du St-Office

Académie pontificale

Palais de la propagande de la foi

Université grégorienne

Ste-Marie-Majeure

Institut archéologique

Saint-Jean-de-Latran

0   1 km

Un État

— Fortifications

— Mur d'Aurélien

• Basiliques et possessions romaines

Gare ferroviaire

Palais du gouverneur

Possessions hors de Rome

Un patrimoine historique majeur

Chapelle Sixtine

Colonnade du Bernin

Musées du Vatican et Pinacothèque

Le cœur de la chrétienté

Basilique Saint-Pierre

Salle des Audiences pontificales

Résidence du Pape

↓ ★ *Castelgandolfo*

Doc. 12 **Le Vatican, un État théocratique au cœur de Rome.**

Doc. 13

En 2006, le pape Benoît XVI bénit la foule des catholiques depuis le balcon de Saint-Pierre de Rome.

La foule des pèlerins se masse sur la place Saint-Pierre, entourée des colonnades du Bernin (1660).

Doc. 14 **Les accords du Latran (1929).**

Au palais du Latran, Mussolini lit au cardinal Gasparri, secrétaire d'État du pape Pie XI, les accords qui créent l'État du Vatican. Depuis 1860, le pape se considérait comme prisonnier dans Rome.

Doc. 15 **Des gardes suisses du Vatican et des carabiniers italiens encadrent les pèlerins devant la basilique Saint-Pierre.**

Construite entre 1506 et 1626, la basilique Saint-Pierre-du-Vatican est un des plus grands édifices de la chrétienté. Dessinée par Michel-Ange, elle abrite les reliques de Pierre, premier pape de Rome, et d'une partie des papes qui se sont succédés à Rome. Les 110 gardes suisses, dont l'uniforme est dessiné par le même Michel-Ange, forment depuis le XVIe siècle la force armée du pape.

Doc. 16

Le Panthéon et la fontaine érigée par le pape Clément XI au XVIIIe siècle.

Temple dédié par Auguste au Ier siècle à toutes les divinités antiques, le Panthéon est devenu une église chrétienne au VIIe siècle.

Doc. 17 **Les papes face aux ruines de la Rome antique.**

Plusieurs papes des Lumières sont férus d'antiquités. Tout au long du XVIIIe siècle, les fouilles se multiplient [...]. Mais on se préoccupe avant tout de trouver des « objets » remarquables, éventuellement pour les monnayer, au grand dam des archéologues tel Rodolfo Lanciani qui déplore, à la fin du XIXe siècle, les dégâts infligés aux palais impériaux [...] : « Quand on pense que ces chefs-d'œuvre de l'art de la période de Domitien ont été trouvés intacts dans le premier quart du siècle dernier [...] et que les murs qui soutenaient les fresques furent démolis pour que l'on puisse en vendre les briques, on en vient à se demander de quel droit nous continuons à blâmer le Moyen Âge et les barbares pour des actions qui ne sont pas aussi honteuses que celles que nous venons de raconter ». [...] À l'initiative des papes, plusieurs grands musées s'ouvrent au public : le musée du Capitole dès 1734, premier établissement d'Europe à présenter des pièces antiques au public [...]. Napoléon, au traité de Tolentino, exigera, comme trésor de guerre, cent pièces de collection.

Jean-Yves Boriaud, *Histoire de Rome*, Paris, Fayard, 2001.

POUR COMPRENDRE

1. Étudier les documents

Doc. 12 et 14 Quels éléments font du Vatican un État ? D'où vient cet État ?

Doc. 16 et 17 Comment ont été préservés les trésors de l'Antiquité ? Pourquoi ?

Doc. 13 et 15 Quels éléments font de Saint-Pierre de Rome le principal lieu de pèlerinage mondial ?

2. Analyse de deux documents

BAC À l'aide des documents 12 et 17, vous expliquerez le rôle qu'ont joué les papes dans la mise en valeur du patrimoine de Rome.

3. Aide à la composition

BAC À l'aide de vos connaissances, vous rédigerez un plan détaillé qui réponde au sujet : « Le patrimoine de Rome : origines, manifestations et usages ».

La Vieille-Ville de Jérusalem

Jérusalem occupe un site urbanisé depuis 1000 av. J.-C. Capitale des rois d'Israël, elle est conquise successivement par les Babyloniens, les Perses, les Grecs, les Byzantins, les Arabes, les croisés européens, reprise par les Arabes, contrôlée par l'Empire ottoman. Sa partie ouest devient capitale officielle du nouvel État d'Israël en 1948, avant l'annexion de Jérusalem Est en 1967. Classée par l'Unesco en 1981, la Vieille-Ville est un entrelacs compliqué de ruelles où se mêlent des populations opposées politiquement et religieusement. Loin de la mer, dans un relief de collines semi-arides, l'existence de la Vieille-Ville, sur à peine 1 km², est vitale pour plus de 3 milliards de croyants.

➜ *Comment le patrimoine de Jérusalem survit-il aux tensions religieuses et politiques ?*

A. Une ville trois fois sainte

Doc. 1 **La Vieille-Ville de Jérusalem.**
À droite, le mont du Temple ou esplanade des Mosquées.

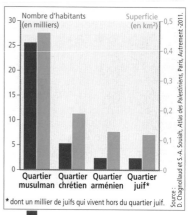

Source : D. Chagnollaud et S.-A. Souiah, *Atlas des Palestiniens*, Paris, Autrement, 2011.

* dont un millier de juifs qui vivent hors du quartier juif.

Doc. 3 **La population de la Vieille-Ville en 2005.**

Doc. 3

Le mur des Lamentations, le dôme du Rocher et la mosquée al-Aqsa.

Mont du Temple pour les juifs, esplanade des Mosquées pour les musulmans, cette colline est un lieu saint pour ces deux religions. Le soubassement du dernier des murs du temple de Salomon ferme une place où, selon le Coran, le prophète Mahomet s'est élevé dans le ciel à sa mort.

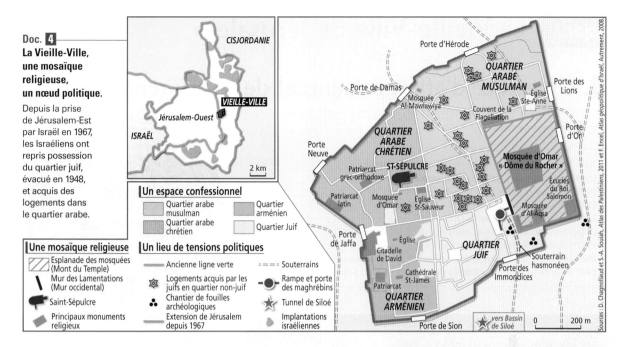

Doc. 4

La Vieille-Ville, une mosaïque religieuse, un nœud politique.

Depuis la prise de Jérusalem-Est par Israël en 1967, les Israéliens ont repris possession du quartier juif, évacué en 1948, et acquis des logements dans le quartier arabe.

CISJORDANIE

VIEILLE-VILLE

Jérusalem-Ouest

ISRAËL

2 km

Un espace confessionnel

Quartier arabe musulman
Quartier arabe chrétien
Quartier arménien
Quartier Juif

Une mosaïque religieuse

Esplanade des mosquées (Mont du Temple)
Mur des Lamentations (Mur occidental)
Saint-Sépulcre
Principaux monuments religieux

Un lieu de tensions politiques

Ancienne ligne verte
Logements acquis par les juifs en quartier non-juif
Chantier de fouilles archéologiques
Extension de Jérusalem depuis 1967
Souterrains
Rampe et porte des maghrébins
Tunnel de Siloé
Implantations israéliennes

Porte d'Hérode
QUARTIER ARABE MUSULMAN
Porte de Damas
Mosquée Al-Mawlawiya
Église Ste-Anne
Porte des Lions
Couvent de la Flagellation
QUARTIER ARABE CHRÉTIEN
Porte Neuve
Porte d'Or
ST-SÉPULCRE
Patriarcat grec-orthodoxe
Mosquée d'Omar « Dôme du Rocher »
Écuries du Roi Salomon
Patriarcat latin
Mosquée d'Omar
Église St-Sauveur
Mosquée d'Al-Aqsa
Porte de Jaffa
Église
Citadelle de David
QUARTIER JUIF
Souterrain hasmonéen
Cathédrale St-James
Porte des Immondices
Patriarcat
QUARTIER ARMÉNIEN
Porte de Sion
vers Bassin de Siloé
0   200 m

Sources : D. Chagnollaud et S.-A. Souiah, *Atlas des Palestiniens*, 2011 et F. Encel, *Atlas géopolitique d'Israël*, Autrement, 2008.

Doc. 5 La gestion compliquée des lieux saints chrétiens.

Statu quo. Si la langue commune des six communautés religieuses (catholiques latins, orthodoxes grecs, arméniens, coptes, syriaques et éthiopiens) en charge du lieu présumé du calvaire et de la mort du Christ est de nos jours l'anglais, c'est bien cette expression latine qui revient pour définir l'ambiance du Saint-Sépulcre. L'histoire dit que le sultan ottoman Ayoub (les Turcs ont régné sur Jérusalem entre 1517 et 1917), fatigué de voir les moines de différentes confessions chrétiennes se quereller, imposa par la force la signature de ce *statu quo* qui n'a pas changé depuis. [...] Pour les chrétiens, c'est ici que Jésus aurait été crucifié, enseveli, avant de ressusciter. Même si les théologiens admettent que l'édifice actuel n'évoque en rien les localisations originelles (ses parties les plus anciennes datent du XIIe), ni même les premiers lieux de culte maintes fois rasés, ils sont néanmoins d'accord pour admettre que « cela s'est passé à peu près ici ».

Les endroits les plus visités sont ainsi le tombeau présumé de Jésus, situé dans la rotonde (un moine copte veille du côté de la « tête » du linceul), le Golgotha – rocher sur lequel a été plantée la croix –, la crypte, où elle fut retrouvée aux côtés de celles des deux larrons, et le lieu de la Déposition, très vénéré par les orthodoxes. [...] Les représentants des deux autres églises d'Orient, les coptes et les syriaques (chrétiens d'Antioche), sont placés sous l'autorité de l'Église arménienne, qui se targue d'être la première à avoir adopté le christianisme et qui a obtenu ainsi la troisième place dans la hiérarchie des gardiens du temple, derrière les catholiques et les Grecs orthodoxes. [...]

Alexandre Lévy, « Le Saint-Sépulcre, une mosaïque chrétienne », *Ulysse*, 1er janvier 2006.

Doc. 6 Le Saint-Sépulcre, tombeau de Jésus.
Photographie de pèlerins face à l'entrée de l'église, 1898-1911.

POUR COMPRENDRE

1. Étudier les documents

Doc. 1 et 4 Comment s'organise la ville ? Quelles difficultés rencontre-t-elle dans sa gestion ?
Doc. 2 et 3 Comment la présence et l'importance de chaque religion se manifeste-t-elle dans la ville ? Pourquoi ?
Doc. 5 et 6 Quelle est l'importance de Jérusalem pour les chrétiens ? Comment le Saint-Sépulcre est-il géré ?

2. Analyse de deux documents

BAC À l'aide des documents 3 et 5, vous montrerez en un paragraphe l'imbrication des intérêts religieux dans l'organisation de la Vieille-Ville de Jérusalem.

B. Un espace d'affrontements et de concurrences

Doc. 7 Une ville disputée.

70 Prise de Jérusalem par Titus.

638 Prise de Jérusalem par les Ommeyades musulmans.

1009 Destruction de l'église du Saint-Sépulcre par le calife.

1099 Première croisade, prise de Jérusalem.

1187 Prise de Jérusalem par Saladin contre les croisés.

1516 Prise de Jérusalem par les Ottomans.

1855 Premières constructions hors des murs de la Vieille-Ville.

1917 L'armée britannique entre à Jérusalem.

1947-1949 Première guerre israélo-arabe, le quartier juif est vidé de ses habitants.

1967 Prise de Jérusalem par Israël lors de la guerre des Six-Jours.

Doc. 8 Le sceau du roi de Jérusalem à l'époque des croisades.

Le dôme du Rocher (à gauche), la citadelle militaire (au centre) et le Saint-Sépulcre (à droite). Le caractère juif de Jérusalem est nié. En s'emparant de la ville en 1099, les chrétiens expulsent ou massacrent les juifs qui y résident.

Doc. 9

Le sac de Jérusalem par Titus (70) et la diaspora juive. Arc de Titus, Rome.

Après la révolte de 69, le siège de Jérusalem et la prise de la forteresse de Massada, l'empereur Titus organise à Rome un défilé qu'il reproduit sur son arc, aux pieds du forum romain. Le chandelier à sept branches (menorah) est, avec l'étoile de David, le symbole du judaïsme. La plupart des juifs sont dispersés dans tout l'Empire romain : ils forment une diaspora dont la prière est de retourner « l'an prochain, à Jérusalem ».

Doc. 10

Des pèlerins attendent de prier dans la basilique du Saint-Sépulcre.

Vélin du *Livre des Merveilles du monde*, v. 1390-1430, Paris, Bibliothèque nationale.

À partir du VIIe siècle, comme une partie du Moyen-Orient et toute l'Afrique du Nord, Jérusalem est conquise par les Fatimides. En 1009, le calife Al-Hakim fait raser la basilique du Saint-Sépulcre bâtie à l'époque de Constantin. Si elle est reconstruite dès le milieu du XIe siècle grâce à l'argent de l'empereur byzantin Michel IV, l'idée que le tombeau du Christ est menacé par les musulmans sert de fer de lance à la première croisade prêchée en 1099 par le pape.

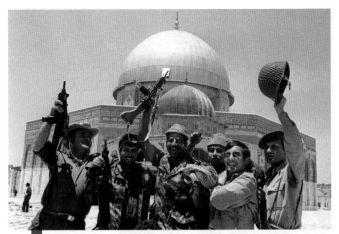

Doc. 11 En juin 1967, des soldats israéliens célèbrent la prise de Jérusalem à la Jordanie devant le dôme du Rocher.

L'idéologie sioniste, depuis la fin du XIXᵉ siècle, appelle au retour des juifs dans le territoire antique d'Israël. Selon le Talmud : « Le monde est comme le globe de l'œil. Le blanc de l'œil, c'est l'océan qui entoure l'Univers ; l'iris, c'est le continent-ci ; la pupille, c'est Jérusalem, et l'image dans la rétine, c'est le Temple. »

Doc. 13 Après la prise de Jérusalem-Est en 1967, les bulldozers détruisent une partie du quartier des Maghrébins.

Une esplanade est dégagée devant le mur, dit « des Lamentations » en Occident, « Mur occidental » pour les juifs, et que les musulmans appellent aussi « El-Bourak », du nom d'un des chevaux avec lesquels Mahomet est monté au ciel, selon la tradition coranique.

Doc. 12 Les Haredim, des juifs orthodoxes à la conquête de Jérusalem.

C'est bien à Jérusalem que l'extension spatiale des orthodoxes demeure la plus significative ; ces Haredim ne s'installent pas au XXᵉ siècle en Galilée, dans la plaine côtière et dans le Néguev, espaces pervertis à leurs yeux par les « éleveurs de porcs » des kibboutzim et la jeunesse débauchée de Tel-Aviv ou d'Eliat. [...] Après la guerre de 1948, les quartiers orthodoxes [...] demeurent sous contrôle israélien bien qu'immédiatement adjacents à la frontière, ne représentent guère que quelques milliers d'habitants sur les 99 000 que compte alors Jérusalem-Ouest. Toutefois la croissance démographique des « hommes en noir », faite d'apports diasporiques continus mais aussi et surtout d'un des taux de fécondité les plus forts du monde (moyenne de 8 enfants par femme depuis 1950) nécessite une expansion spatiale d'autant plus urgente que le délabrement des constructions et la surpopulation dans certaines rues font craindre aux autorités nouvellement israéliennes des épidémies. [*Après la guerre de 1967*], un phénomène nouveau apparaît pourtant à Jérusalem [...] : des Juifs laïcs quittent leur zone de résidence. À chaque fois, des familles orthodoxes s'emploient à acquérir ce nouvel espace encore relativement bon marché [...]. Ainsi, à partir des années 1980, l'ensemble du Jérusalem-Ouest septentrional constitue déjà une zone « noire » à peu près sans faille [...]. La diminution numérique juive [laïque] dans Jérusalem est donc en somme bien réelle, et d'autant plus déplorée par la mairie en ces temps de rivalité démographique israélo-palestinienne. [*La Vieille-Ville*] fait évidemment l'objet d'une attention toute particulière liée à la présence du mur des Lamentations [...]. Or, pour y accéder, [...] les orthodoxes doivent emprunter la porte de Damas – à l'orée de Jérusalem-Est – puis traverser à pied de part en part tout le quartier musulman. [...] Depuis quelques années, de riches donateurs orthodoxes américains et australiens sont parvenus à acquérir des appartements situés précisément en quartier musulman de la Vieille-Ville, immédiatement investis par des familles orthodoxes.

Frédéric Encel, « L'évolution spatiale des juifs orthodoxes à Jérusalem et en Cisjordanie : simple extension démographique ou réelle stratégie territoriale ? », *Hérodote*, n° 3, 2008.

POUR COMPRENDRE

1. Étudier les documents

Doc. 7, 9 et 11 Comment expliquer l'importance accordée par l'État d'Israël à la proclamation de Jérusalem comme capitale ?

Doc. 7, 8 et 10 Quelle influence le pèlerinage chrétien au Saint-Sépulcre joue-t-il dans l'histoire de la ville ?

Doc. 12 Quelle est l'influence des juifs orthodoxes avant 1967 ? et après ? avec quelles conséquences ?

Doc. 11, 12 et 13 Quelles tensions naissent du contrôle complet de la ville par Israël après la guerre de 1967 ? Pourquoi ?

2. Analyse de deux documents

BAC À l'aide des documents 9 et 12, vous expliquerez les effets politiques des concurrences religieuses à Jérusalem.

C. La religion et l'archéologie, des enjeux politiques

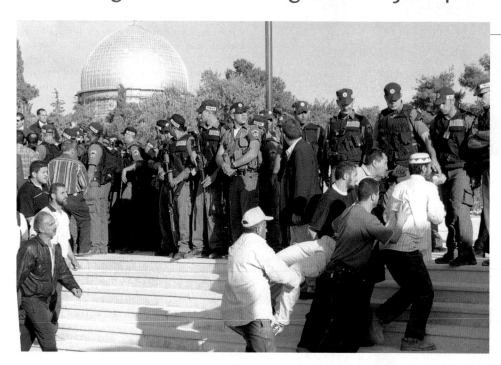

Doc. 14
**L'esplanade
des Mosquées,
un espace sensible.**

Le 29 septembre 2000,
le chef de la droite
israélienne Ariel Sharon
se rend sur l'esplanade
des Mosquées, protégé
par l'armée. Cette visite
est un des événements
qui provoquent
la seconde Intifada
dans les territoires
palestiniens.

Doc. 15 La Vieille-Ville, un instrument de la mémoire nationale.

Le *cardo* [*axe nord-sud*] a été établi pour partie sur les traces du premier et du deuxième temple, jouxtant eux-mêmes l'esplanade des mosquées. [...] [En 1922, l'autorité britannique] interdit toute construction autour des remparts et autorise les forces de police à exproprier et détruire les constructions insalubres ou laides, situées surtout dans la partie arabe [...]. La Vieille-Ville s'était paupérisée : alors que les classes populaires résidaient à l'intérieur des remparts, les familles bourgeoises, arabes et juives, s'étaient installées hors les murs, dès la fin du XIXᵉ siècle. [...] Le nouveau quartier juif, situé porte de Sion, comprenant cinq cents logements, a été érigé sur des habitations [...] conquises au premier jour de la réunification en 1967 par le général Moshe Dayan. Mais ces résidents palestiniens s'étaient eux-mêmes installés à l'intérieur de ce quartier appelé « des Maghrébins », dans les habitations de [*juifs du Maghreb*] Séfarades [...]. L'une des premières actions de Yasser Arafat en 1987 [...] fut de s'opposer aux fouilles dans la zone du Haram al-Sharif, [*ce mont du Temple qui*] demeure le plus important symbole matériel de la libération nationale [...]. On comprend mieux l'émotion suscitée par le creusement d'un tunnel sous le rocher du Dôme. [...] Quelques mois plus tard la marche d'Ariel Sharon sur Jérusalem-Est fournissait le motif de la seconde Intifada palestinienne.

Sylvaine Bulle, « Espace et mémoire collective à Jérusalem »,
Annales. Histoire, Sciences sociales, n° 3, 2006.

Doc. 16 L'eau, une arme politique entre communautés.

Entre 1917 et 1922, Jérusalem est sous domination militaire britannique. [...] L'adduction est majoritairement réservée aux besoins militaires et, pour la partie civile, prioritairement destinée à la partie occidentale de la ville, majoritairement juive, amorçant ainsi une réelle fracture communautaire.
Entre 1922 et 1936, [...] les nationalistes arabes s'inquiètent de la prise de contrôle croissante des réseaux techniques par des entrepreneurs sionistes et de leurs tentatives pour faire invalider les concessions attribuées avant la guerre. L'hydraulique devient un « terrain d'expression du nationalisme palestinien et l'un des instruments de contestation de la politique mandataire, considérée par les Palestiniens comme excessivement favorable au sionisme ». C'est le cas en particulier lors de la crise pluviométrique de 1925, qui voit les autorités mandataires ordonner une dérivation partielle des eaux du village d'Ortas, interdisant de fait les activités maraîchères qui le font vivre. Cette réquisition, parce qu'elle bénéficie principalement à la communauté juive de Jérusalem, est alors dénoncée comme une spoliation. [...] Cette place stratégique de l'eau se confirmera dans la guerre de 1948 : « À la guerre *pour* l'eau [...] répond désormais une guerre *par* l'eau ».

Compte-rendu de F. Graber sur laviedesidees.fr de Vincent Lemire,
La Soif de Jérusalem. Essai d'hydrohistoire (1840-1948),
Paris, Publications de la Sorbonne, 2011.

Doc. **17** Le tunnel des Hasmonéens, cause de conflits (septembre 1996).

Deux policiers veillent un Israélien lors de sa visite du tunnel hasmonéen, ensemble de conduits sous le Mont du Temple dont l'une des sorties débouche sur le quartier musulman. Après son ouverture, plusieurs semaines d'émeutes ont vu s'affronter population musulmane et soldats israéliens.

Doc. **18** Depuis 2008, une dangereuse passerelle menace la Vieille-Ville.

C'est une passerelle en bois, rudimentaire, qui pourrait bien embraser Jérusalem, la Cisjordanie et une partie du Proche-Orient. Elle relie l'esplanade du mur des Lamentations, lieu le plus sacré du judaïsme, à celle des Mosquées, troisième lieu saint de l'islam [...].
Le verdict de l'architecte israélien Shlomo Eshkol, ingénieur en chef de la municipalité, est sans appel : le *Mughrabi Bridge* est un « danger public », notamment pour les milliers de touristes qui l'empruntent chaque jour pour aller admirer la mosquée Al-Aqsa sur le Mont du Temple, selon l'appellation des juifs (Haram Al-Charif, pour les musulmans). Il doit donc être remplacé sans tarder par une structure permanente solide, avec des matériaux non inflammables. Mais un danger peut en cacher un autre : le Waqf, l'Office des biens musulmans qui gère l'esplanade des Mosquées, refuse tous travaux entrepris par les Israéliens, s'estimant parfaitement capable de les mener à bien. [...]
La destruction programmée de la passerelle est un sujet susceptible d'enflammer la « rue arabe », comme on le voit à Amman, et plus encore au Caire, où les Frères musulmans en ont fait un cheval de bataille pour dénoncer la « judaïsation de Jérusalem ». Il ne faudrait donc qu'une étincelle pour que, comme ce fut le cas en 2007, des chefs islamistes appellent les musulmans à aller « défendre Al-Aqsa » que les juifs – accusation récurrente – veulent détruire, pour y construire le « Troisième Temple »...
Et tout cela à cause d'un orage ! C'est pendant l'hiver 2004 que les éléments – pluies torrentielles, neige et un léger tremblement de terre – ont eu raison de l'ancienne rampe. Il a donc fallu construire une passerelle provisoire, aujourd'hui empruntée par les non-musulmans qui veulent se rendre sur l'esplanade des Mosquées et, en cas de troubles, par les forces de police israéliennes.
Le Premier ministre israélien, Benyamin Nétanyahou, est pris entre deux feux : d'un côté le risque d'une flambée de violence, à Jérusalem et au-delà ; de l'autre la détermination de la droite religieuse israélienne et du puissant mouvement des colons, qui l'enjoignent à ne pas céder. Il a donc choisi de temporiser : lundi 28 novembre, il a ordonné à la municipalité de Jérusalem de reporter les travaux de démolition d'une semaine.

Laurent Zecchini, « À Jérusalem, la passerelle intouchable », *Le Monde*, 2 décembre 2011.

Doc. **19** Le tunnel de Siloé, une fouille archéologique en zone palestinienne qui débouche dans le quartier juif.

Creusé vers 701 av. J.-C. lors du siège de Jérusalem par les Assyriens, ce tunnel permettait d'acheminer l'eau d'une source dans l'enceinte de la ville. Il est fait mention de ce lieu dans l'Ancien Testament (2e Livre des Rois, XX, 20) et dans un prisme d'argile retrouvé à Ninive (VIIe s. av. J.-C.) conservé au British Museum.

POUR COMPRENDRE

1. Étudier les documents

Doc. 14 Pourquoi la présence d'un officiel israélien sur l'esplanade des Mosquées a-t-elle pu choquer les Palestiniens ? Comment le montre cette photographie ?

Doc. 16 et 19 Quelle place prend la gestion de l'eau dans les tensions entre communautés ? Quel rôle y joue l'archéologie ?

Doc. 17 et 18 Quel problème pose le tunnel des Hasmonéens ? et la passerelle des Maghrébins ? Qui est responsable de la gestion de cette partie de la ville ?

2. Analyse de deux documents

BAC À l'aide des documents 14 et 18, vous montrerez comment la gestion de la ville est un prétexte à des affrontements politiques.

3. Aide à la composition

BAC À l'aide de vos connaissances, vous rédigerez un plan détaillé qui réponde au sujet : « Jérusalem, un patrimoine sous tensions ».

Le centre historique de Paris

Paris
FRANCE

L'urbanisme parisien s'exprime dans un espace qui n'a que peu été touché par les guerres depuis le VIᵉ siècle. Chaque époque a laissé sa trace par des monuments, des places, des perspectives. Le statut de capitale politique et intellectuelle du royaume d'abord, de la nation par la suite, se traduit dans l'urbanisme comme dans l'architecture. Une telle densité patrimoniale fait de Paris la première destination mondiale du tourisme culturel, mais soulève le risque que la « Ville lumière » ne se transforme en un grand musée.

➔ *Quelles traces l'Histoire laisse-t-elle dans le paysage parisien ?*

A. L'héritage antique et monarchique

Doc. 1

Les grands axes de Paris : la Seine et la « Voie royale » allant du Louvre à La Défense, en passant par la place de la Concorde et l'avenue des Champs-Élysées.

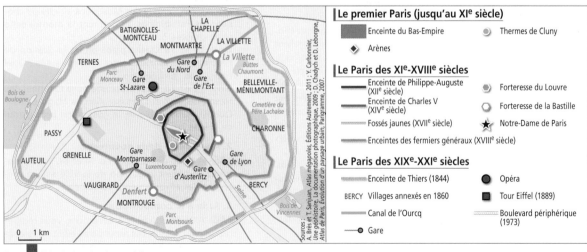

Sources :
A. Brès et T. Sanjuan, *Atlas mégapoles*, Éditions Autrement, 2011 ; Y. Carbonnier, *Une géohistoire*, La documentation photographique, 2009 ; D. Chadych et D. Leborgne, *Atlas de Paris, Évolution d'un paysage urbain*, Parigramme, 2007.

Le premier Paris (jusqu'au XIᵉ siècle)

▨ Enceinte du Bas-Empire ◉ Thermes de Cluny

◆ Arènes

Le Paris des XIᵉ-XVIIIᵉ siècles

━ Enceinte de Philippe-Auguste (XIIᵉ siècle) ◉ Forteresse du Louvre

━ Enceinte de Charles V (XIVᵉ siècle) ○ Forteresse de la Bastille

─ Fossés jaunes (XVIIᵉ siècle) ★ Notre-Dame de Paris

─ Enceintes des fermiers généraux (XVIIIᵉ siècle)

Le Paris des XIXᵉ-XXIᵉ siècles

━ Enceinte de Thiers (1844) ● Opéra

BERCY Villages annexés en 1860 ■ Tour Eiffel (1889)

── Canal de l'Ourcq ⋯ Boulevard périphérique (1973)

──● Gare

Doc. 2 L'évolution du site parisien.

Doc. 3 Où se trouve le premier site de Paris ?

Lutèce selon l'empereur Julien.

Julien, dit l'Apostat, est proclamé empereur à Lutèce en 360.

J'étais alors en quartier d'hiver auprès de ma chère Lutèce : les Celtes appellent ainsi la petite ville des Parisii. C'est un îlot jeté sur le fleuve qui l'enveloppe de toute part : des ponts de bois y conduisent de deux côtés.

Julien, *Misopogon*, 363.

Les résultats des fouilles archéologiques.

L'actuelle commune de Nanterre (Hauts-de-Seine) fut-elle la « capitale » des Parisii, ancêtres celtes des Franciliens, et non Lutèce, comme le veut la tradition historique ? L'hypothèse est soulevée depuis la découverte fin 2003 d'un vaste quartier d'habitat gaulois datant du IIe siècle avant notre ère et situé au nord-ouest de la ville, à proximité de la Seine. [...] Lutèce, sur l'île de la Cité, n'occupe que 8 hectares, dans un environnement marécageux, alors que le site de Nanterre dépasse les 15 hectares. D'autre part, la position topographique de ce site est remarquable. Nanterre, dans une large boucle de la Seine formant à l'époque une presqu'île, était facilement défendable. En cas de siège, ce territoire permettait aux populations de vivre en autarcie.

Jean-Pierre Dubois, « La découverte d'une cité gauloise à Nanterre remet en cause la localisation de Lutèce sur l'île de la Cité », *Le Monde*, 27 février 2004.

Doc. 5 Voltaire décrit le Paris du XVIIIᵉ siècle.

Nous possédons dans Paris de quoi acheter des royaumes ; nous voyons tous les jours ce qui manque à notre ville, et nous nous contentons de murmurer. On passe devant le Louvre, et on gémit de voir cette façade, monument de la grandeur de Louis XIV, du zèle de Colbert et du génie de Perrault, cachée par des bâtiments de Goths et de Vandales. [...] Nous rougissons, avec raison, de voir les marchés publics établis dans des ruelles étroites, étaler la malpropreté, répandre l'infection et causer des désordres continuels. Nous n'avons que deux fontaines dans le grand goût, et il s'en faut qu'elles soient avantageusement placées ; toutes les autres sont dignes d'un village. Des quartiers immenses demandent des places publiques ; et tandis que l'arc de triomphe de la porte Saint-Denis et la statue équestre de Henri le Grand, ces deux ponts, ces deux quais superbes, ce Louvre, ces Tuileries, ces Champs-Élysées, égalent ou surpassent les beautés de l'ancienne Rome, le centre de la ville, obscur, resserré, hideux, représente le temps de la plus honteuse barbarie. [...] Il faut des marchés publics, des fontaines qui donnent en effet de l'eau, des carrefours réguliers, des salles de spectacle ; il faut élargir les rues étroites et infectes, découvrir les monuments qu'on ne voit point, et en élever qu'on puisse voir.

Voltaire, *Des embellissements de Paris*, 1749.

Doc. 4 En 1984, les grands travaux du Louvre révèlent les fondations du château royal médiéval.

Doc. 6 La Bastille, forteresse et frontière. Huile sur toile, Jean-Pierre Houel, *La Prise de la Bastille, 14 juillet 1789*, Paris, musée Carnavalet.

La prise de la Bastille par une partie de la population de Paris le 14 juillet 1789, met fin à un symbole de l'absolutisme, construit autant pour protéger Paris que pour menacer les Parisiens en cas d'émeutes. La destruction de la forteresse en 1790 marque une frénésie révolutionnaire de destruction des symboles royaux dans toute la ville.

POUR COMPRENDRE

1. Étudier les documents

Doc. 1 et 2 Comment a évolué le site de Paris ? Pourquoi ?
Doc. 3 Comment les historiens travaillent-ils ? Les sources sont-elles toujours fiables ?
Doc. 4 et 6 Quelles traces la royauté laisse-t-elle à Paris ?
Doc. 5 Comment Voltaire décrit-il Paris ? Que regrette-t-il ? Pourquoi comparer Paris avec Rome ?

2. Analyse de deux documents

BAC À l'aide des documents 3 et 4 vous montrerez le rôle que joue l'archéologie dans l'étude et la préservation du patrimoine parisien.

B. Une ville révolutionnaire

La Révolution et l'Empire

◆ Prisons et forteresses
● Palais
■ Clubs
▢ Champ de Mars
▢ Place de la Concorde (guillotine)

Les révolutions de 1830 et 1848

✳ Grandes manifestations révolutionnaires
▬ Faubourg St-Antoine
▽ Palais du Luxembourg
▲ Palais-Bourbon (Chambre des Députés)

La Commune de Paris (1871)

PANTHÉON Principaux quartiers communards
⊗ Palais des Tuileries
†††† Cimetière du Père-Lachaise
★ Basilique du Sacré-Cœur de Montmartre

Doc. 7 Le Paris des révolutions (1789-1871).

Doc. 8 La Fête de la Fédération (1790) sur le Champ-de-Mars.
Estampe colorée, *L'Arrivée des fédérés sur le Champ-de-Mars*, 14 juillet 1790.

Doc. 9 **Pour contrôler la ville, un statut municipal affaibli.**

C'est de la Hanse des marchands de l'eau que naît la municipalité parisienne, avec à sa tête le prévôt des marchands entouré d'échevins. Active dès le XIIIᵉ siècle, elle s'installe en 1357 dans la Maison aux piliers, à l'emplacement de l'actuel Hôtel de Ville. Sa situation en bordure de la place de Grève, qui rassemble l'essentiel du commerce fluvial, semble souligner les liens […] de Paris et de la Seine […].

Le siège de la Ville n'a donc pas bougé depuis six siècles et demi, mais le statut municipal a bien évolué, passant de l'autonomie bourgeoise à la tutelle royale puis républicaine : en 1795, les sections redeviennent des quartiers, désormais regroupés par quatre au sein de douze arrondissements qui sont autant de municipalités, puisque la commune de Paris est supprimée. Cette répartition subsiste jusqu'à l'extension de 1860, avec une évolution notable à partir de 1800 : les douze maires perdent alors leur pouvoir, l'administration de la capitale étant placée entre les mains du préfet de la Seine, nommé par le gouvernement, situation maintenue presque sans interruption jusqu'en 1977, date à laquelle la fonction élective de maire de Paris est rétablie. Mais le statut de la capitale est original : le Conseil de Paris détient à la fois la compétence municipale (dont partie est déléguée aux mairies d'arrondissement) et les prérogatives départementales, le maire de Paris présidant à l'une et aux autres.

Youri Carbonnier, *Paris. Une géohistoire*, La Documentation photographique, mars-avril 2009.

Doc. 10 Un patrimoine symbolique : la révolution de 1848.

Félix Philippoteaux, Lamartine rejetant le drapeau rouge en 1848, 1848, Paris, musée du Petit-Palais.

En janvier et février 1848, une révolution menée par le poète Lamartine abat la monarchie de Louis-Philippe 1er et proclame la IIe République (1848-1951) devant l'hôtel de ville.

Biographie

Alexandre Lenoir (1761-1839)

Archéologue, conservateur, il évite la dispersion des biens royaux en les faisant regrouper à Paris. En 1793, malgré la frénésie révolutionnaire, il sauve une partie des tombeaux royaux de la nécropole royale de Saint-Denis. En ouvrant en 1795 le musée des Monuments français dans un ancien couvent, devenu depuis l'École des Beaux-Arts, il veut préserver et montrer les richesses de l'art et de l'architecture de la France. Il est considéré comme l'un des pères de la protection des Monuments historiques.

POUR COMPRENDRE

1. Étudier les documents

Doc. 7 et 8 Quels lieux témoignent du souvenir de la Révolution de 1789 ? Pourquoi ?

Doc. 9 et 10 Pourquoi proclamer la République devant l'hôtel de ville ? Que représente ce bâtiment dans l'histoire parisienne ?

Doc. 7 et 11 Quelle importance la Commune de 1871 revêt-elle pour le patrimoine de Paris ?

Doc. 9 Comment se manifeste la volonté de l'État de contrôler la ville de Paris ? Pourquoi ?

2. Analyse de deux documents

BAC À l'aide de la biographie de A. Lenoir et du document 11, vous expliquerez le poids des révolutions dans la gestion du patrimoine parisien.

Doc. 11 Les destructions de monuments, une constante des révolutions.

Jean-Louis-Ernest Meissonier, *Les Ruines du palais des Tuileries*, Paris, musée d'Orsay, 1871.

Palais royal – Louis XVI y réside après son retour de Versailles en 1791 – puis palais impérial, le palais des Tuileries est incendié lors de la Commune de Paris. Les Tuileries ne seront jamais reconstruites.

C. Ville mondiale, ville d'art et de culture

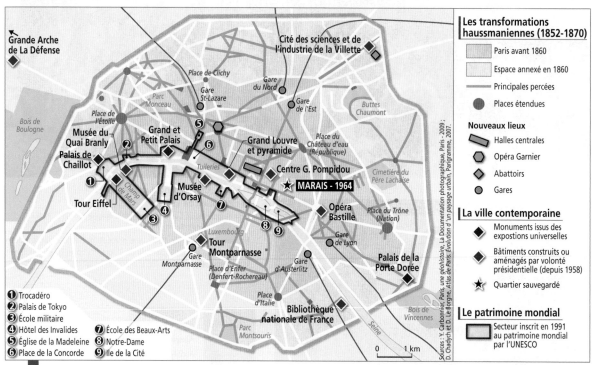

Doc. 12 Les transformations de Paris depuis Haussmann.

Doc. 13 Une ville attractive.

Durant le XIXe siècle, l'immigration qui fit grossir Paris fut d'origine provinciale. Le Limousin, la Bretagne, l'Auvergne contribuèrent à la formation de la population de Paris. On attribuait volontiers à ces provinciaux l'insécurité d'alors, comme plus tard avec les immigrés en provenance des pays pauvres. [...] Ces apports massifs de provinciaux ont modelé Paris et lui ont donné son visage contemporain. Ils furent au principe de communautés qui marquèrent certains quartiers. Les Bretons autour de la gare Montparnasse, les Auvergnats dans le faubourg Saint-Antoine, faisaient vivre les provinces françaises au cœur de la capitale, et il en reste des traces vivantes. En 1886, Paris était donc la plus grande ville de province : seuls 36 % des Parisiens y étaient nés, contre 56 % dans le reste du département de la Seine et en province, et 8 % à l'étranger. En 1999, les Parisiens de souche sont moins nombreux : 31 % seulement sont nés dans la capitale même et 14,5 % dans le reste de l'Ile-de-France. Un tiers, 32 %, est né en province. Mais surtout 23 % sont nés à l'étranger. [...] Au début du XIXe siècle la cohabitation entre Parisiens et Auvergnats ou Bretons n'allait pas de soi. [...] Le Journal des Débats parlait à leur propos « d'invasion des barbares ». Haussmann fait allusion à une « tourbe de nomades » et Thiers parle d'une « multitude de vagabonds ».

Michel Pinçon et Monique Pinçon-Charlot, *Sociologie de Paris*, Paris, La Découverte, 2005.

Doc. 14 Un patrimoine immatériel : le repas gastronomique.

En 2010, on compte 77 restaurants étoilés par le guide Michelin à Paris, signe d'une forte tradition culinaire.

Il s'agit d'un repas festif dont les convives pratiquent, pour cette occasion, l'art du « bien manger » et du « bien boire ». [Y] figurent : le choix attentif des mets parmi un corpus de recettes qui ne cesse de s'enrichir ; l'achat de bons produits, de préférence locaux, dont les saveurs s'accordent bien ensemble ; le mariage entre mets et vins ; la décoration de la table ; et une gestuelle spécifique pendant la dégustation (humer et goûter ce qui est servi à table). [...] Il commence par un apéritif et se termine par un digestif, avec entre les deux au moins quatre plats, à savoir une entrée, du poisson et/ou de la viande avec des légumes, du fromage et un dessert. Des personnes reconnues comme étant des gastronomes, qui possèdent une connaissance approfondie de la tradition et en préservent la mémoire, veillent à la pratique vivante des rites et contribuent ainsi à leur transmission orale et/ou écrite.

Unesco, « Le repas gastronomique des Français », *Liste représentative du patrimoine culturel immatériel de l'humanité*, Unescopresse, Paris, 2010.

Georges-Eugène Haussmann (1809-1891)

Préfet de la Seine pendant tout le Second Empire, il met en œuvre le vaste plan de modernisation voulu par Napoléon III. Élargissement et alignement de larges avenues, élévation d'immeubles de prestige ou de rapport le long de tous les axes nouveaux, création d'un vaste système d'égouts, d'adduction d'eau et de gaz, monuments majeurs comme l'opéra Garnier, gares, parcs et jardins publics, annexion de villages limitrophes : malgré le très important coût financier et humain des travaux, Haussmann a totalement modifié le paysage parisien.

Doc. 15 La tour Eiffel, au cœur de l'Exposition universelle de 1889.

Doc. 16 Les berges de la Seine et le cœur historique de Paris classés par l'Unesco en 1991.

Doc. 17 Orsay, une gare devenue un musée.

POUR COMPRENDRE

1. Étudier les documents

Doc. 13 D'où les Parisiens viennent-ils ? Comment les migrations ont-elles influencé les mutations du site ?

Doc. 12 et 14 Quel rôle l'État joue-t-il dans les transformations du site ?

Doc. 15 et 17 Comment Paris manifeste-t-elle son rôle culturel ? Avec quelles conséquences ?

Doc. 16 Que montre ce classement par l'Unesco quant à la place du fleuve dans le patrimoine parisien ?

2. Analyse de deux documents

BAC À l'aide des documents 15 et 16, vous expliquerez le rôle que joue l'influence culturelle dans la mise en valeur du patrimoine parisien.

3. Aide à la composition

BAC À l'aide de vos connaissances, vous rédigerez un plan détaillé qui réponde au sujet : « Le patrimoine historique parisien, entre mise en valeur et ville-musée ».

Conserver et mettre en valeur le patrimoine : le cas français

				1972 Convention de l'Unesco sur le patrimoine historique mondial
1852-1870 Aménagements d'Haussmann à Paris		1964 Inventaire général		

| 1790 Archives nationales | 1830 Inspection des Monuments historiques | 1887 Loi sur les monuments d'intérêt national | 1962 Sauvegarde du quartier du Marais à Paris | 2007 Convention de l'Unesco sur le patrimoine immatériel |

➔ *Comment la France protège-t-elle les traces de son Histoire ?*

A. Le patrimoine, une notion ancienne

• **Le patrimoine historique est constitué de ce qu'on hérite des générations passées.** Vouloir le préserver pour le transmettre est une idée ancienne, mais son application aux traces de l'Histoire (monuments, archives, œuvres d'art, enregistrements...) ou aux espaces naturels est plus récente.

• **Au XIXe siècle, « patrimoine » est synonyme de « grands monuments ».** Pendant la Révolution, la confiscation et les destructions de châteaux, églises, œuvres d'art, forteresses comme la Bastille, devenus « biens nationaux », poussent Alexandre Lenoir à créer le musée des Monuments français en 1795, pour conserver et exposer les grandes œuvres de l'art français. Les pillages des conquêtes napoléoniennes viennent grossir les collections des musées qui se constituent, comme au Louvre. Plus tard, Prosper Mérimée, à la tête de l'Inspection générale des Monuments historiques, et les restaurations de l'architecte Viollet-le-Duc permettent de préserver Carcassonne, Vézelay ou le Mont-Saint-Michel.

• **Au XXe siècle, la notion de patrimoine se mondialise.** Les menaces sur les temples de Nubie et leur sauvetage par l'Unesco permettent, sur pression américaine et française, de signer en 1972 une Convention internationale qui crée la notion de « **patrimoine mondial de l'humanité** ». S'est ajoutée en 2001 la notion de « **patrimoine immatériel** » (danses, art culinaire, chants traditionnels, pratiques musicales, etc.).

B. Le rôle de l'État dans la protection du patrimoine

• **Archives officielles, livres imprimés ou mis en ligne sont conservés.** Depuis 1790, les Archives nationales conservent les attributs royaux – sceaux et instruments du sacre – et les papiers des ministères, de la même manière que, depuis 1539, la bibliothèque royale, aujourd'hui nationale, reçoit des exemplaires de chaque livre qui paraît en France et, depuis 2006, une copie des œuvres publiées sur Internet.

• **L'État et les collectivités territoriales participent à la mise en valeur du patrimoine.** L'école des Chartes (1821), l'école du Louvre (1882) et l'école du Patrimoine (1990), en forment les professionnels. La construction de musées est en grande partie le fait de l'État et des collectivités territoriales. Le financement d'expositions ou la circulation des œuvres d'art sont facilitées par des lois sur le mécénat privé, qui donnent lieu depuis 1987 à des réductions d'impôts.

C. Conserver le patrimoine pour transmettre l'Histoire

• **Comment transmettre l'Histoire ? Comment répondre aux querelles de mémoire ?** Au XIXe siècle, l'Empire et les monarchies conservent le patrimoine pour légitimer l'ancienneté de leur pouvoir. La IIIe République, en mettant en avant les figures d'un « roman national », se définit comme le régime naturel du pays (**doc. 4**). Depuis les années 1970-1980, l'essor d'une Histoire jusque-là négligée (l'histoire ouvrière, coloniale, migratoire, l'esclavage, etc.) crée une « Histoire en miettes », comme l'écrit l'historien François Dosse.

• **Pour y répondre, faut-il tout conserver ?** En 1962, pour protéger le quartier du Marais à Paris, bâti au XVIIe siècle et peu remanié, le ministre de la Culture André Malraux fait voter une loi qui protège des secteurs urbains considérés comme majeurs au plan du patrimoine (**doc. 1**). Depuis, une partie de l'espace urbain ou rural autour d'un site classé monument historique est placé sous le contrôle des architectes des Bâtiments de France, dont la mission est de conserver le contexte dans lequel ce monument existe, au risque de transformer les villes en villes-musées. L'Unesco, depuis la Convention de 1972, adopte la même politique (**doc. 3**).

Citation

« *Conserver pour transmettre : on a là la définition exacte de tout patrimoine, qu'il soit familial, national ou international.* »

Nathalie Heinich, *La Fabrique du patrimoine. De la cathédrale à la petite cuillère*, Paris, Maison des Sciences de l'Homme, 2009.

Biographie

Prosper Mérimée (1803-1870)

Historien, archéologue et écrivain, Mérimée est nommé en 1834 Inspecteur général des Monuments historiques par le Premier ministre de Louis-Philippe 1er, F. Guizot. Par ses inspections à travers toute la France, on lui doit la sauvegarde de nombreux monuments du patrimoine, comme les basiliques du Puy-en-Velay et de Vézelay, le baptistère Saint-Jean de Poitiers, Notre-Dame de Paris ou la cité de Carcassonne.

Mots clés

Patrimoine : Ensemble des biens hérités du père, de la famille, et par extension des monuments et des richesses artistiques d'une nation ou d'une communauté.

Patrimoine mondial : Ensemble des sites, biens culturels ou naturels, considérés comme un héritage commun de l'humanité.

Patrimoine immatériel : Ensemble des éléments non monumentaux, véhicules de traditions culturelles, considérés comme un héritage commun de l'humanité.

@ http://www.tle.esl.histeleve.magnard.fr
Un reportage sur l'histoire du patrimoine mondial de l'Unesco.

Doc. 1 Deux siècles de protection du patrimoine en France.

1790 Création des Archives nationales qui centralisent et protègent les documents de l'État.

1830 Guizot crée l'Inspection générale des Monuments historiques.

1887 Loi sur la conservation des monuments et objets d'art ayant un intérêt historique et artistique national.

1941 Loi Carcopino sur le règlement des fouilles archéologiques terrestres.

1962 Loi Malraux sur les secteurs urbains sauvegardés : le quartier du Marais à Paris est sauvé de la destruction.

1964 Charte de Venise. Inventaire général des monuments et richesses artistiques de la France.

1972 Convention de l'Unesco sur la protection du patrimoine commun de l'humanité.

1980 Année du Patrimoine en France.

2001 Loi relative à l'archéologie préventive en cas de travaux publics ou privés liés à l'aménagement du territoire.

2001 Convention de l'Unesco sur la protection du patrimoine immatériel

2010 Le « **repas gastronomique français** » classé au patrimoine immatériel de l'Unesco.

Doc. 2 Le pont-canal de l'Orb, à Béziers.

Classés en 1996 au patrimoine mondial par l'Unesco, les 241 km du canal du Midi construit à la fin du XVIIe siècle par Pierre-Paul Riquet, sont à la fois un exploit de génie civil et un paysage façonné par l'homme.

1. Pourquoi avoir classé le canal du Midi ?

2. Que montre ce classement de l'évolution de la notion de patrimoine ?

Doc. 3

Comment moderniser un site : les quais de Bordeaux.

Classé en 2007 par l'Unesco, l'ensemble monumental du port de la Lune, des quais et du pont de pierre, édifiés au XVIIIe-début XIXe siècle, est aussi un des grands axes de circulation de la ville, traversé par un tramway depuis 2003. La construction d'un pont levant, à proximité du site classé, a menacé Bordeaux d'un retrait de ce label touristiquement attractif.

1. Quels sont les avantages d'un classement par l'Unesco ?

2. Quelles difficultés un tel classement peut-il poser ?

Doc. 4 L'évolution de la notion de patrimoine en France.

Le patrimoine était autrefois le choix de ce que le passé avait d'intemporel et de permanent, c'est aujourd'hui la totalité des traces du passé. [...] Il apparaît alors que cette mutation du rapport des contemporains au passé n'est pas la première et que chacune des précédentes explique la conception différente et très particulière que l'on a été conduit, en France du moins, à se faire du « patrimoine », c'est-à-dire, en réalité, de ce qu'une société entend conserver des traces de son passé pour affronter son avenir. Ces moments de mutations, de disjonctions du rapport au temps, s'individualisent fortement. On peut, schématiquement, en identifier trois. Un premier, qui correspond à la fracture brutale de la Révolution, exprime la nationalisation du passé. Un deuxième, à cheval sur la Restauration et la monarchie de Juillet, 1820-1840, pourrait s'offrir comme la représentation du passé comme passé. Le troisième, qui se met en place sous la IIIe République, constitue le passé en histoire et singulièrement en histoire nationale. Nous en vivons donc un quatrième, celui de l'avènement du passé comme mémoire.

Pierre Nora, « L'explosion du patrimoine »,
Présent, nation, mémoire, Paris, Gallimard, 2011.

1. Comment la notion de patrimoine a-t-elle évolué ?

2. Comment se manifeste « l'avènement du passé comme mémoire » ?

Face aux sources, quelle lecture l'historien peut-il faire du passé ?

>>> Deux historiens s'interrogent sur les limites de leur travail

Contrôle de sécurité dans la casbah d'Alger.

Par son éducation, sa culture, ses idées et les valeurs véhiculées par la société dans laquelle il vit, l'historien ne peut pas être totalement neutre face aux sources. Lorsqu'une partie des sources ne sont pas accessibles, ou qu'on demande aux historiens d'expliquer un moment difficile de l'Histoire, seule la rigueur dans l'analyse des sources peut permettre d'expliquer le passé.

L'historien ne peut énoncer une vérité définitive.

Ce n'est pas au juge ou au législateur de dire l'histoire. [...] Cette évolution m'avait déjà frappé au moment du procès Papon **(p. 63)**. Qu'un historien intervienne dans un procès au titre d'expert n'est pas nouveau. Il y avait une tradition remontant au moins à l'Affaire Dreyfus. Jusqu'ici l'historien était sollicité pour un point précis relevant de sa compétence scientifique, par exemple pour attester l'authenticité d'une pièce à conviction versée au dossier. Avec le procès Papon, l'historien était appelé comme « témoin » : pour la première fois, on lui demandait de faire revivre la totalité d'une période face à un jury qui ne l'avait pas connue. Ainsi, en restituant les conditions de l'occupation, l'historien rétablirait tout l'univers dans lequel Papon avait agi. Son témoignage, en quelque sorte, était la preuve elle-même : c'est en fonction de son récit qu'il fallait, au moins en partie, juger le prévenu coupable ou non coupable. [...] Or l'historien n'a pas à formuler de jugement, ce qui serait rigoureusement contraire à sa démarche propre, comme il n'a pas à se laisser dicter l'histoire par la loi. [...]

Ce qu'il faut combattre, c'est surtout l'habitude envahissante des politiques de dire l'histoire ou plutôt de la qualifier, ce qui aboutit pour les historiens à l'impossibilité de la faire. Avec, bien entendu, les meilleures intentions du monde, comme ce fut le cas pour la loi Gayssot. Il faut certainement distinguer les plans : avec la montée en puissance des médias, on peut admettre qu'il y a une vérité médiatique qui a ses exigences et sa logique. [...] Avec les traumatismes et les blessures de l'histoire récente, il y a une vérité judiciaire, fondée sur les lois, sur l'exigence de justice et l'idée de réparation. De la vérité historique, qui n'a rien d'infaillible et demeure toujours évolutive, ce sont les historiens qui sont les seuls garants.

Pierre Nora, « La fièvre médiatique des commémorations », *Historien public*, Paris, Gallimard, 2011.

Pierre Nora (né en 1931) est un historien et éditeur français. Par son travail d'éditeur et la direction des *Lieux de mémoire* (1984-1992), il pousse à s'interroger sur les relations entre l'histoire et la mémoire de la société française.

Contexte

Tel monument mérite-t-il d'être conservé ? Tel document est-il authentique ? Telle accusation est-elle fondée ? La société demande à l'historien de dire ce qu'est la vérité du passé, alors que son métier consiste à remettre en cause les sources, à les vérifier, les comparer, les vérifier. Or, si l'époque est lointaine, les sources sont peu nombreuses et sujettes à caution. Si l'époque est récente, elles sont très nombreuses et difficiles à synthétiser. L'historien ne peut affirmer qu'une vérité : celle que lui donnent les sources, qui sont toujours incomplètes.

L'historien ne peut énoncer une vérité définitive.

1. Qu'a changé le procès Papon pour les historiens ? En quoi est-ce un problème, selon P. Nora ?

2. Comment qualifie-t-il la vérité historique ? Pourquoi ?

3. Pourquoi P. Nora combat-il les lois qui veulent « dire l'histoire » ?

4. Que pourrait répondre le législateur pour justifier l'existence de telles lois ?

L'historien dépend des sources qu'il étudie.

L'histoire est une cité que l'on visite pour le seul plaisir de voir les affaires humaines dans leur diversité et leur naturel, sans y chercher quelque autre intérêt ou quelque beauté. Plus exactement, on visite, de cette cité, ce qui est encore visible ; l'histoire est connaissance mutilée. Un historien ne dit pas ce qu'a été l'Empire romain ou la Résistance française en 1944, mais ce qu'il est encore possible d'en savoir. Il va assurément de soi qu'on ne peut pas écrire l'histoire d'événements dont il ne reste aucune trace, mais il est curieux que cela aille de soi : ne prétend-on pas […] que l'histoire est ou doit être reconstitution intégrale du passé ? N'intitule-t-on pas des livres « Histoire de Rome » ou « La Résistance en France » ? L'illusion de reconstitution intégrale vient de ce que les documents, qui nous fournissent les réponses, nous dictent aussi les questions : par là, non seulement ils nous laissent ignorer beaucoup de choses, mais encore ils nous laissent ignorer ce que nous ignorons. Car c'est presque un effort contre nature que d'aller imaginer que puisse exister une chose dont rien ne nous dit qu'elle existe ; avant l'invention du microscope, personne n'avait eu l'idée toute simple qu'il pût exister des animaux plus petits que ceux que nos yeux arrivent encore à distinguer ; avant la lunette de Galilée, personne n'avait tenu compte de l'existence possible d'étoiles invisibles à l'œil nu.

La connaissance historique est taillée sur le patron de documents mutilés. […] L'histoire ne comporte pas de seuil de connaissance ni de minimum d'intelligibilité et rien de ce qui a été, du moment que cela a été, n'est irrecevable pour elle. L'histoire n'est donc pas une science : elle n'en a pas moins sa rigueur, mais cette rigueur se place à l'étage de la critique. […] Oui, l'histoire n'est que réponse à nos interrogations, parce qu'on ne peut matériellement pas poser toutes les questions […] ; oui, l'histoire est subjective, car on ne peut nier que le choix d'un sujet de livre d'histoire est libre.

Paul Veyne, *Comment on écrit l'histoire*, Paris, Le Seuil, 1971.

Un graffiti politique à Pompéi (Ier siècle).

Pour comprendre une époque ou l'histoire d'un lieu, l'historien utilise toutes les sources possibles. Le problème vient des sources elles-mêmes : pourquoi celles-ci ont-elles survécu et pas d'autres ? Comprendre l'histoire à travers ces seuls témoignages, n'est-ce pas se faire une idée fausse du passé ?

Paul Veyne (né en 1930) est un historien et archéologue français. Professeur d'histoire romaine au Collège de France, il s'interroge sans cesse sur la manière d'interpréter les sources, notamment dans *L'Empire gréco-romain*, 2005.

L'historien dépend des sources qu'il étudie.

1. Sur quoi l'historien s'appuie-t-il pour comprendre le passé ?

2. Pourquoi l'historien ne peut-il pas tout savoir ?

3. Quelle difficulté personnelle l'historien peut-il rencontrer face aux sources ? Pourquoi ?

4. Pourquoi la critique des sources est-elle un des fondements de l'étude de l'histoire ?

Bilan

En vous aidant de vos connaissances et de ces documents, répondez en un paragraphe à la question suivante : « Quelles difficultés l'historien rencontre-t-il pour répondre à la demande sociale de dire ce qui a été ? »

Une lecture historique du patrimoine

L'essentiel

➜ *Quel regard l'historien peut-il porter sur le patrimoine historique ?*

1. Les traces d'un passé à préserver et mettre en valeur.

- L'Empire romain, l'action des papes et la présence des institutions politiques de la République font du centre historique de Rome un mille-feuille archéologique et artistique.
- La Vieille-Ville de Jérusalem est habitée depuis plus de 3000 ans. Chaque fouille archéologique révèle cette longue histoire.
- Paris est le centre de l'État depuis que Clovis en a fait sa capitale. Chaque époque y a laissé des traces en grande partie visibles.

2. Un patrimoine qui peut être utilisé politiquement ou religieusement.

- Entre 1922 et 1943, le régime fasciste proclame sa filiation avec l'Empire romain et utilise les sites archéologiques pour sa propagande.
- Jérusalem est divisée en communautés religieuses et entièrement contrôlée par l'État d'Israël depuis 1967. Chaque mouvement archéologique peut être considéré comme un acte politique.
- Bâtiments, voies, espaces publics parisiens sont le lieu de grands travaux qui permettent aux régimes de laisser une place dans l'Histoire, et aux révolutions d'y trouver des symboles à détruire.

3. Un patrimoine dont la conservation pose parfois problème.

- À Rome, chaque parcelle de terrain a été utilisée. La conservation des ruines archéologiques ou des bâtiments anciens empêche la modernisation du centre historique.
- Jérusalem est une des villes les plus denses du Moyen-Orient. Chaque communauté préserve avec jalousie ses droits sur tel ou tel monument.
- Ville parmi les plus visitées du monde, Paris entretient son patrimoine historique. Sa protection empêche parfois la modernisation ou la mise aux normes des bâtiments, au nom de la préservation du patrimoine.

Mots clés

- Patrimoine
- Patrimoine mondial
- Patrimoine immatériel

Personnages

G. E. Haussmann
(1809-1891)
❱ Bio p. 35

A. Lenoir
(1761-1839)
❱ Bio p. 33

P. Mérimée
(1803-1870)
❱ Bio p. 36

Synthèse

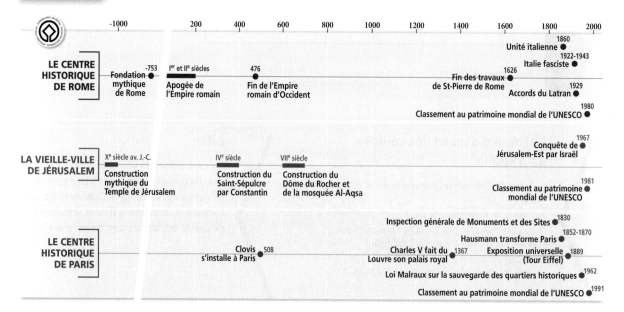

BAC Composition

Introduction	Explication des termes du sujet et du contexte, annonce de la problématique et du plan.	**Méthode**
Développement	Argumentation organisée en paragraphes (un paragraphe = une idée + un exemple développé).	**> p. 10**
Conclusion	Réponse à la problématique et ouverture (une ou deux idées qui montrent l'intérêt du sujet traité).	

Sujet 1

Conseils

Introduction : vous devez ici donner le sens du sujet ; tout est dans le « et », dans le lien entre la gestion d'une ville et la conservation ou non de son patrimoine.

Développement : un plan chronologique semble ici plus facile à établir. Veillez à varier les exemples de sites ou de monuments.

Conclusion : répondez à la problématique et montrez que les difficultés romaines se posent dans toutes les villes qui possèdent un patrimoine ancien.

Lecture du sujet

L'Urbs antique, papale et contemporaine.

C'est-à-dire qui servent de modèles ou participent à la construction d'une culture au-delà de l'Italie.

Rome, une ville et un patrimoine universels.

Il s'agit ici de prendre des exemples précis hérités de diverses époques.

Mots clés

- Patrimoine
- Patrimoine mondial
- Patrimoine immatériel

Chronologie

753 av. J.-C. Fondation mythique de Rome
Ier-IIe siècles Apogée de l'Empire romain
476 Fin de l'Empire romain d'Occident
1626 Fin des travaux de Saint-Pierre de Rome
1860 Unité italienne
1922-1943 Italie fasciste
1929 Accords du Latran
1980 Classement au patrimoine mondial de l'Unesco

Sujet 2

Conseils

Introduction : insistez sur les fondements religieux qui en font une ville « trois fois sainte ».

Développement : un plan chronologique est ici le plus efficace. Veillez à ne surtout jamais laisser transpirer vos opinions dans une copie d'histoire.

Conclusion : répondez clairement à la problématique ; il ne s'agit pas de simplement reprendre les intitulés de vos parties dans le développement.

Lecture du sujet

Il s'agit ici de la Vieille-Ville.

On demande ici des cas concrets de concurrences ou de conflits à l'intérieur d'un groupe ou entre groupes.

Jérusalem, une ville sacrée au cœur de conflits.

Lieu saint pour trois religions : Mur des Lamentations, Saint-Sépulcre, esplanade des Mosquées.

Mots clés

- Patrimoine
- Patrimoine mondial
- Patrimoine immatériel

Chronologie

Xe siècle av. J.-C. Construction mythique du Temple de Jérusalem
IVe siècle Construction du Saint-Sépulcre par Constantin
VIIe siècle Construction du dôme du Rocher et de la mosquée Al-Aqsa
1967 Conquête de Jérusalem-Est par Israël
1981 Classement au patrimoine mondial de l'Unesco

BAC Étude critique d'un document

		Méthode
Introduction	Explication du sujet et du contexte, annonce de la problématique.	**> p. 11**
Développement	Argumentation organisée en paragraphes qui structurent la réponse à la consigne.	
Conclusion	Réponse à la problématique et ouverture (une ou deux idées qui montrent l'intérêt du sujet traité).	

Sujet Le tourisme à Paris lors de l'Exposition universelle de 1900.

Consigne : Présentez le document dans son contexte. Montrez les capacités d'accueil de la ville de Paris et repérez quels moyens modernes de transport sont mis en avant. Expliquez comment s'exprime, par cette affiche et à cette occasion, la puissance touristique parisienne en 1900.

Affiche de René Péan, 1900.

Répondre à la consigne

Conseil

Problématisez la consigne en introduction et répondez-y en conclusion.

En introduction, vous devez notamment...
- Présenter le document dans son contexte, expliquez les notions de patrimoine et de puissance.
- Proposer une problématique claire.

Développement : une explication structurée en paragraphes
- Notez comment la puissance s'exprime : les lauriers de la victoire, les armoiries de Paris, la variété des moyens de transports que propose l'affiche.
- Repérez quels éléments décrivent les capacités touristiques de la ville.
- Repérez les moyens de transport : sont-ils récents ? où sont-ils situés dans la ville ?
- Combien de classes sont indiquées pour le séjour ? À quels publics cette affiche s'adresse-t-elle ?

En conclusion, il faut par exemple...
- Répondre à la problématique posée en introduction.
- Montrer l'intérêt du document par rapport à la notion de patrimoine parisien, en insistant sur ce qu'il ne montre pas, comme la tour Eiffel (1889).

Introduction	Explication du sujet et du contexte, annonce de la problématique.
Développement	Argumentation organisée en paragraphes qui structurent la réponse à la consigne.
Conclusion	Réponse à la problématique et ouverture (une ou deux idées qui montrent l'intérêt du sujet traité).

Méthode
> p. 11

Sujet Pourquoi protéger le patrimoine ?

Consigne : Présentez le document dans son contexte. Expliquez les arguments développés pour regretter la disparition de ces deux bâtiments du patrimoine breton et catalan, français et espagnol. Montrez la place que prend, selon l'article, le patrimoine dans l'histoire, et discutez l'opinion de l'auteur.

Deux faits divers récents (pour autant qu'on puisse les qualifier ainsi) sont venus rappeler que les monuments prétendus historiques méritent moins de respect et plus d'affection. Le Liceu de Barcelone [*Grand théâtre du Lycée*], le Parlement de Bretagne ont disparu à quelques jours de distance dans les flammes. Pourquoi faudrait-il s'en soucier ? Le Liceu était un opéra comme des dizaines d'autres et, construits avant le vent d'inspiration qui a saisi les architectes catalans au tournant du siècle, ses bâtiments n'avaient rien d'exceptionnel. Le Parlement de Rennes […] était l'étoile touristique d'une ville où les touristes ne vont guère.

Dans l'un et l'autre cas, le hasard a fait qu'il n'y a aucune victime humaine à déplorer. Dans l'un et l'autre cas, ces désastres auront été un vrai crève-cœur pour des gens qui ne vont pas à l'opéra et qui n'auront jamais pensé à regarder le Parlement qu'au hasard d'un jour d'été, en éternuant au soleil. Peu importe que les vieilles pierres soient estampillées Unesco […], peu importe qu'elles soient laides, percluses d'âge et de crasse. À leur manière, elles donnent l'heure : l'heure qui passe, celle qui vient et qui s'en va. La seule qui devrait importer. Leur vieillerie prouvée est promesse d'un présent possible, à défaut d'avenir. […]

Cependant la plupart des gens ne vivent ni dans les centres historiques ni dans les villes nouvelles. À ceux-ci, les villes nouvelles n'ont pas grand-chose à dire. Les vieilles pierres, en revanche, leur donnent discrètement une leçon de relativisme – la toute première étant que la vie de chacun s'inscrit dans une histoire qui le dépasse, en avant et en arrière, et qu'il doit connaître s'il ne veut pas se laisser mener par le bout du nez. Pour reprendre l'exemple du Parlement de Rennes, n'importe qui s'étant un peu intéressé à son histoire aurait pu éclater de rire en le voyant présenté, avec les larmes d'usage, comme un symbole de la Bretagne alors qu'il est en réalité un monument à l'absolutisme monarchique parisien. Ces détails de mémoire, les pierres les gardent mieux que les journalistes, même à leur corps défendant.

Dans le carnage absolu de l'ex-Yougoslavie, il semble absurde de se préoccuper des vieilles pierres, même celles de l'ancien pont de Mostar. Pourtant, les ravages esthétiques, dont on n'ose parler par pudeur, sont aussi cruels, aussi pernicieux à terme qu'un nouvel obus sur une nouvelle file d'attente. […] La beauté enfuie est perdue pour toujours. Nous vivons dans des pays riches et soucieux de leur mémoire : le Liceu et le Parlement seront reconstruits d'une manière à peu près plausible. Le luxe de ne pas vivre à Sarajevo, c'est aussi celui-là.

Gérard Dupuy, « Le sang des pierres »,
Libération, 9 février 1994.

Répondre à la consigne

Conseil

Attention au ton du document, qui énonce une opinion tout en rappelant les faits.

En introduction, vous devez notamment...
- Présenter le document et le contexte de chaque grand exemple du patrimoine.
- Proposer une problématique claire.

Développement : une explication structurée en paragraphes
- Reprenez les arguments un à un en prêtant attention au fait qu'ils ne sont pas organisés comme dans un texte scientifique, mais en désordre.
- Expliquez l'importance du label Unesco, son origine et ses effets.
- Reprenez et discutez ce que dit l'auteur sur le fait de sentir qu'un élément du patrimoine est important même si son histoire nous est inconnue.

En conclusion, il faut par exemple...
- Répondre à la problématique posée en introduction.
- Reprendre un élément qui montre l'intérêt du sujet, comme les différences de gestion du patrimoine selon les pays.

BAC Étude critique de deux documents

		Méthode
Introduction	Explication du sujet et du contexte, annonce de la problématique.	**> p. 11**
Développement	Argumentation organisée en paragraphes qui structurent la réponse à la consigne.	
Conclusion	Réponse à la problématique et ouverture (une ou deux idées qui montrent l'intérêt du sujet traité).	

Sujet Les moyens de protection du patrimoine mondial.

Consigne : Présentez les documents dans leur contexte en insistant sur l'importance culturelle des villes qu'ils mettent en avant. Après avoir rappelé ce qu'est le patrimoine, vous montrerez quels moyens de sauvegarde sont énoncés, et quelles difficultés sont rencontrées pour permettre cette préservation du patrimoine. Rappelez quelles autres conventions internationales, après les années 1960, mettent en avant la protection du patrimoine mondial, et leurs effets.

Doc. 1 La charte de Venise (1964).

Chargées d'un message spirituel du passé, les œuvres monumentales des peuples demeurent dans la vie présente le témoignage vivant de leurs traditions séculaires. L'humanité, qui prend chaque jour conscience de l'unité des valeurs humaines, les considère comme un patrimoine commun, et vis-à-vis des générations futures, se reconnaît solidairement responsable de leur sauvegarde. Elle se doit de les leur transmettre dans toute la richesse de leur authenticité.

Il est dès lors essentiel que les principes qui doivent présider à la conservation et à la restauration des monuments soient dégagés en commun et formulés sur un plan international, tout en laissant à chaque nation le soin d'en assurer l'application dans le cadre de sa propre culture et de ses traditions. [...] En conséquence, le IIᵉ congrès international des architectes et des techniciens des Monuments historiques, réuni à Venise du 25 au 31 mai 1964, a approuvé le texte suivant :

Définitions

Art. 1. La notion de monument historique comprend la création architecturale isolée aussi bien que le site urbain ou rural qui porte témoignage d'une civilisation particulière, d'une évolution significative ou d'un événement historique. Elle s'étend non seulement aux grandes créations mais aussi aux œuvres modestes qui ont acquis avec le temps une signification culturelle. [...]

Art. 3. La conservation et la restauration des monuments visent à sauvegarder tout autant l'œuvre d'art que le témoin d'histoire. [...]

Art. 7. Le monument est inséparable de l'histoire dont il est le témoin et du milieu où il se situe. En conséquence le déplacement de tout ou partie d'un monument ne peut être toléré que lorsque la sauvegarde du monument l'exige ou que des raisons d'un grand intérêt national ou international le justifient. [...]

Art. 14. Les sites monumentaux doivent faire l'objet de soins spéciaux afin de sauvegarder leur intégrité et d'assurer leur assainissement, leur aménagement et leur mise en valeur.

Charte internationale sur la conservation et la restauration des monuments et des sites, signée à Venise le 31 mai 1964.

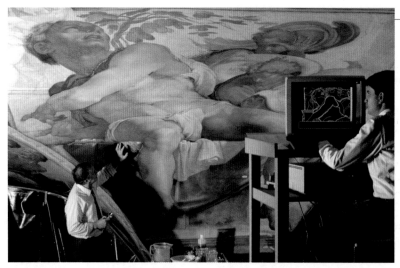

Doc. 2

La restauration du plafond de la chapelle Sixtine au Vatican (1989).

L'outil informatique est utilisé pour repérer les endroits les plus fragiles de la fresque de Michel-Ange, peinte entre 1508 et 1512. L'ordinateur vient épauler le travail des restaurateurs d'art, qui emploient les techniques d'origine.

1. Lire le sujet et mobiliser ses connaissances

Conseil

Relevez des passages du texte que vous citerez dans votre copie.

Quelle est l'importance du patrimoine de Venise ? et de Rome ?

• **À propos du doc. 1** : pourquoi avoir choisi Venise pour une réunion sur le patrimoine ? Que veulent montrer les organisateurs en la choisissant ?
• **À propos du doc. 2** : quelle est l'importance patrimoniale du Vatican ? À quelles difficultés se heurte la restauration d'une œuvre d'art comme le plafond de la chapelle Sixtine ?

D'où vient la notion de patrimoine ? et de patrimoine mondial ?

• Refaites l'histoire de la préservation du patrimoine. Quels éléments sont considérés comme devant être protégés à Jérusalem ? ou à Rome ? ou à Paris ?
• Refaites l'histoire de la notion de patrimoine mondial, de la sauvegarde des temples de Nubie jusqu'à la notion de patrimoine immatériel de l'humanité.

Comment le patrimoine est-il exploité ?

• Demandez-vous comment les différents régimes politiques, à Rome, Jérusalem ou Paris, ont géré et utilisé le patrimoine de ces villes.
• Demandez-vous comment sont aujourd'hui exploités et mis en valeur leurs patrimoines.

2. Confronter les documents à ses connaissances

Conseil

Quels sont les moyens de protection montrés par chaque document ?

Que propose la charte de Venise pour préserver le patrimoine ?

• Partez de la définition que donne la charte de la notion de patrimoine : qu'englobe-t-elle ?
• Expliquez l'expression « sauvegarder tout autant l'œuvre d'art que le témoin d'histoire ».

Quelles difficultés sont rencontrées ?

• Que dit la charte de Venise lorsqu'il s'agit de déplacer ou d'entretenir un élément du patrimoine ? Est-ce toujours possible ? Et si la ville est en tension démographique ou politique ?
• En partant du doc. 2, expliquez comment doit être entretenu un tel bien patrimonial.

Que modifie l'Unesco avec la notion de patrimoine historique mondial ? et de patrimoine immatériel ?

• En reprenant le doc. 1, expliquez qu'il prépare l'idée de patrimoine historique mondial.
• Expliquez ce que modifie la convention de 1972 sur le patrimoine historique mondial, ses avantages et ses inconvénients.
• Expliquez quelle évolution connaît, depuis 2001, la notion de patrimoine mondial, avec l'introduction de la notion de patrimoine immatériel.

3. Répondre à la consigne

Conseil

N'oubliez pas que les documents proposés ne répondent au sujet que d'une manière incomplète : servez-vous de vos cours et de vos connaissances.

En introduction, vous devez notamment...

• Présenter les documents dans leur contexte et définir ce qu'est le patrimoine.
• Énoncer une problématique claire.

Dans un développement structuré en paragraphes, il serait bon de...

• Suivre l'ordre de la consigne : les moyens de sauvegarde, les difficultés rencontrées et les limites d'une telle approche rigoureuse, l'invention de la notion de patrimoine mondial.
• Utiliser pour chaque argument un exemple issu du sujet d'étude que vous avez étudié.
• Mettre en avant des nuances liées au contexte dans lequel évolue le patrimoine : préserver ce patrimoine dans un pays en paix et appliquer les conventions internationales dans un pays riche est bien plus facile que dans un pays sous tension politique ou économique.

En conclusion, il faut par exemple...

• Répondre à la problématique.
• Montrer l'intérêt de la confrontation des documents par rapport à la notion de patrimoine mondial, et ouvrir sur les difficultés de protection des sites estampillés par l'Unesco.

chapitre 2

L'historien et les mémoires de la Seconde Guerre mondiale en France

La présence sélective des souvenirs du passé dans la société, ce que l'on appelle une mémoire, peut faciliter ou gêner l'interprétation d'une période par les historiens.

L'historien est confronté aux mémoires plurielles de la Seconde Guerre mondiale. L'État met d'abord en avant l'idée que tous les Français ont été résistants avant de reconnaître que les crimes de Vichy étaient aussi ceux de la France. Le souvenir des Juifs déportés a d'abord été assimilé à l'ensemble des déportés, puis la spécificité de la Shoah a fait émerger une mémoire juive de la déportation. Chaque groupe politique, social, culturel exprime une strate de l'histoire de la Seconde Guerre mondiale. Mais comprendre l'histoire d'une période, c'est aussi étudier la manière dont sa mémoire s'est diffusée. Il est alors de plus en plus demandé à l'historien d'intervenir dans le débat public.

→ *Quel rôle les historiens jouent-ils dans l'évolution des mémoires de la Seconde Guerre mondiale ?*

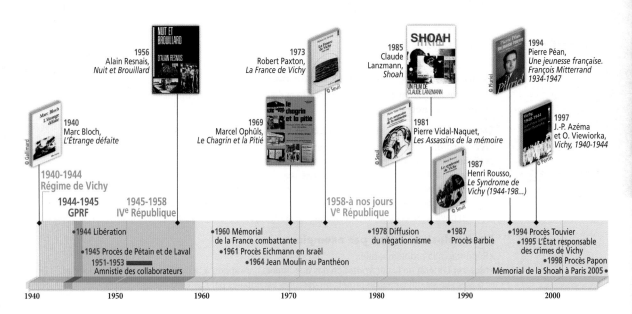

1940 Marc Bloch, *L'Étrange défaite*

1956 Alain Resnais, *Nuit et Brouillard*

1969 Marcel Ophüls, *Le Chagrin et la Pitié*

1973 Robert Paxton, *La France de Vichy*

1981 Pierre Vidal-Naquet, *Les Assassins de la mémoire*

1985 Claude Lanzmann, *Shoah*

1987 Henri Rousso, *Le Syndrome de Vichy (1944-198...)*

1994 Pierre Péan, *Une jeunesse française. François Mitterrand 1934-1947*

1997 J.-P. Azéma et O. Vieworka, *Vichy, 1940-1944*

1940-1944 Régime de Vichy

1944-1945 GPRF

1945-1958 IVe République

1958-à nos jours Ve République

• **1944** Libération
• **1945** Procès de Pétain et de Laval
1951-1953 Amnistie des collaborateurs

• **1960** Mémorial de la France combattante
• **1961** Procès Eichmann en Israël
• **1964** Jean Moulin au Panthéon

• **1978** Diffusion du négationnisme
• **1987** Procès Barbie

• **1994** Procès Touvier
• **1995** L'État responsable des crimes de Vichy
• **1998** Procès Papon
Mémorial de la Shoah à Paris 2005 •

1940 | 1950 | 1960 | 1970 | 1980 | 1990 | 2000

Un gendarme français au camp de Pithiviers (Loiret) en juillet 1942.

• La rafle du Vel d'Hiv (16-17 juillet 1942), à Paris, aboutit à l'arrestation et à la déportation de 12 884 Juifs, dont 4 051 enfants. Ils sont envoyés d'abord dans des camps de transit comme Pithiviers, Beaune-la-Rolande ou Drancy, avant d'être envoyés dans les camps d'extermination, principalement à Auschwitz. Utilisée dans le film documentaire d'Alain Resnais *Nuit et Brouillard* (1956), cette photographie est censurée par le gouvernement français. Elle interroge la responsabilité de la police française dans la déportation des Juifs de France.

La France entre 1939 et 1945

« *Paris ! Paris outragé ! Paris brisé ! Paris martyrisé ! mais Paris libéré ! Libéré par lui-même, libéré par son peuple avec le concours des armées de la France, avec l'appui et le concours de la France tout entière, de la France qui se bat, de la seule France, de la vraie France, de la France éternelle.* »

Charles de Gaulle, discours prononcé à l'hôtel de ville de Paris, le 25 août 1944.

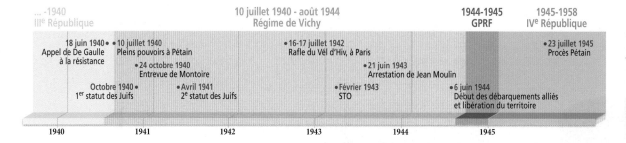

... -1940 — IIIe République | 10 juillet 1940 - août 1944 — Régime de Vichy | 1944-1945 — GPRF | 1945-1958 — IVe République

- 18 juin 1940 • Appel de De Gaulle à la résistance
- • 10 juillet 1940 Pleins pouvoirs à Pétain
- • 16-17 juillet 1942 Rafle du Vél d'Hiv, à Paris
- • 23 juillet 1945 Procès Pétain
- • 24 octobre 1940 Entrevue de Montoire
- • 21 juin 1943 Arrestation de Jean Moulin
- Octobre 1940 1er statut des Juifs
- • Avril 1941 2e statut des Juifs
- • Février 1943 STO
- • 6 juin 1944 Début des débarquements alliés et libération du territoire

1940 — 1941 — 1942 — 1943 — 1944 — 1945

1. La défaite de 1940 et l'exode

En mai et juin 1940, l'armée française est balayée par le *Blitzkrieg* ; 9 millions de Français fuient sur les routes l'avancée des Allemands, c'est presque 25 % de la population.

2. La France entre 1940 et 1945

Une France démembrée
- Zone occupée
- Zone rattachée au Reich
- Zone occupée le 11 nov. 1942
- Zone occupée par l'armée italienne le 11 nov. 1942
- ----- Ligne de démarcation

Une France occupée
- → Exode mai-juin 1940
- ⋰ Grand maquis

Une France libérée
- ⇨ Débarquement
- ★ Libération de Paris

3. L'appel du 18 juin 1940

Un général inconnu des Français, Charles de Gaulle, sous-secrétaire d'État à la Guerre parti négocier à Londres l'envoi de renforts, refuse la capitulation annoncée la veille par le nouveau président du Conseil, Philippe Pétain. Le général de Gaulle lance sur les ondes de la *BBC* un appel à la résistance, acte fondateur de la France libre.

A TOUS LES FRANÇAIS

La France a perdu une bataille ! Mais la France n'a pas perdu la guerre !

Des gouvernants de rencontre ont pu capituler, cédant à la panique, oubliant l'honneur, livrant le pays à la servitude. Cependant, rien n'est perdu !

Rien n'est perdu, parce que cette guerre est une guerre mondiale. Dans l'univers libre, des forces immenses n'ont pas encore donné. Un jour, ces forces écraseront l'ennemi. Il faut que la France, ce jour-là, soit présente à la victoire. Alors, elle retrouvera sa liberté et sa grandeur. Tel est mon but, mon seul but !

Voilà pourquoi je convie tous les Français, où qu'ils se trouvent, à s'unir à moi dans l'action, dans le sacrifice et dans l'espérance.

Notre patrie est en péril de mort. Luttons tous pour la sauver !

VIVE LA FRANCE !

C. de Gaulle

GÉNÉRAL DE GAULLE

QUARTIER GÉNÉRAL, 4, CARLTON GARDENS, LONDON, S.W.1.

4. Le régime de Vichy et la collaboration

Après avoir reçu les pleins pouvoirs du Parlement le 10 juillet 1940 – seuls 80 parlementaires s'y sont refusés –, Philippe Pétain met en place la Révolution nationale. Il rencontre Adolf Hitler à Montoire le 24 octobre : commence alors une politique active de collaboration entre l'Allemagne nazie et l'État français, qui s'installe à Vichy.

5. L'étoile jaune et la rafle du Vel d'Hiv

En octobre 1940 et en avril 1941 sont promulgués deux statuts des Juifs : exclusion de la fonction publique, perte de nationalité, interdiction de diriger des entreprises... Un Commissariat aux questions juives règle depuis Paris l'application des lois antisémites. En juin 1942 le port de l'étoile jaune est imposé à tous les Juifs en zone occupée. Les 16 et 17 juillet 1942, la rafle dite du Vélodrome d'Hiver (Paris), organisée par la police française sur ordre des Allemands, envoie en déportation 12 884 Juifs de Paris et de banlieue, *via* le camp d'internement de Drancy.

6. Unité de la résistance et libération du territoire (1944-1945)

Jean Moulin unifie en mai 1943 les mouvements résistants en un Comité National de la Résistance (CNR), sous l'autorité du général de Gaulle. Le groupe le plus important, les communistes des FTP, intègre le CNR sur ordre de Staline.

Le 6 juin 1944, une immense armada alliée débarque sur les côtes normandes, puis le 15 août en Provence. Du 19 au 25 août 1944, Paris est libéré par les Forces Françaises de l'Intérieur (FFI) de Rol-Tanguy et les Forces Françaises Libres (FFL) de Leclerc. Les FFI regroupent depuis 1943 l'ensemble des résistants, notamment les FTP communistes (Franc-Tireurs et Partisans). Les combats ne cessent en France qu'en mai 1945.

Les victimes de la Seconde Guerre mondiale en France.

> Population française totale en 1939 : 42 millions
> Morts militaires : 211 000
> Morts civils : 330 000 dont 75 721 Juifs déportés

1939-1945 Seconde Guerre mondiale | 1951-1953 Lois d'amnistie pour les collaborateurs

1944
Libération de la France
Abrogation des lois de Vichy

1945
Procès Pétain et Laval

1960
Inauguration du Mémorial
de la France combattante

1964
Transfert des cendres
de Jean Moulin au Panthéon

➜ *Comment se construit, dès la Libération, une mémoire officielle de la Seconde Guerre mondiale en France ?*

A. À la Libération s'élabore le mythe **résistancialiste**

• **Les « années noires » ont profondément divisé les Français.** Après la défaite militaire de juin 1940, le maréchal Pétain met en place le régime de Vichy, et collabore avec l'occupant nazi. Si la majorité des 42 millions de Français accueille avec soulagement l'armistice et le nouveau régime, ce soutien fait place à l'attentisme. 55 000 Français se sont engagés dans les forces de Vichy ou dans l'armée allemande. 202 851 Français ont reçu en 1945 une carte de Combattant volontaire de la Résistance, même si en 1944 près de 500 000 Français participent à la Libération.

• **Une amnésie officielle et collective s'installe.** Charles de Gaulle choisit de faire de Vichy une parenthèse dans l'histoire de France, pour montrer aux Alliés que l'ordre républicain et l'unité nationale sont restaurés. Dès 1944 commence l'**épuration**, qui vise ceux qui ont collaboré avec l'occupant. D'abord sauvage, elle provoque l'exécution de quelque 10 000 personnes par la foule, ou d'actes comme la tonte de femmes accusées de « collaboration horizontale ». Le Gouvernement provisoire de la République française (**GPRF**) met en place une épuration légale : sur 125 000 personnes poursuivies, 50 000 sont condamnées pour « intelligence avec l'ennemi ».

• **Le mythe d'une France unie dans le combat contre l'occupant est entretenu** par toutes les forces politiques, notamment les gaullistes et les communistes, qui font de cette période une lecture héroïque. Mais les crimes du régime de Vichy sont tus, en particulier la participation active de l'administration française à la déportation des Juifs de France.

B. L'éclatement des mémoires dans les années 1950

• **Les débuts de la Guerre froide conduisent les références à la Résistance à se politiser et divisent les mémoires de la guerre.** Face aux gaullistes, les communistes se présentent comme le « Parti des 75 000 fusillés ». Les historiens ont établi que 30 000 Français ont été exécutés par l'occupant ; or, tous n'étaient pas communistes. Le PCF profite du prestige de l'URSS pour faire oublier la signature du pacte germano-soviétique et son interdiction en France en 1939-1940.

• **Cette bipolarisation mémorielle laisse peu de place aux autres mémoires.** La mémoire juive ne trouve alors qu'une faible tribune, même si la presse se fait l'écho, en 1945, du retour des camps. Les déportés du STO sont assimilés aux prisonniers de guerre. Une contre-mémoire maréchaliste se structure en 1951, à la mort de Ph. Pétain, qui s'appuie sur la thèse du « glaive et du bouclier » : Pétain aurait protégé le territoire pour préparer l'action gaulliste.

C. La construction d'une **mémoire officielle** gaulliste

• **La mémoire gaulliste triomphe avec le retour de De Gaulle au pouvoir en 1958.** Déjà en 1951 et en 1953 des lois d'amnistie vident les prisons des derniers condamnés pour collaboration. L'exaltation d'une France unie dans le combat contre le nazisme s'inscrit dans la volonté de surmonter les difficultés de la guerre d'Algérie.

• **De grandes cérémonies nationales mettent en scène cette mémoire officielle.** En 1960, le Mémorial de la France combattante est inauguré, mais c'est dans la cérémonie de transfert des cendres de Jean Moulin au Panthéon en 1964 que cette politique mémorielle trouve son paroxysme **(p. 57)**. Diffusée en direct à la radio, écoutée dans de nombreux lycées, elle est l'occasion de célébrer en Jean Moulin, ce socialiste rallié à de Gaulle, l'unité de la France combattante. La même année est créé le concours national de la Résistance.

• **La culture populaire répercute ce mythe d'une France unie et résistante.** Si le film de René Clément *La Bataille du rail* (1946) glorifiait la résistance des cheminots, ce sont les Français moyens qui sont moqués ou valorisés dans *La Grande Vadrouille*, de Gérard Oury (1966).

Biographie

Jean Moulin (1899-1943)

Préfet en 1940, il refuse de se soumettre aux autorités allemandes, et gagne Londres en 1941. Chargé par de Gaulle d'unifier les différents mouvements de résistance, il forme le Conseil national de la Résistance en 1943. Arrêté par la Gestapo, il meurt des suites des tortures subies lors de son transfert en Allemagne, ordonnées par le SS Klaus Barbie. Ses cendres sont déposées au Panthéon en 1964.

Mots clés

Épuration : Mise à l'écart des collaborateurs du régime de Vichy et de l'Allemagne nazie en France. Organisée par les tribunaux, elle est légale. Spontanée et aux jugements expéditifs, elle est sauvage.

Mémoire : Présence sélective des souvenirs du passé dans une société donnée. Souvent plurielle et conflictuelle, la mémoire montre la manière dont l'histoire est vécue par une population.

Résistancialisme : Néologisme formé par l'historien Henry Rousso en 1987 pour qualifier l'idée portée par les gaullistes et les communistes, d'une France unanimement résistante.

@ http://www.tle.esl.histeleve.magnard.fr
Écouter le discours d'André Malraux lors du transfert des cendres de Jean Moulin au Panthéon.

Le général de Gaulle, chef d'une nation de résistants (1944).

Enfin, nous devons nous unir. Assurément, nous autres, Français, sommes divers à tous égards. Nous le sommes par nos idées, nos professions, nos régions. Nous le sommes par notre nature qui nous a fait essentiellement critiques et individualistes. Nous le sommes aussi, hélas ! en conséquence des malheurs que nous venons de traverser et qui nous ont blessés et opposés les uns aux autres.

Mais, à part une poignée de misérables et d'indignes, dont l'État fait et fera justice, l'immense majorité d'entre nous furent et sont des Français de bonne foi. Il est vrai que beaucoup ont pu se tromper à tel moment ou à tel autre, depuis qu'en 1914 commença cette guerre de trente ans. Je me demande même qui n'a jamais commis d'erreur ? Il est vrai que certains ont pu céder à l'illusion ou au découragement quand le désastre et le mensonge avaient submergé notre pays. Il est vrai que même parmi ceux qui s'opposèrent vaillamment à l'ennemi, il y a eu des degrés divers dans le mérite et la nation doit savoir reconnaître les meilleurs de ses enfants pour en faire ses guides et ses exemples. Mais quoi ? La France est formée de tous les Français. Elle a besoin, sous peine de périr, des cœurs, des esprits, des bras de tous ses fils et de toutes ses filles. Elle a besoin de leur union, non point celle que l'on proclame dans des programmes ou des discours pour la compromettre en même temps par querelles, outrages et surenchères, mais de leur union réelle, sincère, fraternelle.

Charles de Gaulle, discours prononcé à Paris le 14 octobre 1944, Paris, Plon, 1970.

1. Comment de Gaulle décrit-il le comportement des Français ? et des collaborateurs ?

Doc. **3** **Réquisitoire du procureur contre Pétain (1945).**

Le gouvernement de Pétain, né de la défaite et d'un abus de confiance, n'a pu se maintenir pendant quatre années qu'en acceptant l'aide de la force allemande, en mettant sa politique au service de la politique allemande, en collaborant dans tous les domaines avec Hitler. Cela, messieurs, c'est la trahison. On vous a dit que s'il n'en avait pas été ainsi, la situation des Français eût été pire. Je ne le crois pas. Je crois qu'elle a été meilleure en Belgique qu'elle ne l'a été en France. En France, 150 000 otages fusillés, 750 000 ouvriers mobilisés pour aller travailler en Allemagne ; notre flotte détruite ; la déportation, à l'ombre de la collaboration ; 110 000 réfugiés politiques, 120 000 déportés raciaux, sur lesquels il n'en est revenu que 1 500. Je me demande comment la situation des Français eût pu être pire.

Réquisitoire du procureur général Mornet lors du procès de Philippe Pétain, le 11 août 1945.

1. Pourquoi Pétain est-il accusé de tous les crimes de la collaboration ?
2. Pour quelles raisons ce réquisitoire cite-t-il de tels chiffres pour les fusillés et les déportés ?

Doc. **5** **Chronologie d'une Résistance plurielle.**

	1940-1941	1942	1943	Début 1944	1944-1945
Principaux mouvements de la Résistance intérieure	Combat	MUR[1] et Armée Secrète	Création du Conseil National de la Résistance (mai). Arrestation et assassinat de Jean Moulin, président du **CNR** (8 juillet).	Unification des mouvements dans les Forces Françaises de l'Intérieur (**FFI**).	Libération du territoire. Le Gouvernement provisoire regroupe tous les mouvements politiques sous l'autorité du général de Gaulle.
	Franc-Tireur				
	Libération-Sud				
	Libération-Nord				
	Francs-Tireurs et Partisans proches du PCF				
Résistance extérieure	Appel du 18 juin lancé par de Gaulle (Londres). Création des Forces Françaises Libres (**FFL**).		Création du Comité Français de Libération nationale par de Gaulle (Alger).	Les FFL deviennent Armée Française de Libération.	

1. Mouvements Unis de Résistance.

1. Quels mouvements politiques participent à la Résistance intérieure ?
2. Quels événements favorisent l'unité de la Résistance ?

Doc. **2** **Affiche du ministère des Prisonniers, Déportés et Réfugiés, 1945.**

1. Quelles catégories de prisonniers et de déportés sont représentées ?
2. Quels sont les objectifs d'une telle affiche en 1945 ?

Doc. **4** **Le Mont-Valérien, lieu de mémoire de la France combattante.**

Le 18 juin 1960, le président Charles de Gaulle préside la cérémonie de transfert des corps de 16 résistants choisis parmi tous les groupes de résistance, dans la crypte du Mémorial de la France combattante. Ce Mémorial est installé au fort du Mont-Valérien (Suresnes) où furent exécutés 1 007 résistants, dont les 23 communistes membres du groupe Manouchian (21 février 1944).

1. Pourquoi créer un Mémorial de la France combattante ?
2. Pourquoi y enterrer les dépouilles de résistants venus de tous les bords politiques ?

1973 *La France de Vichy,* de Robert Paxton   1987 Procès Barbie   1994 Procès Touvier   1998 Procès Papon

1978 Diffusion du négationnisme   1995 Reconnaissance de la responsabilité de l'État français dans la déportation des Juifs de France

→ *Comment les mémoires de la Seconde Guerre mondiale se manifestent-elles depuis les années 1970 ?*

A. Dans les années 1970, la remise en cause du mythe résistancialiste

• **Un film de 1969 et un livre de 1973 mettent à bas l'idée gaullienne d'une France unanimement résistante.** Le documentaire *Le Chagrin et la Pitié,* de Marcel Ophüls (1969) montre une France ambiguë : la vie à Clermont-Ferrand pendant l'Occupation y révèle des Français fortement pétainistes et plus tournés vers la survie quotidienne que vers une lutte résistante. « Le miroir se brise », selon l'historien Henry Rousso. *La France de Vichy,* de l'historien américain Robert Paxton (1973), montre les liens étroits entre les idées de la Révolution nationale de Vichy et la collaboration avec l'Allemagne nazie, très loin de l'idée répandue du glaive gaullien associé au bouclier pétainiste.

• **Parallèlement, la mémoire juive émerge et s'affirme.** Le procès d'Adolf Eichmann en Israël en 1961 libère la parole des survivants. Parler devient bientôt une exigence quand les **négationnistes** commencent à s'exprimer dans les médias. Ainsi en 1978, Darquier de Pellepoix, commissaire général aux questions juives du régime de Vichy, déclare : « *à Auschwitz* […] *on a gazé les poux* ». L'année suivante, Beate et Serge Klarsfeld créent l'association Fils et Filles des déportés juifs de France, association « militante de la mémoire ».

B. Dans les années 1980-1990, le temps des procès

• **Le réveil mémoriel provoque la traque des derniers criminels de guerre.** En 1979, le haut fonctionnaire Jean Leguay est le premier Français inculpé pour **crime contre l'humanité** pour sa participation à la rafle du Vel d'Hiv. En 1987, Klaus Barbie, chef de section de la Gestapo à Lyon et tortionnaire de Jean Moulin, est condamné à la réclusion criminelle à perpétuité. En 1998, l'ancien secrétaire général de la préfecture de Bordeaux, Maurice Papon, est condamné pour sa participation à la déportation des Juifs de Bordeaux.

• **La diffusion en 1985 du film *Shoah,* de Claude Lanzmann, provoque un choc.** Cette longue enquête, constituée de témoignages directs de rescapés et de bourreaux, décrit le fonctionnement précis de ce que l'historien américain **Raul Hilberg** appelle alors dans sa traduction française *La Destruction des Juifs d'Europe* (1985).

• **Les révélations sur le passé vichyste de François Mitterrand troublent l'opinion.** Fonctionnaire à Vichy, décoré par Pétain de la francisque, il était aussi, dès 1943, à la tête d'un mouvement de résistance. Les historiens qualifient ceux qui, après avoir soutenu le régime de Vichy, entrent dans la Résistance, de **vichysto-résistants**. Le scandale provoqué par le fleurissement de la tombe de Pétain entre 1984 et 1992 ajoute au malaise.

C. Depuis 1990, le temps du « devoir de mémoire »

• **Les années 1990 ont été les années de la reconstruction mémorielle.** La loi Gayssot (1990) sanctionne l'expression publique du négationnisme. En 1995, le président Jacques Chirac reconnaît la complicité de l'État français dans la déportation des Juifs de France, rompant ainsi avec la politique de négation de Vichy initiée par le général de Gaulle et poursuivie par ses successeurs. Dans son sillage, l'Église et la police font aussi acte de repentance.

• **Depuis, la mémoire de la Shoah est très présente dans la politique mémorielle de l'État,** tandis que l'État entreprend dès 1999 d'indemniser les familles juives spoliées et les enfants de déportés. En 2001 une Fondation pour la Mémoire de la Shoah est créée et, en 2005, le Mémorial de la Shoah est inauguré à Paris.

• **Les tensions liées à la mémoire de la guerre ne sont pas éteintes.** En 2007, une circulaire du président Nicolas Sarkozy demande que lecture soit faite aux lycéens, chaque année, de la dernière lettre du militant communiste Guy Môquet, fusillé en 1941. Le président Nicolas Sarkozy est accusé de vouloir instrumentaliser la mémoire du conflit.

---

*C*itation

« *La mémoire de la Seconde Guerre mondiale apparaît* […] *comme une mémoire fragmentée, conflictuelle et politisée.* »

Olivier Wieviorka, *La Mémoire désunie. Le souvenir politique des années sombres, de la Libération à nos jours*, Le Seuil, 2010.

Pour comprendre

Les sources de l'histoire de la Seconde Guerre mondiale.

En grande partie accessibles aux chercheurs aujourd'hui, les sources sont innombrables, et internationales. Les archives publiques détiennent les papiers de l'administration de Vichy comme celles des institutions françaises qui collaboraient avec les Allemands en zone Nord. Les documents radiophoniques et audiovisuels sont une mine pour les chercheurs, tout comme les mémoires, récits et témoignages publiés en abondance depuis 1945. Seules les archives judiciaires – les dossiers de l'épuration, des amnistiés et des procès des années 1980 et 1990 – restent difficiles d'accès sans dérogation.

Mots clés

Crime contre l'humanité : Depuis 1964 en France, ces crimes planifiés et réalisés contre des populations civiles, sont imprescriptibles.

Justes parmi les nations : Titre décerné par le mémorial Yad Vashem, au nom de l'État d'Israël, en l'honneur de ceux qui ont risqué leur vie pour sauver des Juifs de la Shoah.

Négationnisme : Position niant l'existence du génocide des Juifs pendant la Seconde Guerre mondiale. Depuis la loi Gayssot (1990), exprimer une telle opinion est un délit.

Vichysto-résistant : Néologisme inventé par l'historien D. Peschanski pour qualifier ceux qui, attachés aux idées de la Révolution nationale (Vichy), participent à la Résistance.

*Après avoir reconnu en 1995 la responsabilité de l'État dans la déportation des Juifs de France (**voir p. 61**), le président Jacques Chirac fait apposer une plaque dans la crypte du Panthéon le 18 janvier 2007. Les Français déclarés **Justes parmi les nations** prennent place au côté des grands hommes du pays.*

HOMMAGE DE LA NATION AUX JUSTES DE FRANCE

SOUS LA CHAPE DE HAINE ET DE NUIT TOMBÉE SUR LA FRANCE DANS LES ANNÉES D'OCCUPATION, DES LUMIÈRES, PAR MILLIERS, REFUSÈRENT DE S'ÉTEINDRE. NOMMÉS « JUSTES PARMI LES NATIONS » OU RESTÉS ANONYMES, DES FEMMES ET DES HOMMES, DE TOUTES ORIGINES ET DE TOUTES CONDITIONS, ONT SAUVÉ DES JUIFS DES PERSÉCUTIONS ANTISÉMITES ET DES CAMPS D'EXTERMINATION. BRAVANT LES RISQUES ENCOURUS, ILS ONT INCARNÉ L'HONNEUR DE LA FRANCE, SES VALEURS DE JUSTICE, DE TOLÉRANCE ET D'HUMANITÉ.

1. En quoi les Justes incarnent-ils une autre forme de résistance ?

2. Quel effet les décisions de Jacques Chirac ont-elles sur le rapport entre l'État et la mémoire de la Seconde Guerre mondiale ?

Doc. 3 **Un conflit mémoriel : l'affaire Guy Môquet (2007).**

[Le 18 mars 2007] le candidat Sarkozy déclarait : « *Je veux dire que cette lettre de Guy Môquet, elle devrait être lue à tous les lycéens de France, non comme la lettre d'un jeune communiste, mais comme celle d'un jeune Français faisant à la France et à la liberté l'offrande de sa vie, comme celle d'un fils qui regarde en face sa propre mort.* » [...] La lettre sera lue le 22 octobre dans tous les lycées de France, [...] et « *cette lecture ne dev[r]ait pas être réservée aux professeurs d'histoire-géographie* », une manière d'avouer que ce n'est pas l'analyse critique et la mise en perspective qui importent ici, mais plutôt le pathos et une forme de « communion » avec le président. [...]

Il s'agira grâce à cette « lettre poignante » de mettre en scène une mort édifiante pour notre jeunesse, de parler « sacrifice », « offrande », « amour », mais non de revenir sur les raisons de cette mort en disant que Guy Môquet et ses vingt-six camarades ont d'abord été désignés aux Allemands comme « communistes ». Un « gros mot » que la circulaire ministérielle évite soigneusement : reprenant la présentation de la lettre proposée dans l'ouvrage de Guy Krivopissko (*La Vie à en mourir. Lettres de fusillés 1941-1944*), elle « l'allège » de presque toutes les indications signalant l'engagement politique du jeune Guy, de son père et des autres otages de Châteaubriant. [...]

Une négation du choix politique du jeune Guy qui apparaît jusque dans l'intitulé de la cérémonie gouvernementale, « commémoration du souvenir de Guy Môquet et de ses vingt-sept compagnons fusillés », alors que le condamné écrivait dans son dernier billet à Odette Leclan : « Je vais mourir avec mes vingt-six camarades. » Pourquoi remplacer le « camarade » des communistes par le « compagnon » des gaullistes ?

Pierre Schill, membre du Comité de vigilance face aux usages publics de l'Histoire, « Guy Môquet revu et corrigé », tribune parue dans *Libération*, le 11 septembre 2007.

1. Que reproche l'auteur à la politique mémorielle de Nicolas Sarkozy ?

2. Quel conflit mémoriel cette affaire semble-t-elle réactiver ? Comment l'expliquer ?

Doc. 2 **Le documentaire *Le Chagrin et la pitié* (1969) révèle la banalité du pétainisme et de la collaboration.**

Lors de sa sortie en salle, ce documentaire attire 560 000 spectateurs. Il est interdit de diffusion à la télévision jusqu'en 1981.

1. Comment l'Occupation est-elle représentée ?

2. Quels détails montrent la politique de collaboration avec l'Allemagne nazie ?

Doc. 4 **François Mitterrand, un vichysto-résistant.**

Le 15 octobre 1942, François Mitterrand et d'autres membres du Comité d'entraide des prisonniers rapatriés sont reçus à Vichy par Philippe Pétain. Décoré de la francisque début 1943, il entre au même moment en résistance sous le nom de Morland et dirige le Mouvement national des prisonniers de guerre et déportés.

Lorsqu'en 1994 Pierre Péan révèle, dans *Une jeunesse française : François Mitterrand, 1934-1947*, le passé à Vichy du président de la République en exercice, le scandale éclate dans l'opinion publique. Les exemples de résistants passés d'abord par les idées de la Révolution nationale sont pourtant nombreux : l'historien Denis Peschanski leur a donné le nom de vichysto-résistants.

Entre 1940 et 1944, environ 120 000 Français accompagnent l'effort de guerre ou de propagande du régime de Vichy et de l'Allemagne nazie. Au fur et à mesure de la libération du territoire, ces **collaborateurs**, réels ou supposés, voient se déclencher contre eux une épuration sauvage, jusqu'à ce qu'en juin 1944 le gouvernement provisoire publie deux ordonnances pour organiser l'épuration légale. Une Haute Cour de justice est mise en place pour juger les responsables du régime de Vichy, composée de 3 magistrats et de 24 jurés tirés au sort sur une liste de résistants. Elle vise particulièrement les **collaborationnistes**, mais organise aussi l'épuration de l'administration, de la justice, de l'université, de l'armée, et de tous les corps de l'État.

➜ *Quels sont les effets de l'épuration en France ?*

Chiffres clés

Les épurations de 1944-1945

Épuration « sauvage » ou « extrajudiciaire » (chiffres estimés)
- Exécutions 9 000
- Femmes tondues 20 000

Épuration légale
- Nombre de dossiers instruits 311 263
- Nombre de procès 127 751
- Peines de mort exécutées 767 (dont Laval)
- Peines de mort commuées 2 086 (dont Pétain)
- Travaux forcés 13 339
- Peines de prison 24 927
- Dégradations nationales 50 233

Henry Rousso, *Vichy. L'événement, la mémoire, l'histoire*, Paris, Gallimard, 2001.

Doc. 1

L'épuration sauvage.

Une femme est tondue devant la foule, le 23 août 1944, dans la région de Marseille.

Doc. 2 **François Mauriac juge l'épuration.**

Romancier français engagé dès 1941 dans la Résistance, F. Mauriac plaide auprès du général de Gaulle la grâce de Robert Brasillach, intellectuel condamné à mort et finalement exécuté le 6 février 1945.

Il ne s'agit pas ici de plaider pour les coupables, mais de rappeler que ces hommes, ces femmes, sont des accusés, des prévenus, qu'aucun tribunal ne les a encore convaincus du délit ou du crime dont on les charge.

Oh ! Je sais bien : la Gestapo, la police de Vichy n'avaient pas de ces délicatesses. Mais justement ! Nous aspirons à mieux qu'un chassé-croisé de bourreaux et de victimes. Il ne faut à aucun prix que la IVᵉ République chausse les bottes de la Gestapo […].

Je n'écris point ceci pour invoquer des prétextes, ni pour frustrer ceux des nôtres qui ont faim et qui ont soif de justice, du rassasiement auquel ils ont droit. Comment reculerait-il devant les exigences d'une justice stricte, celui qui a vu les enfants juifs pressés comme de pauvres agneaux dans des wagons de marchandises ? L'effrayant regard me poursuit encore, d'une femme dont le jeune mari venait d'être abattu parmi d'autres otages ; et il y a cette lettre que je n'ose pas relire, où ma fille Claire raconte comment elle ferma les yeux de garçons fusillés et comment elle les ensevelit. Mais c'est cette rigueur nécessaire qui doit nous rendre encore plus scrupuleux. Il faut être assuré de frapper juste lorsque l'on est résolu à frapper fort.

François Mauriac, « La vraie justice », *Le Figaro*, 8 septembre 1944.

Biographie

Robert Brasillach (1909-1945)

Écrivain et journaliste français, partisan d'un fascisme à la française, chantre de la collaboration avec l'Allemagne, directeur de l'hebdomadaire antisémite *Je suis partout*, il publie des écrits d'une grande violence contre la République et contre les Juifs. Son talent littéraire lui vaut d'être défendu en 1945, lors de son procès, par un certain nombre de résistants. Il est condamné à mort, et Charles de Gaulle refuse sa grâce, considérant dans ses *Mémoires de guerre* que « le talent est un titre de responsabilité ».

Mots clés

Collaborationniste : Néologisme créé par l'historien Jean-Pierre Azéma pour désigner les politiques, militaires et intellectuels qui prônent l'instauration d'un régime fasciste ou nazi en France, et qui sont favorables à la victoire de l'Allemagne.

Collaborateurs : Les Français qui participent activement au régime de Vichy ou à l'administration française en zone Nord.

Thèse du glaive et du bouclier : Idée développée par l'historien Robert Aron en 1956 selon laquelle un partage des rôles était prévu entre Pétain (le bouclier) et de Gaulle (le glaive) pour aboutir à la victoire. Les archives et les témoignages ont dès cette époque réduit à néant cette thèse qui conserve des adeptes.

**La défense de Pétain lors de son procès :
le « bouclier » des Français.**

*Le maréchal Pétain (1856-1951), vainqueur de Verdun,
chef de l'État sous le régime de Vichy, est condamné à mort
en août 1945. Sa peine est commuée par de Gaulle en
réclusion à perpétuité. En 1956, Robert Aron diffuse sa
thèse du glaive et du bouclier.*

C'est le peuple français qui, par ses représentants
réunis en Assemblée nationale le 10 juillet 1940, m'a
confié le pouvoir. C'est à lui que je suis venu rendre des
comptes […]. J'ai passé ma vie au service de la France.
Aujourd'hui, âgé de près de quatre-vingt-dix ans, jeté
en prison, je veux continuer à la servir en m'adressant
à elle encore une fois. Qu'elle se souvienne !
J'ai mené ses armées à la victoire en 1918. Puis, alors
que j'avais mérité le repos, je n'ai cessé de me consacrer
à elle. […] Le jour le plus tragique de son histoire, c'est
encore vers moi qu'elle s'est tournée.
Je ne demandais ni ne désirais rien. On m'a supplié de
venir ; je suis venu. Je devenais l'héritier d'une catastrophe dont je n'étais pas l'auteur. Les vrais responsables
s'abritaient derrière moi pour écarter la colère du peuple. Lorsque j'ai demandé l'armistice, j'ai accompli un
acte nécessaire et sauveur. Oui, l'armistice a sauvé la
France et contribué à la victoire des Alliés en assurant
une Méditerranée libre et l'intégrité de l'Empire. De ce
pouvoir, j'ai usé comme bouclier pour protéger le peuple
français et, pour lui, je suis allé jusqu'à sacrifier mon
prestige : je suis demeuré à la tête d'un pays sous l'Occupation. […] Chaque jour, un poignard sur la gorge,
j'ai lutté contre les exigences de l'ennemi. L'Histoire dira
ce que je vous ai évité quand mes adversaires ne pen-
sent qu'à me reprocher l'inévitable…
L'Occupation m'obligeait à ménager l'ennemi, mais je
ne le ménageais que pour vous ménager vous-mêmes,
en attendant que le territoire soit libéré. L'Occupation
m'obligeait aussi, contre mon gré et contre mon cœur, à
tenir des propos, à accomplir certains actes dont j'ai
souffert plus que vous. […] Pendant que le général de
Gaulle, hors de nos frontières, poursuivait la lutte, j'ai
préparé les voies de la Libération en conservant une
France douloureuse mais vivante. À quoi bon en effet
eût-il servi de libérer des ruines et des cimetières ?

Déclaration de Philippe Pétain devant la Haute Cour,
le 23 juillet 1945.

Doc. 4 **Pierre Laval témoigne au procès Pétain.**
Pierre Laval, d'abord vice-président du Conseil puis chef du gouvernement de
Vichy, imposé à Pétain par l'Allemagne, est à son tour jugé pour avoir été un des
principaux artisans de la politique collaborationniste. Condamné à mort, il est
fusillé le 15 octobre 1945.

Doc. 5 **Une analyse de l'épuration par un historien.**

[*L'épuration*] a accompli des fonctions multiples, parfois contradictoires […]. Elle a exercé une fonction de sécurité : les internements, les exécutions (sommaires ou légales) des premiers mois avaient notamment
pour objectif d'empêcher que les adversaires de la Résistance ne puissent
relever la tête et menacer l'insurrection en cours sur ses arrières. […]
Elle a exercé une fonction d'exutoire qui répondait à un réel besoin de
violence d'une partie de l'opinion. Les femmes tondues ont ainsi canalisé
ce besoin irrationnel, conditionné par la violence de l'Occupation, tout
comme certaines exécutions publiques à grand renfort de mise en scène.
Elle a rempli imparfaitement une fonction de réparation et de justice au
bénéfice des victimes directes des collaborateurs, comme au bénéfice de
la nation entière, laissant cependant hors de son champ les victimes de
la Solution finale. […]
Elle a exercé une fonction de légitimation, en affermissant le pouvoir de
ceux qui épuraient au nom de la nation. D'où les rivalités entre les différentes composantes politiques de la Libération et la course de vitesse
entre les différents pouvoirs.
Elle a exercé enfin une fonction identitaire et de reconstruction nationale. C'est le sens de la peine de « dégradation nationale » instaurée par
les ordonnances de 1944. En éliminant les traîtres à la patrie, à la nation
et à la République, la France pouvait espérer fonder son destin futur sur
une identité retrouvée. « Un pays qui manque son épuration, manque sa
rénovation » écrivait alors Albert Camus.

Henry Rousso, *Vichy. L'événement, la mémoire, l'histoire*, Paris, Gallimard, 2001.

POUR COMPRENDRE

1. Étudier les documents

Doc. 1, 2 et biographie. Comment l'épuration sauvage
se manifeste-t-elle ? Comment F. Mauriac la juge-t-il ? Au
nom de quels principes Mauriac plaide-t-il la grâce de
R. Brasillach auprès de De Gaulle ? Avec quel effet ?
Doc. 3 et 4. Comment l'épuration légale s'organise-t-elle ?
Quels arguments sont avancés par Pétain pour sa défense ?
Comment les historiens les ont-ils analysés ?
Doc. 5. Quel bilan peut-on tirer de l'épuration ? Quelles en
ont été les limites ?

2. Analyse de deux documents

BAC En vous appuyant sur les chiffres de l'épuration et sur le
doc. 5, vous présenterez la portée et les limites de l'épuration
en France.

3. Aide à la composition

BAC À l'aide de vos connaissances, vous rédigerez un paragraphe qui place l'épuration dans le contexte de la reconstruction de la République en 1944-1945.

Résistancialisme gaullien et mémoire communiste

À la Libération, les forces de la Résistance, unies dans le GPRF, s'accordent sur la nécessité de pacifier le pays au plus vite, et élaborent conjointement le mythe résistancialiste. Mais dès 1947, dans le contexte du début de la Guerre froide, les mémoires entrent en conflit. Tandis que les gaullistes voient dans leur chef l'incarnation la plus légitime de la Résistance, le PCF, passé dans l'opposition, s'autoproclame « parti des 75 000 fusillés ».

→ *Comment la mémoire gaullienne entre-t-elle en conflit avec la mémoire communiste ?*

Dates clés

Le PCF dans la Seconde Guerre mondiale

1939 Interdiction du PCF après l'annonce du pacte germano-soviétique.

1941 Après l'invasion de l'URSS par l'Allemagne, les communistes organisent des mouvements de résistance en France, dont les FTP.

1941-1944 De nombreux communistes sont arrêtés et exécutés (Gabriel Péri, Guy Môquet, le groupe Manouchian…).

1943 Les FTP rejoignent le CNR de Jean Moulin.

1944 Le PCF entre dans le gouvernement provisoire de De Gaulle.

Doc. 1
Affiche du PCF pour les élections législatives d'octobre 1945.

Doc. 2 *Le Chant des Partisans* (1943), hymne à la Résistance.

Indicatif de l'émission de la France libre « Honneur et Patrie », sur la BBC, ce chant est enseigné dans les écoles jusqu'aux années 1970.

Ami, entends-tu le vol noir des corbeaux sur nos plaines ?
Ami, entends-tu les cris sourds du pays qu'on enchaîne ?
Ohé, partisans, ouvriers et paysans, c'est l'alarme !
Ce soir, l'ennemi connaîtra le prix du sang et des larmes

Montez de la mine, descendez des collines, camarades,
Sortez de la paille, les fusils, la mitraille, les grenades,
Ohé les tueurs, à la balle ou au couteau tuez vite !
Ohé saboteur, attention à ton fardeau ou dynamite…

C'est nous qui brisons les barreaux des prisons pour nos frères,
La haine à nos trousses et la faim qui nous pousse, la misère…
Il y a des pays où les gens au creux du lit font des rêves.
Ici, nous, vois-tu, nous on marche et nous on tue… nous on crève.

Ici, chacun sait ce qu'il veut, ce qu'il fait, quand il passe…
Ami, si tu tombes, un ami sort de l'ombre à ta place.
Demain du sang noir séchera au grand soleil sur les routes.
Chantez compagnons, dans la nuit la liberté nous écoute…

Le Chant des Partisans, musique d'Anna Marly, paroles de Joseph Kessel et Maurice Druon, 1943, © Raoul Breton.

Doc. 3 *Strophes pour se souvenir.*

En 1955, Louis Aragon rend un hommage poétique aux fusillés du groupe Manouchian, 23 jeunes communistes, tous d'origine étrangère, fusillés en 1944 par les nazis, pour leurs actions de résistance en faveur de la Libération de la France.

Vous n'avez réclamé la gloire ni les larmes
Ni l'orgue ni la prière aux agonisants
Onze ans déjà que cela passe vite onze ans
Vous vous étiez servi simplement de vos armes
La mort n'éblouit pas les yeux des Partisans

Vous aviez vos portraits sur les murs de nos villes
Noirs de barbe et de nuit hirsutes menaçants
L'affiche qui semblait une tache de sang
Parce qu'à prononcer vos noms sont difficiles
Y cherchait un effet de peur sur les passants

Nul ne semblait vous voir Français de préférence
Les gens allaient sans yeux pour vous le jour durant
Mais à l'heure du couvre-feu des doigts errants
Avaient écrit sous vos photos MORTS POUR LA FRANCE
Et les mornes matins en étaient différents. […]

Ils étaient vingt et trois quand les fusils fleurirent
Vingt et trois qui donnaient leur cœur avant le temps
Vingt et trois étrangers et nos frères pourtant
Vingt et trois amoureux de vivre à en mourir
Vingt et trois qui criaient la France en s'abattant.

Louis Aragon, *Le Roman inachevé*, Paris, Gallimard, 1955.

Doc. 4 L'opposition des gaullistes à la mémoire communiste.

Tout le monde sait qu'il a fallu attendre jusqu'en 1941 et l'agression hitlérienne contre la Russie pour que le parti communiste abandonne sa politique de neutralité envers l'Allemagne nazie. Encore lui faudra-t-il des mois avant que son organisation commence à se manifester. C'est seulement au printemps 1942 que les FTP entrent en contact, par l'intermédiaire du colonel Rémy, avec la France combattante. Le général de Gaulle a rendu, à Rennes, le 27 juillet 1947, un hommage mérité à ceux des communistes qui ont, à partir de ce moment, combattu aux côtés des FFL et des FFC de l'intérieur qui « tenaient le front » depuis 1940. Mais que penser des chefs communistes qui, tandis que ces combattants se sacrifiaient, donnaient tout leur soin au noyautage politique, en prévision de la Libération ? Pour eux, la Résistance n'a été que l'une des phases de leur tactique dans la marche à la dictature. C'est pourquoi, sans jamais nous abaisser à marchander aux résistants communistes de la base, l'hommage qui leur est dû, nous nous refusons à entériner l'imposture inique des chefs communistes qui se font un piédestal de « leurs morts ».

> Article non signé paru dans la revue gaulliste
> *L'Étincelle*, n° 16, 9 août 1947.

Doc. 7 La vision gaulliste de la France résistante.

Je parle au nom des associations des Résistants [...], du général de Gaulle, pour les survivants et pour les enfants des morts. [...]
L'histoire des Glières[1] est une grande et simple histoire [...]. Le premier écho des Glières ne fut pas celui des explosions [*mais celui de*] l'un des plus vieux langages des hommes, celui de la volonté, du sacrifice et du sang. [...]
Passant, va dire à la France que ceux qui sont tombés ici sont morts selon son cœur. Comme tous nos volontaires [...], comme tous les combattants de la France en armes et de la France en haillons, nos camarades vous parlent par leur première défaite comme par leur dernière victoire, parce qu'ils ont été vos témoins. [...]
Les gens des villages sans lesquels le maquis n'aurait pu ni se former ni se reformer ; ceux qui ont sonné le glas pour lui ; ceux que les hitlériens ont déporté, ceux qu'ils ont fait courir pour rigoler, pendant la répression, devant leurs mitrailleuses qui les descendirent tous. [...]
Peu importent nos noms, que nul ne saura jamais. Ici, nous nous appelions la France. [...] La mort connaît le murmure des siècles. Il y a longtemps qu'elle voit ensevelir les tués et les vieilles. Il y a longtemps qu'elle entend les oiseaux sur l'agonie des combattants de la forêt ; ils chantaient sur les corps des soldats de l'an II. »

1. Le maquis des Glières est le premier maquis de la Résistance à affronter directement la Milice de Vichy et l'armée allemande, en mars 1944. Toutes les composantes de la Résistance y sont unies dans le combat.

> **André Malraux**, le 2 septembre 1973, à l'occasion de l'inauguration
> du monument sur le plateau des Glières.

Doc. 5 Le transfert des cendres de Jean Moulin au Panthéon, le 19 décembre 1964. > BAC p. 70.

À l'occasion du transfert des cendres de Jean Moulin au Panthéon, une cérémonie imposante est organisée en présence du général de Gaulle, alors président de la République. André Malraux, ministre de la Culture, prononce un discours dans lequel il glorifie la Résistance française incarnée par Jean Moulin.

Doc. 6 Une réaction communiste au transfert des cendres de Jean Moulin.

Jean Moulin au Panthéon cela veut dire que la France honore celui qui comprit que, dans sa lutte contre le pouvoir nazi, la libération de notre peuple dépendait de son union, comme dans sa lutte contre le pouvoir de l'argent sa libération dépend de son union aujourd'hui.
Jean Moulin au Panthéon cela veut dire que la France s'incline devant le premier président de ce CNR dont le programme comportait la nationalisation des banques et des trusts. Jean Moulin au Panthéon cela signifie que la patrie est reconnaissante aux grands hommes qui tiennent parole.
Un seul point me chiffonne : il est beaucoup question dans la presse officielle et officieuse de Jean Moulin « après » sa rencontre avec le général de Gaulle à Londres et son retour en France. Peu, trop peu, du Jean Moulin dont l'activité en France amena ce voyage à Londres où l'accord de la Résistance de Jean Moulin à Fernand Grenier fit le général de Gaulle le président du Gouvernement Provisoire de la République. Beaucoup plus question en somme du Jean Moulin mandaté que du Jean Moulin mandatant.
Mais il importe bien peu : honneurs à Jean Moulin, honneur à eux qui suivant son exemple moururent pour la patrie, honneur à la Résistance française !

> **André Wurmser**, « Aux grands hommes, la patrie reconnaissante »,
> *L'Humanité*, 19 décembre 1964.

POUR COMPRENDRE

1. Étudier les documents
Doc. 1 et 3 Comment le PCF présente-t-il l'action des communistes dans la Résistance ?
Doc. 4. Comment les gaullistes remettent-ils en cause la manière dont le PCF présente la résistance communiste ?
Doc. 5 et 6 Pourquoi le transfert des cendres de Jean Moulin est-il un moment d'unanimité des mémoires résistantes ?
Doc. 2 et 7 Comment est décrite l'action des résistants ? Pourquoi n'est-elle pas, ici, politisée ?

2. Analyse de deux documents
BAC En comparant les documents 1 et 4, vous expliquerez pourquoi gaullistes et communistes s'affrontent autour de la mémoire de la France résistante.

3. Aide à la composition
BAC À l'aide de vos connaissances, vous expliquerez en un paragraphe en quoi l'affrontement des mémoires communiste et gaulliste de la Seconde Guerre mondiale est en partie le fruit du contexte international.

Les deux départements d'Alsace et la Moselle sont annexés à l'Allemagne nazie en juin 1940. Le 25 août 1942, face à l'échec des engagements volontaires, le Reich impose l'incorporation de force des jeunes Alsaciens et Mosellans dans l'armée allemande. Ils sont envoyés se battre sur le front de l'Est, mais aussi en France. La division *SS Das Reich*, responsable du massacre d'Oradour-sur-Glane, comprenait treize de ces « **Malgré-Nous** ». En 1953 un procès, à Bordeaux, en juge les responsables : peuvent-ils être coupables comme soldats et victimes comme Alsaciens ? Ce cas révèle les difficultés à inclure l'Alsace dans la mémoire française de la Seconde Guerre mondiale.

➜ *Que montre le procès des « Malgré-Nous » des déchirements de la mémoire française dans les années 1950 ?*

Chiffres clés

Bilan de l'incorporation forcée des Alsaciens et des Mosellans en 1945
- Le 25 août 1942 l'Allemagne impose le service militaire obligatoire aux Alsaciens, incorporés au Reich en 1940.
- 130 000 incorporés de force dans les forces combattantes.
- 15 000 incorporés de force dans les usines allemandes.
- 30 000 morts et 10 000 disparus, dont 6 000 au camp de prisonniers de Tambov (URSS).

Mot clé

« Malgré-Nous » : Terme utilisé en Alsace et en Moselle pendant les Première et Seconde Guerres mondiales pour qualifier les personnes incorporées de force dans l'armée allemande.

Doc. 2
Affiche placardée en Alsace après le procès de Bordeaux par l'association des maires du Haut-Rhin.
Archives municipales de Colmar.

Doc. 1 Les ruines d'Oradour-sur-Glane en 1945.
Le 10 juin 1944, le village d'Oradour-sur-Glane, situé à une vingtaine de kilomètres de Limoges, est victime d'un massacre de masse : une compagnie de la division *SS Das Reich* regroupe la population, fusille les hommes, enferme les femmes et les enfants dans l'église qui est ensuite incendiée : 642 villageois trouvent la mort dans ce massacre. Seuls quelques-uns des villageois présents ce jour-là ont survécu. Le village a été conservé en l'état ; c'est aujourd'hui un lieu de mémoire de la Seconde Guerre mondiale.

Doc. 3 Un rescapé face à la mémoire du massacre.

Robert Hébras, 86 ans, [...] est un des deux derniers rescapés du massacre du 10 juin 1944. [...] Cet après-midi de juin 44, la troisième compagnie du 1er bataillon du régiment *Der Fürher* de la division blindée *SS Das Reich* a rassemblé les hommes dans une grange, les femmes et les enfants dans une église. Elle a mitraillé, mis le feu, et puis s'en est allée. 642 morts, 300 bâtiments détruits en trois heures, et six rescapés, dont Robert, qui avait alors 19 ans. De Gaulle, qui vient en mars 1945 à Oradour, décide que le village ne sera pas reconstruit : il devra rester le symbole de la barbarie nazie. [...] R. Hébras a témoigné aux procès de 1953 à Bordeaux, contre les Alsaciens de la division *Das Reich*. En 1983, il est allé à Berlin assister au procès de Heinz Barth, sous-officier SS qui faisait partie des massacreurs d'Oradour. [...] Il a longtemps éprouvé de la haine pour les massacreurs, mais il a « *réussi à admettre que le peuple allemand n'était pas responsable* ». Il refuse cependant de descendre dans le petit mémorial édifié par l'État, où se trouvent rassemblés les objets (canifs, pièces, tire-bouchons...) appartenant aux morts. Une manière de signifier sa colère contre les responsables politiques de l'époque, qui ont amnistié les « Alsaciens » au nom de la réconciliation.

Didier Arnaud, « Oradour-sur-Glane. Profession rescapé », *Libération*, 29 septembre 2011.

Le 17 février 1948, quatre des « Malgré-Nous » […] obtinrent un non-lieu pour cette affaire, car le tribunal militaire de Bordeaux jugea qu'il leur était impossible de résister aux Allemands et reconnut qu'ils avaient tout de même sauvé des vies de civils à Oradour, « des personnes qui, sans leur intervention, n'auraient pas échappé aux massacres ». […] À l'inverse, le 19 juin 1951, le tribunal militaire innocenta l'ancien lieutenant-colonel de la *Das Reich* Otto Weidinger de l'accusation d'être un criminel de guerre ! Tout comme [*le général de la division Das Reich*] Lammerding, il ne fut pas convoqué au procès d'Oradour. En pleine Guerre froide, les « Malgré-Nous » furent à nouveau pris entre deux feux : d'un côté les Alliés qui protégeaient les anciens officiers de la *Waffen-SS* (au cas où les Soviétiques attaqueraient l'Europe de l'Ouest) et le PCF qui utilisait le procès pour dénoncer la création d'une nouvelle « Wehrmacht » en République fédérale d'Allemagne (qui menacerait l'Europe de l'Est communiste). […]

En 1953, il était notoire que des Alsaciens avaient été convoqués au tribunal militaire de Bordeaux. Ce n'est qu'à partir de ce procès que les « Malgré-Nous » (ils avaient pour la plupart 17-18 ans au moment des faits et auraient dû bénéficier de l'excuse de minorité, tout comme le volontaire né le 25/8/1923) furent présentés à l'opinion publique française comme les principaux responsables de ce crime de guerre, reléguant au second plan le volontaire alsacien, les soldats allemands et, surtout, les véritables décideurs. […]

Le verdict souleva une vague de mobilisation sans précédent : toute l'Alsace – y compris les autorités politiques (excepté le parti communiste, minoritaire dans la région) et religieuses –, soutenue par des compatriotes de « l'intérieur », prit la défense des treize incorporés de force. L'État français, redoutant une nouvelle vague d'autonomisme, œuvra pour que les « Malgré-Nous » soient amnistiés, suscitant fort logiquement la colère et le ressentiment du Limousin. […] Du fait de la dimension politique de ce procès (tellement importante qu'elle va étouffer les débats) et de l'absence au procès des officiers de la *Das Reich* [*et*] tant que la totalité des archives de cette dramatique affaire ne seront pas accessibles aux historiens, [*Oradour*] restera une déchirure, une blessure qui ne guérit pas.

Nicolas Mengus, « Le 10 juin 1944, Oradour-sur-Glane
et les « Malgré-Nous », *L'Ami hebdo*, 14 juin 2009.

Doc. **5** **Un mémorial des « Malgré-Nous », à Ribeauvillé (Bas-Rhin).**
Ce mémorial a été érigé en mémoire de tous les « Malgré-Nous » alsaciens et mosellans, morts pendant la guerre, ou morts en camps soviétiques, en particulier dans le camp de Tambov (URSS).

Doc. **6** **Les historiens et les « Malgré-Nous ».**

Les incorporés de force alsaciens sont des « soldats honteux », qui ont fini la guerre sous l'uniforme du vaincu, et qui portent les stigmates physiques et psychiques de l'internement dans les camps russes. […] On assiste présentement au « retour du refoulé ». Le tabou est transgressé, mais sur le mode de l'amertume revendicatrice et de l'affirmation d'un particularisme ombrageux. Se sentant incompris et mal aimés, nombre de « Malgré-Nous », constatant que près de quarante ans après la fin de la guerre, ils ne s'apprêtent à percevoir qu'un modeste dédommagement matériel, dénoncent la fiction d'un combat pour la France qui les a « lâchés ». Ils affirment que leur aventure est dénuée de sens, et que leurs camarades sont morts « pour rien ». C'en est fini d'une histoire unanimiste, au patriotisme trop affiché, trop appuyé, celle qu'ont entretenue la plupart des historiens de l'Alsace contemporaine en fait ; une mémoire souterraine était à l'œuvre, qui affleurait en de brusques sursauts exacerbés, à des moments de crise [*comme lors du*] procès de Bordeaux, en 1953, des Alsaciens incorporés de force dans la division *SS Das Reich* responsable du massacre d'Oradour […]. L'amertume des « Malgré-Nous » n'a d'égale que celle des résistants et déportés, témoins gênants, dont on essaye de banaliser l'engagement.

Geneviève Herberich-Marx et Freddy Raphaël,
« Les incorporés de force alsaciens. Déni, convocation et provocation de la mémoire »,
Vingtième Siècle, revue d'Histoire, n° 6, 1985.

POUR COMPRENDRE

1. Étudier les documents

Doc. 1 Comment qualifier un massacre de masse comme Oradour-sur-Glane ?

Doc. 2 et 3 Comment le verdict du procès de Bordeaux est-il accueilli ? Pourquoi ?

Doc. 4 et 6 Quelles sont les raisons de la persistance du malaise mémoriel autour des « Malgré-Nous » ?

Doc. 5 et 6 Que commémore le mémorial de Ribeauvillé ? Quelle en est l'utilité ?

2. Analyse de deux documents

BAC À l'aide des documents 4 et 6, vous montrerez comment les « Malgré-Nous » sont au cœur d'un conflit de mémoire.

3. Aide à la composition

BAC À l'aide de vos connaissances, et en vous appuyant sur l'exemple des « Malgré-Nous », vous expliquerez en un paragraphe les limites du mythe résistancialiste gaullien.

Après la Libération, dans l'urgence de la reconstruction, le général de Gaulle choisit de considérer Vichy comme « nul et non avenu ». Mais, dans les années 1970, le travail d'historiens et la pression de l'opinion publique font voler en éclat le mythe élaboré en 1944 qui fait de la France libre le continuateur de l'État, et de Vichy un régime usurpateur. Néanmoins, il faut encore de longues années avant que l'État ne reconnaisse officiellement sa responsabilité dans les crimes de Vichy.

➜ *Quelle évolution a permis la reconnaissance des crimes de l'État sous Vichy ?*

Doc. 1 L'ordonnance du 9 août 1944.

Article 1. La forme du gouvernement de la France est et demeure la République. En droit, celle-ci n'a pas cessé d'exister.
Art. 2. Sont, en conséquence, nuls et de nul effet tous les actes constitutionnels législatifs ou réglementaires, ainsi que les arrêtés pris pour leur exécution, sous quelque dénomination que ce soit, promulgués sur le territoire continental postérieurement au 16 juin 1940 et jusqu'au rétablissement du Gouvernement provisoire de la République française. Cette nullité doit être expressément constatée. [...]
Art. 7. Les actes de l'autorité de fait, se disant « gouvernement de l'État français » dont la nullité n'est pas expressément constatée dans la présente ordonnance ou dans les tableaux annexés, continueront à recevoir provisoirement application.
Par le Gouvernement provisoire de la République française, Charles de Gaulle.
Le commissaire à la justice, François de Menthon.

Ordonnance du 9 août 1944 relative au rétablissement de la légalité républicaine sur le territoire continental.

Doc. 2 Georges Pompidou souhaite oublier les « années sombres ».

Le chef de la Milice de Lyon, Paul Touvier, est condamné à mort par contumace après la guerre. Le président de la République Georges Pompidou le gracie partiellement en 1971. Face aux réactions, Georges Pompidou répond aux journalistes au cours d'une conférence de presse.

Notre pays, depuis un peu plus de trente ans, a été de drame national en drame national. Ce fut la guerre ; la défaite et ses humiliations ; l'Occupation et ses horreurs ; la Libération, par contrecoup l'épuration et ses excès, reconnaissons-le ; et puis la guerre d'Indochine ; et puis l'affreux conflit d'Algérie et ses horreurs des deux côtés ; et l'exode d'un million de Français chassés de leurs foyers ; et du coup l'OAS et ses attentats, et ses violences, et par contrecoup la répression.
Alors, ayant été, figurez-vous, dénoncé par des gens de Vichy à la police allemande, ayant échappé deux fois à un attentat de l'OAS, tentative d'attentat – une fois aux côtés du général de Gaulle et l'autre fois à moi destiné – je me sens le droit de dire : allons-nous éternellement entretenir saignantes les plaies de nos désaccords nationaux ? Le moment n'est-il pas venu de jeter le voile, d'oublier ces temps où les Français ne s'aimaient pas, s'entre-déchiraient et même s'entre-tuaient ?
Et je ne dis pas ça, même s'il y a des esprits forts, par calcul politique, je le dis par respect de la France.

Conférence de presse du président Georges Pompidou, le 21 septembre 1972.

Doc. 3
Le scandale du fleurissement de la tombe de Ph. Pétain.
Jusqu'en 1984, les présidents français ne fleurissent la tombe du maréchal Pétain que pour les anniversaires décennaux de la Grande Guerre. En 1984, au moment de rencontrer le chancelier allemand Helmut Kohl à Verdun, François Mitterrand la fait fleurir, puis renouvelle ce geste chaque année jusqu'en 1992. Le scandale est si important que le président français décide que le 16 juillet deviendrait « Journée nationale commémorative des persécutions racistes et antisémites commises sous l'autorité de fait dite "gouvernement de l'État français" (1940-1944) ».

Doc. 4 François Mitterrand et les crimes de Vichy.

« L'État français », si j'ose dire, cela n'existe pas. Il y a la République. […] Et la République à travers toute son histoire, la Iʳᵉ, la IIᵉ, la IIIᵉ, la IVᵉ et la Vᵉ ont constamment adopté une attitude totalement ouverte pour considérer que les droits des citoyens devaient être appliqués à toute personne reconnue comme citoyen et en particulier les Juifs français. Alors, ne lui demandez pas de compte à cette République, elle a fait ce qu'elle devait. C'est la République qui a, pratiquement depuis deux siècles où les Républiques se sont succédées, décidé toutes les mesures d'égalité, de citoyenneté. […] La République a toujours été celle qui a tendu la main pour éviter les ségrégations et spécialement les ségrégations raciales. Alors, ne demandons pas de comptes à la République.

Mais, en 1940, il y a eu un État français, ne séparez pas les termes « État » et « français » ; l'État français c'était le régime de Vichy, ce n'était pas la République, et à cet État français on doit demander des comptes, je l'admets naturellement, comment ne l'admettrais-je pas ? Je partage totalement le sentiment de ceux qui s'adressent à moi, mais précisément la Résistance puis le gouvernement de Gaulle, ensuite la IVᵉ République, et les autres, ont été fondés sur le refus de cet État français. Il faut être clair.

Il n'y a pas de controverses !

Entretien du président François Mitterrand avec des journalistes, le 14 juillet 1992.

Doc. 5 Jacques Chirac reconnaît les crimes de l'État français.

Le 16 juillet 1995, le président Jacques Chirac prononce un discours à l'occasion de la commémoration du 53ᵉ anniversaire de la rafle du Vel d'Hiv, qui les 16 et 17 juillet 1942 a abouti à l'arrestation et à la déportation de 12 884 Juifs parisiens.

Il est, dans la vie d'une nation, des moments qui blessent la mémoire, et l'idée que l'on se fait de son pays […], ces heures noires [qui] souillent à jamais notre histoire, et sont une injure à notre passé et à nos traditions. Oui, la folie criminelle de l'occupant a été secondée par des Français, par l'État français. […] Le 16 juillet 1942, 450 policiers et gendarmes français, sous l'autorité de leurs chefs, répondaient aux exigences des nazis. Ce jour-là, dans la capitale et en région parisienne, près de 10 000 hommes, femmes et enfants juifs furent arrêtés à leur domicile, au petit matin […]. La France, patrie des Lumières et des Droits de l'homme, terre d'accueil et d'asile, la France, ce jour-là, accomplissait l'irréparable. Manquant à sa parole, elle livrait ses protégés à leurs bourreaux. […] Soixante-quatorze trains partiront vers Auschwitz. Soixante-seize mille déportés juifs de France n'en reviendront pas. Nous conservons à leur égard une dette imprescriptible. Reconnaître les fautes du passé, et les fautes commises par l'État. Ne rien occulter des heures sombres de notre Histoire, c'est tout simplement défendre une idée de l'Homme, de sa liberté et de sa dignité. C'est lutter contre les forces obscures, sans cesse à l'œuvre. […] Certes, il y a les erreurs commises, il y a les fautes, il y a une faute collective. Mais il y a aussi la France, une certaine idée de la France, droite, généreuse, fidèle à ses traditions, à son génie. Cette France n'a jamais été à Vichy. Elle n'est plus, et depuis longtemps, à Paris. Elle est dans les sables libyens et partout où se battent des Français libres. Elle est à Londres, incarnée par le général de Gaulle. Elle est présente, une et indivisible, dans le cœur de ces Français, ces Justes parmi les nations qui, au plus noir de la tourmente, en sauvant au péril de leur vie […] les trois-quarts de la communauté juive résidant en France, ont donné vie à ce qu'elle a de meilleur.

Discours du président de la République Jacques Chirac, le 16 juillet 1995.

Biographie

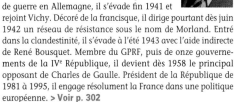

François Mitterrand (1916-1996)

Né dans une famille conservatrice, prisonnier de guerre en Allemagne, il s'évade fin 1941 et rejoint Vichy. Décoré de la francisque, il dirige pourtant dès juin 1942 un réseau de résistance sous le nom de Morland. Entré dans la clandestinité, il s'évade à l'été 1943 avec l'aide indirecte de René Bousquet. Membre du GPRF, puis de onze gouvernements de la IVᵉ République, il devient dès 1958 le principal opposant de Charles de Gaulle. Président de la République de 1981 à 1995, il engage résolument la France dans une politique européenne. **> Voir p. 302**

Doc. 6 L'administration française face à son passé
(1997-1998). Caricature de Plantu, *Le Monde*, octobre 1997.

Après 16 ans de procédures et d'instruction, s'ouvre à Bordeaux en octobre 1997, le procès de Maurice Papon, ancien secrétaire général de la préfecture de Gironde en 1942, responsable de la déportation de près de 1 600 juifs.

POUR COMPRENDRE

1. Étudier les documents

Doc. 1 et 4 Comment de Gaulle et Mitterrand considèrent-ils le gouvernement de Vichy ? Pourquoi ?

Doc. 2, 3 et 4 Comment Pompidou et Mitterrand ont-ils répondu aux scandales ? Comment expliquer le décalage entre leur volonté et l'opinion publique ?

Doc. 5 et 6 Quels changements de regard sur la guerre s'opèrent dans les années 1990 ? Pourquoi ?

2. Analyse de deux documents

BAC À l'aide des documents 2 et 4, vous expliquerez pourquoi la reconnaissance des crimes de Vichy a jusqu'en 1995 posé problème.

3. Aide à la composition

BAC À l'aide de vos connaissances, vous répondrez par un plan détaillé au sujet : « L'État français face aux crimes de Vichy (1945-1995) ».

Dans l'immédiat après-guerre, les rescapés du génocide ne trouvent qu'une faible écoute auprès d'une société française dont la priorité est de se reconstruire. En 1961, le procès d'Adolf Eichmann en Israël libère la parole des témoins survivants. À la fin des années 1970, les thèses négationnistes suscitent un immense scandale et provoquent, en réaction, l'expression des **témoins** de la Shoah. Dans le même temps s'ouvrent des procès des criminels survivants impliqués dans la déportation des Juifs de France.

➜ *Comment une mémoire de la Shoah émerge-t-elle en France, après des années de silence ?*

Doc. 1 En 1945, des survivants sans tribune.

Dès le retour des camps, nous avions […] entendu des propos plus déplaisants encore qu'incongrus, des jugements à l'emporte-pièce, des analyses géopolitiques aussi péremptoires que creuses. Mais il n'y a pas que de tels propos que nous aurions voulu ne jamais entendre. Nous nous serions dispensés de certains regards fuyants qui nous rendaient transparents. Et puis, combien de fois ai-je entendu des gens s'étonner : « Comment, ils sont revenus ? Ça prouve bien que ce n'était pas si terrible que ça. » Quelques années plus tard, en 1950 ou 1951, lors d'une réception dans une ambassade, un fonctionnaire français de haut niveau, je dois le dire, pointant du doigt mon avant-bras et mon numéro de déportée, m'a demandé avec le sourire si c'était mon numéro de vestiaire ! Après cela pendant des années, j'ai privilégié les manches longues. […]

Pendant longtemps [les déportés] ont dérangé. Beaucoup de nos compatriotes voulaient à tout prix oublier ce à quoi nous ne pouvions nous arracher ; ce qui, en nous, est gravé à vie. Nous souhaitions parler, et on ne voulait pas nous écouter. C'est ce que j'ai senti dès notre retour, à Milou et à moi : personne ne s'intéressait à ce que nous avions vécu. En revanche Denise, rentrée peu avant nous avec l'auréole de la Résistance, était invitée à faire des conférences. […] La bonne mesure est impossible à trouver […]. Parler de la Shoah, et comment ; ou bien ne pas en parler, et pourquoi ? Éternelle question. [Les résistants] sont dans la position des héros, leur combat les couvre d'une gloire qu'accroît encore l'emprisonnement dont ils l'ont payée ; ils avaient choisi leur destin. Mais nous, nous n'avions rien choisi. Nous étions des victimes honteuses, des animaux tatoués.

Simone Veil, *Une vie*, Paris, Stock, 2007.

Doc. 2 *Shoah* (1985).

Dans *Shoah* il y a des témoins et c'est une autre manière de rendre tangible ce qui s'est passé. On ne peut contester ce que raconte, par exemple, le coiffeur de Treblinka. […] Cela a été le grand changement apporté par le film *Shoah* dans l'historiographie sur le sujet. Enfin les victimes parlaient et ce n'étaient pas n'importe lesquelles : des déportés des *sonderkommandos* (« commandos spéciaux ») travaillant aux chambres à gaz et aux fours crématoires, qui se trouvaient au dernier stade du processus d'anéantissement et qui étaient les témoins directs du meurtre du peuple tout entier. Les seuls avec les nazis. Ces gens étaient condamnés d'avance et seulement une poignée d'entre eux ont réussi à survivre. Ce sont des gens qui dans le film ne disent jamais « je » mais « nous ». Ils sont les porte-parole des morts.

Claude Lanzmann, « Radiographie de l'Holocauste », *Libération*, 8 août 2007.

SHOAH

TREBLINKA

UN FILM DE CLAUDE LANZMANN

Biographie

Claude Lanzmann (né en 1925)

Résistant durant la guerre, devenu professeur de philosophie puis journaliste, écrivain et cinéaste, il collabore avec Jean-Paul Sartre et Simone de Beauvoir à la revue *Les Temps Modernes*. En 1985, il réalise un documentaire, *Shoah*, composé de témoignages de survivants des camps, mais aussi de bourreaux et de témoins de l'extermination, sans recours aux documents d'archives.

Doc. 3 Les procès des années 1980-1990.

Klaus Barbie (1913-1991).

Officier SS, il devient en 1943 chef de la Gestapo de la région lyonnaise. Surnommé le « boucher de Lyon », il fait arrêter de nombreux Juifs et résistants qu'il torture longuement. Réfugié en Bolivie, il est extradé vers la France en 1983, jugé et condamné en 1987 pour crimes contre l'humanité.

René Bousquet (1909-1993).

Secrétaire général de la police de Vichy, il met en place la collaboration de la police française dans le fichage, l'arrestation et la déportation des Juifs de France. Condamné à l'indignité nationale en 1949, il voit sa peine commuée pour faits de résistance. Inculpé en 1991 pour crime contre l'humanité, il est assassiné peu avant son procès.

Paul Touvier (1915-1996)

Chef de la Milice de Lyon, condamné à mort pendant l'épuration, il réussit à prendre la fuite. Dans les années 1970, des victimes déposent plainte contre lui pour crimes contre l'humanité. Malgré l'aide de filières liées à l'Église catholique, il est arrêté en 1989. Après avoir bénéficié d'un non-lieu, il est rejugé en 1994 sur de nouvelles preuves, et condamné à la prison à vie.

Maurice Papon (1910-2007)

Haut fonctionnaire, secrétaire général de la préfecture de la Gironde entre 1942 et 1944, il se rapproche de la Résistance à la fin de la guerre. Préfet en Algérie, puis à Paris (1958-1967), il porte la responsabilité policière des manifestations du 17 octobre 1961 et du 8 février 1962. Le Canard enchaîné révèle en 1981 sa responsabilité dans la déportation des Juifs bordelais. Accusé de crimes contre l'humanité, il est condamné en 1998 à dix ans de prison et libéré en 2002 pour raisons de santé.

Doc. 4

Maurice Papon, haut fonctionnaire condamné pour la déportation des Juifs de Bordeaux.
Caricature de Plantu dans *Le Monde*, 19 septembre 2002.

Doc. 5 Faire l'histoire de la déportation des enfants juifs.

Beate et Serge Klarsfeld traquent les nazis en fuite des années 1960 à 1980, et sont en partie à l'origine des procès contre Barbie, Touvier et Papon.

Il s'agissait de faire connaître la réalité historique de Vichy, c'est-à-dire l'arrestation des Juifs par la police française, les milliers d'enfants livrés à l'Allemagne hitlérienne, peut-être la page la plus noire de l'histoire de France mais aussi la réaction des Français, surtout en zone libre, qui, à partir de 1943, ont considérablement aidé les juifs de France à se sauver. Avec le Mémorial des enfants juifs [1978] j'ai voulu montrer les victimes les plus innocentes. [...] Si on compare avec l'Italie et la Belgique, où 20 % des enfants ont été déportés, en France seulement 13 à 14 % d'enfants déportés. Je dirais aujourd'hui que Vichy a été l'agent de la perte d'un quart des Juifs en France, et que les Français ont été les agents de la sauvegarde des trois quarts des Juifs. [...]

Comme je m'étais donné pour tâche de traîner les criminels nazis allemands d'abord, puis leurs complices français, devant la justice, j'ai été amené à exhumer des documents là où ils étaient cachés. Ce sont ces documents rassemblés ici dans le *Calendrier de la persécution des Juifs de France*, que j'ai trouvé dans les archives nationales, militaires, départementales, privées. [...] J'ai compris qu'on ne pouvait écrire des livres nouveaux sans une masse documentaire inédite. Dans les années 1970, j'ai donc classé tous les documents dans l'ordre chronologique, qui était le signataire, le destinataire, les noms cités... [...] J'ai pu montrer comment la Solution finale s'est appliquée dans les villages, dans les petites villes.

Entretien avec Serge Klarsfeld, « Klarsfeld, monument aux morts », *Libération*, 4 octobre 2001.

POUR COMPRENDRE

1. Étudier les documents

Doc. 1 À quels obstacles les rescapés des camps se heurtent-ils en 1945 ?

Doc. 2 En quoi ce film est-il révélateur de « l'ère du témoin » qui s'ouvre dans les années 1970 ?

Doc. 3 et 4 Pour quelles raisons ces procès se sont-ils tenus ? Avec quels effets sur les opinions publiques ?

Doc. 5 Quelles difficultés les historiens ont-ils rencontré dans le travail d'enquête sur la déportation ?

2. Analyse de deux documents

BAC À l'aide des documents 2 et 5, vous montrerez comment les historiens travaillent l'histoire de la Shoah.

3. Aide à la composition

BAC À l'aide de vos connaissances, vous répondrez par un plan détaillé au sujet : « L'évolution de la mémoire de la Shoah en France ».

Les historiens face au rôle du maréchal Pétain

Le rôle de Philippe Pétain pendant la Seconde Guerre mondiale est aujourd'hui bien connu des historiens. Mais la connaissance de son action personnelle dans la gestion de la collaboration, la répression de la résistance, et la déportation des Juifs de France a pendant longtemps été occultée ou minimisée par la fermeture des archives et par la volonté gaullienne d'apaiser la mémoire française des troubles de la guerre. Le rôle des historiens dans la révélation de son action permet aussi de penser la manière dont la Seconde Guerre mondiale est passée d'une mémoire déchirée à une histoire plus objective.

➜ *Comment le rôle de Pétain durant la Seconde Guerre mondiale a-t-il été analysé par les historiens ?*

Dates clés

Ph. Pétain d'une guerre mondiale à l'autre
1916 Bataille de Verdun.
1938 Ambassadeur de France dans l'Espagne de Franco.
1940 Président du Conseil (16 juin).
Chef du régime de Vichy (10 juillet).
Rencontre Hitler à Montoire (24 octobre).
1942 Invasion de la zone Sud (11 novembre).
1944 Fuite à Siegmaringen (8 septembre).
1945 Condamné à mort par la Haute Cour de Justice, sa peine est commuée par le général de Gaulle (17 août).

Doc. 1 Le procès de Philippe Pétain (juillet-août 1945).
Défendu par Me Jacques Isorni, le maréchal Pétain se justifie en affirmant qu'il utilisait son pouvoir « comme d'un bouclier pour protéger le peuple français. »

Biographie

Philippe Pétain (1856-1951)
Général considéré en France comme le vainqueur de Verdun, maréchal de France en 1918, Pétain est très populaire auprès des anciens combattants en 1940. Ministre de la Guerre puis ambassadeur dans les années 1930, il devient président du Conseil et demande la cessation des combats le 17 juin 1940. Chef du régime de Vichy après le 10 juillet 1940, il engage la France sur la voie de la collaboration avec l'Allemagne et de la « Révolution nationale ». Jugé en 1945, condamné à mort, sa peine est commuée en prison à vie par le général de Gaulle.

Doc. 2 Robert Aron et la thèse du glaive et du bouclier (1954).

Aucune archive publique n'est accessible avant 1979. Le journaliste Robert Aron écrit une des premières histoires de Vichy à l'aide de témoignages, et des archives des procès de 1945 que les juges lui ont permis de consulter.

Dans une telle disgrâce, si l'on pouvait un seul instant s'arrêter et méditer ce serait pour s'inquiéter que la France, comme seul recours, n'ait qu'un vieillard chargé de gloire, chargé d'années, qui se souvient encore d'avoir appris son catéchisme par les leçons d'un aumônier, vétéran de la Grande Armée. [...] Tous deux étaient également nécessaires à la France. Selon le mot que l'on prêtera à Pétain et à de Gaulle : « le Maréchal était le bouclier, le Général l'épée ». [...] Pour le Maréchal, l'armistice n'était, ne pouvait être qu'une pause [...]. Pour Laval, au contraire, l'armistice devait permettre un retournement des alliances dont Montoire, de façon définitive, allait marquer le début [...]. Laval continue son double jeu, non pas alors par duplicité, mais parce qu'il croit que la situation ambiguë où se trouve la France l'oblige à des efforts apparemment contraires. D'une part, limiter la mainmise nazie sur notre population et sur notre économie. D'autre part, maintenir la France associée à ce Reich dont il imagine toujours qu'il sortira victorieux de la bataille. [...] La plupart [*des vichystes*], s'ils se sont trompés, ce dont l'avenir décidera, l'ont fait, en tous cas, de bonne foi et dans la conviction sincère qu'ils servaient la patrie.

Robert Aron, avec Georgette Elgey,
Histoire de Vichy (1940-1944), Paris, Fayard, 1954.

Avant 1981, R. Paxton travaillait à partir d'archives américaines et allemandes. À partir de 1981, les archives françaises ouvrent aux chercheurs une partie des fonds du régime de Vichy.

J'écrivais à l'époque [en 1972], d'une façon un peu schématique (et faute d'avoir pu accéder aux rapports préfectoraux), que l'opinion française de 1940 était presque unanimement favorable au maréchal Pétain, et celle de 1944 presque unanimement favorable au général de Gaulle. [...] Depuis, l'étude attentive et nuancée que Pierre Laborie a consacré[1] aux rapports de police, aux écoutes téléphoniques et au contrôle du courrier à Toulouse a montré que, dans le cas des Toulousains au moins, les réserves à l'égard du gouvernement de Vichy étaient, dès le début, plus largement répandues que je ne l'avais supposé, et que, dès la fin de 1940, l'opinion publique toulousaine était devenue méfiante à son

endroit. [...] Il vaut aussi la peine de souligner que l'opinion publique a constamment distingué entre le maréchal Pétain et son gouvernement (je l'écrivais en 1972 et Pierre Laborie l'a confirmé). Le durable prestige personnel du Maréchal continuera à légitimer ce que faisait son gouvernement alors que sa politique suscitait depuis longtemps déjà de larges doutes. [...] Dans *La France de Vichy*, j'avais déjà esquissé la thèse que je devais développer par la suite [en 1981] avec Michael Marrus, dans *Vichy et les Juifs* : plus personne ne peut contester que les premières mesures anti-juives de 1940 relevaient d'une initiative purement française, ni que ce soit Vichy lui-même qui a insisté en 1942 pour coopérer à la déportation des Juifs vers l'Est.

1. Pierre Laborie, *L'Opinion publique sous Vichy*, Paris, Le Seuil, 1990.

Robert O. Paxton, avant-propos à la seconde édition de *La France de Vichy. 1940-1944*, Paris, Le Seuil, 1997 (1re éd. 1972).

Le brouillon du texte portant sur le statut des Juifs a été versé aux archives du Mémorial de la Shoah en 2011. Il est annoté de la main de Pétain, et a été promulgué le 3 octobre 1940.

On disposait du témoignage de Paul Baudouin, alors ministre des Affaires étrangères qui avait noté qu'en Conseil des Ministres du 1er octobre « pendant deux heures est étudié le statut des israélites. C'est le Maréchal qui se montre le plus sévère. Il insiste en particulier pour que "la Justice et l'Enseignement ne contiennent aucun Juif" ». Ce témoignage était le seul qui faisait état de la volonté active de Pétain de sévir contre les Juifs. Aujourd'hui c'est Pétain lui-même qui confirme et passe aux aveux grâce à ce document où il aggrave personnellement et considérablement les mesures prévues pour exclure les Juifs français de la communauté nationale.

1. Pétain complète la liste des tribunaux et juridictions d'où sont exclus les Juifs par les « Justices de Paix » et ajoute aux mandats interdits aux Juifs « toutes assemblées issues de l'élection ». [...]

2. Pétain élargit à « *tous les membres du corps enseignant* » l'interdiction pour les Juifs d'exercer alors que les rédacteurs du statut n'avaient prévu cette interdiction que pour les recteurs, inspecteurs, proviseurs et directeurs d'établissements primaires et secondaires.

3. Pétain supprime une exception capitale prévue pour les Juifs : « *être descendant de Juifs nés Français ou naturalisés avant 1860* ». Ceux qui soutiennent encore que Pétain voulait protéger les Juifs français devront prendre en considération cette suppression faite par Pétain lui-même alors que les Allemands n'exerçaient aucune pression pour qu'un statut des Juifs fût mis en place par Vichy, et que les mesures qu'ils avaient prises eux-mêmes le 27 septembre 1940 concernaient le recensement des Juifs et des entreprises juives en zone occupée.

4. Pétain conclut ces mesures antijuives en édictant également de sa main que seront publiés au *Journal Officiel* « *les motifs qui les justifient* ». C'est dire qu'il adhère totalement à la déclaration gouvernementale extrêmement antisémite rendue publique le 17 et 18 octobre 1940, lors de la promulgation de ce statut des Juifs et faisant des Juifs les boucs émissaires de sa défaite.

Serge Klarsfeld, « Le premier statut des Juifs », contribution au colloque organisé à l'hôtel de ville de Paris pour le 70e anniversaire du premier statut des Juifs, 4 octobre 2010.

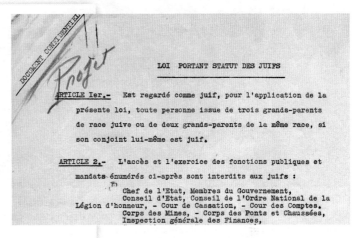

LOI PORTANT STATUT DES JUIFS

ARTICLE Ier.- Est regardé comme juif, pour l'application de la présente loi, toute personne issue de trois grands-parents de race juive ou de deux grands-parents de la même race, si son conjoint lui-même est juif.

ARTICLE 2.- L'accès et l'exercice des fonctions publiques et mandats énumérés ci-après sont interdits aux juifs :

Chef de l'Etat, Membres du Gouvernement, Conseil d'Etat, Conseil de l'Ordre National de la Légion d'honneur, - Cour de Cassation, - Cour des Comptes, Corps des Mines, - Corps des Ponts et Chaussées, Inspection générale des Finances,

POUR COMPRENDRE

1. Étudier les documents

Doc. 1 et 2 Comment la thèse du glaive et du bouclier se diffuse-t-elle ? Comment expliquer son succès ?

Doc. 3 Quels éléments nouveaux ont confirmé ou modifié les idées de Robert O. Paxton entre les deux éditions de son livre ?

Doc. 4 Que révèle ce document décrit par Serge Klarsfeld ? Que modifie-t-il de ce que savent les historiens ?

2. Analyse de deux documents

BAC À l'aide des documents 2 et 3, expliquez le rôle que joue l'ouverture des archives dans la compréhension des faits historiques.

3. Aide à la composition

BAC À l'aide de vos connaissances, vous rédigerez un paragraphe qui réponde au sujet : « L'évolution de l'image de Pétain dans l'historiographie de Vichy ».

L'historien peut-il écrire l'histoire de son époque ?

>>> Deux historiens acteurs de la Seconde Guerre mondiale

Marc Bloch, un historien devenu acteur de l'Histoire.

Ces pages seront-elles jamais publiées ? Je ne sais. [...] Je me suis cependant décidé à les écrire. [...] Un témoignage ne vaut que fixé dans sa première fraîcheur et je ne puis me persuader que celui-ci doive être tout à fait inutile. Un jour viendra, tôt ou tard, j'en ai la ferme espérance, où la France verra de nouveau s'épanouir, sur son vieux sol béni déjà de tant de moissons, la liberté de pensée et de jugement. Alors les dossiers cachés s'ouvriront ; les brumes [...] se lèveront peu à peu ; et peut-être les chercheurs occupés à les percer trouveront-ils quelque profit à feuilleter, s'ils le savent découvrir, ce procès-verbal de l'an 1940.

Je n'écris pas ici mes souvenirs. Les petites aventures personnelles d'un soldat, parmi beaucoup, importent, en ce moment, assez peu, et nous avons d'autres soucis que de rechercher le chatouillement du pittoresque et de l'humour. Mais un témoin a besoin d'un état civil. Avant même de faire le point sur ce que j'ai pu voir, il convient de dire avec quels yeux je l'ai vu. [...]

J'ai participé au travail et à la vie d'états-majors d'un rang assez élevé. Je n'ai certes pas su tout ce qui s'y faisait. Il m'est arrivé parfois, on s'en rendra compte, d'ignorer jusqu'aux renseignements les plus nécessaires à mon service propre. Mais j'ai pu observer, au jour le jour, les méthodes et les hommes. Je n'ai, par contre, jamais vu de près, moi-même, le combat. Avec la troupe, je n'ai eu que de rares contacts. Là-dessus, force m'est de m'en remettre, avant tout, à d'autres témoignages, que j'ai été assez bien placé pour recueillir et peser. C'est assez, sans doute, sinon pour remplacer la vision directe, dont rien n'égale jamais, si les yeux sont bons, l'authenticité ni la saveur humaine, du moins pour justifier certaines réflexions. Aussi bien, nul ne saurait prétendre avoir tout contemplé ou tout connu. Que chacun dise franchement ce qu'il a à dire ; la vérité naîtra de ces sincérités convergentes.

Marc Bloch, *L'Étrange défaite - Témoignage écrit en 1940*, Paris, Gallimard, 1990.

Une famille sur la route de l'exode, mai 1940.

Après la « Drôle de guerre » (septembre 1939-avril 1940), l'invasion allemande provoque l'exode de 8 à 10 millions de Français. Le 17 juin 1940, Philippe Pétain demande la cessation des combats. Marc Bloch écrit à chaud *L'Étrange défaite*, entre juin et septembre 1940.

Marc Bloch (1886-1944) est un historien spécialiste du Moyen Âge, professeur à l'Université de Strasbourg puis à la Sorbonne, co-fondateur de la revue *Annales*, qui a transformé la manière de faire de l'Histoire. Ancien combattant de la Grande Guerre, il est mobilisé en 1939 et assiste à la défaite. Il est un des chefs de la résistance en région lyonnaise, avant d'être arrêté, torturé et fusillé par la Gestapo, le 16 juin 1944.

Contexte

Dès la Libération, de nombreux acteurs de la Seconde Guerre mondiale témoignent, soucieux de raconter leur histoire, « leur vérité » sur les événements vécus. Pourtant, le témoin n'est pas l'historien, même si l'historien peut être un témoin. Quelle place le témoignage d'un historien peut-il avoir dans l'histoire de la Seconde Guerre mondiale ? Comment le témoin peut-il devenir historien ?

Un historien devenu acteur de l'Histoire.

1. À qui Marc Bloch destine-t-il son « procès-verbal » de l'an 1940 ?

2. Quelle est, selon lui, l'autorité du témoin oculaire ?

3. Quelle est, selon lui, la différence entre le souvenir et le témoignage ?

Daniel Cordier, un acteur de l'Histoire devenu historien.

Il y a douze ans, armé de l'assurance d'un positivisme naïf, j'ai entrepris mon ouvrage avec la certitude de reconstituer le passé avec exactitude et de le faire revivre pour tous dans l'éclat de sa vérité originelle. J'imaginais que, grâce aux documents, cette réalité renaîtrait pour les lecteurs aussi vivante qu'elle l'était, encore, pour moi. [...] C'est seulement lorsque j'ai travaillé sur les documents concernant l'administration [...] que j'ai compris combien ce passé de la Résistance, enfoui dans mon sang, ne revivrait pour personne d'autre dans sa dévorante ardeur.

En dépit de mon ambition initiale [...], j'ai compris que je devais me résigner à plus de modestie dans les résultats. Je sais aujourd'hui que jamais je ne convaincrai tout le monde de l'exactitude des faits que j'ai mis tant de soin à établir. [...]

Ce passé qui était parcouru d'enthousiasme brûlant, de dévouement sans calcul, ressemble à un concert joué une seule fois, et que les spécialistes s'efforcent de reconstituer avec des bribes de documents ou de témoignages. Au terme de leur enquête, peut-être retrouveront-ils le nombre et la qualité de l'assistance, la composition de l'orchestre ou le genre de musique exécutée.

Mais quelles que soient leur patience et l'exactitude de leurs recherches, jamais plus personne ne percevra dans cette musique la sensibilité particulière des musiciens et de leurs instruments, ni la richesse de sa mélodie et la complexité de son harmonie, tel que, « ce jour-là », elle fut exécutée. [...] Seuls ceux qui y auront assisté conserveront dans leur tête la plénitude des improvisations de ce concert, sans être capables, à cause de leurs souvenirs déformés et de leur vocabulaire impuissant, de faire partager leur plaisir, figé à jamais dans leur mémoire solitaire. [...]

Cette conclusion paraîtra peut-être désabusée. Sans doute m'excusera-t-on en pensant qu'elle est celle d'un acteur qui a longuement souffert pour devenir un historien. À tel point que, je dois l'avouer, les cinq ans passés à faire la guerre furent pour moi moins éprouvants que les douze années durant lesquelles j'ai essayé de la raconter.

Daniel Cordier, préface à *Jean Moulin, l'inconnu du Panthéon. Une ambition pour la République*, Paris, Jean-Claude Lattès, 1989.

Daniel Cordier (né en 1920). Alors proche de l'extrême droite, il s'engage dès juin 1940 dans la Résistance. Comme secrétaire de Jean Moulin en 1942, il participe à l'organisation de la Résistance intérieure. Devenu galeriste et critique d'art, il s'oppose dans les années 1970 à la manière dont l'action de Jean Moulin est présentée par certains résistants. Daniel Cordier est l'auteur de la plus importante biographie de Jean Moulin.

Daniel Cordier, en Angleterre, juillet 1940.
Alias : BIP W, BX10, Alain, Michel, Benjamin, Talleyrand, Toussaint.

Un acteur de l'Histoire devenu historien.

1. Quelle mission initiale Daniel Cordier s'est-il fixé ?

2. Pourquoi, selon lui, le témoignage est-il difficile à utiliser ?

3. Quelles sont, dans ce texte, les difficultés auxquelles se confronte l'historien ?

Bilan

À partir de ces documents et de vos connaissances, expliquez les difficultés liées à l'écriture de l'histoire de la Seconde Guerre mondiale.

Les mémoires de la Seconde Guerre mondiale en France

L'essentiel

→ *Quel rôle les historiens jouent-ils dans l'évolution des mémoires de la Seconde Guerre mondiale ?*

1. Dès 1945 se construit l'image d'une France résistante.
- En 1945, gaullistes et communistes présentent l'image d'une France unanimement opposée à l'Allemagne.
- La France se reconstruit en jugeant les collaborateurs de l'Allemagne et de Vichy.

2. Dans les années 1950-1970, le mythe résistancialiste s'affirme.
- L'historien Robert Aron diffuse l'idée du « bouclier » Pétain associé au « glaive » de Gaulle.
- En 1964, l'entrée des cendres de Jean Moulin au Panthéon est l'occasion de célébrer l'unité de la Résistance.
- En 1973, l'historien américain R. Paxton révèle l'étroitesse des liens entre le régime de Vichy et l'Allemagne nazie, et remet en cause la théorie du glaive et du bouclier.

3. À partir des années 1970, le temps des mémoires et des commémorations.
- La montée en force des théories négationnistes oblige les historiens et les déportés à s'engager.
- Les procès de Barbie, Touvier et Papon mettent en avant l'expertise des historiens.
- En 1995, le président Jacques Chirac reconnaît la responsabilité de la France dans les crimes de Vichy.

Personnages

M. Bloch
(1886-1944)
❱ Bio p. 86

Ch. de Gaulle
(1890-1970)
❱ Bio p. 296

C. Lanzmann
(né en 1925)
❱ Bio p. 62

J. Moulin
(1916-1996)
❱ Bio p. 50

F. Mitterrand
(1916-1996)
❱ Bio p. 61

M. Papon
(1910-2007)
❱ Bio p. 63

Ph. Pétain
(1856-1951)
❱ Bio p. 64

Mots clés

- Collaborationniste • Collaborateur • Crime contre l'humanité • Épuration • Juste parmi les nations
- « Malgré-Nous » • Négationnisme • Résistancialisme • Témoin • Thèse du glaive et du bouclier • Vichysto-résistant

Synthèse

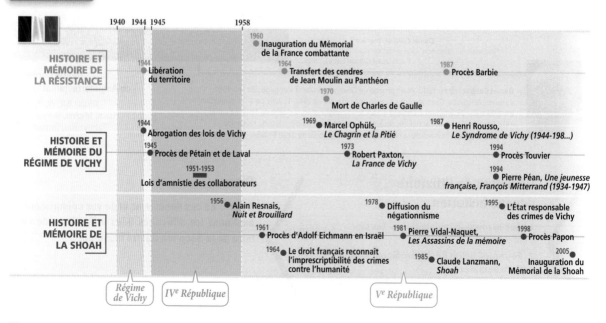

HISTOIRE ET MÉMOIRE DE LA RÉSISTANCE

1940 1944 1945 1958

1944 Libération du territoire

1960 Inauguration du Mémorial de la France combattante

1964 Transfert des cendres de Jean Moulin au Panthéon

1970 Mort de Charles de Gaulle

1987 Procès Barbie

HISTOIRE ET MÉMOIRE DU RÉGIME DE VICHY

1944 Abrogation des lois de Vichy

1945 Procès de Pétain et de Laval

1951-1953 Lois d'amnistie des collaborateurs

1969 Marcel Ophüls, *Le Chagrin et la Pitié*

1973 Robert Paxton, *La France de Vichy*

1987 Henri Rousso, *Le Syndrome de Vichy (1944-198...)*

1994 Procès Touvier

1994 Pierre Péan, *Une jeunesse française, François Mitterrand (1934-1947)*

HISTOIRE ET MÉMOIRE DE LA SHOAH

1956 Alain Resnais, *Nuit et Brouillard*

1961 Procès d'Adolf Eichmann en Israël

1964 Le droit français reconnaît l'imprescriptibilité des crimes contre l'humanité

1978 Diffusion du négationnisme

1981 Pierre Vidal-Naquet, *Les Assassins de la mémoire*

1985 Claude Lanzmann, *Shoah*

1995 L'État responsable des crimes de Vichy

1998 Procès Papon

2005 Inauguration du Mémorial de la Shoah

Régime de Vichy   *IVe République*   *Ve République*

BAC Composition

Méthode ❯ p. 10

Introduction	Explication des termes du sujet et du contexte, annonce de la problématique et du plan.
Développement	Argumentation organisée en paragraphes (un paragraphe = une idée + un exemple développé).
Conclusion	Réponse à la problématique et ouverture (une ou deux idées qui montrent l'intérêt du sujet traité).

Sujet 1

Conseils

Introduction : il ne s'agit pas ici de raconter la guerre...
Développement : vous devez expliquer les liens entre Histoire et mémoire.
Conclusion : insistez sur le travail des historiens.

Lecture du sujet

Le souvenir des acteurs, image donnée par les institutions, les historiens.

Le gouvernement, les hommes, les actes, les soutiens reçus, les oppositions.

Histoire et mémoire de la France de Vichy en France depuis 1944.

Ne pas raconter la guerre mais expliquer l'influence de Vichy depuis 1944.

Mots clés

- Collaboration
- Crimes contre l'humanité
- Épuration
- Résistancialisme
- Vichysto-résistant

Personnages attendus

- J. Chirac
- Ch. de Gaulle
- P. Laval
- J. Moulin
- M. Papon
- R. Paxton
- Ph. Pétain

Chronologie

1944 Libération du territoire
1945 Procès de Pétain et de Laval
1951-1953 Lois d'amnistie des collaborateurs
1964 Jean Moulin entre au Panthéon
1969 Marcel Ophüls, *Le Chagrin et la Pitié*
1973 Robert Paxton, *La France de Vichy*

1987 Procès Barbie
1994 Procès Touvier
1994 Pierre Péan, *Une jeunesse française*
1995 Reconnaissance de la responsabilité de l'État français dans la déportation des Juifs de France
1998 Procès Papon

Sujet 2

Conseils

Introduction : pensez à bien expliquer les termes du sujet.
Développement : veillez à établir des faits et non à multiplier les exemples édifiants
Conclusion : pensez à répondre à la problématique d'une manière argumentée.

Lecture du sujet

Il s'agit ici d'insister autant sur les témoins que sur les historiens ou le rôle des institutions.

On n'attend pas un récit de la France dans la guerre, mais une explication de la manière dont la Shoah a été ressentie depuis la fin de la guerre.

La mémoire de la Shoah en France depuis 1945.

On attend ici une explication de la Solution finale et de son organisation en France.

Mots clés

- Crimes contre l'humanité
- Reconnaissance
- Shoah
- Témoins

Personnages attendus

- S. Klarsfeld
- C. Lanzmann
- M. Papon
- P. Touvier

Chronologie

1945 Retour des déportés
1961 Procès d'Adolf Eichmann en Israël
1985 *Shoah* de Claude Lanzmann
1987 Procès Barbie
1994 Procès Touvier

1995 Reconnaissance de la responsabilité de l'État français dans la déportation des Juifs de France
1998 Procès Papon
2005 Mémorial de la Shoah

Introduction	Explication du sujet et du contexte, annonce de la problématique.
Développement	Argumentation organisée en paragraphes qui structurent la réponse à la consigne.
Conclusion	Réponse à la problématique et ouverture (une ou deux idées qui montrent l'intérêt du sujet traité).

Méthode ⟩ p. 11

Sujet Le transfert des cendres de Jean Moulin au Panthéon (1964).

Consigne : Présentez le document en le replaçant dans son contexte.
Montrez comment, en célébrant la figure de Jean Moulin, André Malraux célèbre la France unie
dans la Résistance et son chef, Charles de Gaulle, contribuant ainsi à perpétuer le mythe résistancialiste.

Voilà donc plus de vingt ans que Jean Moulin partit, par un temps de décembre sans doute semblable à celui-ci, pour être parachuté sur la terre de Provence, et devenir le chef d'un peuple de la nuit. [...]

Lorsque, le 1er janvier 1942, Jean Moulin fut parachuté en France, la Résistance n'était encore qu'un désordre de courage. [...] Certes, les résistants étaient des combattants fidèles aux Alliés. Mais ils voulaient cesser d'être des Français résistants, et devenir la Résistance française.

C'est pourquoi Jean Moulin est allé à Londres. [...] Le général de Gaulle seul pouvait appeler les mouvements de Résistance à l'union entre eux [...] car c'était à travers lui seul que la France livrait un seul combat. C'est pourquoi [...] l'armée d'Afrique, depuis la Provence jusqu'aux Vosges, combattra au nom du gaullisme comme feront les troupes du Parti communiste. [...]

Attribuer peu d'importance aux opinions dites politiques, lorsque la nation est en péril de mort – la nation, non pas un nationalisme alors écrasé sous les chars hitlériens, mais la donnée invincible et mystérieuse qui allait emplir le siècle ; penser qu'elle dominerait bientôt les doctrines totalitaires dont retentissait l'Europe ; voir dans l'unité de la Résistance le moyen capital du combat pour l'unité de la nation, c'était peut-être affirmer ce qu'on a, depuis, appelé le gaullisme. C'était certainement proclamer la survie de la France. [...]

Ce Conseil national de la Résistance, qui groupe les mouvements, les partis et les syndicats de toute la France, c'est l'unité précairement conquise, mais aussi la certitude qu'au jour du débarquement, l'armée en haillons de la Résistance attendra les divisions blindées de la Libération. [...]

Aujourd'hui, Jeunesse, puisses-tu penser à cet homme comme tu aurais approché tes mains de sa pauvre face informe du dernier jour, de ses lèvres qui n'avaient pas parlé ; ce jour-là, elle était le visage de la France.

*Discours d'André Malraux, ministre de la Culture,
à l'occasion du transfert des cendres de Jean Moulin au Panthéon,
le 19 décembre 1964, dans* Oraisons funèbres, *Gallimard.*

Répondre à la consigne

Conseil

Une bonne problématique donne au correcteur l'envie de lire votre copie.

En introduction, vous devez notamment...
- Présenter rapidement le document (qui est Malraux ?), le personnage de Jean Moulin et son rôle dans la Résistance.
- Présenter rapidement le contexte : fin du premier mandat de Charles de Gaulle, deux ans après la fin de la guerre d'Algérie.
- Énoncer une problématique en une affirmation ou une question.

Développement : une explication structurée en paragraphes
- Répondre à chacun des éléments de la consigne, progressivement et à l'aide d'un exemple développé à chaque fois.
- Citer le texte en appui de chacun de vos arguments : un ou quelques mots suffisent, inutile de citer des phrases entières.

En conclusion, il faut par exemple...
- Répondre à la problématique.
- Rappeler l'importance de ce document.
- Montrer que Jean Moulin est un enjeu entre les résistants, et que le résistancialisme communiste propose une autre interprétation de la Résistance.

Introduction	Explication du sujet et du contexte, annonce de la problématique.	**Méthode**
Développement	Argumentation organisée en paragraphes qui structurent la réponse à la consigne.	**> p. 11**
Conclusion	Réponse à la problématique et ouverture (une ou deux idées qui montrent l'intérêt du sujet traité).	

Sujet   Une affiche célèbre l'unité de la France libérée (1944).

Consigne :
Présentez le document dans son contexte.
En décrivant cette affiche, vous en expliquerez les objectifs.
En vous interrogeant sur le contexte, vous montrerez les limites du résistancialisme.

Affiche de Philippe Grach, dit Phili, sur une commande du GPRF, 1944.
Ancien graphiste de la propagande de Vichy, Phili sert le GPRF dès 1944.

Répondre à la consigne

Conseil

Comme un texte, une affiche exprime des idées.

En introduction, vous devez notamment...
• Présenter le contexte de 1944. Expliquer ce qu'est le GPRF.
• Énoncer une problématique.

Développement : une explication structurée en paragraphes
• Expliquer ce que le document n'explique pas : qui sont les personnages représentés derrière Marianne ? Tous les Français ont-ils souffert de la même manière ?
• Expliquer les circonstances de la réalisation du document : comment appelle-t-on ceux qui, ayant fait confiance à Vichy, se sont progressivement tournés vers la France libre ?

En conclusion, il faut par exemple...
• Répondre à la problématique en insistant sur la volonté d'unité de la nation.
• Expliquer en quelques mots ce qui divise la population après la Libération.

BAC Étude critique de deux documents

Introduction	Explication du sujet et du contexte, annonce de la problématique.
Développement	Argumentation organisée en paragraphes qui structurent la réponse à la consigne.
Conclusion	Réponse à la problématique et ouverture (une ou deux idées qui montrent l'intérêt du sujet traité).

Méthode
› p. 11

Sujet L'évolution de la mémoire de la Résistance.

Consigne :

Présentez les deux documents dans leur contexte. Montrez comment la Résistance est présentée. Expliquez l'évolution de la place des Alliés. Analysez la manière dont a évolué la mémoire de la Résistance française, et les limites de ces documents sur l'étude de l'histoire et de la mémoire de la Résistance.

Doc. 2 Jacques Chirac rend hommage à Charles de Gaulle (2006).

La France [*de 1940*] a placé sa confiance dans les vieilles gloires de la guerre précédente, notamment le maréchal Pétain […]. Il se croit à l'abri, derrière la protection illusoire de la Ligne Maginot. Et lorsque les armées nazies déferlent sur le pays saisi de stupeur, de Gaulle voit ce qui reste du pouvoir tourner à vide, dans une immense confusion. Les faits lui donnent dramatiquement raison. Mais pour l'heure, il n'a qu'une idée : combattre. […]

Dans le pire effondrement de notre histoire, il prend alors une décision qui change le destin de la France. Le 16 juin 1940, le maréchal Pétain a formé un nouveau gouvernement. Il entraîne la France dans le choix funeste et déshonorant de l'armistice.

Quelle grandeur il faut au Général de Gaulle pour prendre aussitôt l'avion pour Londres, survolant la ville où sa mère se meurt, sans nouvelles de sa femme et de ses enfants ! Seul, pour assumer la France.

Quel courage, quelle grandeur il lui faut, après une nuit qu'on imagine sans sommeil, écrivant, raturant, réécrivant, pesant chacun de ses mots, pour lancer l'Appel du 18 juin ! Seul encore, il porte la continuité et les valeurs de la France, abandonnée par ses élites. Il incarne déjà l'espoir d'un peuple jeté sur les routes et bouleversé par la défaite. Tout n'est pas perdu. Le pays peut poursuivre le combat à partir de son Empire. Cette guerre sera une guerre mondiale, un choc frontal entre les démocraties et le totalitarisme nazi. Tôt ou tard, la victoire basculera dans le camp de la liberté.

Quel courage il lui faut, alors que le gouvernement de Vichy l'a condamné à mort, quelle humanité, au sens le plus noble du terme, pour poursuivre le combat après l'échec de Dakar ! Quelle grandeur, lui qui n'est presque rien, pour regarder droit dans les yeux Churchill, pour tenir tête à Roosevelt, qui lui préfère le général Giraud ! Ce courage, il le puise dans l'idée qu'il se fait de la France, et dans sa foi dans les valeurs de la République. Alors que Vichy, servile, livre les Juifs à leurs bourreaux, de Gaulle ne veut connaître que deux catégories de Français : ceux qui font leur devoir, et ceux qui ne le font pas. Grâce à lui, la France est dans le camp des vainqueurs. Il charge Jean Moulin d'unifier la Résistance. En 1942, les Français libres se couvrent de gloire à Bir Hakeim. Le 6 juin 1944, les hommes du commandant Kieffer débarquent en Normandie. En août, Paris est libéré par les Parisiens et la division Leclerc. Aux côtés des Alliés, des Français participent à la délivrance du pays jusqu'à Strasbourg, accomplissant ainsi le serment fait à Koufra, avant de marcher sur Berlin.

Dans Paris libéré, les Champs-Élysées, envahis par une foule immense, s'ouvrent devant lui comme une mer. Il refait autour de sa personne l'unité de la France déchirée. Et lorsqu'on lui demande de proclamer la République, il répond qu'elle n'a jamais cessé d'être : la France Libre, la France Combattante, le Comité français de la libération nationale, l'ont tour à tour incarnée face à Vichy.

Jacques Chirac, président de la République, discours pour l'inauguration du mémorial Charles-de-Gaulle de Colombey-les-deux-Églises, le 9 novembre 2006.

123

60. — La seconde guerre mondiale : Paris libéré.
(Août 1944).

RÉCIT

Depuis 1940, les Allemands occupaient notre pays : les Français étaient esclaves sur leur propre sol.

Mais ils voulaient rester un pays libre, et ils « résistaient » à l' « occupant ».

L'occupant prit peur ; il emprisonna et tortura des milliers de patriotes français ; il les fit mourir de faim en Allemagne. D'autres furent fusillés ou massacrés. Des milliers de jeunes gens se réfugièrent dans le « maquis » où ils continuèrent la lutte.

Malgré leur « résistance », les enfants de France ne pouvaient à eux seuls délivrer le pays.

Les armées alliées débarquèrent en Normandie, et, en août 1944, elles marchèrent sur Paris.

De leur côté, les Parisiens avaient attaqué les troupes allemandes qui occupaient Paris. Et voici les chars du général Leclerc qui arrivent dans la capitale. Les Parisiens, fous de joie, crient : « Vive la France ! ».

L'Allemagne capitule le 9 mai 1945.

RÉSUMÉ

« Nous ne périrons pas. Nous sortirons de là. Nous gagnerons la guerre ! France, France nouvelle, grande France, en avant ! » (Paroles du Général de Gaulle, 1940.)

Questions

1. *Les Français « résistaient » : que faut-il entendre par là ?*
2. *Comment les « occupants » traitèrent-ils les Français ?*
3. *Que firent les armées alliées en 1944 ?*
4. *Comment Paris aida-t-il vaillamment à se libérer ?*
5. *V signifie Victoire : dessinez.*

Doc. 1 Un manuel d'école primaire enseigne l'histoire de la Seconde Guerre mondiale (1959).

Louis François, *Manuel de Cours élémentaire*, Paris, Nathan, 1959.

1. Lire le sujet et mobiliser ses connaissances

Conseil

Rappelez la situation politique de la France entre 1940 et 1945.

D'où viennent ces documents ?

• **À propos du doc. 1** : repérez sa nature et sa date de publication. Qui décide des programmes scolaires ? Quelle est l'image que la France donne d'elle-même dans la guerre à l'époque ?
• **À propos du doc. 2** : repérez la date du discours. Quel rôle Jacques Chirac a-t-il joué dans la politique mémorielle depuis 1995 ?

De quelle manière la Résistance est-elle présentée ?

• D'après le doc. 1, comment l'unanimisme résistant est-il montré ? Comment Paris est-il libéré ?
• D'après le doc. 2, comment le rôle de De Gaulle en juin 1940 est-il présenté ?
Comment la Résistance est-elle présentée ? Que reste-t-il de l'unanimisme gaullien ?

Comment les Alliés sont-ils présentés ?

• À l'aide de votre cours, faites le point sur le rôle des Alliés dans l'aide à la Résistance, les combats en Europe de 1941 à 1945, et le poids de l'URSS.
• Repérez le rôle des Alliés dans la victoire. Quel grand Allié n'est pas mentionné ? Pourquoi ?

2. Confronter les documents à ses connaissances

Conseil

Avant tout, interrogez-vous sur le public auquel chacun de ces textes s'adresse. Ceci vous permettra de mieux comprendre les intentions des auteurs.

Comparez ce que disent les documents du rôle de De Gaulle.

• Comment le rôle du général de Gaulle est-il mis en avant dans chacun des documents ? Son autorité a-t-elle toujours été reconnue par les résistants ? et par les Alliés ?
• Pourquoi le discours de J. Chirac héroïse-t-il l'action Ch. de Gaulle ? À quelle autre figure l'oppose-t-il ? Pourquoi ?
• Comment la France est-elle présentée dans chacun des documents ? Comment le doc. 2 raconte-t-il la continuité républicaine ? Est-ce conforme à l'histoire ? Pourquoi ?

Comparez ce que disent les documents de l'évolution militaire de la guerre.

• Comparez la manière dont les événements militaires sont présentés : quelles actions de la Résistance ne sont qu'esquissées ou absentes ? Pourquoi en 1958 insister uniquement sur les chars de Leclerc ?
• Comparez la manière dont les Alliés sont présentés. En reprenant l'évolution de l'historiographie, expliquez pourquoi Jacques Chirac insiste sur les oppositions entre de Gaulle et les Alliés.
• Quels éléments des combats ne sont pas présents, ou à peine esquissés dans le doc. 2 ?
Quelles sont les limites d'un tel discours ?

Comparez ce que disent les documents du rôle de Vichy et de la déportation des Juifs de France.

• À l'aide de votre cours, rappelez l'action de Pétain en juin 1940, l'action du régime de Vichy dans la collaboration, les conditions de la fin du régime et le procès de ses responsables.
• Comment expliquer une telle évolution entre les deux documents à propos du rôle de Vichy dans la collaboration et dans la déportation ? Quelle place est faite à Pétain ? Pourquoi ?

3. Répondre à la consigne

Conseil

Évitez de séparer les analyses des deux documents, construisez plutôt un plan qui permette d'utiliser les deux documents dans chaque partie.

En introduction, vous devez notamment...

• Replacer chaque document dans son contexte. Expliquer la notion de Résistancialisme.
• Énoncer une problématique claire.

Développement : une explication structurée en paragraphes

• Répondez à chaque élément de la consigne dans l'ordre.
• Faites attention à ce que ne dit pas le doc. 1 par rapport à ce sur quoi insiste le doc. 2.
Pourquoi le doc. 1 ne dit-il rien de la déportation ?

En conclusion, il faut par exemple...

• Répondre à la problématique.
• Montrer les raisons pour lesquelles la mémoire de la Résistance a évolué entre les deux documents.

chapitre 3

L'historien et les mémoires de la guerre d'Algérie

La guerre d'Algérie (1954-1962) a laissé dans la mémoire française comme dans la mémoire algérienne des traces profondes. Les témoignages de soldats français ou de membres du Front de Libération Nationale algérien (FLN), d'hommes politiques et d'intellectuels se multiplient depuis l'époque même de la guerre. Mais la fermeture des archives, notamment celles de la police, empêche tout travail de recherche de la part des historiens avant les années 1990.

La marque de ce conflit tragique se traduit dans des représentations souvent partisanes qui se heurtent dans une guerre des mémoires. Cet enjeu mémoriel compte de nombreux acteurs : la France et l'Algérie en tant que nations, les anciens combattants des deux bords, les Français rapatriés d'Algérie (les Pieds-noirs) et les Algériens restés fidèles à la France et contraints au départ (les harkis).

➜ *Quel rôle les historiens ont-ils joué dans l'évolution de la mémoire de la guerre d'Algérie en France ?*

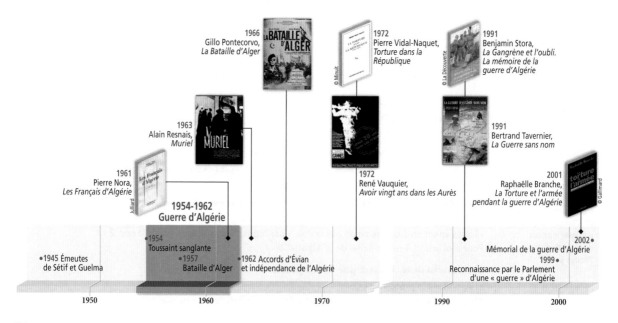

1966
Gillo Pontecorvo,
La Bataille d'Alger

1972
Pierre Vidal-Naquet,
Torture dans la République

1991
Benjamin Stora,
La Gangrène et l'oubli. La mémoire de la guerre d'Algérie

1963
Alain Resnais,
Muriel

1991
Bertrand Tavernier,
La Guerre sans nom

1961
Pierre Nora,
Les Français d'Algérie

1972
René Vauquier,
Avoir vingt ans dans les Aurès

2001
Raphaëlle Branche,
La Torture et l'armée pendant la guerre d'Algérie

1954-1962 Guerre d'Algérie

•1954
Toussaint sanglante
•1957
Bataille d'Alger

•1945 Émeutes
de Sétif et Guelma

•1962 Accords d'Évian
et indépendance de l'Algérie

2002
Mémorial de la guerre d'Algérie
1999•
Reconnaissance par le Parlement
d'une « guerre » d'Algérie

1950   1960   1970   1990   2000

PARIS MATCH

NOS PHOTOS AU TRIBUNAL

LES JUGES DE SALAN

N° 585 / 2 JUIN 1962 / 1 NF

UN GRAND
REPORTAGE AVEC
LES RAPATRIÉS
D'ALGÉRIE

LA FRANCE NOUS AIME-T-ELLE TOUJOURS ?

Ils se sont connus
et mariés en Algérie, lui militaire,
elle professeur. Ils étaient instituteurs
Ils retrouvent aujourd'hui les
rivages de la mère patrie.

PHOTO MAURICE JARNOUX

Les rapatriés à la Une de *Paris Match*.

• Les Tisson, un couple d'instituteurs français, ici photographiés par M. Jamoux, quittent l'Algérie avec leur enfant, trois mois après les accords d'Évian.

• Le 18 mars 1962 la signature des accords d'Évian confère l'indépendance aux départements français d'Algérie. Près d'un million de Français d'Algérie, plus de 60 000 Algériens inté-

grés dans l'armée, les harkis, les quittent avec les derniers des 2 millions de conscrits. Après l'échec du putsch des généraux, le général Raoul Salan est condamné à la prison perpétuelle.

• Si la France occulte jusqu'aux années 1990 le souvenir de la guerre, l'Algérie l'utilise comme outil de propagande et d'appel à l'unité du pays.

La guerre d'Algérie

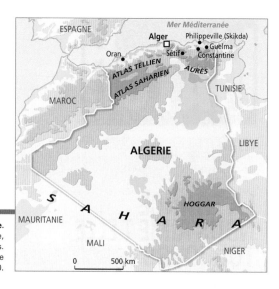

« *J'ai toujours condamné la terreur. Je dois condamner aussi un terrorisme qui s'exerce aveuglément dans les rues d'Alger par exemple, et qui peut un jour frapper ma mère ou ma famille. Je crois à la justice, mais je défendrai ma mère avant la justice.* »

Albert Camus,
après sa réception du prix Nobel de littérature, Stockholm, 1957.

L'Algérie française.
L'Algérie est vaste comme quatre fois la France. Une bande de terre littorale, profonde de 250 km, est confisquée au XIXe siècle au bénéfice des Européens. Les territoires du Sud sont contrôlés par l'armée, surtout depuis la découverte de gaz et de pétrole dans les années 1950.

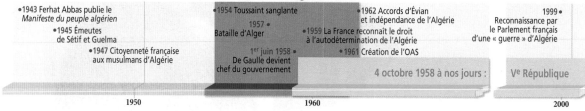

**1954-1962
Guerre d'Algérie**

- 1943 Ferhat Abbas publie le *Manifeste du peuple algérien*
- 1945 Émeutes de Sétif et Guelma
- 1947 Citoyenneté française aux musulmans d'Algérie

- 1954 Toussaint sanglante
- 1957 Bataille d'Alger
- 1er juin 1958 De Gaulle devient chef du gouvernement

- 1962 Accords d'Évian et indépendance de l'Algérie
- 1959 La France reconnaît le droit à l'autodétermination de l'Algérie
- 1961 Création de l'OAS

4 octobre 1958 à nos jours : Ve République

- 1999 Reconnaissance par le Parlement français d'une « guerre » d'Algérie

1950   1960   2000

1. Une colonisation ancienne (1830)

En 1954, l'Algérie est composée d'un million d'Européens, majoritairement Français, et de 9 millions d'Algériens musulmans. Depuis la conquête française de 1830 et la reddition d'Abd-el-Kader en 1847, plusieurs générations de Français ont exploité cette colonie de peuplement, devenue partie intégrante de la métropole en 1848.

Almanach du petit colon algérien (1893).

2. Sétif et Guelma (1945)

Le 8 mai 1945, des manifestations nationalistes se déroulent en Algérie, à Sétif, à Guelma et à Kerrata. Elles font 102 morts Français et plusieurs milliers de morts Algériens musulmans. 60 000 Algériens sont enfermés dans des camps provisoires pour réprimer toute action nationaliste, alors que les mouvements de décolonisation se développent dans tout l'Empire français.

3. La Bataille d'Alger (1957)

Après la Toussaint sanglante (1954), Alger devient en 1957 un des lieux des combats entre l'armée française dirigée par le général Massu et la branche armée du FLN, dirigée par Ahmed Ben Bellah. Les civils en sont les principales victimes. La torture se banalise.

Une patrouille dans la casbah d'Alger, le 27 janvier 1957.

4. « Je vous ai compris ! » (1958)

Le 4 juin 1958, le président du Conseil Charles de Gaulle se rend à Alger auprès du Comité de salut public formé par les généraux Salan et Massu. Face à la demande de maintien de l'Algérie dans la France, il répond à la foule un ambigu « Je vous ai compris ! ». En 1961, le putsch des généraux signe l'opposition d'une partie de l'armée à l'autodétermination voulue par le général de Gaulle.

5. L'OAS contre de Gaulle (1961-1962)

Après l'annonce de l'autodétermination des Algériens (1959), une partie de l'armée française et des Français d'Algérie favorables au maintien de l'Algérie dans la métropole s'organisent en Organisation Armée Secrète (OAS). Malgré l'échec du putsch de généraux (23 avril 1961), les attentats de l'OAS continuent, en France et en Algérie, causant plus de 2 500 morts en 1961 et 1962.

6. Le massacre du 17 octobre 1961

À Paris, le préfet de police Maurice Papon ordonne la répression d'une manifestation de travailleurs algériens organisée par le FLN. Bilan : plus de 11 000 arrestations, plusieurs dizaines de morts. La police n'en a longtemps reconnu que quatre.

1. Histoire et mémoire immédiate de la guerre d'Algérie, années 1950 et 1960

1954–1962 Guerre d'Algérie

1958-1969 Charles de Gaulle président de la République

1959 Autodétermination des Algériens
1961 Putsch des généraux, création de l'OAS

1962 Indépendance de l'Algérie

1968 Amnistie pénale des généraux putschistes
1967 Retrait définitif de l'armée française

➜ *Comment une lecture officielle des « événements en Algérie » s'est-elle imposée ?*

A. Entre 1954 et 1962, la guerre des propagandes

• **Conquise entre 1830 et 1847, l'Algérie est la plus ancienne colonie de peuplement française.** Rattachée à la **métropole*** depuis 1848, elle compte en 1954 près d'un million d'Européens et 9 millions d'Algériens musulmans. Les fortes inégalités économiques, sociales et politiques vécues par les Algériens aboutissent à une série d'émeutes, comme à Sétif et à Guelma, le 8 mai 1945 (8 000 à 15 000 morts). Dans un contexte de Guerre froide favorable aux indépendances, et malgré l'engagement de 2 millions de conscrits, la guerre d'indépendance (1954-1962) aboutit à la **décolonisation** de l'Algérie par les accords d'Évian (19 mars 1962).

• **La mémoire des massacres et des combats se construit par la propagande.** Après les attentats du 1er novembre 1954 à Alger (début de la guerre d'Algérie), la France parle des « événements » et l'action militaire est un « mouvement de maintien de la paix ». La violence du **FLN** est surmédiatisée, comme à Philippeville en 1955, ou à Palestro en 1956 (p. 88). Chacun veut retourner l'opinion publique : le FLN pour rallier les Algériens et s'attirer la sympathie de militants en France, comme les **porteurs de valise***, et l'État français pour faire accepter les opérations de représailles.

B. Dans les années 1960, affirmer puis taire les engagements

• **En France, les dénonciations sont faiblement entendues.** En dehors du PCF, tous les partis politiques soutiennent, dès 1956, les actions militaires en Algérie. Ceux qui dénoncent dès 1956 la torture, comme le général Pâris de Bollardière, ou l'historien Henri-Irénée Marrou, sont arrêtés. Les appelés morts dans les combats reviennent dans des cercueils plombés ; les actes de décès stipulent des accidents. Les mêmes hommes ont participé aux combats de la Résistance (1940-1944) et à la guerre d'Indochine (1947-1954), comme le général Jacques Massu. Les défis pour la France sont immenses : loger 900 000 « rapatriés », faire oublier les attentats de l'**OAS*** et du FLN en métropole, et la violence policière contre les manifestations du 17 octobre 1961 et du métro Charonne en février 1962 (p. 90).

• **L'Algérie indépendante veut aussi faire oublier les divisions des indépendantistes** et imposer une lecture unanime de la marche vers l'indépendance menée par le seul FLN. Sont passés sous silence les combats entre la branche armée du FLN, l'Armée de Libération Nationale (ALN), contre le Mouvement National Algérien (MNA) de Messali Hadj, qui a fait plus de 10 000 morts entre 1956 et 1962. De même pour l'opposition entre Gouvernement Provisoire de la République Algérienne (GPRA), reconnu par plusieurs États et le bureau politique du FLN, qui aboutit à la victoire de ce dernier et à l'arrivée de Ahmed Ben Bellah à la présidence jusqu'au coup d'État de 1965.

C. Dans les années 1960 et 1970, des voix face aux silences officiels

• **Les critiques du rôle de l'armée et de l'action de l'État français dans la guerre s'expriment pourtant.** Les procès de l'historien André Mandouze (1957) et du philosophe Francis Jeanson sont l'occasion de démonstrations publiques. François Mauriac, dans *L'Express*, Jean-Paul Sartre dans *Les Temps modernes*, d'autres dans *Le Manifeste des 121*, critiquent violemment l'action de la police en France et la torture en Algérie.

• **Les témoignages se multiplient.** Gillo Pontecorvo, dans le film *La Bataille d'Alger* (1966), les photographes Kryn Taconis, de l'agence Magnum, qui accompagne une brigade FLN, ou Elie Kagan, rare source des manifestations FLN de 1961, font connaître, malgré la censure qui les frappe, la réalité des combats. Pierre Vidal-Naquet, dans *La Torture dans la République* (1972), fait œuvre de pionnier d'une difficile histoire de la guerre d'Algérie.

Citation

« Faut-il rappeler que, quinze ans après la destruction de l'ordre hitlérien, le militarisme français, par suite des exigences d'une telle guerre, est parvenu à restaurer la torture ? »

Manifeste des 121, signé par des intellectuels favorables à l'indépendance algérienne, comme Marguerite Duras, Robert Antelme et Edgar Morin, Vérité-Liberté, 6 septembre 1960.

Biographie

Jacques Pâris de Bollardière (1907-1986)
Résistant à Londres dès juin 1940, Compagnon de la Libération, il est général en Algérie en 1956. En 1957, pour défendre le journaliste Jean-Jacques Servan-Schreiber, directeur de *L'Express*, il condamne à son tour l'usage de la torture, et est mis aux arrêts. Opposé à l'OAS mais aussi à de Gaulle, il démissionne de l'armée en 1963. Militant dans les mouvements non-violents, chrétien engagé, il refuse d'être réintégré dans l'armée en 1982.

Mots clés

Décolonisation : Processus par lequel un territoire colonisé devient un État indépendant.

FLN : Front de Libération Nationale algérien. Mouvement politique et militaire fondé en novembre 1954 pour obtenir l'indépendance algérienne. Devenu parti politique en 1962, il est, de fait, parti unique de 1965 à 1991.

Vocabulaire

* Métropole
* Porteur de valise
* OAS

❱ lexique p. 380 à 383

Doc. 1 Francis Jeanson, un « porteur de valises ».

Le FLN peut s'appuyer à partir de 1955 sur un réseau d'intellectuels proches du PCF, en métropole. Ces militants approvisionnent le FLN en argent et en informations, utilisant l'expérience de la clandestinité vécue pendant la Seconde Guerre mondiale, comme le philosophe Francis Jeanson (1922-2009).

1. Qu'est-ce qu'un « porteur de valise » ?

2. En quoi l'existence de ces soutiens au FLN en métropole infirme-t-elle la vérité officielle imposée par l'armée et l'État ?

Doc. 3 Henri Alleg dénonce la torture (1958).

Arrêté chez Maurice Audin après l'interdiction de son quotidien Alger républicain *(1955), H. Alleg est torturé un mois durant et le dénonce dans un écrit clandestin,* La Question, *immédiatement interdit lors de sa parution en 1958.*

Les tortures ? Depuis longtemps le mot nous est devenu familier. Rares sont ici ceux qui y ont échappé. Aux entrants à qui l'on peut adresser la parole, les questions que l'on pose sont, dans l'ordre, « arrêté depuis longtemps ? Torturé ? Paras ou policiers ? » Ce que j'ai dit dans ma plainte, ce que je dirai ici illustre d'un seul exemple ce qui est la pratique courante dans cette guerre atroce et sanglante. Il y a maintenant plus de trois mois que j'ai été arrêté [...]. Des nuits entières, durant un mois, j'ai entendu hurler des hommes que l'on torturait, et leurs cris résonnent pour toujours dans ma mémoire. [...] Lorca installait maintenant sur le sol une planche noire, suintante d'humidité, souillée et glissante des vomissures laissées sans doute par d'autres clients. « Allez, couchez-vous ! » Je m'étendis sur la planche. Lorca, aidé d'un autre, m'attacha les poignets et les chevilles avec des lanières de cuir fixées au bois. [...] D'un seul coup, je bondis dans les liens et hurlai de toute ma voix. Charbonnier venait de m'envoyer dans le corps la première décharge électrique. Près de mon oreille avait jailli une longue étincelle et je sentis dans ma poitrine mon cœur s'emballer. Je me tordais en hurlant et me raidissant à me blesser. [...] Jacquet m'avait branché la pince au sexe. Les secousses qui m'ébranlaient étaient si fortes que les lanières qui me tenaient une cheville se détachèrent.

Henri Alleg, *La Question*, Paris, Éditions de Minuit, 1958.

1. À quoi voyez-vous que la torture et la violence sont devenues ordinaires, banales ?

2. Pourquoi un tel témoignage a-t-il été censuré ?

Doc. 2 La propagande de l'armée française.

Tract publié par le Service de l'information des armées, dénonçant l'aide financière réclamée aux populations musulmanes par le FLN.

1. Quel ennemi est désigné sur ce tract ? Pourquoi ?

2. Pourquoi faire de la propagande auprès des Algériens alors que, selon la thèse officielle, ceux-ci veulent rester français ?

Doc. 4 Les historiens face aux témoignages.

Les appelés sont partis en Algérie sous couvert de service militaire, mais tous savaient que la guerre les attendait. [...] Quelques-uns ont choisi de décrire les actions qui attestaient la guerre [...]. Tous contestent le terme officiel de « maintien de l'ordre », puisque la destruction de l'adversaire était le but affiché et atteint. [...]. Quand je les interroge à propos de leur pratique photographique : « Pourquoi avez-vous si peu photographié la guerre ? », ils observent « je n'allais pas photographier les morts », « un cadavre ce n'est pas beau ». Ils confirment ainsi l'amalgame qu'ils pratiquent entre la guerre et la mort [...]. L'un d'eux précise ainsi « je n'ai jamais voulu prendre de photos de morts ou de prisonniers, non. Il y en avait pourtant. Je me souviens de celle de deux prisonniers esquintés qui avaient passé un sale quart d'heure… ». [...] Ils expliquent très rationnellement cette absence de photographies sur ce thème par les contraintes des affrontements et la nécessité d'assurer en premier lieu leur sécurité. Ils évoquent ensuite l'obligation de respecter les règlements militaires [...]. Quand on poursuit la discussion [...], ils admettent que des événements violents, des morts pouvaient être photographiés en dehors des combats quand tout danger était écarté. [...] Mais le débat bute pour finir sur un mystère irréductible, celui de leur incapacité à photographier la mort : « c'était impossible, je ne le pouvais pas ».

Claire Mauss-Copeaux, « Photographies d'appelés de la guerre d'Algérie », dans Mohammed Harbi et Benjamin Stora, *La Guerre d'Algérie, 1954-2004. La fin de l'amnésie*, Paris, Robert Laffont, 2004.

1. Pourquoi le conflit est-il « irreprésentable » ?

2. Comment expliquer que les travaux des historiens sur la violence du conflit ne se soient pas multipliés avant les années 1990 ?

2. Les mémoires douloureuses de la guerre d'Algérie, depuis les années 1970

1968 Amnistie des membres de l'OAS

1972 Pierre Vidal-Naquet étudie la violence policière

1972 René Vautier, *Avoir 20 ans dans les Aurès*

1992-1999 Décennie sanglante en Algérie

1991 Benjamin Stora, *La Gangrène et l'oubli*

2001 Thèse de Raphaëlle Branche sur la torture

2002 Inauguration du Mémorial de la guerre d'Algérie

→ *Comment étudier l'histoire d'une guerre soumise aux passions des États et des mémoires ?*

A. Le temps des mémoires déchirées et militantes

• **Depuis les années 1970, les témoins de la guerre d'Algérie se sont structurés** : les anciens combattants (appelés, membres du FLN, de l'OAS, **harkis**) se sont souvent réunis dans des associations ; les victimes et leurs bourreaux s'expriment publiquement.

• **Les acteurs des combats sont difficiles à réconcilier**, notamment sur les accords d'Évian (19 mars 1962), vécus comme une trahison pour les nostalgiques de l'Algérie française, mais un jour de libération pour les indépendantistes. Leurs revendications demeurent diverses : les harkis manifestent (1991-1993) pour l'indemnisation des leurs engagés côté français ; les Pieds-noirs cherchent à se rendre sur les tombes de leurs défunts en Algérie.

• **Ces mémoires sont visibles dans les monuments publics** : monuments aux morts, plaques commémoratives (doc. 2), sont porteurs d'une mémoire conflictuelle. En Algérie, des aéroports et des universités portent le nom des pères de l'indépendance, comme Ferhat Abbas.

B. Dans les années 1970-1980, « l'accélération mémorielle » (B. Stora)

• **Le cinéma a accéléré le travail de mémoire.** *Avoir 20 ans dans les Aurès* (René Vautier, 1972) et *La Guerre sans nom* (Bertrand Tavernier, 1992) ont eu un retentissement comparable à *La Bataille d'Alger* (Gillo Pontecorvo, 1966). La guerre y apparaît dans toute sa complexité.

• **Le travail des historiens commence dès les années 1960, mais est freiné par l'accès aux archives.** Dès 1961, Pierre Nora publie une enquête sur *Les Français d'Algérie*, Pierre Vidal-Naquet interroge la torture policière (1972) et Charles-Robert Ageron les origines des ressentiments dans *Politiques coloniales au Maghreb* (1973). Dès 1987, la bande dessinée *Les Carnets d'Orient*, de Jacques Ferrandez, reflète sur plusieurs générations la vie des Pieds-noirs.

• **Depuis les années 1980 se pose la question de la mémoire et des responsabilités.** Jean-Charles Jauffret étudie les appelés, notamment ceux qui refusent de servir en Algérie, Sylvie Thénault s'interroge sur le rôle de la justice. Depuis 1990, la question des mémoires et des représentations a pris l'ascendant (Benjamin Stora), notamment l'oubli volontaire des formes de violence (Raphaëlle Branche). Certains faits décisifs sont réexaminés, parfois avec virulence, comme le 17 octobre 1961 (doc. 1), ou en 1962 la manifestation de Charonne (p. 90).

C. Depuis les années 1990, le difficile temps des historiens

• **Les pouvoirs publics ont accompagné ces évolutions.** En 1997, le gouvernement Jospin encourage l'ouverture des archives, alors que le procès Papon fustige la responsabilité de l'ancien secrétaire du préfet de police dans les répressions policières d'octobre 1961. **Le 5 octobre 1999, l'Assemblée nationale reconnaît la « guerre » d'Algérie.** En 2000, la presse exhume la question de la torture, faisant témoigner d'anciens généraux comme Paul Aussaresses ou Jacques Massu. Fin 2002, Jacques Chirac inaugure le mémorial de la guerre d'Algérie. Depuis 2007, le 25 septembre est un jour d'hommage aux harkis, le 5 décembre aux morts d'Afrique du Nord.

• **En Algérie, faire l'histoire des crimes du FLN est presque impossible.** L'État algérien rejette la faute des crimes de la guerre sur la France, censure archives et historiens, et évite tout regard sur les crimes du FLN. Lors de la décennie sanglante contre les islamistes (1992-1999), l'armée devient un peu plus le cœur du régime. Les harkis sont toujours présentés comme des traîtres. Comme l'écrit Benjamin Stora, il faut « *sortir de la victimisation* » pour étudier en historien.

Citation

« *Quarante ans après la fin de la guerre d'Algérie, [...] notre République doit assumer pleinement son devoir de mémoire.* »

Jacques Chirac, 5 décembre 2002, lors de l'inauguration du Mémorial de la guerre d'Algérie, à Paris.

Pour comprendre

Les sources de la guerre d'Algérie.

Pendant longtemps les principales sources des historiens ont été des témoignages, écrits ou oraux. Les archives écrites ne sont théoriquement disponibles aux historiens qu'au bout de 30 années, parfois plus.

Depuis 1992, les archives de l'État pendant la guerre d'Algérie sont théoriquement libres d'accès, sauf lorsqu'elles concernent la vie privée, la sûreté de l'État et la défense nationale, ou des procès en cours. Elles sont alors accessibles sur dérogation. Les dossiers des personnes amnistiées entre 1968 et 1982 sont difficiles d'accès.

Afin de démêler les responsabilités des massacres, à Paris, du 17 octobre 1961 (doc. 1) et du 8 février 1962, les archives de la préfecture de police de Paris ont été exceptionnellement ouvertes à trois historiens en 1997, dont Jean-Paul Brunet (p. 90).

Les archives audiovisuelles, comme celles de la télévision d'État (ORTF), sont moins difficilement accessibles, et en 2008 l'Algérie a reçu de la France copie d'une partie des archives audiovisuelles tournées entre 1945 et 1962.

Mot clé

Harkis : Soldats algériens engagés dans l'armée française.

@ http://www.tle.esl.histeleve.magnard.fr

Maxime Le Forestier chante *Le Déserteur*, une œuvre antimilitariste de Boris Vian.

Le 17 octobre 1961, Élie Kagan photographie des Algériens partisans du FLN violemment réprimés par les forces de l'ordre, sur ordre du préfet Papon, lors d'une manifestation pacifique. Le bilan de cette manifestation est lourd mais reste controversé.

La reconnaissance du « massacre » du 17 octobre 1961 [...] put laisser croire à la pertinence de la comparaison entre Vichy et l'Algérie. À partir de ce procès (de M. Papon), ceux qui agirent pour faire sortir cette date de l'oubli assistèrent à la victoire de leur combat. [...] L'anniversaire du 17 octobre 1961 donna régulièrement lieu à des manifestations ou des rassemblements qui attiraient un public extérieur au milieu strictement mémoriel ; l'Assemblée nationale accepta, en octobre 2000, qu'un colloque soit organisé dans ses locaux sur ce thème : « 17 et 18 octobre 1961 : un massacre d'Algériens sur ordonnance ? ». Demande sociale et pressions associatives s'ajoutaient aux demandes d'un tribunal et à la diffusion de travaux sur le massacre et son contexte. Finalement, en octobre 2001, pour son 40e anniversaire, le massacre était reconnu officiellement et son « occultation » officiellement dénoncée. Inaugurant l'exposition organisée à la Conciergerie par l'association « Au nom de la mémoire », [...] M. Duffour, fit en effet un discours très précisément informé sur l'événement, citant « l'historien Jean-Luc Einaudi ». Il reprit l'idée d'une société française « atteinte de troubles de la mémoire collective », ajoutant « comme si le refus de nommer une guerre, un massacre, pouvait faire ce qui a eu lieu n'ait pas eu lieu. » [...] Le matin même, [...] le maire de Paris, B. Delanoë, avait accompli le premier geste de reconnaissance officielle [...], la pose d'une plaque

commémorative au niveau du pont Saint-Michel d'où des Algériens avaient été jetés dans la Seine, le 17 octobre 1961. [...] Cette frilosité de l'État ne rappellerait-elle pas son attitude concernant la période de Vichy ? En 1995, le président de la République Jacques Chirac avait, finalement, reconnu la responsabilité de l'État dans la rafle du Vel'd'Hiv. Mis en demeure, cinq ans plus tard, de reconnaître cette même responsabilité dans la pratique de la torture pendant la guerre d'Algérie, il s'y refusa.

Raphaëlle Branche, *La Guerre d'Algérie, une histoire apaisée ?*, Paris, Le Seuil, 2005.

1. Quels sont les acteurs de la reconnaissance du « massacre » du 17 octobre 1961 ?

2. Pourquoi, en 2000, Jacques Chirac refuse-t-il de reconnaître la responsabilité de l'État dans les exactions du 17 octobre 1961 ?

Doc. 2
À Toulon, des commémorations conflictuelles.

En 1980, un monument dédié à l'Algérie française est plastiqué avant son inauguration. Il voulait rendre hommage aux commandos de l'OAS et à son chef, René Degueldre. Les débris en sont conservés aux pieds du nouveau monument. En mars 2001, le chef des putschistes et de l'OAS, **Raoul Salan**, est honoré d'une plaque dans une rue de Toulon.

1. Qui ce monument veut-il commémorer ? Qui sont les « martyrs » ?

2. Pour quelles raisons ce monument peut-il provoquer des polémiques en France ?

Doc. 3 À Paris, le mémorial de la guerre d'Algérie (2002).

Sur les colonnes du mémorial défile un bandeau lumineux égrenant le nom des morts de la guerre d'Algérie.

1. Pourquoi peut-on parler au sujet de ce monument d'un « lieu de mémoire » ?

2. Cette inauguration marque-t-elle une rupture décisive avec la mémoire officielle de la guerre d'Algérie ?

Doc. 4 Mémoires algérienne et française.

En Algérie aussi, la mémoire de cette guerre évolue. Une autre nation algérienne émerge, et l'État perd progressivement le monopole de l'écriture de l'histoire [...]. Les histoires héroïques, les légendes et les stéréotypes sont rejetés par la jeunesse qui veut désormais savoir ce qui s'est réellement joué dans cette guerre entre l'Algérie et la France [...].

En France, le discours sur la guerre d'Algérie ne semble plus condamné au silence pesant. Les victimes de cette tragédie ne sont plus condamnées à disparaître du paysage français, ni ensevelies dans l'indifférence et dans l'oubli. [...] Quarante ans après, le temps d'une génération s'est écoulé. La mémoire « ancienne combattante », celle qui veut toujours vivre avec, rejouer toujours la guerre, s'épuise.

Benjamin Stora, « Les accélérations de la mémoire, 1999-2003 » dans Mohammed Harbi et Benjamin Stora, *La Guerre d'Algérie, la fin de l'amnésie, 1954-2004*, Paris, Robert Laffont, 2004.

1. Pour quelle raison les esprits sont-ils plus apaisés à propos de la guerre ?

2. Quelles difficultés subsistent en Algérie ? et en France ?

Dossier 1 Vivre en France après l'indépendance algérienne

Le 19 mars 1962, les accords d'Évian aboutissent à l'indépendance de l'Algérie. Le général de Gaulle, revenu au pouvoir en mai 1958 pour conserver l'Algérie dans la France, en est l'architecte. Sa décision divise les Français, et une minorité d'activistes continue les combats au sein de l'Organisation Armée Secrète (OAS). La fin de la guerre ne résout pas le problème algérien : il faut rapatrier près d'un million de Pieds-noirs qui ont tout perdu, mais aussi se préoccuper du sort des harkis et rétablir l'ordre en métropole, où la violence de l'OAS se déchaîne.

➜ *À quels problèmes l'État doit-il faire face en France une fois l'Algérie indépendante ?*

Doc. 1 Les rapatriés d'Algérie.

• 800 000 personnes quittent le territoire algérien en 1962, dont 500 000 entre mai et juillet, et près de 400 000 l'année suivante. Ils constituent l'écrasante majorité des 1,6 million de rapatriés français au moment des décolonisations. À titre comparatif, on estime à 200 000 le nombre de Français revenus du Maroc, à 90 000 de Tunisie et à 50 000 d'Indochine entre 1954 et 1970.
• 60 000 harkis peuvent regagner la métropole en 1962-1963.
• Pour freiner les rapatriements, la France réduit les rotations de navires entre la France et l'Algérie, passant de 16 à 3 par semaine entre janvier et avril 1962.
• En 1966, on ne recense plus en Algérie que 68 000 Français.

• Au 31 juillet 1965, on recense en France 968 685 rapatriés d'Algérie.
• La loi du 26 décembre 1961 donne un statut et des avantages sociaux aux rapatriés d'Algérie.
• On recense aujourd'hui environ 358 000 adhérents à la FNACA, 200 000 adhérents à l'ANFANOMA, 50 000 au Recours, les trois associations principales d'anciens combattants d'Algérie.
• Les rapatriés bénéficient, en vertu des accords d'Évian, de la double nationalité.

Bernard Droz et Evelyne Lever, Histoire de la guerre d'Algérie, 1954-1962, Paris, Le Seuil, 1982.

Doc. 2 La fin de la guerre d'Algérie vue par le quotidien *Libération*.

Le journal Libération, *issu de la presse de la Résistance, est dirigé par un groupe d'intellectuels de gauche. Son titre sera repris en 1973 par un autre grand opposant à la guerre d'Algérie, Jean-Paul Sartre, pour en faire le quotidien actuel.*

Ce jour est enfin arrivé. Un jour pour lequel *Libération* combat sans défaillance depuis plus de sept ans, depuis la première heure de la guerre. Nous le saluons avec enthousiasme, convaincu qu'il marque pour les peuples français et algérien le début d'une ère nouvelle, la promesse de rapports amicaux fondés sur la liquidation prochaine de tout vestige du colonialisme [...]. Aujourd'hui, le cessez-le-feu signé, ce qui compte, c'est l'application des accords conclus, c'est une liquidation rapide de l'OAS dont l'existence menace la paix.

Libération, 19 mars 1962.

Doc. 3 La fin de la guerre d'Algérie vue par le quotidien communiste *L'Humanité*.

L'Humanité est l'organe de presse du Parti communiste français. Il est favorable à l'indépendance algérienne. Un certain nombre de communistes, partisans du FLN, ont été arrêtés et exécutés, comme Maurice Audin, ou torturés, comme Henri Alleg, pour l'aide apportée à la lutte armée algérienne.

Doc. 4

La cité des Quatre-Mille à La Courneuve.
Carte postale de la fin des années 1960.

Les premiers grands ensembles urbains sont élevés en banlieue parisienne pour accueillir les Pieds-noirs, comme à La Courneuve ou à Sarcelles.

LA COURNEUVE

Doc. 5 La Une de *L'Aurore* après l'attentat du Petit-Clamart (1962).

Le 22 août 1962, le couple présidentiel se rend à Villacoublay. À Meudon, au lieu-dit Le Petit-Clamart, la DS présidentielle est criblée de balles par un commando dirigé par le lieutenant-colonel Bastien Thiry.

Doc. 6 Le sort des harkis après l'indépendance.

Saïd Boualam, officier de l'armée française, quatre fois vice-président de l'Assemblée nationale entre 1945 et 1962, dénonce le 5 juin 1962 l'attitude du gouvernement français envers les harkis.

J'ai servi la France, après mon père, pendant 56 ans. J'ai donné au pays un de mes fils. J'ai été loyal jusqu'au bout. Nous avions choisi, nous nous étions déterminés et vous avez exterminé. Le choix était alors simple : ou nous laisser égorger, ou fuir vers la métropole pour sauver nos enfants. Nous laissions notre sol natal, mais aussi combien d'hommes qui s'étaient battus avec nous. [...] On leur avait juré pour toujours et à la face du monde la fraternité. Vous leur avez demandé, tout le pays leur a demandé, de poursuivre le combat jusqu'au bout, c'est-à-dire jusqu'à la victoire, car celle-ci n'était possible que grâce à eux, grâce à leur sacrifice. Ils ont répondu, ils se sont battus. [...] Depuis les accords d'Évian, le silence est tombé sur ces soldats d'hier, comme si leur existence était un remords ou peut-être une gêne pour mener à bien une politique qui est, j'aurai le courage de le dire, une politique d'abandon.

Benjamin Stora et Tramor Quemeneur, *Algérie, 1954-1962, Lettres, carnets et récits des Français et des Algériens dans la guerre*, Paris, Les Arènes, 2010.

Doc. 7 Les conséquences des essais nucléaires français en Algérie.

Entre 1960 et 1967 la France mène dans le Sud algérien une série d'essais nucléaires, poursuivis ensuite en Polynésie.

Bien qu'aucun bilan n'ait été établi, le nombre de victimes des essais nucléaires aériens ou souterrains effectués au Sahara augmente inexorablement, souvent dans l'anonymat. La France n'exclut pas une contribution matérielle pour le traitement des effets des essais nucléaires effectués durant l'époque coloniale en Algérie. [...] La France coloniale a effectué son premier essai en Algérie le 13 février 1960 à Reggane sous le code « La Gerboise bleue ». Selon des chercheurs algériens, 17 essais nucléaires au total ont été menés par la France au Sahara, dont 4 à Reggane, entre 1960 et le retrait définitif de l'armée française de cette région en 1967. On estimait à au moins 30 000 les victimes algériennes de ces expériences. Le dossier des essais nucléaires français en Algérie a été ouvert en 1996. Mais depuis cette date, rien ou presque n'est fait pour se débarrasser de ce legs empoisonné. La France devait pourtant prendre sa responsabilité juridique. Outre l'aide technique qu'elle est en devoir de fournir en matière de décontamination, elle doit ouvrir ses archives, mettre des noms sur tous les lieux secrets où les bombes avaient explosé.

Rabah Beldjenna, dans le journal algérien *El Watan*, 25 décembre 2007.

POUR COMPRENDRE

1. Étudier les documents

Doc. 2, 3 et 5 Comment l'indépendance de l'Algérie est-elle reçue en France ?

Doc. 1, 4 et 6 Quels problèmes pose le retour des Pieds-noirs et des harkis en métropole ? Quelles solutions l'État trouve-t-il aux problèmes posés par ce rapatriement ?

Doc. 6 et 7 Quelles tensions subsistent face aux décisions prises par le gouvernement français ?

2. Analyse de deux documents

BAC À l'aide des documents 5 et 6, montrez que le cessez-le-feu des accords d'Évian ne met pas fin aux tensions et que la France reste divisée sur la question algérienne en 1962.

3. Aide à la composition

BAC À l'aide de vos connaissances, vous rédigerez un plan détaillé qui réponde au sujet : « Les Français face à l'indépendance de l'Algérie entre 1954 et la fin des années 1960 ».

Dès 1956, l'État français autorise la torture contre le FLN et en nie l'usage. Très tôt, les témoignages abondent sur la **gégène** et sur les exactions des troupes françaises. Si dès 1972 Pierre Vidal-Naquet publie un premier travail de recherche sur cette question, il faut attendre l'ouverture des archives pour les confronter aux témoignages oraux. De ce travail naît l'idée d'une brutalité ordinaire qui ne fut pas le fait de la seule armée française, mais aussi du FLN.

➜*Comment expliquer le silence d'une partie des acteurs de la guerre d'Algérie à propos de la torture ?*

Doc. 1 Institutionnalisation et dénonciation de la torture.

6 décembre 1951 : Dans *L'Observateur*, Claude Bourdet compare la police française en Algérie à la Gestapo.
12 mars 1956 : Le président du Conseil Guy Mollet reçoit des pouvoirs spéciaux de l'Assemblée nationale.
5 avril 1956 : Henri-Irénée Marrou dénonce l'utilisation de la torture dans *Le Monde*. Il est accusé de mener une « entreprise de démoralisation de l'armée ».
Mai 1956 : Le lieutenant Poinsignon évoque dans un récit les tortures et les sévices infligés par des combattants du FLN à des appelés français.
7 janvier 1957 : Le général Massu reçoit les pleins pouvoirs de police à Alger.
Mars 1957 : Le ministre de l'Intérieur François Mitterrand prévient le président du Conseil Guy Mollet de l'usage de la torture en Algérie, notamment par le lieutenant Paul Aussaresses.
Avril 1957 : Mise aux arrêts du général Pâris de Bollardière pour avoir dénoncé l'usage de la torture.
1958 : Henri Alleg, *La Question*.
31 juillet 1968 : Loi d'amnistie des crimes de la guerre d'Algérie.
1972 : Pierre Vidal-Naquet, *La Torture dans la République*.
2000 : Les généraux Massu et Aussaresses reconnaissent la banalisation de la torture en Algérie.

Magnard 2012.

Doc. 2 Témoignage de Louisette Ighilahriz, torturée par l'armée française.

« *J'étais allongée nue, toujours nue. Ils pouvaient venir une, deux ou trois fois par jour.* [...] *Le plus dur, c'est de tenir les premiers jours, de s'habituer à la douleur.* »[...] Elle avait vingt ans. C'était en 1957, à Alger. Capturée par l'armée française le 28 septembre, après être tombée dans une embuscade avec son commando, elle avait été transférée, grièvement blessée, à l'état-major de la 10ᵉ division parachutiste de Massu, au Paradou Hydra. « *Massu était brutal, infect. Bigeard n'était pas mieux, mais le pire, c'était Graziani. Lui était innommable, c'était un pervers qui prenait plaisir à torturer. Ce n'était pas des êtres humains. J'ai souvent hurlé à Bigeard : "Vous n'êtes pas un homme si vous ne m'achevez pas !" Et lui me répondait en ricanant : "Pas encore, pas encore !"* [...] *Ils ont arrêté mes parents et presque tous mes frères et sœurs. Maman a subi le supplice de la baignoire pendant trois semaines de suite. Un jour, ils ont amené devant elle le plus jeune de ses neuf enfants, mon petit frère de trois ans, et ils l'ont pendu…* ». L'enfant, ranimé in extremis, s'en est sorti. La mère, aujourd'hui une vieille dame charmante et douce, n'avait pas parlé.
« *[Un soir], quelqu'un s'est approché de mon lit [...] et s'est écrié d'une voix horrifiée : "Mais, mon petit, on vous a torturée ! Qui a fait cela ?"* » [...] L'inconnu la fera transporter dans un hôpital d'Alger, soigner, puis transférer en prison.

Florence Beaugé, « Torturée par l'armée française en Algérie,
Lila recherche l'homme qui l'a sauvée », *Le Monde*, 19 juin 2000.

Doc. 3 Le général Massu justifie la torture (1957).

[*Le général Massu*] remercie l'aumônier parachutiste qui a pris la parole pour porter sur l'action policière un jugement sans passion, libre et raisonné. Il invite toutes les âmes inquiètes ou désorientées à l'écouter et souhaite que ces réflexions d'un prêtre contribuent à éclairer ceux qui [...] n'auraient pas encore compris que l'on ne peut lutter contre la « guerre révolutionnaire et subversive » menée par le communisme international et ses intermédiaires avec les procédés classiques de combat, mais bien également par les méthodes d'action clandestines et contre-révolutionnaires.
La condition *sine qua non* de notre action en Algérie est que ces méthodes soient admises, en nos âmes et consciences, comme nécessaires et moralement valables. Le déchaînement d'une certaine presse métropolitaine ne doit pas nous émouvoir ; il ne fait que confirmer la justesse de nos vues et l'efficacité de nos coups.

Le général de brigade Jacques Massu, commandant de la zone Nord-Africaine
et de la 10ᵉ division parachutiste, dans Pierre Vidal-Naquet (dir.),
Les Crimes de l'armée française, Paris, La Découverte, 2001.

Biographie

Jacques Massu (1908-2002)
Compagnon de la Libération, Jacques Massu combat dans la 2ᵉ DB de Leclerc, puis en Indochine. Il se voit confier pendant la guerre d'Algérie la « pacification » d'Alger. Démis de ses fonctions par le président de Gaulle pour ses critiques sur la politique algérienne, il reconnaît en 2000 avoir permis l'utilisation de la torture.

Mot clé

Gégène : Torture pratiquée par les parachutistes pendant la bataille d'Alger, expérimentée pendant la guerre d'Indochine, consistant à électrocuter un détenu pour en obtenir des renseignements.

Biographie

Pierre Vidal-Naquet (1930-2006)

Historien de l'Antiquité, résistant, Pierre Vidal-Naquet est un intellectuel engagé. Il est l'un des premiers à dénoncer l'usage de la torture pendant la guerre d'Algérie, après la disparition d'un jeune mathématicien, son ami Maurice Audin. Son livre *La Torture en République (1954-1962)*, publié en 1972, est la première grande étude sur les crimes de l'armée et de la police française. Il dénoncera ensuite avec vigueur le négationnisme de la Shoah.

Doc. 4
Un massacre perpétré par le FLN.

Le 25 août 1955, près de Philippeville, le FLN lance une campagne de terreur contre les Français. 96 civils et 26 militaires sont tués.

Doc. 5 | Pierre Vidal-Naquet face à la difficulté de dénoncer la torture.

Un groupe d'étudiants algériens fut arrêté en décembre 1958. Ils furent « assignés à résidence » dans les locaux de la DST de la rue des Saussaies, à quelques pas de l'Élysée. Presque tous furent torturés, à ce point que le juge d'instruction dut se rendre à l'hôpital pour inculper certains d'entre eux. Les victimes déposèrent plainte, firent des récits minutieux, plus tard publiés par les Éditions de Minuit sous le titre *La Gangrène*. Ce qui frappe quand on lit ces rapports, c'est moins peut-être la barbarie des méthodes employées que la tranquille assurance des policiers, la certitude qu'ils ont de leur impunité. « On emmerde la commission de sauvegarde », dit l'un d'eux. « Chaque fois qu'il y a une plainte contre nous, le patron nous donne de l'avancement. » *La Gangrène* fut saisie. Michel Debré [*alors Premier ministre*] déclara publiquement au Sénat que ce « livre infâme » avait été écrit par deux « auteurs infâmes, stipendiés par le parti communiste » et qu'il s'agissait d'une « affabulation totale ». Mais le procès intenté à l'éditeur ne vint jamais à l'audience. D'autres membres du gouvernement durent avoir une réaction différente de celle du Premier ministre car, pendant un certain temps, la torture ne fut plus pratiquée à Paris.

Pierre Vidal-Naquet, *La Torture dans la République (1954-1962)*, Paris, Éditions de Minuit, 1972.

Doc. 6 | Les historiens et la banalisation de la torture.

Bien sûr que la plupart des hommes du contingent et les volontaires n'ont jamais torturé eux-mêmes, mais il y a bien eu en Algérie accoutumance à la violence ordinaire. Elle débouche sur une passivité jointe à l'impuissance quand retentissent les hurlements de suppliciés. [...] Comme le dit Albert Camus, « *chacun s'autorise du crime de l'autre pour aller plus avant* ». Retrouver ses camarades égorgés, les testicules dans la bouche à la suite d'un guet-apens conduit à un désir de vengeance [...]. Dans une thèse récente, Raphaëlle Branche décrit l'engrenage du silence et du crime par obéissance, sans oublier une certaine connotation raciste. Elle démontre que la Vᵉ République tente de mettre fin à ces usages, mais pour ne pas mettre en cause l'unité de l'armée, les ordres successifs sont dilués par la circulation capillaire de la chaîne de commandement. À partir de 1960, lorsque [...] l'autorité de l'État est rétabli malgré les barricades d'Alger, les pratiques contraires aux traditions de l'armée s'estompent peu à peu. Mais le renseignement n'a pas pour seule origine l'emploi de la torture. Il afflue grâce au recrutement des harkis, dont certains sont d'anciens combattants de l'ALN. Des moyens beaucoup plus fiables que la torture sont utilisés et de plus en plus développés : l'écoute radio, l'intoxication ou la pénétration des réseaux et unités ennemis par des spécialistes.

Jean-Charles Jauffret, « Entendre et enseigner l'expérience du combattant français de la guerre d'Algérie », dans *Enseigner la guerre d'Algérie et le Maghreb contemporain, actes de la DESCO*, octobre 2001.

POUR COMPRENDRE

1. Étudier les documents
Doc. 2 Que dénonce L. Ighilahriz ? Qui accuse-t-elle ?
Doc. 3 et 5 Comment l'armée française se défend-elle face aux accusations de torture ? Au nom de quoi la justifie-t-elle ?
Doc. 1 et 5 Quels sont les types de réaction face à la torture ? Et face à la dénonciation de la torture ?
Doc. 1, 5 et 6 À partir de quelles sources les historiens travaillent-ils pour expliquer un tel phénomène ? Quelles en sont les difficultés ? Et les pièges ?

2. Analyse de deux documents
BAC À l'aide des documents 1 et 6, vous montrerez quelles difficultés rencontrent ceux qui dénoncent et ceux qui étudient la torture.

3. Aide à la composition
BAC À l'aide de vos connaissances, vous rédigerez un paragraphe qui explique la place de la torture dans l'histoire et la mémoire de la guerre d'Algérie.

Les plaies de la guerre d'Algérie ne sont pas complètement cicatrisées ; les acteurs du conflit continuent de s'affronter, avec passion, et s'insurgent contre une certaine indifférence à l'égard de ce passé. Pourtant, cinéastes, photographes, dramaturges, intellectuels ont très tôt donné à voir leur perception du conflit, ont pris position. S'ils n'ont pas encore accès à toutes les archives, les historiens disposent ainsi de sources importantes, parfois contradictoires, pour établir l'histoire et comprendre les soubresauts de la mémoire du conflit.

➜ *Que peut apprendre l'historien de la façon dont cette guerre est vécue et représentée ?*

Doc. 1 Le philosophe Raymond Aron face aux passions de la guerre d'Algérie (1957).

De tous les côtés, on justifie par des arguments rationnels des prises de position passionnelles. Le sort de l'Algérie soulève les passions des Français établis en Algérie, il soulève aussi celles des Français de la métropole. Les passions des Français d'Algérie sont compréhensibles, légitimes, elles ne sont pas nécessairement clairvoyantes. Probablement nos sentiments seraient-ils ceux de nos compatriotes d'Algérie si nous étions à leur place ? Mais la revendication nationaliste, avec son mélange de fanatisme religieux et racial, d'idéologie occidentale et d'autogouvernement, d'aspiration humaine à l'égalité, est un fait, que l'on ne peut méconnaître sans catastrophe et que l'on ne peut reconnaître sans porter atteinte aux grands intérêts nationaux. Quant aux Français de France, leurs passions sont multiples, contradictoires. Le slogan « Algérie française » dérive de l'enseignement historique reçu dans les écoles, entretenu par la presse. L'amour-propre se crispe sur la possession de l'Algérie comme si la richesse, la grandeur, l'avenir de la France étaient en jeu. La grandeur de puissance, la France ne la possède plus, elle ne peut plus la posséder. Elle garde malgré tout assez de puissance pour que sa pensée raisonne, à condition de ne pas se ruiner en de stériles aventures. Comme en 1870, selon le mot de Renan : « ce qui nous manque, ce n'est pas le cœur, c'est la tête ».

Raymond Aron, *La Tragédie algérienne*, Paris, Plon, 1957.

Doc. 2 Kryn Taconis photographie la guerre du côté du FLN.

Kryn Taconis, « des officiers du FLN font la reconnaissance du village voisin qu'ils projettent d'attaquer la nuit ; un jeune berger les observe avec curiosité » (août 1957, pour l'agence Magnum).

Doc. 3 Les historiens face aux images de la guerre d'Algérie.

Nombre de photos ont longtemps été occultées ou enfouies dans la mémoire collective. À la différence du Vietnam, dont les images étaient visibles en direct, les sources en France, et en Algérie, sont en cours de déchiffrage. Restituer cette histoire est problématique quand [...] les sources disponibles sont largement dominées par l'armée française. Mais il y a aussi les images des reporters-photographes de l'époque, les témoignages visuels dans les livres spécialisés, et la vie quotidienne des appelés ou des Européens d'Algérie est étalée dans plusieurs ouvrages. Près d'une quarantaine d'albums [...] ont été publiés, en France principalement, de 1962 à 2002. [...] La valorisation des photographies de la guerre d'Algérie a longtemps été le fait des Pieds-noirs ou des anciens militaires qui aimaient feuilleter avec nostalgie les livres d'images de la terre évanouie et des combats perdus. [...] Mais depuis quelques années, d'autres livres de photos sont apparus, notamment par le biais d'associations d'anciens combattants, d'Algériens ou d'historiens. Des études universitaires sur les photographies ont été menées, autour, notamment, des expositions. [...] Le 30e anniversaire de la signature des accords d'Évian de mars 1962 signe un tournant dans l'élaboration des représentations visuelles de la guerre. [...] Des expositions, films et publications ont fait resurgir une guerre niée (les « événements » d'Algérie) et contribué à réécrire l'Histoire épurée de ce qui faisait ombrage au prestige de la nation française.

Laurent Gervereau et Benjamin Stora,
Photographier la guerre d'Algérie,
texte de **Fabrice d'Almeida**, Paris, Marval, 2004.

Doc. 4 Une chanson censurée de Boris Vian, *Le Déserteur* (1954).

Cette chanson est publiée le soir de la défaite de Dien Bien Phû qui marque la fin militaire de la guerre d'Indochine. Censurée de 1954 à 1962, elle est chantée pendant la guerre d'Algérie par les pacifistes. Paroles Boris Vian, musique Harold Berg, © Éditions musicales Djanik.

Monsieur le Président
Je vous fais une lettre
Que vous lirez peut-être
Si vous avez le temps.

Je viens de recevoir
Mes papiers militaires
Pour partir à la guerre
Avant mercredi soir.

Monsieur le Président
Je ne veux pas la faire
Je ne suis pas sur terre
Pour tuer des pauvres gens.

C'est pas pour vous fâcher
Il faut que je vous dise
Ma décision est prise
Je m'en vais déserter.

Depuis que je suis né
J'ai vu mourir mon père
J'ai vu partir mes frères
Et pleurer mes enfants ;

Ma mère a tant souffert
Qu'elle est dedans sa tombe
Et se moque des bombes
Et se moque des vers.

Quand j'étais prisonnier
On m'a volé ma femme
On m'a volé mon âme
Et tout mon cher passé.

Demain de bon matin
Je fermerai ma porte
Au nez des années mortes
J'irai sur les chemins.

Je mendierai ma vie
Sur les routes de France
De Bretagne en Provence
Et je dirai aux gens :

Refusez d'obéir
Refusez de la faire
N'allez pas à la guerre
Refusez de partir.

S'il faut donner son sang
Allez donner le vôtre
Vous êtes bon apôtre
Monsieur le Président !

Si vous me poursuivez
Prévenez vos gendarmes
Que je n'aurai pas d'armes
Et qu'ils pourront tirer.

Doc. 5 La guerre d'Algérie au cinéma.

Tourné en Algérie deux ans après la fin de la guerre avec d'anciens combattants qui y jouent leur propre rôle, ce film de Gillo Pontecorvo raconte la lutte entre le FLN et l'armée française pour le contrôle de la casbah d'Alger. Censuré en France, il est diffusé pour la première fois sur Arte en version intégrale en 2004.

Doc. 6 Réponse de Boris Vian à son censeur.

En mars 1954, Paul Faber, conseiller municipal de Paris, demande l'interdiction de la chanson de Boris Vian. Celui-ci envoie sa réponse.

Vous avez bien voulu attirer les rayons du flambeau de l'actualité sur une chanson fort simple et sans prétention, *Le Déserteur*, que vous avez entendue à la radio et dont je suis l'auteur. Vous avez cru devoir prétendre qu'il s'agissait là d'une insulte aux anciens combattants de toutes les guerres passées, présentes et à venir. Vous avez demandé au préfet de la Seine que cette chanson ne passe plus sur les ondes. Ceci confirme à qui veut l'entendre l'existence d'une censure à la radio et c'est un détail utile à connaître. [...]
Se battre sans savoir pourquoi l'on se bat est le fait d'un imbécile et non celui d'un héros ; le héros, c'est celui qui accepte sa mort lorsqu'il sait qu'elle sera utile aux valeurs qu'il défend. Le déserteur de ma chanson n'est qu'un homme qui ne sait pas ; et qui le lui explique ? Je ne sais de quelle guerre vous êtes ancien combattant – mais si vous avez fait la première, reconnaissez que vous étiez plus doué pour la guerre que pour la paix ; ceux qui, comme moi, ont eu 20 ans en 1940 ont reçu un drôle de cadeau d'anniversaire. Je ne pose pas pour les braves : ajourné à la suite d'une

maladie de cœur, je ne me suis pas battu, je n'ai pas été déporté, je n'ai pas collaboré – je suis resté, quatre ans durant, un imbécile sous-alimenté parmi tant d'autres – un qui ne comprenait pas parce que pour comprendre, il faut qu'on vous explique. J'ai trente-quatre ans aujourd'hui, et je vous le dis : s'il s'agit de tomber au hasard d'un combat ignoble sous la gelée de napalm, pion obscur dans une mêlée guidée par des intérêts politiques, je refuse et je prends le maquis. [...]
Mais de grâce, ne faites pas semblant de croire que lorsque j'insulte cette ignominie qu'est la guerre, j'insulte les malheureux qui en sont les victimes : ce sont des procédés caractéristiques de ceux qui les emploient que ceux qui consistent à faire semblant de ne pas comprendre ; et plutôt que de vous prendre pour un hypocrite j'ose espérer qu'en vérité, vous n'aviez rien compris et que la présente lettre dissipera heureusement les ténèbres. Et un conseil : si la radio vous ennuie, tournez le bouton ou donnez votre poste ; c'est ce que j'ai fait depuis six ans ; choisissez ce qui vous plaît, mais laissez les gens chanter, et écouter ce qui leur plaît.

Boris Vian, « Réponse à M. Paul Faber », *France Dimanche*, 1954.

POUR COMPRENDRE

1. Étudier les documents

Doc. 1 Comment Raymond Aron explique-t-il les tensions populaires sur la question algérienne ?

Doc. 2 et 3 Quelles difficultés rencontrent ceux qui veulent comprendre et représenter la guerre ?

Doc. 4 et 6 Pourquoi appeler à la désertion peut-il être choquant dans la France de 1954 ? Par quels arguments Boris Vian se défend-il ?

Doc. 5 Comment expliquer la censure du film ? Pourquoi la censure dure-t-elle si longtemps ?

2. Analyse de deux documents

BAC À l'aide des documents 2 et 5, vous montrerez en quoi l'image peut être une source pour les historiens de la guerre d'Algérie, et à quels problèmes ils sont confrontés pour l'exploiter.

3. Aide à la composition

BAC À l'aide de vos connaissances, vous rédigerez un paragraphe qui explique l'évolution des représentations de la guerre d'Algérie depuis 1954.

L'historien face aux sources :
l'embuscade de Palestro, 18 mai 1956

Doc. 1

L'espace de l'embuscade du 18 mai 1956.

Source : Raphaëlle Branche, *L'Embuscade de Palestro. Algérie 1956*, Paris, Armand Colin, 2010.

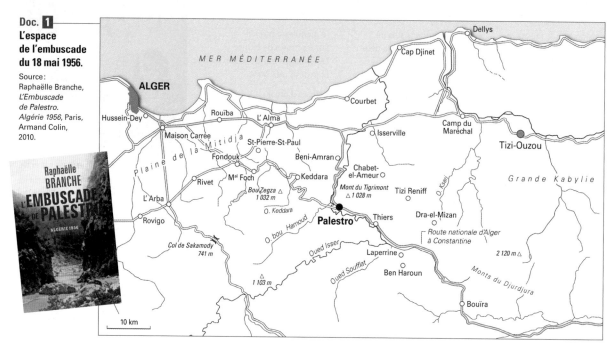

Doc. 2 Le survivant français raconte l'embuscade au *Journal d'Alger*.

8 mai 1956. Massacre d'une section d'appelés. 17 morts dans les gorges de Palestro à la suite du vol d'armes par l'aspirant Henri Maillot membre du Parti communiste.

« *Nous avions quitté notre cantonnement de Beni-Amrane le matin vers 6 h 30. Toute la matinée, la progression s'est déroulée normalement sans aucun incident. Vers 11 h 15 nous sommes arrivés dans le secteur d'Ouled Djerrah. Le sous-lieutenant Artur marchait en tête. Nous suivions en colonne par un, à une dizaine de mètres les uns des autres. Nous venions d'entrer dans un petit col, quand les premiers coups de feu ont retenti. Les attaquants étaient dissimulés derrière des rochers qui surplombaient la piste. Avec des armes automatiques et des fusils de chasse, ils nous mitraillaient à 15 ou 20 mètres.* » [...] C'est Pierre Dumas qui parle de la tragédie d'Ouled Djerrah où 17 jeunes soldats de la coloniale trouvèrent la mort. Allongé sur son lit à l'hôpital Maillot, il a malgré ses pansements, bien meilleure mine qu'au moment où les légionnaires de Massu le redescendaient, blême et ensanglanté des hauteurs du Bou Zegza.

Autour de lui se pressent une vingtaine de journalistes et de photographes ainsi que des reporters radio avec leurs microphones. [...] « *Les fellaghas sont apparus de tous les côtés à la fois. [...] Ils étaient environ 30 à 35 tous en uniforme. Ils se sont mis à ramasser tout l'armement de la patrouille, ainsi que les équipements individuels. Les habitants du village sont arrivés à ce moment-là et les ont aidés à récupérer notre matériel* ». Aussitôt après les rebelles emmenaient leurs prisonniers, laissant sur le terrain Lucien

Caron évanoui. Pierre Dumas n'assista donc pas aux horribles mutilations auxquelles se livrèrent les gens du douar[1] sur les cadavres, ni à la fin du malheureux Caron. « *Un demi kilomètre plus loin nous avons fait une halte*, poursuit Pierre Dumas. *Les fellaghas nous ont fouillés, nous prenant nos papiers et nos montres. [...] Ils semblaient être assez bien organisés, et ils appelaient "mon lieutenant" leur chef qui avait deux étoiles sur ses épaulettes. Le soir nous sommes arrivés à la grotte où nous devions être retrouvés. Nous y sommes restés du vendredi au mercredi. Nos gardiens n'ont pas été trop durs avec nous. Nous mangions très mal, et eux aussi. Un jour, ils nous ont obligés à écrire des lettres à nos familles, pour faire savoir que nous étions prisonniers. J'ignore si ces lettres sont parvenues à destination. Puis vint le jour où la légion devait découvrir les traces de nos ravisseurs. Il y eut un combat très violent auquel Millet, hélas ne survécut pas. Puis l'hélicoptère est venu me chercher. Voilà.* »

Tel est le récit de Pierre Dumas, jeune appelé arrivé à Alger le 5 mai envoyé à Beni-Amrane le 6 et capturé par les rebelles le 18, libéré le 25. Les précisions qu'apporte l'unique rescapé d'Ouled Djerrah permettent d'identifier formellement les deux derniers disparus de la patrouille : il s'agit du sergent Alain Charliet et du caporal-chef Aurousseau. La dernière fois que Dumas les vit, ils étaient blessés mais vivants, et furent laissés dans un douar par les rebelles. Saura-t-on un jour quel fut leur destin ?

1. Division administrative de l'époque coloniale française qualifiant le regroupement de plusieurs familles ou plusieurs maisons dans un espace rural.

Le Journal d'Alger, 27-28 mai 1956.

Partie à l'aube du 18 mai 1956 pour une mission de pacification près des gorges de Palestro, à quatre-vingts kilomètres au sud-est d'Alger, une section de militaires français, commandée par un sous-lieutenant, tombe dans une embuscade. D'abord guidés par un homme du coin, les Français avaient ensuite progressé seuls, empruntant un chemin qu'ils ne connaissaient pas. Aux abords d'un col en V, près du village de Djerrah, ils furent surpris par les maquisards de l'Armée de Libération Nationale algérienne dissimulés par des rochers en aplomb. L'échange de coups de feu fut bref et meurtrier laissant à terre dix-sept corps criblés de balles. Dépouillés de leurs armements et vêtements, les Français sont mutilés. Certains visages rendus quasiment méconnaissables complètent le spectacle de désolation que découvrent les troupes parties à leur recherche. Une opération militaire s'ensuit afin de retrouver les quatre soldats faits prisonniers. L'un d'eux est tué accidentellement lors de son sauvetage tandis que deux autres sont portés disparus. Leurs corps n'ont toujours pas été retrouvés.

Le bilan est donc particulièrement impressionnant : un seul survivant côté français. Impossibles à connaître, les pertes des maquisards semblent avoir été beaucoup plus faibles. En revanche, après que les cadavres ont été retrouvés le 19 mai au matin, une vaste opération de ratissage conduit à la mort quarante-quatre personnes.

De cette embuscade, les Français retiennent un nom : « Palestro ». Depuis le printemps 1956, l'histoire racontée habituellement s'articule autour de la question de la responsabilité du sous-lieutenant Hervé Artur, de l'atrocité des mutilations subies par les militaires français et de la ruse des maquisards algériens épaulés par la population civile. Cette embuscade a fait date ; elle est devenue un événement. Jusqu'à aujourd'hui, elle reste d'un des rares épisodes distingués dans les récits de cette guerre. Pourtant, elle n'est pas unique en son genre. Elle n'est ni la première ni la plus meurtrière. [...]

Un regard rapide sur la chronologie livre une première piste : la conjoncture politique est en effet particulièrement propice à créer l'événement. Les Français viennent d'apprendre le rappel sous les drapeaux des réservistes et le recours massif au contingent vient d'être décidé. Une embuscade meurtrière, dans ces conditions, ne pouvait manquer de frapper les esprits. [...]

Français et Algériens ne distinguent pas l'événement par le même nom. À l'embuscade de Palestro des uns correspond l'embuscade de Djerrah des autres. Là aussi, le nom a une puissance d'évocation et conduit à voir, au-delà des maquisards de l'Armée de Libération Nationale (ALN), le rôle, essentiel quoique souvent d'abord silencieux, des habitants indigènes de la région. [...]

Il n'existait aucune instruction judiciaire qui aurait offert d'abondantes pièces recueillies de part et d'autre, aucune épaisseur commémorative qui aurait vu se déposer, au fil des ans, récits et souvenirs : même s'il y avait quelques blocs solides, les sources ont été souvent éparses et infimes. Si la traque d'indices a été permanente et tous azimuts, la ténacité de l'auteure de ces lignes n'aurait pu aboutir sans l'aide bienveillante de très nombreuses personnes en Algérie comme en France. Demain encore, sans aucun doute, de nouvelles informations viendront s'ajouter à l'édifice lentement bâti.

Raphaëlle Branche, *L'Embuscade de Palestro. Algérie 1956*, Paris, Armand Colin, 2010.

Doc. 4 La Une de *L'Écho d'Alger*, 20-21 mai 1956.

Journal de gauche républicaine, *L'Écho d'Alger* devient partisan de l'Algérie française et accompagne en 1958 l'appel des généraux qui permet à Charles de Gaulle de revenir au pouvoir en France. Partisan de l'OAS, le journal est interdit de parution à partir de 1961.

POUR COMPRENDRE

1. Étudier les documents

> L'événement

Doc. 2 et 4 D'après ces sources, combien de soldats français sont victimes de l'embuscade ? combien sont faits prisonniers ? combien survivent ? combien de victimes la réaction de l'armée française fait-elle ?

Doc. 4. Comment *L'Écho d'Alger* présente-t-il l'événement ? Comment expliquer le terme de « dissidence » ?

Doc. 3. Quelles différences trouvez-vous entre les sources et la présentation de l'embuscade par l'historienne ? Pourquoi de telles différences ?

> Le contexte

Doc. 2. Quelles sont les causes de l'embuscade d'après *Le Journal d'Alger* ?

Doc. 3. Quels éléments de contexte expliquent les réactions de la presse et de l'opinion publique française ?

> Les mémoires

Doc. 3. Quelle place a pris Palestro dans la mémoire militaire de la guerre d'Algérie ? Comment les Algériens voient-ils cette embuscade ?

2. Aide à la composition

BAC À l'aide de vos connaissances, et à partir de l'exemple de l'embuscade de Palestro, vous rédigerez un paragraphe qui explique les difficultés que rencontrent les historiens face à l'analyse des sources.

Écrire l'histoire d'un massacre : Charonne, 8 février 1962

>>> Deux historiens, deux analyses différentes

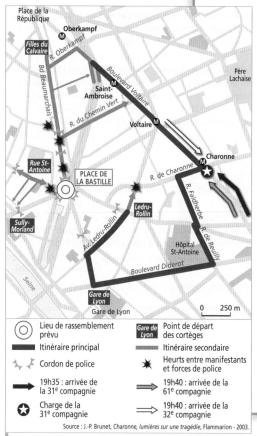

La manifestation du 8 février 1962 à Paris.

Légende de la carte :

- ◎ Lieu de rassemblement prévu
- ▬ Itinéraire principal
- ⚡ ⚡ Cordon de police
- ➡ 19h35 : arrivée de la 31ᵉ compagnie
- ✪ Charge de la 31ᵉ compagnie
- [Gare de Lyon] Point de départ des cortèges
- ▭ Itinéraire secondaire
- ✸ Heurts entre manifestants et forces de police
- ⇒ 19h40 : arrivée de la 61ᵉ compagnie
- ⇨ 19h40 : arrivée de la 32ᵉ compagnie

Source : J.-P. Brunet, *Charonne, lumières sur une tragédie*, Flammarion - 2003.

Places sur la carte : Place de la République, Oberkampf, Filles du Calvaire, Bd Beaumarchais, R. Oberkampf, Boulevard Voltaire, Saint-Ambroise, R. du Chemin Vert, Voltaire, Père Lachaise, Charonne, R. de Charonne, Rue St-Antoine, PLACE DE LA BASTILLE, Ledru-Rollin, Av. Ledru-Rollin, R. Faidherbe, R. de Reuilly, Sully-Morland, Seine, Hôpital St-Antoine, Boulevard Diderot, Gare de Lyon. Échelle : 0 — 250 m.

Un historien prudent face aux responsabilités des acteurs.

Quand il tente de déterminer les liens de causalité entre les phénomènes, voire d'établir des échelles de responsabilités, l'historien doit incliner à la prudence, car réfléchir à ce qui aurait pu se passer si telle ou telle condition n'avait pas été réalisée le conduirait vite à sortir des limites de son métier. Ce qui aura sans doute frappé le lecteur à l'issue de cette étude, c'est la prégnance du système policier en fonctionnement. Désigner un responsable unique de la tragédie de Charonne serait en même temps une erreur et une faute, car du général de Gaulle aux quelques policiers qui se sont acharnés sur les malheureux manifestants enchevêtrés dans l'escalier du métro, c'est tout un système qui était à l'œuvre. Dans la mesure où, dans un système donné, la responsabilité suprême pèse sur les épaules de celui qui se trouve placé au sommet de la pyramide, dans la mesure aussi où l'interdiction de la manifestation provenait du chef de l'État, la responsabilité majeure devrait retomber sur ce dernier. Ministre de l'Intérieur, préfet de police, directeur général de la Police municipale, chefs de district n'ont été que des rouages, des courroies de transmission. Il n'en va pas exactement de même pour le commissaire Yser, qui a sans doute commis une erreur technique en ordonnant une charge avec des troupes en nombre insuffisant, mais dont la décision correspondait à ce que la hiérarchie attendait de lui. Quant aux policiers qui se sont acharnés sur les manifestants amoncelés dans l'escalier de Charonne, ils ne pouvaient agir que sous le contrôle de leur hiérarchie […]. Peut-être ces quelques hommes se sont-ils laissés aller à une forme de ressentiment politique, sans doute ont-ils donné libre cours à une violence instinctive qui ne demande qu'à s'exacerber dès qu'un affrontement a commencé. Peut-être certains d'entre eux ont-ils connu un éveil de la conscience et, avec le recul du temps, ont-ils éprouvé ce qu'on a appelé ici « l'œil de Caïn ». Il n'en demeure pas moins qu'ils ont été à Charonne le bras armé de la police et que leur hiérarchie les a encouragés.

Jean-Paul Brunet, *Charonne, lumières sur une tragédie*, Paris, Flammarion, 2003.

Jean-Paul Brunet (né en 1940) est professeur émérite à l'ENS et à Paris IV Sorbonne. Spécialiste du socialisme, du communisme, et de l'histoire de l'administration, il a été un des trois historiens autorisés à travailler sur les archives de la préfecture de police de Paris.

Contexte

Le 8 février 1962, une manifestation contre l'OAS, en partie organisée par le PCF et la CGT, est violemment chargée par la police. La foule est bousculée contre les grilles fermées du métro Charonne. L'affrontement avec la police fait 8 morts. Le massacre de Charonne est vite imputé à l'OAS par les gaullistes.

La mémoire de l'événement se réveille lors du procès Papon (1997), préfet de police de Paris en 1962. Alain Dewerpe démonte la thèse du complot de l'OAS et analyse la singularité de la violence policière. Jean-Paul Brunet, face à l'ouverture des archives de la police, refuse d'énoncer une échelle de responsabilités.

Un historien prudent face aux responsabilités des acteurs.

1. Qui a fait quoi à Charonne ? Comment s'organise la hiérarchie de la police ?

2. Comment J.-P. Brunet décrit-il la violence policière ? Comment l'explique-t-il ?

3. Qui est responsable de la violence policière ? Quel rôle joue le contexte du procès Papon dans l'analyse de J.-P. Brunet ?

4. Pourquoi l'historien, selon Brunet, ne peut-il pas juger ? Quel est son rôle ?

Un historien fait de Charonne un massacre commandité par l'État.

L'histoire des traces du 8 février est aussi celle de son effacement. Il n'existe aucune reconnaissance publique – discours ou acte – de la responsabilité de l'État dans le massacre ni d'association officielle à sa commémoration. À deux exceptions près : un communiqué de l'Hôtel Matignon et le dépôt d'une gerbe au nom du Premier ministre, Pierre Mauroy, par Lionel Jospin, alors premier Secrétaire du parti socialiste, lors de la commémoration de 1982. Plus localement, on peut y associer la participation du maire de Paris, Bertrand Delanoë, et du maire du XIᵉ arrondissement, Georges Sarre, à celle de 2002. Jusqu'en 1982, le pouvoir gaulliste et ses successeurs d'un côté, les institutions d'ordre de l'autre étant éminemment intéressés à la censure, l'État se tait (et fait taire) : cet interdit est bien sûr à mettre en relation non seulement avec la place de la police et de la justice dans l'appareil d'État, mais aussi avec l'obsession gaulliste de se libérer du stigmate du massacre. Muet, l'État réprime le cas échéant : toute expression publique des faits et de la responsabilité du pouvoir et de la police dans ces faits se heurte ainsi à un tabou. Dans les jours qui ont suivi le massacre, la préfecture de police fait enlever les fleurs d'hommage aux victimes. Elle retire les bouquets sur les grilles du métro Charonne que, depuis le samedi, les jeunes communistes du XIᵉ arrondissement avaient déposé, avec une pancarte portant la mention : « ici a été assassiné par la police gaulliste le jeune Daniel Féry, âgé de 16 ans, membre des jeunesses communistes. Républicains honorez sa mémoire ». Elle a fait de même devant le domicile de Fanny Dewerpe. Elle fait aussi effacer les graffitis. [...] La préfecture a également fait retirer banderoles et affiches, pancartes et panneaux. [...] Les protestations sont censurées. [...] Toute commémoration au métro Charonne est de fait interdite. [...] Si être le fils d'une martyre de Charonne ne donne aucune lucidité, il n'interdit pas de faire son métier d'historien.

Alain Dewerpe, *Charonne, 8 février 1962, Anthropologie d'un massacre d'État*, Paris, Gallimard, 2006.

Alain Dewerpe (né en 1952) est le fils d'une manifestante tuée le 8 février 1962, Fanny Dewerpe. Il est historien et directeur d'études à l'EHESS.
Il a surtout travaillé sur l'histoire du travail et de la société face à l'industrialisation depuis le XIXᵉ siècle.

> ICI
> LE 8 FEVRIER 1962, AU COURS D'UNE MANIFESTATION DU PEUPLE DE PARIS POUR LA PAIX EN ALGERIE, NEUF TRAVAILLEUSES ET TRAVAILLEURS, DES COMMUNISTES, DES MILITANTS DE LA C.G.T, DONT LE PLUS JEUNE AVAIT 16 ANS, SONT MORTS VICTIMES DE LA REPRESSION :
> JEAN – PIERRE BERNARD
> FANNY DEWERPE
> DANIEL FERY
> ANNE – CLAUDE GODEAU
> EDOUARD LEMARCHAND
> SUZANNE MARTORELL
> HIPPOLYTE PINA
> MAURICE POCHARD
> RAYMOND WINTGENS
> CGT   PCF

Plaque apposée par le parti communiste et le syndicat CGT face au métro Charonne. En 2007, la mairie de Paris a baptisé *Place du 8 février 1962* un carrefour situé à proximité.

Un historien fait de Charonne un massacre commandité par l'État.

1. Qui est responsable de l'événement ? Pourquoi le qualifier de « massacre d'État » ?

2. Quelles ont été les réactions à cet événement ? Comment la mémoire de l'événement a-t-elle été utilisée ? et par quels acteurs ?

3. Quelle attitude des pouvoirs publics a pu priver les historiens de sources pour écrire une histoire apaisée de cet événement ?

4. Quel élément fait de cet historien un acteur engagé dans le drame qu'il décrit ? Quelle difficulté cela peut-il faire surgir pour l'historien ? Comment A. Dewerpe s'en défend-il ?

Bilan

Que montre l'étude de cet événement de la difficulté des historiens à étudier l'histoire contemporaine ? Vous vous appuierez sur votre cours et sur votre connaissance du contexte pour répondre à cette question.

L'historien et les mémoires de la guerre d'Algérie

L'essentiel

→ *Quel rôle les historiens ont-ils joué dans l'évolution de la mémoire de la guerre d'Algérie en France ?*

1. Pendant les années 1950 et 1960 : l'ère des témoignages et des propagandes

• Le gouvernement et l'armée française d'un côté, le FLN de l'autre, se livrent à une guerre de propagande en Algérie comme en France.

• Journalistes, intellectuels, artistes, et aussi militaires, s'engagent auprès des indépendantistes, ou dénoncent les crimes d'État, comme la torture.

• Après 1962, les lois d'amnistie, théoriques en Algérie, appliquées en France, imposent le silence sur les « événements ». Les archives sont fermées aux historiens.

2. Pendant les années 1970 et 1980 : étudier une guerre sans archives ?

• Les témoignages se diffusent en plus grand nombre, les associations sont plus visibles, mais l'État ne reconnaît toujours pas la guerre d'Algérie. Les derniers condamnés de l'OAS sont amnistiés en 1982.

• La guerre d'Algérie commence à devenir un objet d'histoire. Pierre Vidal-Naquet ou Benjamin Stora s'appuient en grande partie sur des témoignages.

3. Depuis les années 1990 : les historiens face aux querelles de mémoires

• La guerre devient visible : noms de rues, plaques mémorielles, Mémorial de la guerre d'Algérie, indiquent une vision plus apaisée de la guerre.

• Les travaux de recherche historique se multiplient depuis les années 1990 grâce à l'ouverture, même partielle, des archives. Le déroulement de la guerre en Algérie comme en métropole est mieux connu.

• En 1999 le parlement français reconnaît l'existence de la guerre d'Algérie. En Algérie le président Bouteflika réhabilite l'ensemble des acteurs algériens de la guerre.

Mots clés

• Décolonisation
• FLN
• Harkis
• Gégène
• Métropole
• Porteurs de valise

Personnages

J. Massu
(1908-2002)
❯ Bio p. 84

J. Pâris de Bollardière
(1907-1986)
❯ Bio p. 78

M. Papon
(1910-2007)
❯ Bio p. 63

P. Vidal-Naquet
(1930-2006)
❯ Bio p. 85

Synthèse

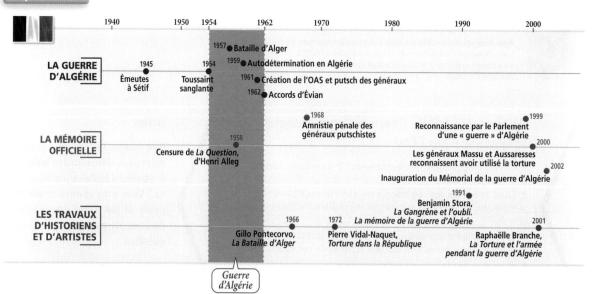

	1940	1950	1954	1962	1970	1980	1990	2000

LA GUERRE D'ALGÉRIE
1945 — Émeutes à Sétif
1954 — Toussaint sanglante
1957 ● Bataille d'Alger
1959 ● Autodétermination en Algérie
1961 ● Création de l'OAS et putsch des généraux
1962 ● Accords d'Évian

LA MÉMOIRE OFFICIELLE
1958 — Censure de *La Question*, d'Henri Alleg
1968 ● Amnistie pénale des généraux putschistes
1999 ● Reconnaissance par le Parlement d'une « guerre » d'Algérie
2000 ● Les généraux Massu et Aussaresses reconnaissent avoir utilisé la torture
2002 ● Inauguration du Mémorial de la guerre d'Algérie

LES TRAVAUX D'HISTORIENS ET D'ARTISTES
1966 ● Gillo Pontecorvo, *La Bataille d'Alger*
1972 ● Pierre Vidal-Naquet, *Torture dans la République*
1991 ● Benjamin Stora, *La Gangrène et l'oubli. La mémoire de la guerre d'Algérie*
2001 ● Raphaëlle Branche, *La Torture et l'armée pendant la guerre d'Algérie*

Guerre d'Algérie

BAC Composition

Introduction — Explication des termes du sujet et du contexte, annonce de la problématique et du plan.
Développement — Argumentation organisée en paragraphes (un paragraphe = une idée + un exemple développé).
Conclusion — Réponse à la problématique et ouverture (une ou deux idées qui montrent l'intérêt du sujet traité).

Méthode > p. 10

Sujet 1

Conseils

Introduction : choisissez et expliquez vos bornes chronologiques.
Développement : un plan 1. Histoire 2. Mémoires, est à proscrire.
Conclusion : insistez sur les évolutions récentes sans donner votre avis.

Lecture du sujet

Attention à la chronologie : la guerre d'Algérie commence en 1954.

Attention au fait que la France ait attendu longtemps avant de qualifier ainsi les « événements » en Algérie.

Histoire et mémoires de la guerre d'Algérie.

Le souvenir des acteurs (France et Algérie), l'image donnée par les institutions, les historiens.

Mots clés

- Décolonisation
- FLN
- Harkis
- Métropole

Personnages attendus

- Ch. de Gaulle
- J. Massu
- M. Papon
- P. Vidal-Naquet

Chronologie

1954-1962 Guerre d'Algérie
1957 Bataille d'Alger
1958 De Gaulle au pouvoir en France.
1961 Création de l'OAS et putsch des généraux
1962 Accords d'Évian et indépendance de l'Algérie
1966 Gillo Pontecorvo *La Bataille d'Alger* (interdit jusqu'en 1971)

1972 Pierre Vidal-Naquet, *Torture dans la République*
1991 Benjamin Stora, *La Gangrène et l'oubli*
1999 La France reconnaît la « guerre » d'Algérie
2001 Raphaëlle Branche, *La Torture et l'armée pendant la guerre d'Algérie*

Sujet 2

Conseils

Introduction : expliquez le terme « mémoire ».
Développement : on ne vous demande pas un catalogue de faits, mais des explications.
Conclusion : attention à rester neutre.

Lecture du sujet

Pensez aux modes de transmission des souvenirs du conflit, autant que l'évolution des États.

La mémoire des violences de la guerre d'Algérie.

Il s'agit autant des violences militaires que civiles, légales qu'illégales, pendant comme après la guerre.

Mots clés

- Décolonisation
- FLN
- Gégène
- Harkis
- Porteur de valise

Personnages attendus

- J. Pâris de Bollardière
- J. Massu
- M. Papon
- P. Vidal-Naquet

Chronologie

1954-1962 Guerre d'Algérie
1945 Émeutes de Sétif et Guelma
1954 Toussaint sanglante
1957 Bataille d'Alger
1961 Création de l'OAS et putsch des généraux
1966 Gillo Pontecorvo *La Bataille d'Alger* (interdit jusqu'en 1971)

1972 Pierre Vidal-Naquet, *Torture dans la République*
1991 Benjamin Stora, *La Gangrène et l'oubli. La mémoire de la guerre d'Algérie*
2001 Raphaëlle Branche, *La Torture et l'armée pendant la guerre d'Algérie*

Étude critique d'un document

Introduction	Explication du sujet et du contexte, annonce de la problématique.	**Méthode**
Développement	Argumentation organisée en paragraphes qui structurent la réponse à la consigne.	**> p. 11**
Conclusion	Réponse à la problématique et ouverture (une ou deux idées qui montrent l'intérêt du sujet traité).	

Sujet Un général français justifie la torture en Algérie (2000).

Consigne : Présentez le document et son contexte. Vous étudierez la banalisation de la torture pendant le conflit, et montrerez les conditions qui ont permis que l'État et les acteurs de la torture sortent du déni à son sujet.

Les policiers de Philippeville[1] utilisaient donc la torture, comme tous les policiers d'Algérie, et leur hiérarchie le savait. Je ne tardai du reste pas à me convaincre que les circonstances exceptionnelles expliquaient et justifiaient leurs méthodes. [...]
La torture devenait légitime dans les cas où l'urgence l'imposait. Un renseignement obtenu à temps pouvait sauver des dizaines de vies humaines. [...] J'eus très vite des noms de suspects indiscutablement impliqués dans les crimes les plus sanglants. [...] Vint le moment de les interroger. Je commençai par leur demander ce qu'ils savaient. Mais ils me firent comprendre qu'ils n'avaient pas l'intention d'être bavards. Alors, sans état d'âme, les policiers me montrèrent la technique des interrogatoires « poussés » : d'abord les coups qui, souvent, suffisaient, puis les autres moyens, dont l'électricité, la fameuse « gégène », enfin l'eau. [...] On appliquait des électrodes aux oreilles, ou aux testicules, des prisonniers. Ensuite, on envoyait le courant, avec une intensité variable. [...]

À 22 kilomètres à l'est de Philippeville se trouvait une mine [...] choisie comme une des cibles du FLN. [...] Zighoud Youssef, chef local du FLN, avait donné comme consigne de tuer tous les civils européens [...]. Deux ouvriers pieds-noirs de la mine parvinrent à s'échapper et arrivèrent hors d'haleine, au camp de Péhau. Ils criaient et disaient en pleurant que des hommes tuaient avec une férocité inouïe, qu'ils s'étaient emparés des bébés pour les écraser contre les murs, qu'ils étripaient les femmes de tous âges après les avoir violées. [...] J'ai fait aligner les prisonniers, aussi bien les fels[2] que les ouvriers musulmans qui les avaient aidés. [...] J'étais indifférent : il fallait les tuer, c'est tout, et je l'ai fait. [...] Nous avons fait une centaine de prisonniers qui ont été abattus sur-le-champ.

1. Le 20 août 1955 à Philippeville, 123 personnes dont 71 Pieds-noirs sont tués dans une émeute organisée par le FLN.
2. Fellaghas.

Paul Aussaresses, *Services spéciaux, 1955-1957*, Paris, Perrin, 2000.

Répondre à la consigne

Conseil

La problématique peut poser une question ou affirmer une idée, mais une seule question ou une seule idée.

En introduction, vous devez notamment...

• Préciser la nature exacte du document et de son auteur, en insistant sur son absence de neutralité.
• Rappeler le contexte, non seulement de la situation de l'auteur, mais aussi des faits énoncés.
• Rappeler le contexte dans lequel la torture a été utilisée puis dénoncée dès 1956, puis régulièrement remise en lumière par certains historiens.
• Énoncer une problématique.

Développement : une explication structurée en paragraphes

• Énoncer les arguments de l'auteur, puis les relier à la question posée : comment justifie-t-il l'usage de la torture ? La regrette-t-il ?
• Expliquer que l'usage de la torture est commun aux deux forces engagées, mais rappeler le décalage entre les positions officielles et les faits.
• Rappeler les conditions qui ont permis une progressive mise à jour des mécanismes de la torture en Algérie : les réactions au sein de l'armée, parmi les intellectuels, et le silence des partis politiques français.

En conclusion, il faut par exemple...

• Répondre à la problématique choisie au début de la réponse.
• On peut rappeler que tous les généraux engagés dans la guerre d'Algérie n'ont pas eu le même point de vue que celui du document, et rappeler leurs noms et leur action.

BAC Étude critique d'un document

Introduction	Explication du sujet et du contexte, annonce de la problématique.
Développement	Argumentation organisée en paragraphes qui structurent la réponse à la consigne.
Conclusion	Réponse à la problématique et ouverture (une ou deux idées qui montrent l'intérêt du sujet traité).

Méthode
> p. 11

Sujet   De Gaulle à Alger : « Je vous ai compris » (4 juin 1958).

Consigne : Présentez le document et son auteur, en insistant sur le poids du contexte national et international sur le revirement de Charles de Gaulle concernant la politique à appliquer en Algérie.
Montrez également les limites de cette rupture.

Je vous ai compris !
Je sais ce qui s'est passé ici. Je vois ce que vous avez voulu faire. Je vois que la route que vous avez ouverte, en Algérie, est celle de la rénovation et de la fraternité. [...] Mais très justement vous avez voulu que celle-ci commence par le commencement, c'est-à-dire nos institutions, et c'est pourquoi me voilà. Et je dis la fraternité parce que vous offrez le spectacle magnifique qui, d'un bout à l'autre, quelles que soient leurs communautés, communient par la même ardeur et se tiennent par la main. Eh bien ! De tout cela, je prends acte au nom de la France et je déclare qu'à partir d'aujourd'hui, la France considère que, dans toute l'Algérie, il n'y a qu'une seule catégorie d'habitants : il n'y a que des Français à part entière, des Français à part entière, avec les mêmes droits et les mêmes devoirs. [...] Cela signifie qu'il faut reconnaître la dignité de ceux à qui on la contestait. Cela veut dire qu'il faut assurer une patrie à ceux qui pouvaient douter d'en avoir une. L'armée, l'armée française, cohérente, ardente, disciplinée, sous l'ordre de ses chefs, l'armée éprouvée en tant de circonstances et qui n'en a pas moins accompli ici une œuvre magnifique de compréhension et de pacification, l'armée française a été sur cette terre le ferment, le témoin, elle est le garant, du mouvement qui s'y est développé. [...] Je lui rends hommage. Je lui exprime ma confiance. [...] Français à part entière, dans un seul et même collège ! Nous allons le montrer, pas plus tard que dans trois mois, dans l'occasion solennelle où tous les Français, y compris les dix millions de Français d'Algérie, auront à décider de leur propre destin. [...] Avec ces Français élus, nous verrons comment faire le reste [...]. Puissent-ils même y participer ceux qui, par désespoir, ont cru devoir mener sur ce sol un combat dont je reconnais, moi, qu'il est courageux... [...] Oui, moi, de Gaulle, à ceux-là, j'ouvre la porte de la réconciliation. [...] Vive la République ! Vive la France !

Discours prononcé le 4 juin 1958 par Charles de Gaulle à Alger,
Discours et messages, vol. 3, Paris, Plon, 1970.

Répondre à la consigne

Conseil

Attention à ne rien dire de la période qui suit la date du document, sauf si la consigne vous le demande.

En introduction, vous devez notamment...

- Rappeler que Charles de Gaulle est président du Conseil depuis le 1er juin, et que c'est à la guerre d'Algérie qu'il doit son rappel au gouvernement, avec l'appui de l'armée française à Alger, qui avait formé un Comité de salut public pour exiger son retour.
- Insister sur le contexte militaire : la bataille d'Alger est terminée, mais la guerre continue alors que la Guerre froide fait rage.

Développement : une explication structurée en paragraphes

- Rappeler les conditions du retour de De Gaulle au pouvoir, et comparer avec ce qu'en dit le document.
- Ce discours change-t-il quelque chose à la politique française en Algérie ? Sera-ce toujours le cas ensuite ?
- Posez-vous des questions sur ce que le document ne dit pas. De Gaulle prononce-t-il le mot « guerre » ? Condamne-t-il l'action de l'armée et des colons ? Pourquoi ?

En conclusion, il faut par exemple...

- Répondre à la problématique choisie au début de la réponse.
- Rappeler la portée du document, notamment dans les mémoires des acteurs du conflit après 1958.

BAC Étude critique de deux documents

Introduction	Explication du sujet et du contexte, annonce de la problématique.	**Méthode**
Développement	Argumentation organisée en paragraphes qui structurent la réponse à la consigne.	**› p. 11**
Conclusion	Réponse à la problématique et ouverture (une ou deux idées qui montrent l'intérêt du sujet traité).	

Sujet Les divisions françaises face au conflit algérien, au début des années 1960.

Consigne : Présentez les documents dans leur contexte. Comparez et expliquez la position des documents sur le rôle de l'armée, et sur l'acceptation ou le refus de l'indépendance algérienne.
Montrez la portée d'une telle division en France, tout en expliquant l'évolution du regard porté par les Français sur la guerre d'Algérie depuis 1962..

Doc. 1 De Gaulle et l'Algérie.

En 1958, le contexte institutionnel et politique est modifié, mais le problème politique reste entier. Quoi qu'il en ait dit, le général de Gaulle aborde l'Algérie sans idée préconçue. Sa carrière d'officier est libre de tout attachement colonial et, depuis 1940, il n'envisage l'Empire qu'en termes d'affirmation de l'autorité de l'État et de la place de la France dans le monde. […]
L'Algérie menace la cohésion de la nation et handicape son rayonnement extérieur. C'est pourquoi, après avoir un moment misé sur l'écrasement de la rébellion (plan Challe) et sur une perpétuation de l'Algérie française dans un cadre économique rénové (plan de Constantine), de Gaulle se convainc assez vite, assurément dès 1959, de l'inéluctabilité de l'indépendance par l'autodétermination du peuple algérien. Mais plus que l'intransigeance de ses interlocuteurs algériens, l'intrusion politique de l'armée vint tout compliquer. En s'estimant investie d'une mission de salut public et en plaçant l'Algérie au centre d'une dialectique simpliste de l'honneur et de l'abandon, l'armée […] a inutilement attisé les haines entre Français et retardé […] l'issue négociée du conflit. Après cela, l'OAS s'est engouffrée dans la brèche et s'est employée à créer l'irréparable. […]
Considérable pour les institutions, les incidences du conflit se sont somme toute assez vite effacées de la vie politique. […] Une telle apathie n'est que le reflet d'une amnésie collective. À la différence, bien naturelle, de l'Algérie qui maintient vivante la flamme du souvenir, la France officielle ne commémore pas une guerre militairement gagnée (en gros) mais politiquement perdue.

Bernard Droz et Evelyne Lever, *Histoire de la guerre d'Algérie, 1954-1962*, Paris, Le Seuil, 1982.

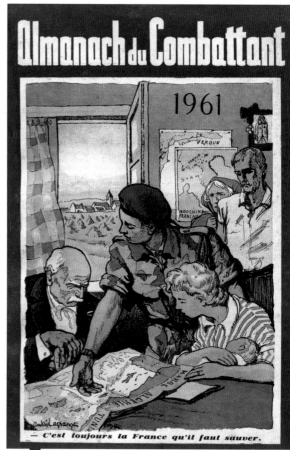

Doc. 2 L'Almanach du combattant, 1961.
Un jeune conscrit montre à son grand père une carte de l'Algérie. Deux cartes sur le mur derrière eux rappellent la bataille de Verdun et la guerre d'Indochine.

Chronologie

Mai 1958 De Gaulle est rappelé au pouvoir à la suite du putsch d'Alger.
1961 Naissance de l'OAS.
1962 Signature des accords d'Évian. Annonce de l'élection du président de la République au suffrage universel.
1974 La carte d'ancien combattant est accordée aux anciens d'Algérie.
1999 L'Assemblée nationale reconnaît l'existence de la « guerre » d'Algérie.

1. Lire le sujet et mobiliser ses connaissances

Conseil

N'utilisez pas seulement le contexte directement lié aux documents, raisonnez par échelles (contexte local, national, international).

Qui s'exprime ?

• **À propos du doc. 1** : repérez sa date de publication. Comment expliquer le fait qu'il ne soit ici question que d'histoire politique ? Quelles sources les auteurs ont-ils pu utiliser ?
• **À propos du doc. 2** : repérez sa date de publication. À qui est destiné un tel ouvrage ? Quels moments de l'histoire rappelle sa Une ? Pourquoi ?

Quel est le contexte national ?

• À l'aide de votre cours, expliquez la situation politique de la France.
• Contre qui la France combat-elle depuis 1954 ? Quels sont les arguments des partisans du maintien de l'Algérie dans la France ?
• Quelle place prend de Gaulle dans le conflit ? Comment évolue-t-il depuis 1958 ? Comment les différents partis politiques français réagissent-ils au conflit ?

Quels éléments du contexte international pèsent sur la guerre d'Algérie ?

• À l'aide de votre cours, faites le point sur ce qui peut interférer avec le conflit algérien au début des années 1960.
• Quel est l'état des relations internationales au début des années 1960 ?
• Que reste-t-il de l'Empire français en Afrique du Nord et en Afrique noire ?
• Pourquoi les deux Grands poussent-ils la France à décoloniser ? Quelle place prennent-ils dans le conflit, directement ou par l'intermédiaire de partis, de syndicats ou de journaux ?

2. Confronter les documents à ses connaissances

Conseil

Souvenez-vous qu'un document ne dit pas la vérité, mais qu'il exprime une vérité, un point de vue institutionnel, personnel ou scientifique.

Quels éléments de l'image montrent les objectifs de ses auteurs ?

• Quelles guerres sont présentes dans la Une de l'*Almanach du combattant* ? Pensez à la mémoire de Verdun, et aux conséquences de la Seconde Guerre mondiale et de la guerre d'Indochine sur les pratiques des soldats.

Quelles relations de Gaulle et l'armée entretiennent-ils à propos de l'Algérie ?

• À l'aide de votre cours, expliquez l'évolution des relations entre le général de Gaulle et l'armée jusqu'au putsch des généraux (1961). Attention : souvenez-vous que la majorité des troupes est restée favorable à l'arrêt du conflit.
• N'écartez pas le contexte politique : quelle décision institutionnelle est prise par de Gaulle après l'indépendance algérienne de 1962 ?

3. Répondre à la consigne

Conseil

Montrez que vous portez un regard critique sur les documents par des expressions comme « le document affirme que... mais par le contexte nous pouvons écrire que... ».

En introduction, vous devez notamment...

• Comparer la nature des documents : tous deux sont-ils contemporains des faits ? Ont-ils le même objectif ?
• Rappeler le contexte des faits évoqués : l'année 1961 marque une rupture en France comme en Algérie à propos du conflit.

Dans un développement structuré en paragraphes, il serait bon de...

• Expliquer l'image de De Gaulle en 1958 en France et dans l'armée, et les conditions de la rupture avec une partie du commandement de l'armée française entre 1959 et 1962.
• Expliquer quel rôle a joué une partie de l'armée en France dès que le général de Gaulle a accepté l'autodétermination algérienne.
• Montrer comment l'État français a procédé pour effacer durablement ces divisions de la mémoire collective, et comment l'État algérien a instrumentalisé à sa manière la mémoire du conflit.

En conclusion, il faut par exemple...

• Répondre à la problématique choisie au début de la réponse.
• Rappeler la portée des documents, notamment dans la mémoire nationale française par la comparaison avec la mémoire d'autres conflits.

II

Idéologies, opinions et croyances en Europe et aux États-Unis de la fin du XIXᵉ siècle à nos jours

Les utopies sociales, les moments de crise politique et les croyances religieuses contribuent, depuis le XIXᵉ siècle, à la construction des identités culturelles. En Europe comme aux États-Unis, l'essor des révolutions industrielles, le progrès technique et la hausse du niveau de formation permettent à chacun de se construire une opinion. La diffusion de la presse, des médias audiovisuels et de l'Internet, contribuent à créer une opinion publique.

À travers trois cas particuliers, en Allemagne, en France et aux États-Unis, se pose une même question, qui interroge les modalités d'expression de l'opinion publique.

Le 9 novembre 1989, une chaîne de télévision américaine installe ses caméras devant le mur de Berlin et la porte de Brandebourg. En présence des médias du monde entier, la foule abat le mur, symbole de la division du monde entre le bloc libéral occidental et le bloc communiste. Moins d'un an plus tard, l'Allemagne est réunifiée.

chapitre 4

Socialisme et mouvement ouvrier en Allemagne depuis 1875

En 1875, le programme de Gotha, inspiré du marxisme, crée en Allemagne la première organisation politique du mouvement ouvrier. La participation des socialistes au Parlement – le Reichstag – permet d'améliorer les conditions de travail et de vie des ouvriers allemands, mais fait naître une opposition entre révolutionnaires et réformistes. La Grande Guerre et la révolution bolchevique de 1917 consacrent la division du monde ouvrier allemand entre ces deux tendances.

À partir de 1933, le national-socialisme exerce une répression violente contre les militants socialistes et crée un encadrement strict du mouvement ouvrier. Après 1945, le partage de l'Allemagne fait du mouvement ouvrier, à l'Est, la composante essentielle de la société communiste idéalisée, quand, à l'Ouest, la démocratie libérale amène les socialistes réformistes à abandonner toute référence au marxisme. Après la réunification, ces deux tendances se retrouvent à nouveau mises en avant.

➜ *Quelle est l'influence du mouvement ouvrier en Allemagne depuis 1875 ?*

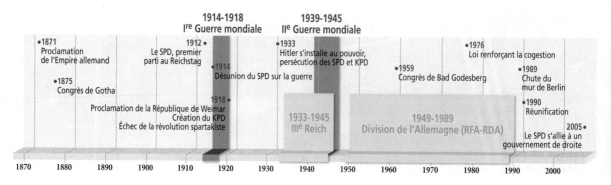

« Avec le SPD, de Bonn à Berlin, pour une Allemagne libre, sociale et unie ». Affiche du SPD (1949).

• Le Parti social-démocrate ou SPD (*Sozialdemokratische Partei Deutschlands*), est le plus ancien parti politique d'Allemagne. Fondé en 1875, il a vu les révolutionnaires communistes le quitter en 1918, ses membres être persécutés sous le IIIe Reich. Le SPD occupe à partir de 1945 une place majeure dans la vie politique de l'Allemagne de l'Ouest puis, depuis 1990, de l'Allemagne réunifiée. Il s'est imposé comme le principal représentant d'un mouvement ouvrier allemand qui a compris jusqu'à 40 % de la population active et qui permet à l'Allemagne d'être, depuis la fin du XIXe siècle, une des plus importantes nations industrielles du monde.

Mouvement ouvrier et conquêtes sociales en Allemagne et en France

« *Messieurs les démocrates joueront vainement de la flûte lorsque le peuple s'apercevra que les princes se préoccupent de son bien-être.* »

Otto von Bismarck,
Pensées et souvenirs, 1898.

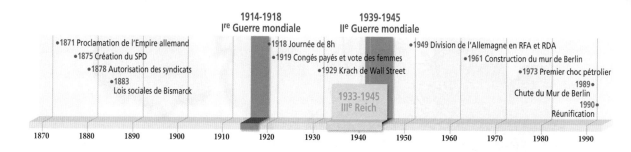

1914-1918
Ire Guerre mondiale

1939-1945
IIe Guerre mondiale

- 1871 Proclamation de l'Empire allemand
- 1875 Création du SPD
- 1878 Autorisation des syndicats
- 1883 Lois sociales de Bismarck
- 1918 Journée de 8h
- 1919 Congés payés et vote des femmes
- 1929 Krach de Wall Street

1933-1945
IIIe Reich

- 1949 Division de l'Allemagne en RFA et RDA
- 1961 Construction du mur de Berlin
- 1973 Premier choc pétrolier
- 1989 Chute du Mur de Berlin
- 1990 Réunification

1870 1880 1890 1900 1910 1920 1930 1940 1950 1960 1970 1980 1990

1. Les syndicats en Allemagne (1878) et en France (1884)

Cette œuvre présente une femme vêtue du bonnet phrygien révolutionnaire incitant la foule des ouvriers à partir à l'assaut de la citadelle qui protège un veau d'or lointain, symbole du capitalisme. Sur le modèle des *trade unions* britanniques, les ouvriers européens s'organisent en groupes de défense progressivement autorisés : les syndicats. Les plus importants naissent pour l'Allemagne en 1891 (l'Association allemande des métallurgistes, future IG Metall) et pour la France en 1906 (Confédération Générale du Travail, CGT). Grèves et manifestations sont parmi leurs modes d'actions les plus spectaculaires.

Le combat du mouvement ouvrier.
Théophile Steinlen, *La Libératrice*, musée du Petit Palais, Genève, 1903.

2. Les conquêtes sociales : maladie, accidents, vieillesse

Sur le modèle des lois sociales allemandes de 1883, la France met en place en 1928 un système d'État afin de pallier les faiblesses des caisses de secours des ouvriers.

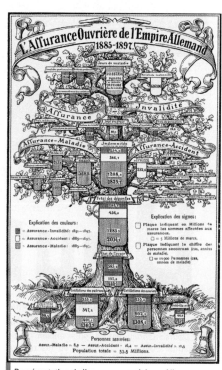

Représentation de l'assurance sociale en Allemagne, à l'occasion de l'Exposition universelle de Paris en 1900.

3. Les congés payés en Allemagne (1919) et en France (1936)

La République de Weimar met en place dès sa création les premiers congés payés (1919), appliqués en France en 1936 par le gouvernement de Front populaire.

Été 1937, un couple en tandem aux Sables d'Olonnes (France).

4. Travailler 8 heures par jour, une réalité en Allemagne (1918) et en France (1936)

À partir de 1890, les syndicats s'organisent, en France et en Allemagne, pour revendiquer la journée de 8 heures de travail. Les manifestations du 1er mai sont dédiées à cette revendication. En 1918 la République de Weimar, menée par les socialistes, impose les 8 heures ; en 1936 le gouvernement de Front populaire en fait une de ses réformes symboliques.

Affiche de la CGT, 1936.

5. Allemagne (1919), France (1945) : le vote des femmes

En janvier 1919 les femmes obtiennent le droit de vote en Allemagne. Depuis la fin du XIXe siècle, des conseils communaux et certains États allemands permettaient le vote et l'élection de femmes. Dès 1891, le Parti social-démocrate (SPD), puis le Parti populaire (DDP) proposent cette réforme dans leurs programmes politiques. En 1914, des suffragettes comme Anita Augsburg organisent des votes sauvages pour convaincre les hommes politiques.

Affiche publiée à Berlin en faveur du vote des femmes, 1914.

6. Les partis marxistes, une création en Allemagne (1875) puis en France (1905)

• Les partis marxistes se divisent au fur et à mesure que se pose la question de leur participation aux élections et aux gouvernements. Créé en 1875, le Parti socialiste ouvrier allemand devient Parti social-démocrate (SPD) en 1890. Venus du SPD, des militants créent en 1918 le Parti communiste allemand (KPD). En France, la Section Française de l'Internationale Ouvrière (SFIO) est créée en 1905. En 1920, lors du congrès de Tours, une partie de la SFIO crée le Parti communiste français (PCF).

En 1929, le Parti communiste allemand (KPD) pousse, comme l'URSS, à une révolution mondiale.

1. Socialisme et mouvement ouvrier dans l'Empire allemand, 1875-1918

1914-1918 Première Guerre mondiale

1875 Congrès de Gotha
1871 Proclamation de l'Empire allemand
1912 Le SPD, premier parti au Reichstag
1914 Les socio-démocrates s'opposent sur la participation à la guerre
1918 Proclamation de la République de Weimar

→ *Quelles divisions naissent au sein du mouvement ouvrier allemand avant 1918 ?*

A. La fondation du parti socialiste allemand

• **Le Parti social-démocrate d'Allemagne (SPD) est créé en 1875 lors du congrès de Gotha (p. 106).** Issu de la fusion de l'Association générale des travailleurs allemands, créée en 1863 par Ferdinand Lassalle **(Bio p. 106)**, et du Parti social-démocrate des travailleurs, proche du **marxisme***. Ce parti renonce à un des fondements du marxisme : l'expropriation des moyens de production du capital. Dans les années 1890, le SPD s'engage sur la voie du **réformisme** sous l'influence d'Eduard Bernstein **(doc. 3)**.

• **Le chancelier Bismarck combat l'influence du SPD auprès des ouvriers, qui composent alors plus du tiers de la population active de l'Empire.** À la même époque, plus de la moitié de la population française est encore rurale. Après avoir mené à son terme l'unité allemande pour Guillaume Ier (1871), Bismarck parvient à faire interdire le SPD dans les années 1880 et 1890, et mène une politique sociale ambitieuse pour prouver aux ouvriers que l'État peut les protéger.

• **Le SPD devient pourtant un des plus puissants partis d'Allemagne.** Durant ces années de répression et d'exil de ses chefs, profitant du fait qu'il conserve le droit de présenter des candidats aux élections, le SPD voit le nombre de ses députés augmenter. Devenu en 1912 le premier parti du Reichstag, il est un modèle pour les mouvements socialistes étrangers, à la fois par son organisation politique à chaque échelon (usines, villes, *Länder*, Empire), et par le lien étroit qu'il établit avec les ouvriers grâce à un puissant réseau d'associations culturelles et sportives.

B. La naissance du syndicalisme en Allemagne

• **Autorisés en 1878, les syndicats se structurent dans le sillage du SPD.** Des « syndicats libres » par branche d'activité sont créés, notamment dans la métallurgie, l'imprimerie et chez les mineurs, activités qui sont au cœur de la puissance impériale. Bien qu'ils s'appuient sur une idéologie marxiste révolutionnaire, ils choisissent dans les faits la voie réformiste, préférant la négociation et la gestion des assurances sociales, sans renoncer aux grèves, qui se multiplient avant 1914 : en 1912 dans la Ruhr, une grève réunit 400 000 mineurs.

• **L'influence du mouvement syndical s'accroît dans le monde du travail et le monde politique.** Structurés et organisés par une commission générale, les syndicats montrent une grande indépendance vis-à-vis des partis politiques. De 278 000 en 1891, les travailleurs adhérant aux syndicats sont 2 500 000 en 1913. Des syndicats chrétiens, notamment en Bavière, ou des syndicats libéraux se développent, sans atteindre la force de l'Association allemande des métallurgistes, liée au SPD. Après la refondation du SPD comme parti réformiste, en 1891, les syndicats marxistes forment une Confédération nationale des Syndicats en 1892 qui intègre la direction du parti.

C. Le mouvement ouvrier à l'épreuve de la Première Guerre mondiale

• **En 1914, le SPD se rallie à l'Union sacrée.** Les partis soutiennent l'effort de guerre. Adhérent de l'**Internationale ouvrière**, le SPD devait refuser la guerre, conformément aux théories marxistes, internationalistes et pacifistes. En août 1914 tous les députés socialistes votent pourtant les crédits de guerre, y compris Karl Liebknecht, par discipline vis-à-vis du parti et par patriotisme.

• **Dès 1915, ce soutien au gouvernement impérial divise les socialistes.** Une minorité s'insurge contre ce qu'ils considèrent comme un reniement aux principes du parti. Parmi eux, Rosa Luxemburg et Karl Liebknecht sont exclus du SPD **(p. 110)**. Emprisonnés pour pacifisme, ils fondent en 1915, la Ligue spartakiste, ancêtre du Parti communiste allemand (KPD).

---

*C*itation

« *Si l'on entend par réalisation du socialisme l'établissement d'une société réglée en tout point d'une manière rigoureusement communiste, je n'hésite assurément pas à déclarer qu'elle me paraît se trouver dans un avenir passablement lointain.* »

Eduard Bernstein,
« La théorie de l'effondrement et la politique coloniale », 1898.

Biographie

Otto von Bismarck (1815-1898)
De vieille famille prussienne, il défend la petite noblesse au Parlement, devient ambassadeur en Russie et en France, puis ministre-président du roi Guillaume Ier de Prusse. Artisan de la victoire contre l'Autriche (1866) et la France (1870), il organise l'unification de l'Allemagne autour de la Prusse en 1871. Chancelier de la nouvelle Allemagne, il organise la Constitution, met en place l'unité militaire, monétaire et législative du nouvel Empire, et crée des lois sociales pour lutter contre l'influence marxiste (1883-1889).

Mots clés

Internationale ouvrière : Association fondée en 1864 liant tous les partis socialistes anticapitalistes.

Réformisme : Volonté de transformer la société dans un cadre démocratique, en participant aux élections et au vote de lois sociales.

Syndicalisme : Mouvement de défense des intérêts des travailleurs face aux propriétaires d'entreprises et aux décideurs politiques.

Vocabulaire

* **Marxisme**
❯ lexique p. 380 à 383

Doc. 1

À la fin du XIXᵉ siècle, une Allemagne unifiée et industrialisée.

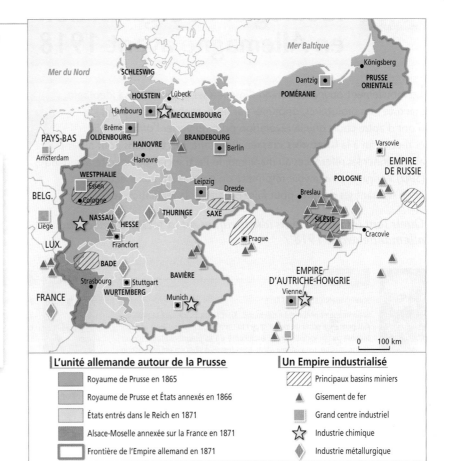

L'unité allemande autour de la Prusse

- Royaume de Prusse en 1865
- Royaume de Prusse et États annexés en 1866
- États entrés dans le Reich en 1871
- Alsace-Moselle annexée sur la France en 1871
- Frontière de l'Empire allemand en 1871

Un Empire industrialisé

- Principaux bassins miniers
- Gisement de fer
- Grand centre industriel
- Industrie chimique
- Industrie métallurgique

Doc. 2 Les lois sociales à l'époque de Bismarck.

1869 Loi limitant la durée de travail des enfants (6 heures/jour).
1883 Création des caisses d'assurance maladie.
1884 Loi sur l'indemnisation des accidents du travail.
1889 Loi sur les assurances invalidité et vieillesse (fixant la retraite à 70 ans).
1890 Loi limitant la durée de travail des femmes (10 heures/jour).
1891 Loi instituant le repos hebdomadaire.

1. Comment la législation sociale allemande tente-t-elle d'améliorer le sort des travailleurs ?

2. Pourquoi Bismarck met-il en place cette ambitieuse politique sociale ?

Doc. 3 Les objectifs de la social-démocratie (1898).

Opposant de Bismarck, théoricien du socialisme, proche des idées communistes, Bernstein vit en exil entre 1878 et 1901.

La conquête du pouvoir politique par la classe ouvrière, l'expropriation des capitalistes, ne sont pas des moyens seulement pour la réalisation de certains efforts et de buts déterminés. Comme telles, elles font partie du programme de la social-démocratie et ne sont combattues par personne. On ne peut pas prédire les circonstances dans lesquelles se fera leur réalisation. Mais, pour pouvoir conquérir le pouvoir politique, il faut des droits politiques, et la plus importante des questions de la tactique que la social-démocratie ait à résoudre actuellement me paraît être celle du meilleur moyen d'élargir les droits politiques et économiques des ouvriers allemands. Et jusqu'à ce qu'une solution satisfaisante soit trouvée à cette question, l'accentuation des autres ne saurait être finalement que de la déclamation.

Eduard Bernstein, *Lettres au Congrès de Stuttgart* (1898), Cahiers Georges Sorel, 1983.

1. Quelle doit être la principale préoccupation de Parti social-démocrate selon E. Bernstein ?

2. Pourquoi ce texte s'inscrit-il dans la voie du socialisme réformiste ?

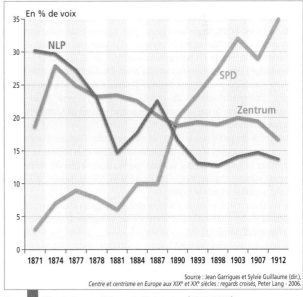

Source : Jean Garrigues et Sylvie Guillaume (dir.), *Centre et centrisme en Europe aux XIXᵉ et XXᵉ siècles : regards croisés*, Peter Lang - 2006.

Doc. 4 L'évolution politique du Reichstag (1871-1912).

1. Comment la représentation du SPD évolue-t-elle ?

2. Comment expliquer cette croissance ?

Dossier 1 Idéologies et organisation ouvrière en Allemagne avant 1918

Le mouvement ouvrier allemand s'inscrit à ses origines dans l'idéologie marxiste : les prolétaires, opprimés par les détenteurs du capital, n'ont d'autre choix que la révolution pour renverser l'ordre établi et mettre fin à la **lutte des classes**. Pourtant, très tôt, sans pour autant abandonner les références au marxisme, le Parti social-démocrate allemand (SPD) s'engage dans la voie réformiste en participant aux élections et en utilisant ses députés pour faire progresser la législation sociale.

➜ *Quels sont les fondements idéologiques de la social-démocratie allemande avant 1918 ?*

Dates clés

Le marxisme en Allemagne au XIXᵉ siècle

1848 *Le Manifeste du parti communiste* : Karl Marx et Friedrich Engels appellent à l'union des prolétaires contre la bourgeoisie.

1864 Échec de la Iʳᵉ internationale.

1867 *Le Capital* : Karl Marx critique les contradictions du système capitaliste.

1875 Programme de Gotha, création du SPD.

1878 Autorisation des syndicats.

1883-1889 Lois sociales de Bismarck contre l'influence socialiste.

1889 Création de la IIᵉ Internationale.

Biographie

Karl Marx (1818-1883)

Économiste et philosophe allemand, Karl Marx pense que le prolétariat peut s'emparer du pouvoir par la révolution et remplacer le capitalisme par le socialisme. Le socialisme est la première étape vers le communisme, un système idéal dans lequel à chacun est redistribué en fonction de ses besoins. Cette lutte des classes est pour lui le moteur de l'histoire. Après l'échec de la Première Internationale créée par Marx en 1864, Friedrich Engels fait naître en 1889 la Deuxième Internationale, qui regroupe mouvements politiques et syndicats européens proches des idées marxistes.

Biographie

Ferdinand Lassalle (1825-1864)

Théoricien et homme politique allemand, il fonde en 1863 le premier mouvement socialiste européen, l'Association générale des travailleurs allemands. Proche de Marx, il refuse néanmoins d'accepter l'expropriation des moyens de production du capital par les prolétaires, et s'engage dans une approche réformiste du socialisme. Ses idées influencent la création du SPD et le mouvement réformiste allemand.

Doc. 1 Le programme de Gotha (1875).

Le Parti socialiste ouvrier allemand prend en 1890 le nom de Parti social-démocrate (SPD).

Dans la société actuelle, les moyens de travail sont le monopole de la classe capitaliste ; l'état de dépendance qui en résulte pour la classe ouvrière est la cause de la misère et de la servitude sous toutes ses formes. L'affranchissement du travail exige la transformation des instruments du travail en patrimoine commun de la société et la réglementation, par la communauté, du travail collectif, avec affectation d'une partie du produit aux besoins généraux et partage équitable du reste. L'affranchissement du travail doit être l'œuvre de la classe ouvrière, en face de laquelle toutes les autres classes ne forment qu'une masse réactionnaire.

Partant de ces principes, le Parti ouvrier socialiste d'Allemagne s'efforce, par tous les moyens légaux, de fonder l'État libre et la société socialiste, de briser la loi d'airain des salaires[1] par la destruction du système du travail salarié, d'abolir l'exploitation sous toutes ses formes, d'éliminer toute inégalité sociale et politique.

Le Parti ouvrier socialiste d'Allemagne, bien qu'il agisse tout d'abord dans le cadre national, a conscience du caractère international du mouvement ouvrier.

Le Parti ouvrier socialiste d'Allemagne réclame, pour préparer les voies à la solution de la question sociale, l'établissement de sociétés ouvrières de production avec l'aide de l'État, sous le contrôle démocratique du peuple travailleur.

Le programme de Gotha, 1875.

1. Principe défini par Ferdinand Lassalle selon lequel les ouvriers se faisant concurrence pour être embauchés, les salaires chutent.

Doc. 2 Karl Marx critique le programme de Gotha (1875).

On remplace la lutte des classes existante par une formule creuse de journaliste : la « question sociale », à la « solution » de laquelle on « prépare les voies ». Au lieu de découler du processus de transformation révolutionnaire de la société, « l'organisation socialiste de l'ensemble du travail résulte » de « l'aide de l'État », aide que l'État fournit aux coopératives de production que lui-même (et non le travailleur) a « suscitées ». Croire que l'on peut construire une société nouvelle au moyen de subventions de l'État aussi facilement qu'on construit un nouveau chemin de fer, voilà qui est bien digne de la présomption de Lassalle !

Par un reste de pudeur, on place « l'aide de l'État »… sous le contrôle démocratique du « peuple des travailleurs ».

Trad. S. Dayan-Herzbrun, J. Ducange, Éditions sociales, 2008

Mots clés

Lutte des classes : Pour Karl Marx, l'opposition violente entre les détenteurs de l'outil de travail (la bourgeoisie) et ceux qui ne possèdent que leur force physique (les prolétaires), est l'origine et le moteur de toutes les révolutions de l'histoire du monde.

Révisionnisme socialiste : Mouvement de pensée né des idées de l'Allemand Eduard Bernstein, qui prône l'abandon de l'idée marxiste selon laquelle le capitalisme mourrait de la grève. Il propose que, par l'action politique, des lois changent l'organisation du travail ouvrier.

Doc. **3** L'Internationale des prolétaires.
Gravure colorée, d'après un dessin de Walter Crane, 1889.

« Prolétaires de tous les pays, unissez-vous ! ». Cette phrase termine le *Manifeste du parti communiste* de Marx et Engels (1848). Cette gravure était destinée à la célébration de la fête du 1er mai, jour choisi comme jour international de solidarité entre les travailleurs.

Doc. **5** Le révisionnisme **réformiste** de Bernstein.

Dominée par le SPD allemand, la IIe Internationale se revendiquait du marxisme. En théorie elle prétendait n'avoir aucune illusion dans le parlementarisme et n'opposait pas réforme et révolution. [...] Pourtant entre la théorie et la pratique quotidienne des organisations sociale-démocrates, le fossé ne cessait de s'élargir. En France, le socialiste Millerand défendait publiquement l'idée que la transformation sociale passait par le parlement et par l'action gouvernementale. Ceci l'amena, au tournant du siècle, à entrer dans un gouvernement bourgeois.

Ce n'était pas un comportement marginal : de telles positions reflétaient tout un courant réformiste qui se développait au sein de la social-démocratie. Il a trouvé son expression théorique la plus aboutie chez le socialiste allemand Eduard Bernstein. Celui-ci expliquait en substance que les transformations récentes qu'avait connues le système capitaliste rendaient la révolution inutile. Le développement des cartels patronaux, du système de crédit, de moyens de communication modernes, le développement des syndicats ouvriers, l'amélioration des conditions de vie ouvrières, la persistance des classes moyennes [...] étaient la preuve de l'adaptation du système, de l'atténuation des contradictions internes du capitalisme. Ces transformations qui témoignaient d'une tendance grandissante à la socialisation de la production ouvraient la voie à un passage pacifique au socialisme au moyen de réformes progressives, par l'action syndicale et la voie parlementaire. [...]

Les idées de Bernstein ont été durement critiquées à l'époque par de nombreux dirigeants marxistes parmi lesquels Kautsky, Rosa Luxemburg, ou Lénine.

Diane Adam et Nicolas Verdon, « Qu'est-ce que le réformisme ? »,
Que faire ?, janvier/mars 2005.

Doc. **4** Le rôle des organisations syndicales selon Rosa Luxemburg.

[*La principale fonction des syndicats*] consiste à permettre aux ouvriers de réaliser la loi capitaliste des salaires, c'est-à-dire la vente de la force de travail au prix conjoncturel du marché. Les syndicats servent le prolétariat en utilisant dans leur propre intérêt, à chaque instant, ces conjonctures du marché. Mais ces conjonctures elles-mêmes, c'est-à-dire d'une part la demande de force du travail déterminée par l'état de la production, et d'autre part l'offre de force de travail créée par la prolétarisation des classes moyennes et la reproduction naturelle de la classe ouvrière, enfin le degré de productivité du travail sont situés en dehors de la sphère d'influence des syndicats. Aussi ces éléments ne peuvent-ils pas supprimer la loi des salaires. Ils peuvent, dans le meilleur des cas, maintenir l'exploitation capitaliste à l'intérieur des limites « normales » dictées à chaque instant par la conjoncture, mais ils sont absolument hors d'état de supprimer l'exploitation elle-même. [...] L'activité des syndicats se réduit donc essentiellement à la lutte pour l'augmentation des salaires et pour la réduction du temps de travail ; elle cherche uniquement à avoir une influence régulatrice sur l'exploitation capitaliste en suivant les fluctuations du marché. [...] Ce qui joue aujourd'hui le rôle de « contrôle social » – la législation ouvrière, le contrôle des sociétés par action, etc. – [...] ne constitue pas une atteinte à l'exploitation capitaliste, mais une tentative pour la normaliser.

Rosa Luxemburg, *Réforme sociale ou révolution ?*, 1898,
éd. Irène Petit, La Découverte, 2001.

Rosa Luxemburg lors d'un rassemblement à Stuttgart en 1907, entourée des portraits de Lassalle et de Marx.

POUR COMPRENDRE

1. Étudier les documents
Doc. 1 et 2 Que propose le programme de Gotha ? Qu'en critique Marx ? Pourquoi ?
Doc. 3 Quels éléments de ce document reflètent les idées marxistes ?
Doc. 4 Selon Rosa Luxemburg, quel rôle les syndicats remplissent-ils ?
Doc. 5 Que pense Bernstein de l'idée révolutionnaire marxiste ? Quels éléments expliquent le succès du réformisme ?

2. Analyse de deux documents
BAC À l'aide des documents 2 et 5, vous montrerez quelles rivalités opposent les partisans du socialisme marxiste à propos du rôle que peut prendre l'État dans la révolution.

3. Aide à la composition
BAC À l'aide de vos connaissances, vous rédigerez un paragraphe qui réponde au sujet : « Les oppositions entre marxistes en Allemagne avant 1918 ».

2. Le mouvement ouvrier en Allemagne entre 1918 et 1945

1918 Tentative de révolution spartakiste à Berlin

1933-1945 Allemagne nazie

1918 Proclamation de la République de Weimar
Création du KPD

1933 Hitler accède au pouvoir,
persécution des socialistes et des communistes

→ *Comment les changements de régime touchent-ils le mouvement ouvrier allemand ?*

A. La République de Weimar face aux troubles révolutionnaires (1918-1919)

• **En novembre 1918, sur le modèle de la révolution russe, des conseils révolutionnaires se constituent dans tout l'Empire** après la révolte des marins du port militaire de Kiel, sur la Baltique. Ces troubles font éclater l'union des partis politiques qui tenait difficilement depuis 1914.

• **Après l'abdication de Guillaume II le 9 novembre 1918, à Berlin**, socialistes du SPD et **spartakistes** communistes se retrouvent face à face. En 1915, leur opposition sur le soutien à la guerre avait coupé le SPD en deux. Les pacifistes se retrouvent en 1918 dans le Parti communiste allemand (KPD).

• **Jusqu'en mai 1919, une nouvelle insurrection révolutionnaire embrase le pays.** En janvier 1919, les ouvriers se mettent en grève dans les grandes villes et réclament la destitution du chancelier SPD Ebert. Les **corps francs***, constitués de soldats de retour du front, répriment le soulèvement : 1 500 morts. Les dirigeants du KPD, Karl Liebknecht et Rosa Luxemburg, sont assassinés. L'Assemblée nationale constituante siège à Weimar, sur les bords du Rhin : une fois installée à Berlin, la République en conserve le nom.

B. Socialistes et communistes dans les années 1920

• **Le SPD fonde la République** mais ne participe plus au gouvernement après la répression de la révolution de 1919, qui lui fait perdre la moitié de son électorat. Il soutient le Zentrum (centre) ou le centre-droit dans leur lutte contre l'inflation et contre l'occupation militaire de la Ruhr par la France (1923-1924).

• **À la fin des années 1920, la gauche allemande reste influente.** En 1930, le SPD compte un million d'adhérents, et son syndicat, l'ADGB, 8,5 millions de membres. Le Parti communiste (KPD) est un parti de masse, avec 300 000 militants, souvent venus du SPD. L'influence de Moscou pousse le KPD à assimiler le SPD aux partis bourgeois.

• **La crise de 1929 touche durement l'Allemagne.** La production industrielle baisse de 19 %, le chômage touche 6 millions de personnes. Le gouvernement soutenu par le SPD bloque les salaires et les prix : l'inflation explose. Le KPD communiste et les nationaux-socialistes du NSDAP d'Adolf Hitler voient leur influence augmenter. Militants du KPD et SA du parti nazi s'affrontent dans des combats de rue. Lors des élections législatives de 1932, le KPD refuse toute alliance avec le SPD pour contrer le parti nazi, qui devient le premier parti au Reichstag.

C. Le mouvement ouvrier allemand sous le nazisme (1933-1945)

• **Dès son accès à la chancellerie en 1933, Hitler s'attaque aux partis républicains.** Les partis marxistes et les syndicats sont pour les nazis des opposants à l'unité du peuple allemand. L'incendie du Reichstag, en février 1933, permet à Hitler d'interdire le KPD. Le SPD refuse les pleins pouvoirs à Hitler et est interdit à l'été 1933. Les élus du KPD et du SPD sont internés en camp de concentration ; certains élus du DDP ou Zentrum, comme Konrad Adenauer, alors maire de Cologne, sont démis de leurs fonctions.

• **Les ouvriers occupent une place centrale dans l'ordre nazi.** Ils forment encore près du tiers de la population active. Le régime nazi crée des structures obligatoires, alternatives aux syndicats, comme le Front du Travail. Le SPD, depuis Londres, et le KPD, depuis Moscou, créent des réseaux de résistance pendant la Seconde Guerre mondiale ; 70 % des tracts interceptés en Allemagne par la **Gestapo*** viennent de ces partis.

---

*C*itation

« *Le régime [nazi], au lieu d'intégrer cette classe ennemie dans la communauté du peuple, ne parvint qu'à en provoquer la désintégration.* »

Pierre Ayçoberry, à propos de la classe ouvrière, *La Société allemande sous le IIIe Reich*, Paris, Le Seuil, 1998.

Biographie

Karl Liebknecht (1871-1919)

Avocat, député SPD au Reichstag en 1912, fils du principal opposant à Bismarck Wilhelm Liebknecht, il s'engage résolument contre l'entrée en guerre de l'Allemagne en 1914, comme Jean Jaurès en France au même moment. Emprisonné de 1916 à 1918, il fonde le KPD en décembre 1918 avec Rosa Luxemburg et mène l'insurrection révolutionnaire contre la République de Weimar, en prenant modèle sur la révolution d'octobre 1917 menée par Lénine. Arrêté le 15 janvier 1919, il est exécuté sans procès. Sa mort est un des éléments d'opposition violente entre le SPD et le KPD jusqu'à l'avènement du nazisme.

Mot clé

Spartakisme : Fraction révolutionnaire du SPD qui prend pour modèle la révolution bolchévique de 1917. Ce mouvement adopte le nom de Spartacus qui prit la tête d'une révolte d'esclaves à Rome en 73 avant J.-C.

Vocabulaire

* Corps francs
* Gestapo

❭ lexique p. 380 à 383

Doc. **1** **Le 9 novembre 1918, à Berlin, la République est proclamée deux fois.**

À 14H00, le SPD Philipp Scheidemann proclame la République parlementaire.

Ouvriers et soldats ! […] L'empereur a abdiqué. Lui et ses amis ont disparu, le peuple a remporté une victoire totale sur eux. Le prince Max de Bade a transmis sa fonction de chancelier du Reich au député Ebert. Notre ami va former un gouvernement ouvrier, auquel participeront tous les groupes socialistes. […] Rien ne doit arriver qui porte atteinte à l'honneur du mouvement ouvrier. Soyez unis.

Gerhard Ritter et Suzanne Miller, *Die deutsche Revolution 1918-1919*, trad. J. Poitou, Fischer, 1968.

À 16H00, le KPD Karl Liebknecht proclame la République socialiste.

Camarades, le jour de la liberté s'est levé. […] Camarades, je proclame la République socialiste libre d'Allemagne, qui doit rassembler tous les peuples, dans laquelle il ne doit pas y avoir d'esclaves, dans laquelle chaque ouvrier honnête recevra le juste salaire de son travail. […] Nous devons concentrer nos forces pour construire le gouvernement des ouvriers et des soldats et pour instaurer un nouvel ordre étatique du prolétariat, un ordre de paix, de bonheur et de liberté pour […] tous nos frères dans le monde entier. Nous leur tendons la main et les appelons à achever la révolution mondiale

Karl Liebknecht, *Gesammelte Reden und Schriften*, trad. J. Poitou, Dietz Verlag, 1971.

1. À quoi Scheidemann appelle-t-il le mouvement ouvrier ? Pourquoi ?

2. À quoi Karl Liebknecht appelle-t-il ? Au nom de quoi ?

Doc. **2** **Affiche électorale du SPD (1932).**

« Voici les ennemis de la démocratie ! Finissons-en ! Votez pour la liste 1 social-démocrate ! »

1. Qui sont les ennemis de République ? Pourquoi ?

Doc. **3**

Affiche électorale du KPD (1932).

« Pour un changement de système ». Parmi les notables représentés se trouve Adolf Hitler.

1. Qui sont les ennemis du communisme ?

2. Sur qui le KPD peut-il s'appuyer ? Pourquoi ?

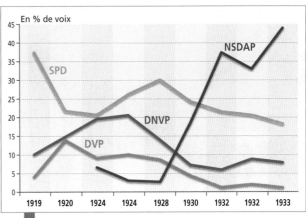

Doc. **4** **Les élections au Reichstag (1919-1933).**

1. Comment le SPD évolue-t-il ? et le NSDAP ?

2. Comment expliquer l'effondrement des partis attachés à la République de Weimar ?

L'agitation révolutionnaire que connaît l'Allemagne depuis l'automne 1918 culmine lors de la « semaine sanglante » de janvier 1919. Le renvoi du chef de la police par le gouvernement provisoire social-démocrate provoque l'insurrection : les rues se couvrent de barricades. Les chefs communistes du KPD, Rosa Luxemburg et Karl Liebknecht appellent à la grève. L'armée et les corps francs engagés par le ministre de la Défense répriment le mouvement dans le sang et assassinent Rosa Luxemburg et Karl Liebknecht.

➜ *Comment expliquer l'échec de la révolution spartakiste ?*

Dates clés

Une insurrection communiste
9 novembre 1918 Abdication de Guillaume II, proclamation de la République.
10 novembre 1918 Gouvernement provisoire social-démocrate.
11 novembre 1918 Signature de l'armistice.
5 janvier 1919 Manifestation de masse à Berlin.
6 janvier 1919 Premiers combats à Berlin.
11 janvier 1919 Entrée des corps francs dans la ville.
15 janvier 1919 Exécution de Karl Liebknecht et Rosa Luxemburg.

Doc. **1** **Le programme du Parti communiste allemand.**

Ce texte de Rosa Luxemburg est adopté à l'unanimité comme programme du Parti communiste allemand (KPD) le 31 décembre 1918.

Le 9 novembre, en Allemagne, les ouvriers et soldats ont mis en pièces l'ancien régime. [...] Le 9 novembre, le prolétariat allemand s'est dressé pour se débarrasser du joug honteux qui l'accablait. [...] Des millions d'ouvriers, les meilleures cohortes et les plus actives de la classe ouvrière, ont été massacrées [*par la guerre*]. Seule la révolution mondiale du prolétariat peut mettre de l'ordre dans le chaos, donner à tous du travail et du pain, mettre un terme au déchirement réciproque des peuples, apporter à l'humanité écorchée la paix, la liberté et une civilisation véritable.
À bas le salariat ! Tel est le mot d'ordre de l'heure : au travail salarié et à la domination de classe doit se substituer le travail coopérateur, les moyens de travail ne doivent plus être le monopole d'une classe, mais devenir le bien commun de tous. Plus d'exploiteurs ni d'exploités ! À la place des patrons et de leurs esclaves salariés, des coopérateurs libres. Le travail cesse d'être un tourment pour quiconque, parce qu'il est le devoir de tous ! [...] C'est alors seulement que la terre ne sera plus souillée par l'holocauste d'êtres humains, c'est alors seulement qu'on pourra dire : cette guerre a été la dernière ! [...] Ce bouleversement ne saurait être décrété [...] par quelque autorité, commission ou parlement : seules les masses peuvent l'entreprendre et le réaliser [...]. C'est pure folie de s'imaginer que les capitalistes pourraient se plier de bon gré au verdict socialiste [...], qu'ils renonceraient tranquillement à la propriété, au profit, aux privilèges de l'exploitation. Toutes les classes dominantes ont lutté jusqu'au bout pour leurs privilèges, avec l'énergie la plus tenace [...], marché sur des cadavres, au milieu des incendies et des crimes, déchaîné la guerre civile et trahi leur pays [...].
Debout prolétaires ! Au combat ! Il s'agit de conquérir tout un monde et de se battre contre tout un monde.

Rosa Luxemburg, « Que veut la ligue spartakiste ? », *Die Rote Fahne*, 14 décembre 1918.

Doc. **2** **Combats de rue à Berlin, le 11 janvier 1919.**

Doc. **3** **Les funérailles de Karl Liebknecht à Berlin, le 25 janvier 1919.**

Doc. 4 Rosa Luxemburg analyse l'échec de la révolution.

« L'ordre règne à Berlin » proclame avec des cris de triomphe la presse bourgeoise, tout comme [*le chancelier*] Ebert et [*le ministre de la Défense*] Noske, tout comme les officiers des « troupes victorieuses » que la racaille petite-bourgeoise accueille dans les rues de Berlin en agitant des mouchoirs et en criant « Hourrah ! » [...]. Cette « Semaine spartakiste », que nous a-t-elle apporté, que nous enseigne-t-elle ? [...] Pouvait-on s'attendre, dans le présent affrontement, à une victoire décisive du prolétariat révolutionnaire, pouvait-on escompter la chute des Ebert-Scheidemann et l'instauration de la dictature socialiste ? Certainement pas [...], il suffit de mettre le doigt sur ce qui est à l'heure actuelle la plaie de la révolution : le manque de maturité politique de la masse des soldats qui continuent de se laisser abuser par leurs officiers et utiliser à des fins contre-révolutionnaires [...]. Les campagnes, d'où est issu un fort pourcentage de la masse des soldats, continuent de n'être à peu près pas touchées par la révolution. [...]

Il existe pour la Révolution une règle absolue : ne jamais s'arrêter une fois le premier pas accompli, ne jamais tomber dans l'inaction, la passivité. [...] La route du socialisme est pavée de défaites. [...] Les combats révolutionnaires sont à l'opposé des luttes parlementaires. En Allemagne, pendant quatre décennies, nous n'avons connu sur le plan parlementaire que des « victoires » [...]. Et quel a été le résultat lors de la grande épreuve historique du 4 août 1914 : une défaite morale et politique, un effondrement inouï [...]. La direction a été défaillante. [...] Les masses ont été à la hauteur de leur tâche. [...] Et voilà pourquoi la victoire fleurira sur le sol de cette défaite.

Rosa Luxemburg, « L'ordre règne à Berlin », *Die Rote Fahne*, 14 janvier 1919.

Doc. 6 Un historien analyse la révolution spartakiste.

Le 9 novembre 1918 constitue bien dans l'histoire de l'Allemagne une césure importante. Sur le plan politique, l'Empire cède la place à la République. [...] Des lois sociales ont accompagné le changement de régime : journée de 8 heures, vote des femmes, reconnaissance des syndicats. [...] D'un seul coup, les socialistes ne venaient-ils pas d'obtenir ce pour quoi leurs pères avaient lutté ? [...] Or les Spartakistes, en voulant aller plus loin, ne risquaient-ils pas de tout perdre ? [...] Le socialisme, pensait-on, viendrait plus tard, peu à peu. Pour le moment, on avait le suffrage universel, la liberté de la presse et de réunion. [...] C'était bien une révolution et cette révolution était terminée. [...] La social-démocratie allemande aspire à faire du Reich une démocratie bourgeoise à l'occidentale et elle y réussit, dans une large mesure. En 1918, l'Allemagne est à la croisée des chemins : solution soviétique ou démocratie bourgeoise ? La social-démocratie n'hésite pas. C'est avec Wilson qu'on discute et pas avec Lénine. [...]

L'échec de la Révolution allemande a eu, à plus long terme, des conséquences désastreuses non seulement pour l'Allemagne, mais pour l'Europe entière. [...] Ces socialistes majoritaires sont apparus comme des fusilleurs d'ouvriers. [...] Les forces ouvrières sont irrémédiablement divisées. [...] Sans doute tout ce sang versé du fait des Majoritaires explique-t-il, pour une part au moins, pourquoi l'unité ouvrière s'est heurtée, moins de dix ans plus tard, à des difficultés insurmontables, à la veille de la prise du pouvoir par le national-socialisme.

Gilbert Badia, *Les Spartakistes, 1918 : l'Allemagne en révolution*, Aden, Bruxelles, 2008.

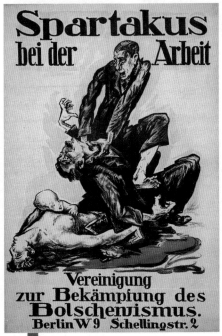

Doc. 5 Affiche anti-spartakiste (1919).

« Spartacus au travail. Association pour la lutte contre le Bolchevisme », placardée à Berlin en 1919.

Biographie

Rosa Luxemburg (1871-1919)

Née en Pologne alors sous domination russe, cette militante socialiste est contrainte à l'exil et devient une figure de la social-démocratie allemande. Selon elle, les lois sociales ne peuvent changer que superficiellement la société : c'est aux travailleurs de s'emparer du pouvoir. Cette théoricienne de la révolution lutte contre la guerre dès 1914 et fonde avec Karl Liebknecht, en prison, la Ligue spartakiste. Libérée en 1918, elle rédige le programme du KPD. Elle est exécutée le 15 janvier 1919.

POUR COMPRENDRE

1. Étudier les documents

Doc. 1 et 5 Quels sont les buts du Parti communiste ? Quelle opposition rencontre-t-il ?

Doc. 2, 3 et 4 Par quels moyens le KPD mène-t-il la révolution de janvier 1919 ?

Doc. 4, 5 et 6 Quelles oppositions rencontre la révolution spartakiste ?

Doc. 6 Quelles conséquences a eu cette révolution sur la vie politique allemande ?

2. Analyse de deux documents

BAC À l'aide des documents 1 et 4, vous montrerez les effets de la révolution de 1919 pour Rosa Luxemburg.

3. Aide à la composition

BAC À l'aide de vos connaissances, vous rédigerez une partie de composition qui réponde au sujet : « Les partis marxistes et la République de Weimar (1918-1920) ».

Arrivé au pouvoir en 1933, Hitler met en place une politique de réarmement en violation des traités de paix de 1919. Son objectif est de conquérir par les armes « l'espace vital » dont la race aryenne et germanique a besoin pour vivre en autarcie. Pour se donner les moyens de la guerre, il consacre un effort important à la remise en ordre de l'industrie, fortement touchée par la crise de 1929. En même temps qu'il persécute les leaders syndicaux et politiques, Hitler met en place des organisations d'encadrement strict du monde ouvrier comme le Front du Travail.

➜ *Comment Hitler prend-il le contrôle du mouvement ouvrier allemand ?*

Dates clés

La nazification de l'Allemagne
1932 8,5 millions d'Allemands au chômage.
1933 Incendie du Reichstag, interdiction du KDP. Vote des pleins pouvoirs à Hitler (23 mars). Arrestation des dirigeants syndicaux (2 mai). Le parti nazi (NSDAP) devient parti unique (14 juillet). Arrestation des dirigeants SPD.
1935 Lois raciales de Nuremberg (15 septembre).
1936 Création de la firme automobile Volkswagen par F. Porsche.

Doc. 1

La Gestapo perquisitionne les bureaux du KPD en février 1933.

L'interpellation d'un jeune communiste après l'incendie du Reichstag, permet au pouvoir nazi de faire arrêter 4 000 militants et d'interdire le KPD et la presse communiste.

Doc. 2 Le chef du parti social-démocrate s'oppose à Hitler en 1933.

Le 23 mars 1933, après l'interdiction du KPD, Hitler demande au Reichstag de lui accorder les pleins-pouvoirs pour mettre fin à la démocratie et à la République. Le président du groupe SPD lui répond.

À cette heure historique, nous les socio-démocrates allemands faisons le vœu solennel de défendre les principes d'humanité et de justice, de liberté et de socialisme. Aucune loi ne peut vous donner le droit de détruire les idées qui sont éternelles et indestructibles [...]. De ces nouvelles persécutions en Allemagne la démocratie sociale peut tirer une nouvelle force. Nous saluons les persécutés et les opprimés. Nous saluons nos amis du Reich. Leur constance et leur fidélité méritent l'admiration. Le courage avec lequel ils défendent leurs convictions est la garantie d'un avenir plus lumineux.

Otto Wells, discours au Reichstag, 23 mars 1933.

Doc. 3 Des arrestations de militants communistes en 1933.

Nous étions en face du Café Komet, le bar des troupes d'assaut [*les SA*] dans Stralaug-Rummelsburg. C'est ainsi que commença notre épreuve. À chaque fois que l'orchestre jouait une danse dans le café, nous étions chacun notre tour frappé au visage et partout sur le corps [...].
Après quatre heures, nous avons été emmenés à Köpenick. Là, dans une cave humide et puante, [...] nous nous sommes retrouvés ensemble, avec d'autres prisonniers, hommes et femmes, qui étaient apparemment là depuis longtemps et avaient été torturés de façon terrible par les troupes d'assaut. De Köpenick, nous avons été embarqués [...] à la Gestapo sur Prinz-Albert-Strasse. Durant toute cette période nous avons été interrogés et torturés physiquement. Jeudi [...] on ne nous avait donné ni à manger ni à boire. Mais tout cela n'était qu'un début par rapport à ce qui nous attendait à Vosstrasse ! Durant la nuit j'ai revu Hans Otto[1]. Il devait être autour de minuit. Il n'était plus capable de parler, mais uniquement d'émettre des sons inaudibles. Sa bouche et ses yeux étaient totalement enflés. [...] Quelques heures plus tard je l'ai vu pour la dernière fois. Il était à demi nu et je ne pouvais plus le reconnaître. Son corps n'était plus qu'une plaie sanglante. Il était inconscient.

Gerhard Hinze, jeune militant communiste cité dans Reinhard Rürup, *Topographie de la Terreur*, Berlin, Arenhövel, 1987.

1. Acteur militant communiste, assassiné par les nazis en 1933.

En août 1933, des dirigeants du SPD sont internés au camp de concentration d'Oranienburg.

Peuple allemand, tu es fort quand tu es uni. [...] Peuple allemand, oublie quarante années de discorde et lève toi pour deux mille ans d'histoire allemande !

Peuple allemand ! « Le mois de mai revient ! » C'est ce que dit la chanson populaire. Et, depuis des siècles, le premier jour de mai n'est pas seulement le symbole de l'arrivée du printemps dans nos campagnes ; c'est aussi un jour de joie, de fête.

Il fut un temps où ce jour était utilisé dans d'autres buts, de nouvelle vie et d'espoir joyeux il fut transformé en un jour de querelles et de dissensions internes [...], en un jour de haine [...] et de souffrance. [...] Mais vint le temps de la réflexion, après le profond tourment qu'a connu notre peuple, le temps de changer de cap et, pour le peuple allemand, de se réunir de nouveau.

Et aujourd'hui nous pouvons de nouveau nous réunir en chantant la vieille chanson : « Le mois de mai revient ». L'éveil de notre peuple est là. Le symbole de la lutte des classes, des dissensions sans fin et de la discorde, redevient le symbole de la grandeur et du redressement de notre nation. Et, pour les années à venir, nous avons choisi ce jour où la nature s'éveille pour reconquérir notre pouvoir et notre force, et, en même temps, pour célébrer le travail productif qui ne connaît aucune limite, qui n'est pas lié à un syndicat, une usine ou un bureau ; travail que nous voulons reconnaître et promouvoir partout où il est réalisé dans un sens positif, pour faire vivre et exister notre peuple.

Adolf Hitler, discours radiodiffusé, 1er mai 1933.

Doc. **5**

Les ouvriers du Front du Travail défilent devant Adolf Hitler à Nuremberg (1937).

Doc. **6**

Affiche publicitaire pour la coccinelle de Volkswagen (1939).

D'abord nommée KDF-Wagen, du nom de l'organisation ouvrière nazie La Force par la joie (*Kraft durch Freude*), la Coccinelle de la firme Volkswagen se présente comme la voiture que l'on peut acheter pour « 5 marks par semaine ».

POUR COMPRENDRE

1. Étudier les documents

Doc. 1, 2 et 3 Quel sort est réservé par le régime nazi aux militants communistes ?

Doc. 4 et 5 Par quels arguments le régime cherche-t-il à attirer à lui les ouvriers ?

Doc. 5 et 6 Comment le régime nazi contrôle-t-il le mouvement ouvrier ?

2. Analyse de deux documents

BAC À l'aide des documents 1 et 4, vous montrerez comment le régime nazi prend la place des partis marxistes auprès du mouvement ouvrier.

3. Aide à la composition

BAC À l'aide de vos connaissances, vous rédigerez l'introduction au sujet de composition : « Le nazisme et le mouvement ouvrier dans les années 1930 ».

1948-1949 Première crise de Berlin

Le SPD adopte des réformes libérales **2003**

1953 Révolte de Berlin-Est

1961 Construction du mur de Berlin

1970 *Ostpolitik* de Willy Brandt

1990 Réunification de l'Allemagne
1989 Chute du mur de Berlin

➔ *Quelles sont les conséquences de la Guerre froide sur le mouvement ouvrier allemand ?*

A. En RDA, le mouvement ouvrier est au cœur du régime

• **Après la capitulation en 1945, l'Allemagne est divisée en zones d'occupation.** En zone soviétique, le SPD et le KPD fusionnent pour former le Parti socialiste unifié d'Allemagne (SED). À partir de la création de la RDA (1949), il en devient le parti unique. Tous les dirigeants de la RDA en sont issus.

• **Le contrôle des syndicats se met en place.** Les branches industrielles se réunissent dans la Fédération libre des syndicats allemands, FDGB, totalement contrôlée par le SED.

• **La RDA se présente alors comme « la patrie des ouvriers et paysans allemands ».** La grande majorité de la population travaille dans l'industrie. L'organisation du travail en « brigades » se fait sur le modèle soviétique. L'usine est au cœur de la vie quotidienne : elle loge les ouvriers, organise les coopératives d'achat, structure les étapes de la vie des enfants. Elle détient le monopole de l'organisation des vacances, construit des foyers et y affecte les travailleurs en vacances. L'État subventionne un tiers du prix de la pension.

B. En RFA, le SPD renonce au marxisme

• **Dans la trizone de l'Ouest, les partis marxistes sont confrontés à la Guerre froide.** Le KPD perd rapidement toute influence. Il obtient 2,2 % des voix en 1953. Interdit en 1956, de nouveau autorisé en 1968, il ne représente plus qu'une force politique très réduite. Reconstitué dès 1946, le SPD cherche un temps sa voie politique. Soucieux d'empêcher une division définitive du pays, il combat dans un premier temps la politique d'intégration européenne, comme la CECA (1950), et d'intégration atlantique, comme l'adhésion de la RFA à l'OTAN (1955).

• **Le SPD renonce au marxisme en 1959** (p. 126). Après de nombreux échecs électoraux, le parti admet lors du congrès de Bad Godesberg (1959) que l'optique révolutionnaire est inadaptée aux réalités de la société. Lorsque le président américain J. F. Kennedy prononce en 1963 son discours « *Ich bin ein Berliner* », le bourgmestre SPD de Berlin, Willy Brandt, est à ses côtés. Devenu chancelier en 1969, Willy Brandt met en place une politique de reconnaissance mutuelle de la RDA et de la RFA, l'*Ostpolitik*.

• **Le syndicat DGB**, créé en 1949, proche du SPD, se déclare politiquement neutre. L'instauration du principe de la **cogestion** en 1953, et la pratique de la négociation permanente, rendent les grèves rares. En 1996, le DGB renonce officiellement à toute référence à la lutte des classes.

C. La réunification exacerbe les tensions au sein du mouvement ouvrier

• **La réunification bouleverse la vie politique et syndicale.** Dès la chute du mur de Berlin en novembre 1989, des élections libres sont organisées. Le SED perd son statut de parti unique et devient le Parti du Socialisme Démocratique (PSD), tandis que le syndicat unique FDGB s'auto-dissout. Le SPD et le syndicat DGB prennent leur place en ex-RDA.

• **Le mouvement socialiste est traversé par de fortes tensions internes.** En 1998, après 16 ans de majorité de la CDU démocrate-chrétienne, le SPD Gerhardt Schröder est élu chancelier par une coalition SPD-Verts. La publication en 2003 d'un programme de réformes libérales, l'Agenda 2010, suscite de très fortes oppositions au sein du SPD. Une partie du SPD rejoint l'ancien parti unique est-allemand pour former un mouvement antilibéral proche des idées communistes, *die Linke* (« la Gauche »). Le syndicat DGB est contesté en son sein, tandis que les grèves se multiplient. De 2005 à 2009, après des élections sans vainqueur, le SPD forme avec les démocrates-chrétiens de la CDU une coalition dirigée par une ancienne Est-Allemande, Angela Merkel.

Citation

« *Un marché aussi ouvert que possible est la condition préalable à une économie performante, et une économie performante est la condition préalable au financement de la Sécurité sociale.* »

Gerhard Schröder, chancelier SPD de la RFA, mai 2005.

Biographie

Willy Brandt (1913-1992)

Jeune militant socialiste, il choisit dès 1933 de fuir l'Allemagne nazie. Membre actif du SPD, il est élu bourgmestre (maire) de Berlin en 1957. Président du parti à partir de 1966, il devient chancelier en 1969, et entreprend de normaliser les relations entre la RFA et les pays d'Europe de l'Est, en particulier la RDA, dans le cadre de l'*Ostpolitik*. Il obtient en 1971 le prix Nobel de la paix.

Mots clés

Cogestion : Système de négociation permanent entre direction, encadrement et salariés d'une entreprise, par l'égalité de représentation dans les instances de direction.

Ostpolitik : « Politique à destination de l'Est ». Politique de pacification des relations entre la RFA et la RDA menée par le chancelier SPD Willy Brandt entre 1970 et 1973. Elle aboutit à la reconnaissance mutuelle des deux Allemagne.

@ http://www.tle.esl.histeleve.magnard.fr
La chute du mur de Berlin à la télévision française.

Doc. **1** L'Allemagne dans la Guerre froide.

Légende de la carte :

Une Allemagne divisée (1945)
- Zone soviétique (future RDA)
- Trizone occidentale (future RFA)

Espace d'affrontement (1948-1961)
- Rideau de fer (1948)
- Mur de Berlin (1961)

Détente (1973-1989)
- Couloirs aériens entre Berlin-Ouest et la RFA
- Zone de circulation frontalière autorisée après l'*Ostpolitik*

Source : Michel Deshaies, *Atlas de l'Allemagne. Les contrastes d'une puissance en mutation*, Paris, Autrement - 2011.

Doc. **2** « Unité ». En 1946, le SPD et le KPD fusionnent en zone soviétique.

1. Quels partis s'unissent ? Pourquoi ?
2. D'après cette affiche, sur quelle catégorie de population s'appuie le nouveau régime ?

Doc. **3** Le SPD renonce au marxisme (1959). > BAC p. 126

Le congrès extraordinaire de la social-démocratie allemande, qui s'est ouvert à Bad Godesberg, est le résultat d'une longue gestation. Évolution ou révolution ? La transformation du vieux programme, dit de Heidelberg, datant de 1925, pourrait à juste titre passer pour une révolution si les thèses officielles du parti en 1957 n'avaient déjà manifesté clairement l'influence grandissante de la tendance réformiste au détriment des tenants de la vieille doctrine marxiste.

À Heidelberg, le parti invoquait la lutte des classes, réclamait la nationalisation des moyens de production, et la mainmise de l'État sur l'économie. À Bad Godesberg, monsieur Ollenhauer [*le président du SPD*] n'a pas hésité à dire : « faire du programme politique de Karl Marx et de Friedrich Engels la base de nos déclarations de principe de 1959 serait aussi antimarxiste que possible. Si nous voulions nous en tenir à de telles conceptions, nous ne formerions plus qu'une secte condamnée à disparaître ».

Selon le leader du SPD, la nationalisation ne suffit plus à résoudre le problème du contrôle de l'industrie. Sans y renoncer, les socialistes allemands doivent modifier leurs méthodes et limiter la propriété publique aux secteurs où « le contrôle du potentiel économique ne peut pas être garanti par d'autres moyens ».

Élevant le débat, l'orateur a opposé socialisme et totalitarisme du point de vue de leur attitude respective devant la démocratie et affirmé : « c'est là que réside la différence nette et inébranlable entre communistes et sociaux-démocrates. » Nul doute que ce programme réformiste ne rencontre l'approbation d'une large majorité du congrès.

Article anonyme, « Le congrès de Bad Godesberg », *Le Monde*, 15 novembre 1959.

1. Quels sont les arguments avancés par le président du SPD Ollenhauer, pour renoncer au marxisme ?
2. Pourquoi cet abandon offre-t-il un avantage politique au SPD ?

Doc. **4** Willy Brandt annonce son *Ostpolitik* (1969).

Nous voulons oser plus de démocratie. Nous allons assouplir nos méthodes de travail et fournir les informations nécessaires à la critique. Nous allons faire en sorte que chaque citoyen ait la possibilité de participer à la réforme de l'État et de la société, non seulement par les auditions au Bundestag, [...] mais aussi par un contact permanent avec les groupes représentatifs de notre peuple et par une information étendue sur la politique gouvernementale. Nous nous adressons aux générations qui sont nées et ont grandi dans la paix et sur qui ne pèsent pas et ne doivent pas peser les hypothèques des plus âgés ; ces jeunes gens veulent nous prendre au mot – et nous voulons qu'ils le fassent. Mais ces jeunes gens doivent comprendre qu'ils ont aussi des obligations à l'égard de l'État et de la société. [...] La cogestion, la coresponsabilité dans les domaines les plus divers de notre société seront une force de mouvement dans les années à venir. Nous ne pouvons pas créer la démocratie parfaite. Nous voulons une société qui offre davantage de liberté et réclame plus de responsabilité partagée. Ce gouvernement cherche le dialogue, il cherche un partenariat critique avec tous ceux qui endossent des responsabilités, que ce soit dans les Églises, l'art, la science et l'économie ou d'autres domaines de la société.

Willy Brandt, déclaration gouvernementale du 28 octobre 1969.

1. Quel nouveau modèle politique Willy Brandt propose-t-il ?

Dossier 4 — Un mouvement ouvrier divisé pendant la Guerre froide

La division de l'Allemagne en zones d'occupation modèle la vie politique et syndicale après 1945. À l'image du pays, le mouvement ouvrier se scinde. En RDA, le Parti communiste et le Parti social-démocrate fusionnent. En RFA le Parti communiste, très affaibli, est interdit pendant plus de 10 ans. Les crises de Berlin, en 1948-1949 et en 1958-1961, aggravent les relations entre une RDA communiste, organisée autour d'un parti unique, et la RFA capitaliste, dans laquelle le SPD prend une place croissante.

➜ *Quelle place le mouvement ouvrier prend-il dans l'Allemagne divisée ?*

Dates clés

Un pays, deux États

1945 Occupation et division en 4 zones.

1947 Doctrine Truman, début de la Guerre froide.

1948-1949 Blocus de Berlin-Ouest.

1953 Répression de la révolte de Berlin-Est.

1961 Construction du mur de Berlin.

1970-1973 *Ostpolitik* de Willy Brandt.

1989 Chute du mur de Berlin.

1990 Réunification de l'Allemagne.

Doc. 1 La révolte de Berlin-Est (1953).

En juin 1953, des grèves éclatent en Allemagne de l'Est. Le 17 juin, des travailleurs défilent à Berlin en réclamant la liberté. En fin de journée, les chars soviétiques dispersent la foule ; 10 000 personnes sont arrêtées, dont 70 % d'ouvriers. Il y aurait eu 55 morts, et autant d'exécutions ultérieures. Considérés comme responsables, 60 % des cadres du SED sont limogés. De 1953 à la construction du mur de Berlin en 1961, près d'1,5 million d'habitants de RDA passent en RFA.

Biographie

Bertolt Brecht (1898-1956)

Poète et auteur dramatique allemand, marxiste, il fuit le nazisme et quitte l'Allemagne dès l'arrivée d'Hitler au pouvoir. De retour d'exil en 1948, il fonde à Berlin-Est une troupe de théâtre, le *Berliner Ensemble*, et promeut l'avènement d'un État socialiste dans l'espoir de monde meilleur. Devenu une figure officielle du régime, autorisé à voyager dans le monde entier, il critique le gouvernement de RDA, notamment après la révolte de Berlin-Est.

Doc. 2 La RDA fête le mur de Berlin (13 août 1981).

Le secrétaire général du Parti communiste de RDA, Erich Honecker, est entouré des représentants des démocraties populaires d'Europe de l'Est et d'URSS.

Doc. 3
Les résultats électoraux du SPD en RFA depuis 1949.

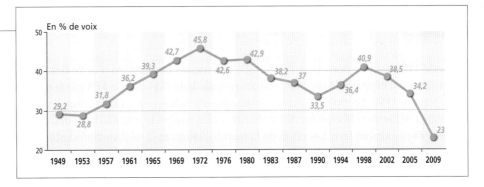

En % de voix

| 1949 | 1953 | 1957 | 1961 | 1965 | 1969 | 1972 | 1976 | 1980 | 1983 | 1987 | 1990 | 1994 | 1998 | 2002 | 2005 | 2009 |
| 29,2 | 28,8 | 31,8 | 36,2 | 39,3 | 42,7 | 45,8 | 42,6 | 42,9 | 38,2 | 37 | 33,5 | 36,4 | 40,9 | 38,5 | 34,2 | 23 |

Doc. 4 *La Solution*, poème de Bertolt Brecht (1953).

Après l'insurrection du 17 juin,
Le secrétaire de l'Union des Écrivains
Fit distribuer des tracts dans la Stalin Allee.
Le peuple, y lisait-on, a par sa faute
Perdu la confiance du gouvernement
Et ce n'est qu'en redoublant d'efforts
Qu'il peut la regagner.
Ne serait-il pas
Plus simple alors pour le gouvernement
De dissoudre le peuple
Et d'en élire un autre ?

Bertolt Brecht, *Poèmes*, tome 7 (1948-1956),
Paris, L'Arche, 1967, trad. M. Regnaut.

Doc. 6 Une affiche électorale du SPD (1976).

« Notre économie restera solide grâce à notre stabilité sociale ». La crise pétrolière de 1973 touche de plein fouet l'économie allemande, très fortement industrialisée. Le système de cogestion facilite, par la négociation permanente, la reprise économique, au prix d'importants gels salariaux.

Doc. 5 Qu'est-ce que le « modèle allemand » ?

En matière sociale, le modèle apparaît doublement singulier : le fait que la politique sociale repose sur les partenaires sociaux plutôt que sur l'État, ce dernier n'ayant pas le droit d'indiquer ce qui lui semble souhaitable, ni *a fortiori* d'intervenir dans un conflit social [...] le distingue du modèle français ; le fait que les salariés et les directions règlent ensemble les modalités de mise en œuvre des conventions collectives et co-décident le plus souvent en matière sociale (principe de cogestion [...]), par exemple pour les recrutements et licenciements ou les classifications salariales, l'éloigne du modèle anglo-saxon. [...] La qualité de la coopération entre dirigeants et salariés, qui se traduit par un faible nombre de grèves et une bonne capacité d'adaptation aux fluctuations de la conjoncture, aurait des conséquences positives en terme de croissance et d'emploi : la confiance qui existerait entre les détenteurs du capital et ceux du travail pourrait conduire [...] à une optimisation de l'investissement productif [...]. Par ailleurs, la faiblesse relative de la pression du marché et l'étroitesse des liens entre salariés et dirigeants, contribueraient à la grande stabilité des employés dans l'entreprise [...].
D'un autre côté, les difficultés économiques et sociales des années quatre-vingt-dix, le recul apparent de l'Allemagne en terme de gains de productivité, vont nourrir la thèse inverse de la « sclérose institutionnelle » allemande [...]. Certaines des vertus prêtées au consensus social allemand auraient leurs revers : lourdeurs dans la prise de décision, montée de l'absentéisme, difficultés à procéder à des restructurations de grande ampleur et donc à s'établir dans de nouvelles branches industrielles, d'où la faiblesse de l'industrie allemande dans la haute technologie.

François Gave, « Le modèle économique allemand est-il en crise ? »,
Les Études du CERI, n° 19, IEP de Paris, septembre 1996.

POUR COMPRENDRE

1. Étudier les documents

Doc. 1 et 2 Comment la révolte de Berlin-Est est-elle réprimée ? Comment le régime communiste évolue-t-il ?

Doc. 3 Comment évolue le SPD en RFA ?

Doc. 4 Comment expliquer la réponse de B. Brecht ?

Doc. 5 et 6 Quels sont les avantages et les inconvénients de la cogestion ?

2. Analyse de deux documents

BAC À l'aide des documents 2 et 3, vous montrerez comment le mouvement ouvrier a parallèlement évolué en RFA et en RDA.

3. Aide à la composition

BAC À l'aide de vos connaissances, vous rédigerez un plan détaillé qui réponde au sujet : « Le mouvement ouvrier allemand pendant la Guerre froide ».

Dossier 5 — L'Allemagne depuis 1989

L'année 1989 marque une étape de l'histoire allemande. La chute du mur de Berlin, l'organisation d'élections libres en RDA, l'absorption de la RDA dans la RFA par la réunification du 3 octobre 1990. En moins d'un an, l'Allemagne est redevenue un État unique, capitaliste et démocratiquement libéral. Au début du XXIᵉ siècle, malgré la réunification, deux Allemagne se font officieusement face. Les effets de la mondialisation et la relative désindustrialisation, surtout en ex-RDA, semblent fragiliser le mouvement ouvrier allemand.

➜ *Quelle place le mouvement ouvrier prend-il dans l'Allemagne réunifiée ?*

Doc. 1

La chute du mur de Berlin (9 novembre 1989).

Le mur de Berlin, qui séparait Berlin-Est de Berlin-Ouest depuis août 1961, est détruit le 9 novembre 1989, après des semaines de manifestations d'Allemands de l'Est qui, profitant de «l'assouplissement» de la politique soviétique menée par le dirigeant soviétique Gorbatchev, réclament de pouvoir librement se rendre à l'Ouest. Ce droit leur est reconnu par erreur le 9 novembre 1989 vers 19 heures par la radio de RDA. Aussitôt, la foule s'empresse aux postes frontières, escalade le mur, et entame sa destruction. Le processus de réunification est dès lors à l'œuvre: le 3 octobre 1990, après accord des États-Unis, du Royaume-Uni, de la France et de l'URSS, la RDA est absorbée par la RFA.

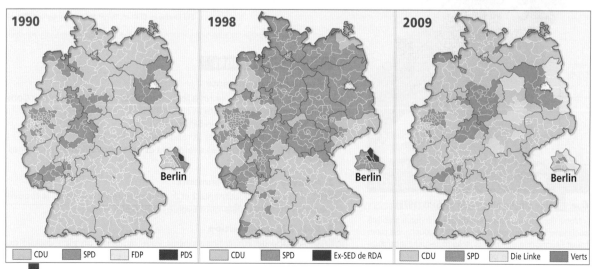

Doc. 2 Les élections au Bundestag en 1990, 1998 et 2009.

1990 — Berlin — CDU | SPD | FDP | PDS

1998 — Berlin — CDU | SPD | Ex-SED de RDA

2009 — Berlin — CDU | SPD | Die Linke | Verts

Doc. **3** **Les conséquences de la réunification allemande.**

La réunification allemande [...] est à porter, en tout premier lieu, au crédit d'Helmut Kohl. Le chancelier ouest-allemand fut d'abord aussi hésitant que quiconque [*mais*] après avoir écouté les foules est-allemandes (et s'être assuré du soutien de Washington), Kohl se dit qu'une Allemagne unifiée n'était pas simplement possible, mais peut-être urgente. Il était clair que contenir l'hémorragie vers l'Ouest (qui atteignait parfois 2 000 personnes par jour) était que l'Allemagne de l'Ouest aille vers l'Est. Pour empêcher les Allemands de l'Est de quitter leur pays, le dirigeant ouest-allemand entreprit de l'abolir. Comme au XIXe siècle, l'unification se réalisa d'abord par l'union monétaire ; mais l'union politique suivit inévitablement. [...] Les candidats chrétiens-démocrates se présentent sur un programme de réunification. Leur « Alliance pour l'Allemagne » recueillit 48 % des voix ; les sociaux-démocrates, handicapés par leur ambivalence notoire à ce propos, n'obtinrent que 22 %[1]. Les anciens communistes – rebaptisés Parti du socialisme démocratique – firent un score respectable de 16 % [...]. Le premier acte de la nouvelle majorité [...] fut d'engager le pays sur la voie de l'unité allemande. [...]

L'absorption des *Länder* de l'Est dans une Allemagne unifiée avait coûté à la République fédérale plus de 1 000 milliards d'euros sous forme de transferts et de subventions entre 1991 et 2004. Or, loin de rattraper l'Ouest, à la fin des années 1990, la région orientale n'avait fait que s'enfoncer encore un peu plus. [...] Le vieillissement de la population, une éducation médiocre, la faiblesse du pouvoir d'achat, le départ à l'ouest des ouvriers qualifiés et une hostilité profondément enracinée aux étrangers de la part de ceux qui restaient à la traîne restait singulièrement peu attrayante pour les investisseurs extérieurs auxquels s'offraient maintenant bien d'autres options. En 2004, le chômage atteignait 8,5 % dans l'ancienne Allemagne de l'Ouest, mais dépassait 19 % à l'Est. En septembre de la même année, le parti national démocrate néonazi recueillit 9 % des voix et eut douze élus au Parlement de la Saxe.

Tony Judt, *Après-guerre. Une histoire de l'Europe depuis 1945*, trad. P.-E. Dauzat, Paris, A. Colin, 2007.

1. En août 1989, le vice-président du SPD avait reproché au gouvernement Kohl d'aggraver la crise en accueillant à bras ouverts les réfugiés est-allemands qui cherchaient à passer à l'Ouest par la frontière hongroise ouverte depuis peu.

Doc. **4** **Les étrangers, boucs émissaires des néonazis.**

« Nous appelons à la grève générale ». Le 2 juin 1993, un bâtiment hébergeant des travailleurs immigrés turcs est incendié par des néo-nazis à Solingen, près de Cologne. Cinq personnes y trouvent la mort.

Doc. **5** **L'Allemagne, une grande puissance socialement fragile.**

La réunification [...] a totalement modifié la donne : une nouvelle situation géographique et démographique, ainsi qu'une puissance économique accrue, aujourd'hui manifeste après de gros efforts, notamment pour permettre à l'Est de « rattraper » son retard. Ce rattrapage – encore inachevé – a nécessité 1 450 milliards d'euros de transferts financiers de l'Ouest vers l'Est. [...]

L'Allemagne s'assume désormais comme puissance. Et elle aussi prend d'abord en compte ses propres intérêts. Un des moments clefs de cette évolution a été le sommet européen de Nice, où, pour la première fois, un chancelier allemand, Gerhard Schröder, a remis en cause, au nom de la démographie, la parité de représentation entre la France et l'Allemagne. [...] L'Allemagne, avec 81,7 millions d'habitants, est la première puissance démographique de l'Union européenne, elle pèse 27 % de la richesse de la zone euro, et 8 000 de ses soldats interviennent en dehors du territoire national. [...] Les chiffres indiquent qu'au rythme actuel la population aura diminué de 18 millions d'individus en 2050, tombant à 64 millions d'habitants ! Ce qui va poser la question du financement de la protection sociale. Actuellement, les plus de 60 ans représentent 25 % de la population ; ils pèseront 40 % en 2050. Qui va payer ? [...]

L'Allemagne revendique davantage de parler avec les « grands » du monde, Washington, Moscou ou Pékin, où elle est d'ailleurs reconnue comme puissance. Pour les Russes, par exemple, le passage obligé vers l'Union européenne, c'est Berlin. C'est un problème pour la France, qui sent qu'elle pèse moins diplomatiquement et économiquement. Le partenariat franco-allemand reste un élément central de la diplomatie allemande, mais il est vécu de manière moins émotionnelle qu'auparavant. Il se trouve relativisé par le fait que, sur les grands projets, il n'y a plus depuis plusieurs années de démarche ni de vision communes, en dépit de mises en scène régulières qui finissent même parfois par irriter Berlin.

Jacques-Pierre Gougeon, « L'Allemagne s'affirme désormais comme une grande puissance », *L'Expansion*, 1er février 2011.

POUR COMPRENDRE

1. Étudier les documents

Doc. 1 et 3 Comment la réunification des deux Allemagne se met-elle en place ?

Doc. 2 Comment la représentation du SPD en Allemagne évolue-t-elle depuis 1990 ?

Doc. 3 et 5 Quelles difficultés l'intégration de l'ex-RDA pose-t-elle ?

Doc. 4 Quelles réactions les difficultés sociales allemandes provoquent-elles ? Pourquoi ?

2. Analyse de deux documents

BAC À l'aide des documents 2 et 3, vous montrerez comment évolue politiquement l'ex-RDA dans l'Allemagne réunifiée

3. Aide à la composition

BAC À l'aide de vos connaissances, vous rédigerez un plan détaillé qui réponde au sujet : « Les difficultés des ouvriers allemands depuis la réunification de 1989 ».

Les Français face au réformisme allemand

>>> *Deux socialistes français face à la social-démocratie allemande au XXe siècle*

Un socialiste français loue le réformisme allemand (1900).

Est-il juste, est-il sage, est-il conforme au principe, qu'un socialiste participe au gouvernement de la bourgeoisie ? [...] En 1869, au moment où venait d'être créé depuis deux ans déjà le suffrage universel en Allemagne, pour le Parlement de la Confédération de l'Allemagne du Nord, [Wilhem] Liebknecht [...] disait : « Nos discours ne peuvent avoir aucune influence directe sur la législation ; nous ne convertissons pas le Parlement par des paroles. » [...] Quelques années après, pourtant, entraîné par l'irrésistible mouvement des choses, non seulement [Wilhelm] Liebknecht demeurait un combattant à l'assemblée de l'Empire,

mais il entrait au *Landtag* saxon, où on ne peut entrer qu'en prêtant le serment de fidélité à la constitution royale et bourgeoise. [...] Il se trouva à ce moment, camarades, des purs, des intransigeants qui accusèrent Liebknecht, envers la démocratie socialiste, d'avoir prêté ce serment en vue d'occuper un siège au *Landtag* et Liebknecht, l'admirable révolutionnaire, répondait avec raison : « Mais alors, nous serons éternellement les dupes des dirigeants s'il leur suffit de mettre sur notre route cet obstacle de papier d'une formule de serment. » [...]

Je vous demande si, nous aussi, nous nous arrêterons devant ces obstacles de papier, devant ces formalités et ces chinoiseries, et si nous hésiterons, quand il le faudra pour notre cause, à jeter un des nôtres dans la forteresse du gouvernement bourgeois. [Les socialistes allemands] ne tardèrent pas à s'apercevoir qu'en s'abstenant de prendre part aux élections, ils laissaient écraser la bourgeoisie libérale par les partis rétrogrades et que les droits du prolétariat, droits d'association, droits de coalition étaient menacés. [...]

Et moi, je vous dis, sans pouvoir vous donner maintenant toutes mes raisons, que de même l'heure viendra où le parti socialiste unifié, organisé, donnera l'ordre à l'un des siens ou à plusieurs des siens, d'aller s'asseoir dans les gouvernements de la bourgeoisie pour contrôler le mécanisme de la société bourgeoise, pour résister le plus possible aux entraînements des réactions, pour collaborer le plus possible aux œuvres de réforme.

Jean Jaurès, discours prononcé à Lille le 26 novembre 1900, lors d'un débat contradictoire avec Jules Guesde sur la participation du mouvement ouvrier au gouvernement.

René-Achille Rousseau-Decelle, *Une session de la Chambre des Députés en 1907*, Palais-Bourbon.

Jean Jaurès est à la tribune. Comme en Allemagne, le débat entre réformistes et révolutionnaires bat son plein. En créant la Section Française de l'Internationale Ouvrière (SFIO) en 1905, Jaurès et les réformistes français font du Parlement, autant que la grève, un des moyens du progrès social.

Jean Jaurès (1859-1914) est le chef du mouvement socialiste français lors de l'Affaire Dreyfus. Il fonde le journal *L'Humanité* en 1904 et la SFIO en 1905. Pacifiste, il est assassiné à la veille de la Grande Guerre.

Contexte

Avant la Première Guerre mondiale, les mêmes questions se posent dans tous les pays où le mouvement ouvrier s'organise politiquement : faut-il participer au gouvernement, au risque de voir les idéaux ne pas être atteints ? Faut-il en appeler à la révolution, au risque de ne pas être entendu ? Tout au long du XXe siècle, l'influence électorale du communisme évolue selon la manière dont les socialistes ont, dans chacun de ces pays, répondu à la question de la participation au pouvoir.

Un socialiste français loue le réformisme allemand (1900).

1. Pourquoi W. Liebknecht est-il critiqué ? Quelle est sa réponse ?

2. Pourquoi Jaurès pense-t-il que les « droits du prolétariat » sont menacés si les socialistes ne participent pas aux gouvernements « bourgeois » ?

3. Quels sont les éléments de ce discours qui engagent Jaurès sur la voie du réformisme ?

Les socialistes français face à l'abandon du marxisme par le SPD (1959).

Le SPD allemand est né en 1875 […] les dirigeants de la social-démocratie détenaient le monopole de la représentation ouvrière, mais ils étaient en même temps les défenseurs de la démocratie parlementaire et du suffrage universel encore inexistants dans leur pays. C'est sur ce programme qu'ils ont attiré des millions de militants. En France, au contraire, quand le Parti socialiste SFIO fut fondé en 1905, la République était déjà en place, le suffrage universel établi, la séparation de l'Église et de l'État en train de se jouer. Pour fonder son identité, la SFIO n'avait plus que la question sociale.

[*En 1920*], au congrès de Tours, les socialistes se sont affrontés sur l'adhésion à l'Internationale communiste. Cas unique en Europe, la majorité s'est ralliée au communisme. La minorité socialiste conduite par Léon Blum a dès lors vécu dans le rêve de l'unité retrouvée,

L'Union de la gauche (1977).
Le secrétaire général du Parti communiste français, Georges Marchais, et le dirigeant socialiste François Mitterrand se saluent à la fin d'une réunion électorale commune. L'Union de la gauche, décidée en 1971, permet à François Mitterrand de devenir président de la République en 1981.

sans renoncer à son programme révolutionnaire. Sous l'Occupation, c'est le réformiste Daniel Mayer qui [a] animé des réseaux de résistance socialistes et réorganisé en 1943, dans la clandestinité, la SFIO. Mais dès 1946, il a perdu le contrôle du parti au profit de Guy Mollet et au nom d'un discours « de gauche », c'est-à-dire marxiste. La guerre d'Algérie, dont Guy Mollet, devenu président du Conseil en 1956, a assumé les responsabilités, et le retour de De Gaulle ont à leur tour divisé les socialistes et ouvert une nouvelle crise. Lorsqu'arrive la nouvelle de Bad Godesberg, les socialistes ne veulent pas aggraver la séparation consommée avec les communistes depuis 1947. Ils se drapent dans l'intransigeance […].

Au moment de la refondation du parti au congrès d'Épinay, en 1971, la coalition majoritaire a explicitement rejeté la social-démocratie. Le Parti socialiste a fait son « anti-Bad Godesberg ». […] Il est vrai qu'il n'existe plus de majorité pour défendre le discours marxiste au sein du parti. Mais le PS a peur de la division et n'ose pas rompre avec la minorité marxiste. Lors du congrès socialiste du Mans, en 2008, les motions qui ont remporté 53 % des voix étaient européennes, réformistes, non révolutionnaires. Au moment des résultats, j'ai crié « Jaurès a gagné ! ».

Michel Rocard, entretien avec Michel Winock, *L'Histoire*, n° 348, décembre 2009.

Michel Rocard (né en 1930) est un homme politique français, militant socialiste depuis 1948, opposé au communisme et partisan de la social-démocratie. Opposé à François Mitterrand, il en est devenu le Premier ministre entre 1988 et 1991.

Les socialistes français face à l'abandon du marxisme par le SPD (1959).

1. Comment les socialistes français ont-ils réagi au congrès allemand de Bad Godesberg ? Pourquoi ?

2. Quelles relations socialistes et communistes entretiennent-ils depuis 1920 ?

3. Pour M. Rocard, sur quelles idées le réformisme à la française repose-t-il ?

Bilan

Comment évoluent le socialisme en France et le socialisme en Allemagne ? Vous vous appuierez également sur votre cours pour répondre à cette question.

Socialisme et mouvement ouvrier en Allemagne depuis 1875

L'essentiel

➜ *Quelle est l'influence du mouvement ouvrier en Allemagne depuis 1875 ?*

1. Le mouvement ouvrier allemand est puissant dès la fin du XIXᵉ siècle

- L'influence des idées de Marx et Engels pousse les ouvriers et les intellectuels allemands à s'organiser en partis politiques et en syndicats, comme au congrès de Gotha de 1875.
- Dès les années 1890 le mouvement ouvrier allemand se sépare entre partisans du jeu démocratique et partisans de la révolution.
- Devenu le premier parti d'Allemagne en 1912, le Parti social-démocrate se scinde en deux, entre partisans de la guerre et pacifistes.

2. Les révolutions et les persécutions nazies déchirent le mouvement ouvrier entre 1914 et 1945

- En 1919 la double proclamation de la République de Weimar symbolise la désunion des partis marxistes allemands.
- L'appui du gouvernement à la répression par les corps francs de l'insurrection spartakiste de 1919 scelle la rivalité entre sociaux-démocrates et communistes.
- Face au nazisme, le mouvement ouvrier allemand voit ses partis et syndicats disparaître, et l'État se substituer à l'organisation syndicale.

3. Le mouvement ouvrier réforme ses piliers idéologiques depuis 1945

- En RFA, le Parti social-démocrate et le syndicat qui lui est affilié abandonnent les références marxistes lors du congrès de Bad Godesberg en 1959.
- En RDA, le mouvement ouvrier s'identifie à l'État communiste. Un parti unique et un syndicat communiste encadrent le monde ouvrier.
- Depuis la réunification, l'expression ouvrière se manifeste à l'échelle européenne, mais souffre des inégalités persistantes dans le territoire de l'ex-RDA.

Mots clés

- Cogestion • Corps francs
- Internationale ouvrière
- Lutte des classes • Marxisme
- *Ostpolitik* • Réformisme
- Révisionnisme socialiste
- Spartakisme • Syndicalisme

Personnages

O. von Bismarck
(1815-1898)
❱ Bio p. 104

W. Brandt
(1913-1992)
❱ Bio p. 114

F. Lassalle
(1818-1883)
❱ Bio p. 106

K. Liebknecht
(1871-1919)
❱ Bio p. 108

R. Luxemburg
(1870-1919)
❱ Bio p. 111

K. Marx
(1818-1883)
❱ Bio p. 106

Synthèse

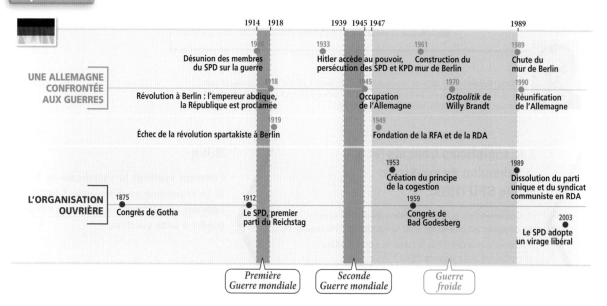

UNE ALLEMAGNE CONFRONTÉE AUX GUERRES

- 1914 — Désunion des membres du SPD sur la guerre
- 1918 — Révolution à Berlin : l'empereur abdique, la République est proclamée
- 1919 — Échec de la révolution spartakiste à Berlin
- 1933 — Hitler accède au pouvoir, persécution des SPD et KPD
- 1945 — Occupation de l'Allemagne
- 1949 — Fondation de la RFA et de la RDA
- 1961 — Construction du mur de Berlin
- 1970 — *Ostpolitik* de Willy Brandt
- 1989 — Chute du mur de Berlin
- 1990 — Réunification de l'Allemagne

L'ORGANISATION OUVRIÈRE

- 1875 — Congrès de Gotha
- 1912 — Le SPD, premier parti du Reichstag
- 1953 — Création du principe de la cogestion
- 1959 — Congrès de Bad Godesberg
- 1989 — Dissolution du parti unique et du syndicat communiste en RDA
- 2003 — Le SPD adopte un virage libéral

Première Guerre mondiale | *Seconde Guerre mondiale* | *Guerre froide*

BAC Composition

Introduction	Explication des termes du sujet et du contexte, annonce de la problématique et du plan.	**Méthode**
Développement	Argumentation organisée en paragraphes (un paragraphe = une idée + un exemple développé).	**> p. 10**
Conclusion	Réponse à la problématique et ouverture (une ou deux idées qui montrent l'intérêt du sujet traité).	

Sujet 1

Conseils

Introduction : *définissez les termes du sujet.*
Développement : *attention aux bornes chronologiques.*
Conclusion : *insistez sur l'influence du contexte international dans l'essor du communisme allemand.*

Lecture du sujet

À partir de quand emploie-t-on ce terme ? Dans quels partis le communisme s'est-il « incarné » ? Spartakistes, KPD, SED, die Linke ?

Le communisme en Allemagne au XXᵉ siècle.

Il faut impérativement trouver des dates clés, charnières, pour périodiser une aussi longue période.

Mots clés

- Internationale ouvrière
- Lutte des classes
- Marxisme
- Réformisme
- Révisionnisme socialiste
- Spartakisme
- Syndicalisme

Personnages attendus

- K. Marx
- R. Luxemburg
- K. Liebknecht
- B. Brecht

Chronologie

1875 Congrès de Gotha
1914 Les socio-démocrates s'opposent sur la participation à la guerre
1919 Le gouvernement SPD emploie la force contre la révolution berlinoise
1933 Hitler accède au pouvoir, les persécutions commencent

1945 Partage de l'Allemagne
1959 Congrès de Bad Godesberg, abandon du marxisme par le SPD
1989 Réunification de l'Allemagne
2005 Le SPD choisit une alliance avec le CDU plutôt qu'avec la gauche

Sujet 2

Conseils

Introduction : *expliquez ce qui oppose les réformistes et les révolutionnaires.*
Développement : *un plan chronologique est efficace.*
Conclusion : *pensez à répondre à la question posée par le sujet en insistant sur l'élément qui a eu le plus d'effet lors d'élections.*

Lecture du sujet

Il faut traiter du socialisme, du communisme et du syndicalisme.

Cette mention impose d'analyser l'importance du congrès de Gotha pour le sujet.

Le mouvement ouvrier allemand depuis 1875 : réforme ou révolution ?

Il faut dès l'introduction définir ces deux termes et montrer que ce n'est pas le but qui diffère, mais la méthode pour y parvenir.

Mots clés

- Cogestion
- Internationale ouvrière
- Lutte des classes
- Marxisme
- *Ostpolitik*
- Réformisme
- Révisionnisme socialiste
- Spartakisme
- Syndicalisme

Personnages attendus

- O. von Bismarck
- K. Marx
- F. Lassalle
- R. Luxemburg
- K. Liebknecht
- W. Brandt
- B. Brecht

Chronologie

1875 Congrès de Gotha
1912 Le SPD, premier parti au Reichstag
1918 Révolution à Berlin : l'empereur abdique, la République est proclamée
1919 Le gouvernement SPD emploie la force contre la révolution berlinoise
1945 Partage de l'Allemagne
1959 Congrès de Bad Godesberg, abandon du marxisme par le SPD
1976 Loi renforçant la cogestion

BAC Étude critique d'un document

Méthode ⟩ p. 11

Introduction	Explication du sujet et du contexte, annonce de la problématique.
Développement	Argumentation organisée en paragraphes qui structurent la réponse à la consigne.
Conclusion	Réponse à la problématique et ouverture (une ou deux idées qui montrent l'intérêt du sujet traité).

Sujet   Un journaliste français à Berlin juge la social-démocratie en 1927.

Consigne : Après avoir situé ce document dans le contexte de l'évolution de la social-démocratie en Allemagne, vous montrerez ce qu'il explique de la vie politique allemande en 1927, et comment il oppose la social-démocratie allemande aux idéaux marxistes.

L'expérience de la révolution d'une part, de l'autre l'intransigeance et la maladresse des communistes ont eu pour résultat d'incliner les socio-démocrates un peu plus à droite. En causant avec quelques-uns de leurs chefs, à Berlin et ailleurs, j'ai été frappé de leur modération et de leur largeur de vues ; je ne parle pas de leur patriotisme qui m'était connu. On demeure fidèle aux doctrines ; mais quelle prudence, quel sage opportunisme dans l'application ! Où est le temps où, à l'Assemblée nationale, le ministre-président Bauer annonçait l'intention du gouvernement « de socialiser dans toute la mesure du possible, les forces de production et de ne souffrir qu'aucun obstacle vint rendre plus difficile pour l'avenir une socialisation plus complète ! »… De cette terrible crise [l'inflation], la production capitaliste est sortie décimée, mais fortifiée et moralement grandie ; elle a eu la sagesse de ne point abuser de sa victoire et d'en faire bénéficier assez largement le monde du travail. « L'ouvrier allemand est devenu très sage », me déclarait le docteur Breitscheid, député social-démocrate au Reichstag. « Il sait qu'il n'y a rien à attendre d'une révolution, mais il peut tout espérer de l'action méthodique de ses syndicats ».

D'une manière générale, j'ai trouvé les socialistes allemands très assagis, très raisonnables, et moins préoccupés de combattre les partis bourgeois que de tenir les communistes en respect. Un démocrate, ancien ministre, à qui je demandais s'il ne craignait pas que l'Allemagne souffrit longtemps de l'impuissance où la crise financière avait réduit la bourgeoisie, me répondit : « Non, l'Allemagne aura bientôt une bourgeoisie de rechange : la social-démocratie. » Je crois qu'il n'exagérait qu'un peu.

Maurice Pernod, *L'Allemagne d'aujourd'hui*, Paris, Hachette, 1927.

Répondre à la consigne

Conseil

Chaque grande question posée dans la consigne = un paragraphe. Ici : 3 paragraphes sont attendus.

En introduction, vous devez notamment...

• Replacer ce document dans son contexte : montrez les bouleversements qu'a connu la social-démocratie au sortir de la Première Guerre mondiale.
• Expliquer les notions de marxisme, de réformisme et de révolution, et leurs liens avec la social-démocratie et le communisme.
• Énoncer une problématique.

Développement : une explication structurée en paragraphes

• Analysez le sujet et répondez dans l'ordre des consignes en construisant de petits paragraphes.
• Montrez quelle est la voie choisie par la social-démocratie allemande. Son but est-il différent de celui des révolutionnaires ?
• Interrogez-vous sur la lutte entre réformistes et révolutionnaires. Quelles en sont les origines ? Pourquoi faut-il, selon l'auteur, combattre les communistes ?
• La prédiction figurant à la fin du texte s'est-elle avérée juste ? Attention à ne pas vous étendre au-delà de 1927-1929.

En conclusion, il faut...

• Répondre à la problématique choisie au début de la réponse.
• Montrer l'intérêt du document par rapport à ce que vous connaissez de l'Allemagne des années 1930.

Introduction	Explication du sujet et du contexte, annonce de la problématique.
Développement	Argumentation organisée en paragraphes qui structurent la réponse à la consigne.
Conclusion	Réponse à la problématique et ouverture (une ou deux idées qui montrent l'intérêt du sujet traité).

Méthode
› p. 11

Sujet Affiche électorale du SPD (juillet 1932).

Consigne : Présentez le document dans son contexte.
Expliquez la signification politique des éléments de l'affiche.
Montrez l'influence des effets des crises sur le vote des ouvriers.
Analysez la portée d'un tel document en expliquant les effets politiques des élections de 1933 et de l'accès d'Hitler à la chancellerie.

« Les travailleurs sous l'empire de la croix gammée.
Votez pour la liste 1 :
les sociaux-démocrates ! »

Répondre à la consigne

Conseil

Respectez, dans votre réponse, l'ordre des questions posées dans la consigne.

En introduction, vous devez notamment...

• Replacer ce document dans son contexte : quelle évolution politique l'Allemagne connaît-elle depuis 1919 ? quelle crise économique subit-elle depuis 1931 ?
• Expliquer la place du SPD dans le jeu électoral de la République de Weimar au début des années 1930.
• Énoncer une problématique.

Développement : une explication structurée en paragraphes

• Analysez le sujet et répondez dans l'ordre des consignes en construisant de petits paragraphes.
• Montrez les raisons pour lesquelles le SPD attaque précisément le parti nazi. Ont-ils le même électorat ?
• Pensez à la portée du document : quelle place les ouvriers prennent-ils dans le IIIe Reich ?

En conclusion, il faut...

• Répondre à la problématique choisie au début de la réponse.
• Montrer l'intérêt du document par rapport à ce que vous connaissez de l'Allemagne des années 1930.

BAC Étude critique de deux documents

Introduction	Explication du sujet et du contexte, annonce de la problématique.
Développement	Argumentation organisée en paragraphes qui structurent la réponse à la consigne.
Conclusion	Réponse à la problématique et ouverture (une ou deux idées qui montrent l'intérêt du sujet traité).

Voir méthode p. 11

Sujet La social-démocratie en RFA dans les années 1950.

Consigne : Présentez les deux documents et leurs contextes respectifs, et montrez que le changement doctrinal opéré par le SPD, s'il est le fruit d'un contexte, marque aussi sa volonté d'apparaître comme un parti capable de gouverner.

Doc. 1 Le programme du SPD après le congrès de Bad Godesberg (1959).

La démocratie doit devenir la forme de l'organisation étatique généralement admise, parce qu'elle repose sur le respect de la dignité de l'homme et sur le sentiment de sa responsabilité. [...]

Le parti social-démocrate d'Allemagne [...] approuve la défense nationale. La défense nationale doit être adaptée à la situation politique et géographique de l'Allemagne et donc garantir les frontières qu'il importe de maintenir pour permettre une défense internationale, un désarmement contrôlé et la réunification de l'Allemagne. [...]

Le libre choix des consommateurs, le libre choix du lieu de travail, sont des fondements décisifs tandis que la libre concurrence et la libre initiative des entrepreneurs sont un élément important de la politique économique social-démocrate. L'autonomie des associations d'employeurs et de travailleurs lors de la conclusion de conventions collectives de travail représente un facteur essentiel d'un ordre libéral. Une économie totalitaire ou dictatoriale détruit la liberté, c'est pourquoi le SPD approuve une économie de marché où le libre jeu de la concurrence est effectif.

[...] La propriété collective est une forme légitime du contrôle public à laquelle aucun État moderne ne peut renoncer. [...]

Le mouvement socialiste remplit une mission historique. Il est né d'une protestation naturelle des travailleurs salariés contre le système capitaliste. Le sens du socialisme a toujours été et demeure d'éliminer les privilèges des classes dirigeantes et d'apporter à tous les hommes la liberté, la justice et le bien-être. Le parti social-démocrate, de parti de la classe ouvrière, est devenu un parti du peuple tout entier.

Revue socialiste, 1960, tome 1.

Doc. 2 Affiche électorale des démocrates-chrétiens (1953).

« Tous les chemins marxistes mènent à Moscou. Donc [*votez pour la*] CDU ! »

1. Lire le sujet et mobiliser ses connaissances

Conseil

Reprenez la chronologie de l'histoire allemande jusqu'aux années 1960.

Quels partis s'opposent ici ?

• **À propos du doc. 1** : quel parti réunit son congrès ? quand a-t-il été fondé ? quand a-t-il participé à un gouvernement ?

• **À propos du doc. 2** : quelle idéologie est attaquée ? quel parti en est l'auteur ? À quelle occasion ?

Quel est le contexte en Allemagne et en Europe ?

• À l'aide de votre cours, expliquez la situation de l'Allemagne dans les années 1950. Quels États contrôlent la RDA ? et protègent la RFA ?

• Quels événements, avant 1959, ont mis à mal la paix établie après la capitulation de 1945 ?

Comment vivent les deux Allemagne ?

• Quel est le régime politique en Allemagne de l'Ouest ? et en Allemagne de l'Est ?

• Quels sont les fondements idéologiques du SPD ? et de la CDU ?

2. Confronter les documents à ses connaissances

Conseil

Faites le lien entre le contexte allemand et le contexte international.

Le SPD, un parti marxiste avant 1959

• À l'aide de votre cours, expliquez les origines du SPD. À quel autre parti s'oppose-t-il dans la gauche allemande depuis 1918 ? Pourquoi ? Avec quel succès ?

• Pourquoi l'affiche de la CDU utilise-t-elle l'image de Moscou ? Quels liens existent encore entre le SPD et le KPD ?

• Pourquoi un tel rapprochement est-il efficace en 1953 ? Que s'est-il passé à Berlin-Est ? Avec quel résultat ?

Le congrès de Bad Godesberg

• Que décide le congrès à propos de la démocratie libérale ? de l'économie capitaliste ? du rôle de l'État ? du sens de la propriété ?

• Expliquez ce qu'il reste du marxisme dans cette déclaration de Bad Godesberg.

L'organisation ouvrière en RFA après 1959

• Que montre le doc. 1 de la lutte entre réformistes et révolutionnaires depuis la fin du XIXe siècle ?

• Quelle est la portée du congrès de Bad Godesberg en RFA ?

3. Répondre au sujet

Conseil

Veillez à mettre en parallèle les contextes des deux documents le plus souvent possible.

En introduction, vous devez notamment...

• Replacer les deux documents dans leur contexte : la Guerre froide et la partition de l'Allemagne.

• Montrer que vous ne commettez pas d'erreur dans l'analyse du document 2 : il s'agit d'une affiche du principal opposant politique au SPD, il faut donc la lire comme une accusation venant de la droite envers le Parti social-démocrate.

• Énoncer une problématique.

Dans un développement structuré en paragraphes, il serait bon de...

• Analyser le sujet et répondre dans l'ordre des consignes en construisant de petits paragraphes.

• Montrer les attaques dont est victime le SPD, sans oublier que vous pouvez lire ces attaques en creux dans le document 1.

• Expliquer pourquoi le SPD choisit d'abandonner toute référence marxiste.

En conclusion, il faut...

• Répondre à la problématique choisie au début de la réponse.

• Montrer la portée du document en rappelant quelle orientation politique suit le SPD après le congrès de Bad Godesberg.

chapitre 5

Médias et opinion publique en France de l'Affaire Dreyfus à nos jours

Depuis la fin du XIXᵉ siècle, les progrès de l'alphabétisation et des moyens de transports permettent la diffusion massive de la presse écrite. Souvent dirigés par des hommes politiques ou des intellectuels, les journaux reflètent l'opinion de leurs lecteurs autant qu'ils contribuent à la former. Ils sont un instrument majeur de la construction d'une opinion publique.

À partir des années 1930, la radiodiffusion entre dans les foyers. Elle est le principal instrument d'information et de propagande pendant la Seconde Guerre mondiale.

Après la Libération, les Français lisent massivement une presse issue de la Résistance. À la radio, les générations s'identifient à un type de musique. La télévision se généralise au cours des années 1960. Longtemps monopole de l'État, elle concurrence la presse. Depuis les années 1990, Internet et la téléphonie mobile, les « nouveaux médias », bénéficient en France d'une diffusion très rapide.

→ *Face aux crises politiques, quel rôle les médias jouent-ils auprès de l'opinion publique française ?*

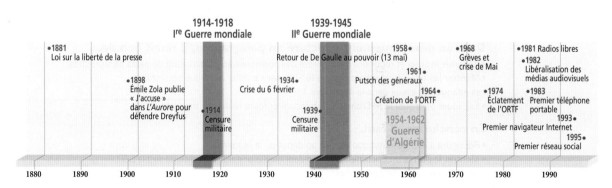

- 1881 Loi sur la liberté de la presse
- 1898 Émile Zola publie « J'accuse » dans l'*Aurore* pour défendre Dreyfus

1914-1918 Iʳᵉ Guerre mondiale
- 1914 Censure militaire

- 1934 Crise du 6 février
- 1939 Censure militaire

1939-1945 IIᵉ Guerre mondiale

1954-1962 Guerre d'Algérie

- 1958 Retour de De Gaulle au pouvoir (13 mai)
- 1961 Putsch des généraux
- 1964 Création de l'ORTF

- 1968 Grèves et crise de Mai
- 1974 Éclatement de l'ORTF

- 1981 Radios libres
- 1982 Libéralisation des médias audiovisuels
- 1983 Premier téléphone portable
- 1993 Premier navigateur Internet
- 1995 Premier réseau social

1880 1890 1900 1910 1920 1930 1940 1950 1960 1970 1980 1990

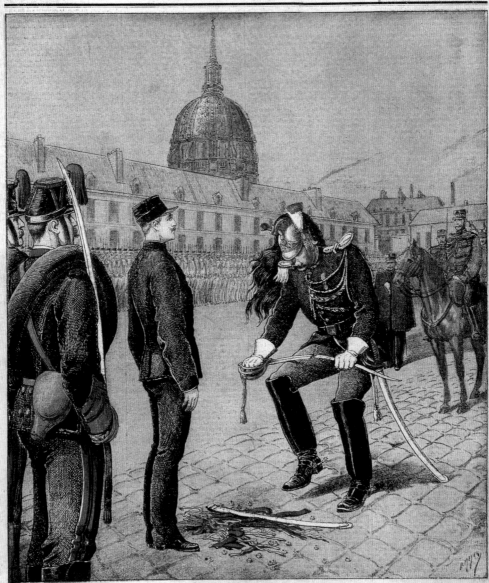

Le Petit Journal

Le Petit Journal
CHAQUE JOUR 5 CENTIMES

Le Supplément illustré
CHAQUE SEMAINE 5 CENTIMES

SUPPLÉMENT ILLUSTRÉ

Huit pages : CINQ centimes

ABONNEMENTS
—

	TROIS MOIS	SIX MOIS	EN AN
PARIS	1 fr.	2 fr.	3 fr 50
DÉPARTEMENTS	1 fr.	2 fr.	4 fr.
L'ÉTRANGER	1 50	2 80	5 fr.

Sixième année

DIMANCHE 13 JANVIER 1895

Numéro 217

LE TRAITRE
Dégradation d'Alfred Dreyfus

**La Une
du *Petit Journal*,
13 janvier 1895.**

- Quotidien populaire, *Le Petit Journal* tire avant 1914 à près d'un million d'exemplaires. Ses Unes dessinées font beaucoup pour populariser un fait divers, un événement politique, une mise en scène militaire, ou les trois à la fois comme ici, cette dégradation du capitaine Alfred Dreyfus, condamné par le tribunal aux Armées pour espionnage au profit de l'Allemagne.

- La loi de 1881 octroie la liberté d'éditer, d'imprimer et de diffuser des livres. Sauf en temps de guerre, la censure n'existe officiellement plus. Chacun peut exprimer ses opinions politiques ou spirituelles, et les diffuser par voie de presse. Entre 1894 et 1899, l'Affaire Dreyfus est l'occasion d'une violente empoignade éditoriale et judiciaire entre partisans et adversaires de Dreyfus. Les éditoriaux et les articles créent peu à peu une opinion du public sur ce qui n'aurait pu être qu'un fait divers. Par ses conséquences, « l'Affaire » forge un sentiment majoritaire : l'opinion publique.

Le pouvoir et les médias en France

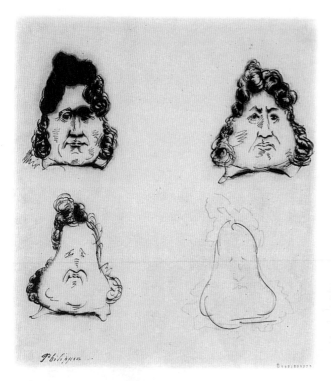

1. Le roi Louis-Philippe caricaturé par Charles Philipon dans *Le Charivari* (1831).

« *Qu'est-ce qu'un journaliste ? C'est celui qui a consacré tout ou partie de sa vie professionnelle à considérer, magnifier, dénoncer ou ridiculiser – dans un délai très bref – la société où il vit.* »

Jean Lacouture, à propos du caricaturiste Daumier, *Les Impatients de l'histoire. Grands journalistes français, de Théophraste Renaudot à Jean Daniel*, Paris, Grasset, 2009.

2. Les causeries radiophoniques de Pierre Mendès-France

Président du Conseil de juin 1954 à février 1955, en pleine période de décolonisation, Pierre Mendès-France choisit de s'adresser aux Français tous les samedis soirs par la radio. Il prend exemple sur les émissions du président américain Roosevelt, entre 1933 et 1944.

3. L'interview politique à la télévision

Le 14 décembre 1965, le journaliste Michel Droit interviewe Charles de Gaulle. Il est l'interlocuteur privilégié du président jusqu'en 1969.

4. Comment lire la *Une* d'un journal ?

TITRE

MANCHETTE

VENTRE (dessin censuré)

ÉDITORIAL

TRIBUNE (censurée)

REZ-DE-CHAUSSÉE

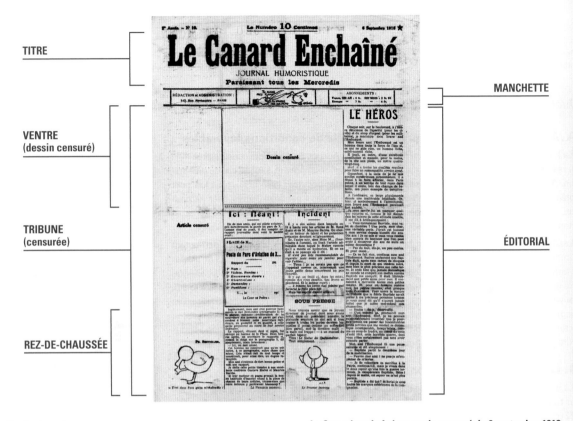

La *Une* d'un journal

Éditorial : Article qui livre l'analyse et l'opinion du journal, souvent écrit par le directeur ou par un rédacteur en chef.

Manchette : Fiche d'identité du journal : nom, prix, date, numéro.

Rez-de-chaussée (pied de page) : Espace à l'utilisation variable, souvent pour une autre nouvelle majeure ou pour un sommaire vers les pages intérieures.

Tribune : Le ou les gros titres

Ventre : Souvent illustré par une photographie ou une caricature, occupé par l'article majeur du jour.

***Le Canard enchaîné*, en partie censuré, le 6 septembre 1916.**

Le Canard enchaîné est créé le 10 septembre 1915, avec une volonté claire d'utiliser la satire pour dénoncer les abus et les scandales. Depuis 1881, la censure n'existe officiellement plus. Mais dès 1915, la censure des correspondances privées des soldats provoque des oppositions. À l'arrière, l'opinion publique subit le « bourrage de crâne ». Les Français ne disposent que de journaux passés entre les ciseaux « d'Anastasie », la censure, du nom d'un personnage du caricaturiste André Gille.

5. Internet, un instrument au service de la propagande politique

Le site Internet elysee.fr présente l'action du président de la République en exercice. Discours filmés, photographies, dossiers de presse…, tout est fait pour mettre en valeur l'action présidentielle.

1. La IIIᵉ République, âge d'or de la presse, fin XIXᵉ-1940

1914-1918 Première Guerre mondiale

1881 Loi sur la liberté de la presse	**1896** Affaire Dreyfus	**1914** Censure de la presse	**1915** Fondation du *Canard enchaîné*	**1934** Crise du 6 février

→ *Quelles sont les conséquences sur l'opinion d'une forte diffusion de la presse ?*

A. À la fin du XIXᵉ siècle, la presse bénéficie de conditions favorables

• **La loi du 29 juillet 1881 consacre la liberté de la presse.** Aucune autorisation, censure préalable ou restriction à la publication d'un journal ou d'un ouvrage n'est prévue, sauf en cas de diffamation. Après les attentats anarchistes contre la Chambre des députés (1892-1893), trois lois sont votées qui limitent la loi de 1881. Qualifiées de « lois scélérates » par Jean Jaurès, elles permettent d'arrêter les anarchistes, condamnent aussi bien les sympathisants que les militants, et interdisent toute publicité à leurs idées.

• **Les innovations techniques facilitent la diffusion des journaux.** Les rotatives, qui permettent d'imprimer en masse depuis 1872, et les linotypes, qui permettent de composer depuis un clavier et non lettre à lettre depuis 1887, permettent de fabriquer plus vite et à moindre coût. Le télégraphe et le téléphone permettent aux journaux de collecter l'information et de réagir plus vite aux nouvelles. Ils sont distribués plus efficacement grâce à l'achèvement du réseau ferroviaire. Les progrès de l'alphabétisation et la baisse du coût de la presse, grâce à la publicité, favorisent la lecture du journal, qui devient une habitude dans toutes les catégories de la population et pour toutes les opinions. La reproduction photographique favorise la presse populaire illustrée.

B. La presse connaît un essor considérable avant 1914

• **La presse participe à la formation de l'opinion publique.** Le tirage des journaux est multiplié par trois entre 1880 et 1914. Les Français sont les plus grands lecteurs de presse au monde : 322 journaux se vendent chaque jour à 2 millions d'exemplaires en moyenne. L'engagement des journaux dans l'Affaire Dreyfus (**p. 134**), le récit de l'aventure coloniale, les faits divers, l'exaltation du nationalisme, radicalisent les opinions, à Paris comme en province.

• **Les ventes sont dominées par les grands quotidiens populaires,** comme *Le Petit Journal* qui tire à un million d'exemplaires avant 1914, ou *Paris-Soir* dans les années 1930. Ces journaux cherchent davantage à s'adapter aux attentes des lecteurs qu'à les influencer. Ils affichent une prudente neutralité politique et privilégient les faits divers et le divertissement.

• **La presse d'opinion est moins diffusée mais très influente.** Chaque mouvement politique crée un journal pour son lectorat militant. Les journaux engagés couvrent toute la vie politique, de l'extrême gauche socialiste (*L'Humanité*, créé en 1904) à l'extrême droite nationaliste (*L'Action française*), en passant par les radicaux (*L'Aurore*, créé en 1897) et le centre droit (*Le Figaro*).

C. La concurrence de la radio limite l'influence de la presse après 1918

• **La censure est rétablie avec rigueur pendant la Grande Guerre.** Toute information militaire, tout commentaire défavorable au gouvernement, avéré ou ambigu, passe sous la coupe de la censure, que la caricature représente en une Anastasie aux grands ciseaux. Une partie de la presse participe au **bourrage de crâne**, exalte alors le patriotisme, dénigre l'ennemi et légitime la violence. En 1918, près de la moitié des titres de presse disparaissent : de nombreux journalistes sont morts au combat et le lectorat est devenu méfiant en raison du « bourrage de crâne ».

• **À la fin des années 1920, la radio devient une importante concurrente.** Instrument de transmission des armées, elle se diffuse dans les foyers au cours des années 1920. En 1922 la première radio privée, Radiola, émet depuis Paris. Radio Mondial diffuse dans les colonies. En 1939, 60 % des foyers français sont équipés en postes de radio. Le président du Conseil Édouard Daladier crée alors une administration unique de la radiodiffusion nationale sous contrôle de l'État. Grâce au direct qui permet une plus grande réactivité dans la diffusion des nouvelles, la radio devient un outil d'information populaire.

Citation

« *Apprenez qu'un reporter ne connaît qu'une seule ligne : celle du chemin de fer.* »

Albert Londres en 1923.

Doc. 1 **La presse quotidienne généraliste sous la IIIᵉ République.**

	Paris		Province	
	Nombre de Titres	Tirage total	Nombre de Titres	Tirage total
1867	21	763 000	57	200 000
1880	60	2 000 000	221	750 000
1914	70	4 800 000	242	4 000 000
1917	48	8 250 000	-	-
1924	30	4 400 000	-	-
1939	31	5 500 000	175	5 500 000

Source : Pierre Albert,
La Presse française, Paris,
La Documentation française, 2008.

Mots clés

Bourrage de crâne : Expression véhiculée par les Poilus pour qualifier le décalage entre les discours lus dans les médias et la réalité vécue sur le front.

Opinion publique : Ensemble des convictions, des jugements et des croyances qui reflètent les idées de la majorité d'une population.

Art. 1er L'imprimerie et la librairie sont libres.

Art. 5 Tout journal ou écrit périodique peut être publié, sans autorisation préalable et sans dépôt de cautionnement.

Art. 15 Dans chaque commune, le maire, désignera, par arrêté, les lieux exclusivement destinés à recevoir les affiches des lois et autres actes de l'autorité publique.

Art. 23 *(En italique, les modifications d'une loi de 2004).* Seront punis comme complices d'une action qualifiée de crime ou délit ceux qui, soit par des discours, cris ou menaces proférés dans les lieux ou réunions publics, soit par des écrits, imprimés, *dessins, gravures, peintures, emblèmes, images ou tout autre support de l'écrit, de la parole ou de l'image vendus ou distribués,* mis en vente ou exposés dans des lieux ou réunions publics, soit par des placards ou des affiches exposés au regard du public, *soit par tout moyen de communication au public par voie électronique,* auront directement provoqué l'auteur ou les auteurs à commettre ladite action, si la provocation a été suivie d'effet.

Art. 24 bis *(ajouté par la loi Gayssot en 1990).* Seront punis [...] ceux qui auront contesté, par un des moyens énoncés à l'article 23, l'existence d'un ou plusieurs crimes contre l'humanité tels qu'ils sont définis par l'article 6 du statut du tribunal militaire international constitué pour le procès de Nuremberg.

1. Quelles sont les conséquences de la loi de 1881 sur la presse ? Quelles limites sont prévues ?

2. Qui est protégé par la loi ? Pourquoi ?

Doc. **3** **La loi sur la liberté de la presse, une loi républicaine.**

La presse à bon marché est une promesse tacite de la République au suffrage universel. Ce n'est pas assez que tout citoyen ait le droit de voter. Il importe qu'il ait la conscience de son vote, et comment l'aurait-il si une presse à la portée de tous, du riche comme du pauvre, ne va chercher l'électeur jusque dans le dernier village ? [...] Or, la presse, et surtout la presse à bon marché, cette parole présente à la fois partout et à la même heure, grâce à la vapeur et à l'électricité, peut seule tenir la France tout entière assemblée comme sur une place publique et la mettre, homme par homme et jour par jour, dans la confidence de tous les événements et au courant de toutes les questions ; et ainsi, de près comme de loin, le suffrage universel forme un vaste auditoire invisible qui assiste à nos débats, entend nos discours, suit de l'œil les actes du gouvernement et les pèse dans sa conscience.

Eugène Pelletan, rapport en vue de l'adoption de la loi sur la liberté de la presse, 18 juin 1881.

1. Quels éléments permettent la diffusion des nouvelles ?

2. Quel rôle est ici assigné à la presse ?

Doc. **4** **La presse d'opinion.** Affiche publicitaire, 1918.

Imitant les techniques de diffusion de la presse populaire, le journal nationaliste, royaliste et antisémite *L'Action française* fondé par Charles Maurras et Léon Daudet, traite l'information sous forme de feuilletons pour diffuser ses numéros.

1. Quel ennemi est visé ? À quelle autre affaire le lecteur peut-il se référer ?

2. Pourquoi diffuser ces feuilletons en livres à bas prix ?

Doc. **5** **Une famille écoutant la radio en 1938.**

En 1938, 60 % des foyers français sont équipés de postes de radio.

1. Comment la radio est-elle écoutée ?

2. Que montre ce document de l'influence de ce nouveau média à la veille de la Seconde Guerre mondiale ?

En 1894, *Le Figaro* révèle l'existence d'une enquête au sein de l'état-major, à la suite d'une affaire d'espionnage au profit de l'Allemagne. D'origine alsacienne, de confession juive, le capitaine Alfred Dreyfus est accusé par l'enquête avant d'être désigné par la presse antisémite comme un coupable évident. Le combat des dreyfusards contre les antidreyfusards se joue devant les tribunaux, mais surtout dans la presse. Massivement antidreyfusards, les journaux créent une guerre des mots et des images qui déstabilise la République.

➜ ***Comment les médias contribuent-ils à la mobilisation de l'opinion publique ?***

Dates clés

L'Affaire

1894 *Le Figaro* révèle l'affaire. Dreyfus est condamné à la déportation pour espionnage.

1895 Dégradation et exil de Dreyfus sur l'île du Diable (Guyane).

1896 Le colonel Picquart découvre le véritable espion, le commandant Esterhazy.

1897 Mobilisation de la presse ; début de « l'Affaire ».

1898 « J'accuse » d'Émile Zola dans *L'Aurore* (13 janvier). Découverte du faux du colonel Henry qui disculpe Dreyfus (été).

1899 Procès de Rennes (été). Dreyfus est condamné par le conseil de guerre, mais gracié.

1906 Cassation du procès de Rennes. Réhabilitation de Dreyfus.

Doc. 1 — Clemenceau lance les « intellectuels ».

Le 14 janvier 1898, L'Aurore publie une pétition de 3 000 signatures de professions libérales, de professeurs et d'étudiants en soutien à Dreyfus.

N'est-ce pas un signe, tous ces *intellectuels*, venus de tous les coins de l'horizon, qui se groupent sur une idée et qui s'y tiennent inébranlables ? Sans les menaces qu'on a répandues dans tous les établissements d'instruction publique, combien seraient venus qui n'osent manifester le trouble de leur conscience ! […] Pour moi, j'y voudrais voir l'origine d'un mouvement d'opinion au-dessus de tous les intérêts divers, et c'est dans cette pacifique révolte de l'esprit français que je mettrais, à l'heure où tout nous manque, mes espérances d'avenir.

Georges Clemenceau, « À la dérive », *L'Aurore*, 23 janvier 1898.

Doc. 2 — Maurice Barrès contre les intellectuels.

Député, écrivain, théoricien du nationalisme, violemment antisémite, M. Barrès affirme en 1899 : « Que Dreyfus est capable de trahir, je le conclus de sa race. »

La mise en liberté du traître Dreyfus serait après tout un fait minime, mais si Dreyfus est plus qu'un traître, s'il est un symbole, c'est une autre affaire : c'est l'affaire Dreyfus ! […] Il ne faut point se plaindre du mouvement antisémite dans l'instant où l'on constate la puissance énorme de la nationalité juive qui menace de « chambardement » l'État français. C'est ce que n'entendront jamais, je le crois bien, les théoriciens de l'Université. Ils répètent […] : « je dois toujours agir de telle sorte que je puisse vouloir que mon action serve de règle universelle ». Nullement, messieurs, laissez ces grands mots de toujours et d'universelle et puisque vous êtes Français, préoccupez-vous d'agir selon l'intérêt français à cette date.

Maurice Barrès, « L'état de la question », *Le Journal*, 4 octobre 1898.

Doc. 3 — Émile Zola s'engage pour Dreyfus dans *L'Aurore*.

Grâce au soutien de Georges Clemenceau, député et rédacteur en chef de L'Aurore, E. Zola écrit une lettre ouverte au président Félix Faure pour demander une révision du procès Dreyfus. Le journal se vend ce jour-là à 300 000 exemplaires.

Vous vous préparez à présider au solennel triomphe de notre Exposition universelle, qui couronnera notre grand siècle de travail, de vérité et de liberté. Mais quelle tache de boue sur votre nom – j'allais dire sur votre règne – que cette abominable affaire Dreyfus ! Un conseil de guerre vient, par ordre, d'oser acquitter un Esterhazy, soufflet suprême à toute vérité, à toute justice. Et c'est fini, la France a sur la joue cette souillure, l'histoire écrira que c'est sous votre présidence qu'un tel crime social a pu être commis.

Puisqu'ils ont osé, j'oserai aussi, moi. La vérité, je la dirai, car j'ai promis de la dire, si la justice, régulièrement saisie, ne la faisait

pas, pleine et entière. Mon devoir est de parler, je ne veux pas être complice. Mes nuits seraient hantées par le spectre de l'innocent qui expie là-bas, dans la plus affreuse des tortures, un crime qu'il n'a pas commis.

Émile Zola, Lettre ouverte au président de la République, *L'Aurore*, 13 janvier 1898.

UN DINER EN FAMILLE

– Surtout ! ne parlons pas de l'affaire Dreyfus !

... Ils en ont parlé ...

Doc. 4 Caricature de l'antidreyfusard Caran d'Ache, dans *Le Figaro*, 14 février 1898.

Doc. 6 L'Affaire Dreyfus vue d'un village des Deux-Sèvres.

L'affaire Dreyfus, qui souleva tant de passions en France, fut pratiquement ignorée à Mazières. Elle était trop complexe et trop confuse, mettait en jeu trop de choses ignorées dans ce coin de campagne pour passionner les hommes du pays les plus attirés par les idées. Et ceux qui s'y intéressaient étaient trop peu nombreux pour pouvoir s'exciter mutuellement par leurs approbations ou leurs oppositions. Seuls quelques notables, quelques fonctionnaires et, par contagion, leurs amis les plus proches, prirent parti.

Roger Thabault, *Mon village, ses hommes, ses routes, son école*, Paris, Presses de Sciences Po, 1993.

Doc. 5 La revue antisémite *La Libre Parole* (10 novembre 1894).

Créée en 1892 par Édouard Drumont, un patron de presse qui devient député d'Alger en 1898, cette revue anticapitaliste et antisémite tire à plusieurs dizaines de milliers d'exemplaires pendant l'Affaire Dreyfus.

POUR COMPRENDRE

1. Étudier les documents

Doc. 1 et 2 Pour Clemenceau, qui sont les intellectuels ? Quelle valeur républicaine mettent-ils en avant ? Au nom de quelles idées Barrès s'oppose-t-il à eux ?

Doc. 3 Pourquoi E. Zola veut-il une révision du procès ? Comment considère-t-il son rôle ?

Doc. 4, 5 et 6 Comment se mobilise l'opinion publique ? Comment la presse l'utilise-t-elle ?

Doc. 7 Comment évoluent les titres au fur et à mesure de l'Affaire ? et leurs tirages ?

2. Analyse de deux documents

BAC À l'aide des documents 3 et 5, vous montrerez la manière dont la presse interroge la légitimité républicaine à l'occasion de l'Affaire Dreyfus.

3. Aide à la composition

BAC À l'aide de vos connaissances, vous rédigerez une partie de composition qui réponde au sujet : « Les médias et la IIIe République avant 1914 ».

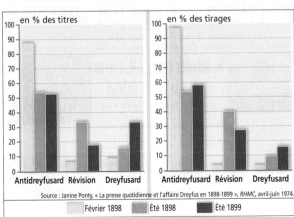

Source : Janine Ponty, « La presse quotidienne et l'affaire Dreyfus en 1898-1899 », *RHMC*, avril-juin 1974.

Février 1898 — Été 1898 — Été 1899

Doc. 7 La presse face à l'Affaire Dreyfus.

Le 8 janvier 1934 à Chamonix, le banquier Alexandre Stavisky meurt au moment où la police vient l'interpeller pour la faillite du Crédit municipal de Bayonne. Stavisky payait les intérêts des placements de ses clients avec l'argent qu'ils lui confiaient. Certains élus locaux étant mêlés à l'affaire, la presse antiparlementaire appelle au scandale. Le 6 février 1934, place de la Concorde à Paris, une manifestation hétéroclite hostile à la République menace de s'emparer de la Chambre des députés. La police intervient. S'ensuit une intense crise politique qui mêle antiparlementarisme et crise économique.

→ *Quel rôle la presse joue-t-elle dans la transformation d'un fait divers en crise politique ?*

Dates clés

De l'affaire Stavisky à la crise politique

Décembre 1933 Révélation des malversations de Stavisky.

8 Janvier 1934 Mort de Stavisky.

6 février 1934 Manifestation et répression policière : 17 morts, plusieurs milliers de blessés. Changement de gouvernement.

14 juillet 1935 Serment de la Bastille, aux origines du Front populaire.

Doc. 1 La manifestation du 6 février.

Le scandale Stavisky [...] éclate en décembre 1933. *L'Action française*, suivie par la grande presse de droite et d'extrême droite, martèle ses accusations contre les « voleurs » et le régime parlementaire. Jusqu'au moment où Daladier [...] éloigne le préfet de police Chiappe, trop complaisant avec les militants d'extrême droite. Il s'ensuit la journée sanglante du 6 février 1934. [...] Une minorité violemment hostile au régime parlementaire, recrutée dans les rangs de l'Action française et dans les groupuscules fascistes ou fascisants, comme la Solidarité française, voudrait abattre le régime, dans l'espoir d'une restauration monarchique pour les uns, d'un pouvoir autoritaire à l'exemple de l'Italie de Mussolini pour les autres.

Mais le gros de la troupe manifeste surtout sa colère protestataire, sans remettre en jeu la démocratie républicaine. Les plus politisés, quand ils ont un projet précis, entendent surtout faire échec à Daladier, à la gauche, et faire revenir la droite au pouvoir. L'organisation la plus disciplinée, celle des Croix-de-Feu, obéit aux ordres du lieutenant-colonel de La Rocque, son chef, et refuse de tenter une action illégale en forçant les barrages de la police. Pour La Rocque, le 6 février est « la protestation des citoyens les plus généreux contre la déchéance des mœurs gouvernementales et parlementaires ». [...] Les Croix-de-Feu ne s'inspirent ni de l'Allemagne hitlérienne ni de l'Italie fasciste.

La montagne du 6 février accouche d'une souris : le rappel de Gaston Doumergue, à la tête d'un gouvernement d'union nationale, où les radicaux se retrouvent aux côtés de la droite. Mais elle accrédite à gauche la conviction qu'il existe un vrai danger fasciste en France, ce qui contribue à former une nouvelle union de la gauche, le Front populaire, comprenant pour la première fois les communistes.

Pierre-Jean Martineau, « Comment finissent les démocraties », *L'Histoire*, n° 275, avril 2003.

Une du journal satirique *Le Canard enchaîné*, le 10 janvier 1934.
Cette Une propage la thèse de l'assassinat politique de Stavisky.

Doc. 2 La crise du 6 février vue par un journal populaire à grand tirage.

Doc. **3** La Une du journal socialiste *Le Populaire*,
le 7 février 1934.

Doc. **4** La Une du quotidien antirépublicain *L'Action française*,
le 7 février 1934.

NOUS FAISONS le SERMENT SOLENNEL DE RESTER UNIS POUR DÉSARMER et DISSOUDRE les LIGUES FACTIEUSES. POUR DÉFENDRE et DÉVELOPPER LES LIBERTÉS DÉMOCRATIQUES et POUR ASSURER la PAIX HUMAINE

Biographie

Léon Daudet (1867-1942)

Écrivain, journaliste et homme politique français, membre fondateur en 1908 du quotidien d'extrême droite *L'Action française*, il incarne la figure du journaliste nationaliste et antisémite. En 1934, il qualifie les élus concernés par l'affaire Stavisky de « stavisqueux », et n'a de cesse de lutter contre le régime parlementaire. Il se félicite de l'arrivée de Pétain au pouvoir en 1940, mais, nationaliste, condamne l'occupation allemande.

Doc. **5** Aux origines du Front populaire.

Après la crise du 6 février 1934, la gauche cherche à s'unir pour gouverner. La SFIO, le Parti communiste et les radicaux se rejoignent pour une manifestation place de la Bastille, à Paris, le 14 juillet 1935. Sur le modèle du serment du Jeu de Paume, ils prêtent le serment de rester unis jusqu'à la victoire de ce que l'on appelle désormais le Front populaire.

Doc. **6** La radio, un outil censuré par le pouvoir politique.

Lors des élections législatives de 1932, le président du Conseil sortant, André Tardieu, décide sans vergogne d'utiliser les ondes à son seul profit, suscitant une violente réaction des partis de gauche et notamment de Léon Blum qui s'écrie : « L'incomparable moyen de diffusion qu'est la radio a été accaparé avec cynisme par la réaction ! ». [...]

L'avant-veille du 6 février 1934, devant la menace des manifestations dans la rue, le ministre de l'Intérieur Eugène Fort installe tout tranquillement un censeur – en temps de paix ! – aux côtés des journalistes du « Radio Journal de France » sur Radio Paris et du « Journal parlé » de la Tour Eiffel, si bien que les informations sont très édulcorées... [...] En dépit des justes protestations antérieures de ses dirigeants, le Front populaire ne cherche pas à établir des règles d'indépendance et d'équilibre de l'information : une occasion manquée.

Sous le gouvernement d'Édouard Daladier, à partir du printemps 1938, la main de l'exécutif s'alourdit, la menace extérieure aidant. En septembre 1938, dans l'atmosphère de Munich, le ministre des PTT Jules Julien impose à nouveau le contrôle des informations radiodiffusées, y compris celles des postes privés.

Jean-Noël Jeanneney, *Une histoire des médias. Des origines à nos jours*, Paris, Le Seuil, 1996.

POUR COMPRENDRE

1. Étudier les documents

Doc. 1 et 2 Quelles sont les origines de la crise du 6 février ? Comment est-elle devenue une crise politique ?

Doc. 3 et 4 Pourquoi des titres aussi dissemblables ? À qui s'adressent ces journaux ?

Doc. 5 et 6 Quelles sont les conséquences politiques de la crise ? Pourquoi vouloir contrôler la radio ?

2. Analyse de deux documents

BAC À l'aide des documents 2 et 6, vous montrerez la place que prennent les nouvelles technologies dans le travail des journalistes.

3. Aide à la composition

BAC À l'aide de vos connaissances, vous rédigerez un paragraphe qui réponde au sujet : « La place de la presse dans la crise du 6 février 1934 ».

2. Radio et télévision face aux crises, de 1940 à 1970

1939-1945 Seconde Guerre mondiale | **1949** Monopole d'État sur la télévision | **1954-1962 Guerre d'Algérie** | **1964** Création de l'ORTF

1940 Appel du 18 juin sur la *BBC* | **1945** Renaissance de la presse quotidienne régionale, monopole d'État sur la radio | **1958** Retour de De Gaulle au pouvoir (13 mai) | **1961** Putsch des généraux | **1962** Élection du président au suffrage universel | **1968** Grèves et crise de Mai

➜ *Comment les médias audiovisuels permettent–ils aux Français de réagir aux crises politiques ?*

A. La radio puis la télévision connaissent un essor considérable

- **La radio joue un rôle majeur dès 1940** (p. 140). Le gouvernement de Vichy et l'occupant allemand utilisent les ondes comme vecteur de propagande. Depuis l'appel à la Résistance lancé le 18 juin 1940, la *BBC* permet à la France libre, chaque jour, d'envoyer des messages codés et de coordonner l'action de la Résistance intérieure. La guerre est aussi une **guerre des ondes**.

- **Après 1945, l'essor de la radio se poursuit.** Le nombre de postes récepteurs dépasse 10 millions en 1958. Pierre Mendès-France livre chaque semaine, lorsqu'il est président du Conseil (1954-1955), ses « causeries » sur la situation de la France. Autrefois écoutée en famille depuis des postes fixes, la radio se miniaturise et devient mobile en 1956 par l'expansion du transistor.

- **Dans les années 1960, la télévision concurrence la radio et la presse.** Le nombre de ménages équipés est multiplié par 20 dans les années 1960. Le journal télévisé du soir devient la première source d'information des Français. Elle donne une image aux hommes politiques. Jusque-là entre les mains de la présidence, la télévision s'ouvre à l'opposition lors des élections de 1965.

B. La vitalité de la presse résistante n'enraye pas son déclin après 1945

- **La presse est largement renouvelée à la Libération** (p. 140). Les journaux qui se sont montrés serviles à l'égard du régime de Vichy au sud, ou de l'occupant allemand au nord, sont interdits. Près de 1 000 titres sont publiés clandestinement entre 1940 et 1944, regroupés en 1943 en une Fédération nationale de la presse clandestine. Certains se maintiennent après 1944, comme *Combat* d'Albert Camus, sont recréés, comme *Le Figaro*, avec François Mauriac, ou naissent, comme *Le Monde* avec Hubert Beuve-Méry (p. 141).

- **De nouvelles formes de presse apparaissent.** La photographie devient le cœur de publications comme *Paris-Match*, créé en 1949. Sur le modèle des *news magazines* américains, *France Observateur* ou *L'Express* attirent un lectorat plus jeune, éduqué et urbain, ouvrent leurs colonnes aux intellectuels et s'engagent contre la guerre d'Algérie.

- **Mais la presse quotidienne nationale connaît des difficultés économiques.** Elle passe de 6 à 3,4 millions d'exemplaires vendus entre 1946 et 1952. La hausse rapide du prix des journaux explique en partie cette désaffection du public, aggravée dans les années 1960 par la concurrence de la télévision.

C. La radio et la télévision font l'objet d'un contrôle étroit du pouvoir

- **Radio et télévision sont monopoles d'État.** La radio depuis 1938 et la télévision à la Libération sont totalement sous le contrôle de **régies*** d'État, afin de garantir, officiellement, l'impartialité de l'information. Seules échappent à cette mainmise les **radios périphériques** comme Radio-Luxembourg, ou Europe n° 1, créée en 1955, dont l'antenne émettrice est installée en Allemagne.

- **La guerre d'Algérie et le retour de Charles de Gaulle au pouvoir en 1958 renforcent la mainmise de l'État sur l'audiovisuel.** Convaincu de l'hostilité de la presse écrite, de Gaulle utilise la radio et la télévision pour montrer sa capacité de réponse aux crises, comme lors du putsch de 1961. En 1964 est créé l'Office de Radio Télévision Française (**ORTF***) qui a en charge le service public de l'audiovisuel, placé sous le contrôle du ministre de l'Information, Alain Peyrefitte.

- **La crise de mai 1968 montre les limites du contrôle.** Grâce à de petites estafettes, Europe n° 1 annonce les grands événements, jour après jour, alors que la censure s'abat sur l'ORTF qui se met en grève.

---

*C*itation

« *Or, voici que la combinaison du micro et de l'écran s'offre à moi au moment même où l'innovation commence son foudroyant développement. Pour être présent partout, c'est là soudain un moyen sans égal.* »

Charles de Gaulle, *Mémoires d'espoir*, t. 1, *Le Renouveau*, Paris, Plon, 1970.

Biographie

Alain Peyrefitte (1925-1999)

Homme politique, diplomate et écrivain français. Élu député en 1958, il entre dans le gouvernement Pompidou en 1962. Il est en charge de l'Information, d'abord comme secrétaire d'État de 1962 à 1966. Porte-parole du président, considéré par l'opinion comme le « ministre de la censure », il tente d'œuvrer à la libéralisation de l'audiovisuel public malgré les réticences du général de Gaulle. Il est l'artisan de la création de l'ORTF en 1964.

Mots clés

Guerre des ondes : Guerre psychologique menée par les radios des belligérants afin d'informer ou de galvaniser les auditeurs.

Radios périphériques : Radios émettant depuis une antenne située hors du territoire français pour échapper au contrôle formel de l'État.

Vocabulaire

* ORTF
* Régie
❯ lexique p. 380 à 383

@ http://www.tle.esl.histeleve. magnard.fr
La télévision et la crise du 13 mai 1958.

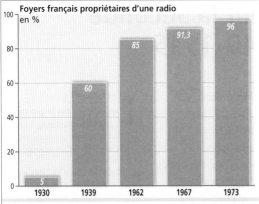

Foyers français propriétaires d'une radio
en %

100 | | | | | | 96
80 | | | | 91,3 |
| | | 85 |
60 | | 60 |
40 |
20 |
0 | 5 |
1930 | 1939 | 1962 | 1967 | 1973

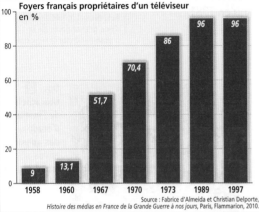

Foyers français propriétaires d'un téléviseur
en %

100 | | | | | 96 | 96
80 | | | | 86 |
60 | | | 70,4 |
| | 51,7 |
40 |
20 | | 13,1 |
| 9 |
0 |
1958 | 1960 | 1967 | 1970 | 1973 | 1989 | 1997

Source : Fabrice d'Almeida et Christian Delporte,
Histoire des médias en France de la Grande Guerre à nos jours, Paris, Flammarion, 2010.

Doc. 1 L'équipement audiovisuel des foyers français.

1. Quand la radio s'installe-t-elle dans les foyers ?

2. Quand la télévision s'installe-t-elle dans les foyers ? Fait-elle concurrence au développement de la radio ?

Doc. 3 La télévision, outil de communication politique.

Le 19 avril 1963, le président de Gaulle rappelle à la télévision les objectifs de la Vᵉ République. Seuls 2 millions de Français possèdent une télévision.

1. Pourquoi les hommes politiques utilisent-ils la télévision plus fréquemment à partir des années 1960 ?

Doc. 2 Le contrôle de l'information lors de la guerre d'Algérie.

En avril 1961, Radio Monte-Carlo, qui diffuse en Algérie, est chargée de répéter toutes les heures l'appel de De Gaulle ; son écoute par les soldats du contingent contribue à faire échouer le putsch des généraux.

Je dois bien reconnaître que le comportement de « mes » journaux télévisés donne actuellement raison au Général. Pendant ces dures semaines du printemps 1961, le ton qu'ils prennent est souvent celui que peut le plus souhaiter l'OAS. Les mauvaises nouvelles sont montées en épingle – assassinats, écroulement de bâtiments publics en Algérie, scènes de panique – ; les bonnes, à peine évoquées – arrestation de Salan et de ses principaux lieutenants, signes d'essoufflement de la rébellion OAS. L'idée se répand que le désastre s'amplifie, que l'autodétermination est inapplicable, que de Gaulle va devoir s'en aller, abandonné de tous. Et ces émissions, sur la chaîne unique, sont suivies plus avidement encore à Alger et Oran qu'à Paris ou Marseille.

Je dois me résoudre à ce qu'ont fait mes trente-deux prédécesseurs depuis la Libération, et que je m'étais juré de ne jamais faire : cette semaine, je convoque chaque matin dans mon bureau les responsables de l'information à la radio et à la télévision, pour examiner avec eux les questions du jour…

Alain Peyrefitte, *C'était de Gaulle*, tome 1, Paris, Fayard, 1994.

1. D'après Alain Peyrefitte, que reproche de Gaulle aux journaux télévisés ?

2. Comment Alain Peyrefitte résout-il le problème ?

Doc. 4
Le contrôle de l'information en mai 1968.

Affiche des ateliers populaires de l'École des Beaux-Arts de Paris, mai 1968.

1. Qui est représenté ? Comment ?

2. Pourquoi s'en prendre à l'ORTF ? Que contrôle-t-elle ?

Presse et radio pendant la Seconde Guerre mondiale, 1940-1945

Pendant la Seconde Guerre mondiale, la presse et la radio sont des instruments de propagande au service de chacun des camps qui s'affrontent. Les Français lisent une presse étroitement contrôlée par l'occupant et par les autorités de Vichy. Écoutée clandestinement, la *BBC* joue un rôle majeur dans leur information et dans la transmission d'ordres à la Résistance intérieure, malgré le brouillage des ondes. À la Libération, l'ensemble des titres de la presse est repris en mains par des résistants. Les radios privées sont nationalisées et regroupées dans un monopole d'État, la Radiodiffusion française (RDF), créée le 23 mars 1945, qui dure jusqu'en 1981.

➜ *Quel rôle les médias jouent-ils dans les propagandes ?*

Dates clés

Des médias sous la guerre
27 août 1939 Interdiction de *L'Humanité*.
17 juin 1940 Pétain annonce l'armistice.
18 juin 1940 Sur la *BBC*, de Gaulle appelle à la résistance.
11 novembre 1942 *Le Figaro* cesse de paraître.
Août-décembre 1944 Fondation d'une grande partie de la presse nationale et régionale.

Doc. 1 Radio-Stuttgart, une radio allemande en langue française (1940).

Dès la fin 1939, cette radio émet en français des fausses nouvelles destinées à abattre le moral des Français et diffuse la propagande nazie.

Vous avez en France perdu le sens du vrai, du juste et du grand. C'est pourquoi vous avez déclaré cette guerre absurde et malfaisante, cette guerre des roquets contre la caravane, cette guerre qui tournera à votre confusion finale et définitive. Et ce jour-là, Français, vous pleurerez des larmes de sang parce que vos maîtres auront méconnu cette loi primordiale du devenir des hommes : l'orgueil de l'acte accompli pour le salut de tous. […] Vous n'avez plus la force de répéter les choses, il n'y a pas pour eux d'autres mots, les choses qui vous ont obligés, Français, à n'être plus vous-mêmes. Vous savez que ce sont de vils juifs. Mais vous les respectez pour l'or qu'ils répandent dans tous les pays du monde, quand il s'agit de défendre une mauvaise cause. Ils ont acheté votre presse, ils ont acheté les consciences. Ils ont acheté les plumes, ils ont acheté les intelligences, et cependant nous acceptons la lutte et nous les mettons au défi. Contre les vérités morales et les achèvements sociaux du national-socialisme, faites charger les Juifs ! N'ayez pas peur qu'ils reculent. Les Juifs ont le courage de toutes les calomnies et de tous les mensonges. Les Juifs constituent les troupes de choc de toutes les ignominies. […] Sonnez le grand ralliement des franc-maçonneries internationales, faites donner la cohorte des spéculateurs pour qui le sang des hommes est une marchandise comme une autre.

Allocution prononcée sur Radio-Stuttgart, 25 février 1940.

Doc. 2 Une affiche de l'Institut d'étude des questions juives (octobre 1941).

Doc. 3 Une radio dans un maquis.

En France occupée, le simple fait d'écouter la *BBC* est passible d'arrestation et de déportation pour fait de résistance.

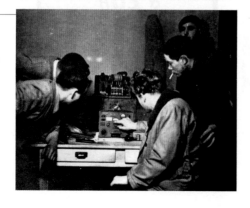

Doc. 4 Les principales radios écoutées en France.

BBC (Londres) : La radio britannique diffuse dès juin 1940 des émissions en français de (« Les Français parlent aux Français » et « Honneur et Patrie »). Le général de Gaulle s'y exprime régulièrement.

Radio-Paris : Organe de la collaboration, l'ancienne Radiola diffuse en zone occupée un programme entièrement contrôlé par la propagande allemande. Jean Oberlé, depuis la *BBC*, répétait : « Radio-Paris ment, Radio-Paris ment, Radio-Paris est Allemand ».

Radiodiffusion nationale : Elle ne peut émettre qu'en zone Sud et à Paris, et diffuse la propagande de Vichy et les discours de Pétain.

Radio-Brazzaville : Philippe Desjardins en fait à partir de décembre 1940 un poste écouté jusqu'à Paris, totalement dévoué au général de Gaulle.

Radio-Alger : Rebaptisée Radio-France en février 1943 après l'arrivée des Alliés, elle sert de relais à la propagande de la France libre.

Doc. 5 Sur Radio-Paris, Philippe Henriot attaque Pierre Dac, voix de la France libre.

Secrétaire d'État à l'Information et à la propagande de Vichy, Philippe Henriot s'en prend sur Radio-Paris à Pierre Dac, l'un des animateurs de l'émission de la France libre « Les Français parlent aux Français ». Avec Maurice Schumann et son émission « Honneur et Patrie », Pierre Dac est l'une des grandes voix de la BBC, surnommée « Radio-Londres ». Le 28 juin 1944, Ph. Henriot est abattu par la Résistance.

Le 15 août 1893, jour anniversaire de la naissance de Napoléon, s'il vous plaît, naissait à Châlons-sur-Marne, un certain Isaac-André, fils de Salomon et de Berte Kahn. Pareil à la plupart de ses coreligionnaires, il était secrètement fier de sa race, mais gêné par son nom. Incapable bien entendu, de travailler à la grandeur d'un pays de séjour passager, une provisoire terre promise à exploiter. [...] Mais où nous atteignons les cimes du comique, c'est quand notre Dac prend la défense de la France. [...] Le Juif Dac s'attendrissant sur la France, c'est d'une si énorme cocasserie qu'on voit bien qu'il ne l'a pas fait exprès. Qu'est-ce qu'Isaac, fils de Salomon, peut bien connaître de la France, à part la scène de l'ABC où il s'employait à abêtir un auditoire qui se pâmait à l'écouter ? La France, qu'est-ce que ça peut bien signifier pour lui ?

Philippe Henriot, Radio-Paris, 10 mai 1944.

La réponse de Pierre Dac.

Pourquoi ne pas nous dire ce que cela signifie pour vous l'Allemagne ? [...] Puisque vous avez si obligeamment et si complaisamment cité au cours de votre haine me concernant, les noms et prénoms de mon père et de ma mère, laissez-moi vous dire que vous en avez oublié un : celui de mon frère. Si, d'aventure, vos pas vous conduisent du côté du cimetière Montparnasse, entrez par la porte de la rue Froidevaux, tournez à gauche dans l'allée et à la 6e rangée, arrêtez-vous devant la 10e tombe. C'est là que reposent les restes de ce qui fut un beau, brave et joyeux garçon, fauché par un obus allemand le 2 octobre 1915 aux attaques de Champagne. C'était mon frère. Sur la modeste pierre tombale, sous ses noms, prénoms et le numéro de son régiment, on lit cette simple inscription « Mort pour la France à l'âge de 28 ans ». [...] Sur votre tombe, si toutefois vous en avez une, il y aura aussi une inscription. Elle sera ainsi libellée : « Philippe Henriot, mort pour Hitler, fusillé par les Français ». Bonne nuit monsieur Henriot, et dormez bien, si vous pouvez.

Pierre Dac, BBC, 11 mai 1944.

Hubert Beuve-Méry (1902-1989)
Correspondant du *Temps* à Prague avant 1939, élève de l'école des cadres de Vichy puis résistant, il est appelé en 1944 par le général de Gaulle pour fonder un nouveau quotidien de référence. Le 19 décembre 1944 le premier numéro du *Monde* sort sous sa direction avec une partie de la rédaction du *Temps* et nombre de journalistes et chroniqueurs résistants. De 1944 à 1969, il fait du *Monde* un journal de réputation internationale, modéré dans ses opinions que l'éditorial révèle et qu'il signe sous le pseudonyme de Sirius.

Doc. 6 À la Libération, la renaissance de la presse quotidienne.

LE FIGARO Fondé en 1826, **auto-dissout en 1942, il est refondé le 25 août 1944** avec l'aide de François Mauriac. Sa grande plume est, pendant la Guerre froide, le philosophe Raymond Aron. Racheté par Robert Hersant en 1975, il reste le grand journal de la droite parlementaire.

la Croix Fondé en 1880 par la congrégation des Assomptionnistes, replié en zone libre en 1940, **interdit quelques semaines en 1944-1945**. Fer de lance de l'antisémitisme catholique lors de l'Affaire Dreyfus, il a évolué avec l'Église : quotidien généraliste, il exprime aujourd'hui l'opinion des catholiques modérés.

l'Humanité Fondé en 1904 par Jean Jaurès, il devient en 1923 l'organe du Parti communiste français. **Interdit dès août 1939** pour avoir approuvé le pacte germano-soviétique, puis diffusé clandestinement sous la direction de Gabriel Péri, il **reparaît en août 1944**.

le Parisien Fondé en 1944 par l'ancien résistant Emilien Amaury, il s'intitule *Le Parisien libéré* jusqu'en 1986. Longtemps journal d'opinion marqué à droite et gaulliste, il n'exprime plus d'opinion politique directe à partir des années 1980.

France-Soir Fondé en 1944 par d'anciens résistants, il devient un quotidien populaire sous l'impulsion de **Pierre Lazareff**. Quotidien le plus vendu dans les années 1950-1960, il connaît un déclin rapide dans les années 1970-1980, victime de la concurrence de la télévision et n'est plus édité en version papier depuis 2011.

Le Monde Fondé en 1944 par Hubert Beuve-Méry sur les ruines du *Temps* interdit pour collaboration, sa création est soutenue par le général de Gaulle qui veut en faire la voix de la France dans le monde. Neutre jusqu'à la mort de son fondateur, orienté à gauche dans les années 1970-1980 puis au centre-gauche, il conserve son aura en France et dans le monde.

ouest france Fondé en 1944 pour remplacer *L'Ouest-Éclair*, interdit pour collaboration, il devient à partir de 1975 le premier quotidien régional français.

L'ÉQUIPE Fondé en 1946 en remplacement de *L'Auto*, interdit à la Libération, il bénéficie à partir des années 1960-1970 de l'engouement pour le sport, encouragé par la télévision.

 À partir d'un titre issu d'un journal de la Résistance, *Libération* est refondé en 1973 par des militants d'extrême gauche. Il devient à partir de 1981 un quotidien d'information générale, fortement marqué à gauche puis au centre-gauche.

POUR COMPRENDRE

1. Étudier les documents

Doc. 1, 3 et 4 Quel rôle la radio joue-t-elle en 1939-1940 ? et dans la Résistance ?
Doc. 2, 4 et 5 Quelle place prend la radio dans la propagande de l'Allemagne et de Vichy ?
Doc. 5 Que reproche Philippe Henriot à Pierre Dac ? Comment Pierre Dac répond-il ?
Doc. 6 Comment se réorganise la presse en 1945 ? Pourquoi ? Avec quels effets ?

2. Analyse de deux documents

BAC À l'aide des documents 4 et 5, vous montrerez le rôle que joue la radio dans la diffusion de la résistance en France.

3. Aide à la composition

BAC À l'aide de vos connaissances, vous rédigerez une partie de composition qui réponde au sujet : « Les médias en France entre 1939 et 1945 ».

En 1958, la guerre en Algérie est militairement gagnée par l'armée française, mais reste politiquement dans une impasse. Au terme d'une longue crise ministérielle, Pierre Pflimlin est investi le 13 mai et annonce qu'il envisage de négocier avec les « rebelles ». Aussitôt, la population européenne d'Alger s'insurge, encouragée par des émissaires gaullistes et soutenue par l'armée, pour réclamer un gouvernement de salut public qui garde l'Algérie française. Charles de Gaulle, chef de la Résistance et refondateur de la République en 1945, apparaît comme l'homme providentiel et est nommé à la présidence du Conseil. La presse, la radio et la télévision jouent un rôle essentiel dans ces événements qui scellent la fin de la IVᵉ République.

➜ *Quel rôle les médias jouent-ils dans le retour au pouvoir de Charles de Gaulle ?*

Dates clés

La radio et la télévision en mai 1958

• En France : 10,4 millions de postes de radio et 827 942 postes de télévision.

• En Algérie : 418 325 postes de radio et 15 723 postes de télévision.

• Seuls 50 % des Français peuvent capter la télévision. La couverture du territoire n'est réalisée qu'en 1965. Deux journaux scandent l'unique chaîne de télévision, à 13 h 15 et à 20 h 00. La télévision est entièrement sous le contrôle de l'État depuis 1945.

Doc. 1 Une crise liée à la guerre d'Algérie.

13 mai 1958 Pierre Pflimlin, favorable à une solution négociée en Algérie, devient président du Conseil. À Alger, après une grande manifestation en faveur de l'Algérie française, le général Massu lance un appel au retour de De Gaulle au pouvoir.

15 mai 1958 De Gaulle déclare à la presse qu'il se tient « prêt à assumer les pouvoirs de la République ».

28 mai 1958 Le président René Coty appelle Charles de Gaulle pour remplacer Pierre Pflimlin.

29 mai 1958 René Coty adresse un message aux Chambres pour qu'elles investissent Charles de Gaulle, qui n'est pas parlementaire, à la tête du gouvernement.

1er juin 1958 Par 329 voix contre 224, Charles de Gaulle est investi président du Conseil par le Parlement.

3 juin 1958 De Gaulle reçoit les pleins pouvoirs constitutionnels du Parlement.

4 juin 1958 Allocution du général de Gaulle à Alger : « Je vous ai compris ».

Doc. 2 Le quotidien communiste *L'Humanité* le 16 mai 1958.

La veille, Charles de Gaulle a annoncé se tenir prêt à diriger le gouvernement.

Doc. 3 Regrouper les médias pour les contrôler.

Charles de Gaulle et le ministre de la Construction Pierre Sudreau devant la maquette de la Maison de la Radio, vers 1958, qui est inaugurée le 14 décembre 1963 puis devient en 1964 le siège de l'ORTF, la radio-télévision française.

Doc. 4 L'instantanéité de l'information.

Les journaux du soir étaient déjà imprimés et diffusés… C'est par la radio que la nouvelle se répandit, relancée par tous les auditeurs. Le lendemain, on pouvait lire dans la presse : « Événements dramatiques à Alger… Création d'un Comité civil et militaire… ». Tout le monde était déjà au courant.

Chaque fois que des événements brusques surgissent de l'actualité quotidienne, la radio retrouve une prédominance absolue dans le domaine de l'information. La télévision n'est ni assez mobile, ni assez maniable pour faire face rapidement à des événements imprévus. La presse, esclave de sa technique d'impression et de diffusion, est toujours devancée par les ondes. Lorsque les événements se précipitent, elle s'essouffle et ne peut même plus suivre l'actualité. Mais la radio bénéficie de l'instantanéité de la diffusion. Mieux, elle se moque des espaces, des frontières et des censures.

« Primauté de la radio », Radio-Cinéma-Télévision, 25 mai 1958.

Doc. 5 La presse quotidienne avant et après la conférence de presse de De Gaulle, le 19 mai 1958.

Le Parisien libéré

Avant le 15 mai • Pour sauver l'unité du pays et éviter l'aventure il n'y a plus qu'un recours concevable : l'appel au général de Gaulle. L'ancien chef de la France libre reste l'arbitre indiscutable, il serait le plus sûr garant de la légalité républicaine.

Après le 19 mai • Pourquoi nos élus s'indigneraient-ils aujourd'hui lorsque le général de Gaulle suggère une procédure exceptionnelle pour faire face à une situation dont personne ne conteste le caractère exceptionnel, lorsqu'il s'agit de préserver l'unité de la nation, d'établir en Algérie la paix dans la réconciliation, de restaurer l'État pour assurer la survie de la France ?

Le Populaire (quotidien socialiste)

Avant le 15 mai • Dans une partie où notre pays devait éviter toute erreur, la pire des réactions, celle qui fait profession permanente d'antirépublicanisme, donne le spectacle effroyable de sa volonté de ne retenir que les solutions de force et les chemins de l'illégalité alors que notre grand espoir tenait et tient encore dans un respect intransigeant des idéaux démocratiques.

Après le 19 mai • On attendait mieux que ces sous-entendus incertains et que cette fausse ironie bonhomme dont le général de Gaulle émailla sa conférence de presse. Cette façon d'affirmer qu'en homme seul, libéré de toute entrave, on se croyait utile au pays et qu'on allait attendre maintenant sa réponse, avait trop souvent le ton d'autres allocutions ou un autre soldat, ayant eu lui aussi son heure de gloire, faisait à la France le don de sa personne.

Combat

Avant le 15 mai • Entre les « ultras », qui ne sont pas exempts d'arrière-pensées politiques, et une minorité séparatiste, il y a place pour l'esprit de salut public qui doit rassembler tous les Français raisonnables, soucieux de l'avenir de leur pays et de la durée du régime actuel. [...] Le pronunciamiento n'est pas un mot de notre terroir, et pour que l'Algérie reste française il importe d'abord que la France y demeure dans son entier, dans son unité.

Après le 19 mai • Le débat rebondit, qui portait, la veille, sur les « pouvoirs de la République ». Il s'agit cette fois de la solution adéquate, ou de la procédure exceptionnelle d'une accession au gouvernement.

L'Humanité

Après le 19 mai • Il a raison. Cette monstrueuse anomalie doit cesser. L'impunité dont jouissent les séparatistes d'Alger et leurs complices de Paris est une insulte aux officiers et aux fonctionnaires fidèles. Une insulte au président de la République. [...] S'il y a deux légalités, il n'y en a plus aucune. Or c'est précisément ce qu'attend, ce qu'espère M. De Gaulle. Pour apparaître comme l'arbitre d'une France déchirée, il lui faut que la France soit déchirée.

Le Figaro

Après le 19 mai • Aucun des propos du général de Gaulle ne sonne le branle-bas de combat, aucun de ses termes n'emprunte le langage des factieux. [...] Quelques énigmes : qu'entend exactement le général de Gaulle – soucieux de légalité – quand il déclare qu'il peut se rendre utile, « si le peuple le veut » ? Qu'entend-il par la « procédure exceptionnelle » qui devrait l'amener à l'investiture dont il reconnaît la nécessité ?

Doc. 6 Les interventions du général de Gaulle dans les médias.

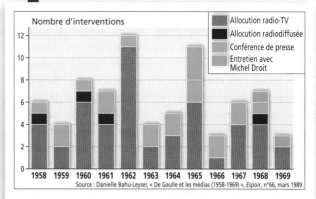

Source : Danielle Bahu-Leyser, « De Gaulle et les médias (1958-1969) », *Espoir*, n°66, mars 1989.

Le général de Gaulle, peut-être plus qu'aucun autre, a bien compris le potentiel de la télévision naissante. L'expérience de la guerre et le précieux outil qu'est la radio à cette époque [...] forgent sans doute ses convictions sur la puissance des moyens de communication modernes. Lors de son retour au pouvoir en 1958, il entend faire du petit écran un instrument de dialogue entre lui et les Français. [...] L'homme marque de son empreinte ce média au moment même de son décollage (5 % des ménages sont équipés de téléviseurs en 1958, 62 % en 1962). Aujourd'hui encore, certains se réfèrent à cette période comme à celle d'un certain âge d'or de la télévision pédagogique, avec les excès que cela suppose. [...] Porter la bonne parole politique, séduire un public de masse, sont les deux marques de la télévision gaullienne car, par-delà les intentions, louables, cette télévision est aux mains du pouvoir comme elle l'avait été sous la IVe République. De Gaulle n'affirmait-il pas à son ministre de l'Information : « Ne répondez pas aux questions des journalistes. Vous les convoquez, vous leur dites ce que vous avez à leur dire, vous le leur dictez ». Ce dirigisme caractérisé montre combien le petit écran est considéré comme un appendice du pouvoir, qui a su le préserver de toute intrusion de la logique marchande. Le modèle de la télévision sous de Gaulle correspond à celui de la télévision d'État.

Rémy Le Champion et Benoît Danard, *Télévision de pénurie, télévision d'abondance. Des origines à Internet*, Paris, La Documentation française, 2000.

POUR COMPRENDRE

1. Étudier les documents

Doc. 1 Quelles conditions ont accéléré la prise de pouvoir par Charles de Gaulle ?

Doc. 2 et 5 Quels sont les arguments des journaux hostiles à de Gaulle avant la conférence de presse ? et après ?

Doc. 3 et 4 Quel rôle joue la radio dans la crise de mai 1958 ? Comment la contrôler ?

Doc. 6 Pourquoi de Gaulle utilise-t-il la télévision ? Que rôle lui assigne-t-il ?

2. Analyse de deux documents

BAC À l'aide des documents 5 et 6, vous expliquerez les relations entre de Gaulle et la presse.

3. Aide à la composition

BAC À l'aide de vos connaissances, vous rédigerez un paragraphe qui réponde au sujet : « La diffusion de la crise de mai 1958 dans les médias ».

Au début du mois de mai 1968, un mouvement de contestation du pouvoir est initié par les étudiants de Nanterre, rejoints par ceux de la Sorbonne. Le mouvement s'étend rapidement, gagne les ouvriers et entraîne une vague de grèves dans tous les secteurs économiques. Les médias audiovisuels de masse permettent de suivre la crise en direct. À cette période, plus de la moitié des Français regardent quotidiennement la télévision et plus des deux tiers écoutent la radio. La mainmise du pouvoir sur ces médias est également au cœur des revendications.

➜ *Quel rôle les médias jouent-ils lors des « événements de mai » ?*

Dates clés

Une grève étudiante et ouvrière, une crise politique
3 mai Premiers heurts entre forces de l'ordre et étudiants.
10-11 mai Nuit des barricades. L'ORTF fait pour la première fois mention du mouvement.
13 mai Appel des syndicats à la grève générale.
24 mai Discours télévisé de De Gaulle.
25 mai Refus de la direction de l'ORTF de retransmettre les réactions politiques au discours gaulliste.
30 mai À la radio, De Gaulle annonce la dissolution de l'Assemblée nationale, 400 000 manifestants défilent en soutien au président.
16 juin Évacuation de la Sorbonne.
30 juin Raz-de-marée gaulliste aux élections législatives.

Doc. 1 Une critique de la télévision.

La télévision nous répète au moins trois fois chaque soir que la France est en paix pour la première fois depuis bientôt trente ans […]. La jeunesse s'ennuie. Les étudiants manifestent, bougent, se battent en Espagne, en Italie, en Belgique, en Algérie, au Japon, en Amérique, en Égypte, en Allemagne, en Pologne même. Ils ont l'impression qu'ils ont des conquêtes à entreprendre, une protestation à faire entendre, au moins un sentiment de l'absurde à opposer à l'absurdité, les étudiants français se préoccupent de savoir si les filles de Nanterre et d'Antony pourront accéder librement aux chambres des garçons, conception malgré tout limitée des droits de l'homme.

Quant aux jeunes ouvriers, ils cherchent du travail et n'en trouvent pas. Les empoignades, les homélies et les apostrophes des hommes politiques de tout bord paraissent à tous ces jeunes, au mieux plutôt comiques, au pire tout à fait inutiles, presque toujours incompréhensibles. Heureusement, la télévision est là pour détourner l'attention vers les vrais problèmes : […] l'encombrement des autoroutes, le tiercé, qui continue d'avoir le dimanche soir priorité sur toutes les antennes de France. […]

Seuls quelques centaines de milliers de Français ne s'ennuient pas : chômeurs, jeunes sans emploi, petits paysans écrasés par le progrès, victimes de la nécessaire concentration et de la concurrence de plus en plus rude, vieillards plus ou moins abandonnés de tous. Ceux-là sont si absorbés par leurs soucis qu'ils n'ont pas le temps de s'ennuyer, ni d'ailleurs le cœur à manifester et à s'agiter. […]

Pierre Viansson-Ponté, « Quand la France s'ennuie », *Le Monde*, 15 mars 1968.

Doc. 2 La radio galvanise les manifestations.

Le 6 mai, j'étais à Denfert-Rochereau. De là, j'ai été à Saint-Germain-des-Prés. Beaucoup de gens avaient des transistors. C'était merveilleux. L'information était instantanée, et chacun pouvait élaborer sa stratégie personnelle. J'ai senti que l'individu n'était pas un mouton dans la foule. Il réfléchissait. On écoutait autour des transistors, en grappes. Puis on repartait, on s'était autodéterminé après avoir entendu, parfois en disant trois mots aux gens qui écoutaient avec vous : « Tiens ! On va là ! Allons-y si ça pète ! Il ne faut pas laisser les copains seuls ! ». […] Il y avait bien une âme collective, mais pas de meneurs. Chacun était autonome. J'avais l'impression, en écoutant le transistor, de dominer la partie.

Philippe Labro,
« Transistors et barricades »,
dans *Ce n'est qu'un début*, Paris,
(Édition Spéciale, J.-C. Lattès),1968.

Le 24 mai, des étudiants écoutent le discours de De Gaulle annonçant qu'il ne se retirerait pas.

Doc. 3 Les étudiants critiquent la mainmise de l'État sur la radio-télévision. Affiches, ateliers populaires de l'École des Beaux-Arts de Paris, mai 1968.

Si l'ORTF est en grève, les stations périphériques comme Europe 1 et RTL diffusent des reportages pris sur le vif des manifestations.

L'ensemble des stations de radio nous ont fait vivre hier soir les manifestations du Quartier latin en multipliant les interventions à l'antenne et en prenant des risques considérables. Il est évident que la télévision était pour sa part complètement décalée sur l'événement dans son édition du soir et que nous mesurons par là la lourdeur de ses moyens dès qu'il s'agit de réagir spontanément. La volonté d'informer au maximum ne va certes pas jusqu'à aplanir les difficultés inhérentes à la technique !

Cela dit les radios ne peuvent transmettre en direct que si les liaisons disposent des circuits radiotéléphones autorisés. Ces circuits ont été retirés hier soir sur ordre du gouvernement au moment chaud, pour le motif que la police avait besoin de toutes ses fréquences[1].

Faut-il retenir cette raison officielle ? Il est certain que le gouvernement juge préjudiciable l'information à vif[2]. C'est à partir de là qu'un double problème se pose : d'une part celui du droit à l'information dont on peut, en cette période, mesurer l'importance ; et, d'autre part, celui des responsabilités de l'antenne dans des moments où la sécurité manifeste ses exigences et où la prudence et la modération s'imposent.

Le Figaro, 24 mai 1968.

1. Les journalistes continueront leurs reportages en utilisant les lignes téléphoniques des particuliers.
2. L'usage des radiotéléphones est rétabli le 30 mai, jour de la manifestation gaulliste sur les Champs-Élysées.

Doc. **5** Un responsable de l'ORTF se souvient de l'intervention du général de Gaulle à la radio (30 mai).

Si la journée du 29 mai fut [*pour de Gaulle*] la journée des incertitudes, elle fut aussi celle d'une certaine improvisation pour manifester pratiquement, mais vite, sa détermination. D'où ce choix de s'adresser aux Français dès le milieu de l'après-midi, heure propice à leur mobilisation près de leurs postes de radio (bureaux, rues, etc.), ce qui n'était pas pensable pour la télévision. D'ailleurs, du fait de la grève du service public, la plupart des gens s'étaient tournés vers l'écoute des postes périphériques.

Enfin, n'oublions pas que l'impact radio, grâce à la réception sur les transistors portatifs (nouveauté des années 1960), avait été grand auprès des soldats du contingent en Algérie, lors des tentatives de dissidence à Alger.

Les motifs ci-dessus (agir vite, impact maximum et aussi l'effet de surprise, en évitant les rendez-vous habituels de 20H00) me paraissent suffisants pour justifier le choix de la radio, le romantisme de la référence au 18 juin 1940 venant après coup dans le sursaut d'enthousiasme des fidèles du Général. [...] Le 30 mai, l'homme était revenu combatif mais physiquement fatigué ; l'image de son physique à l'écran n'aurait-elle pas affaibli l'impact sonore de sa détermination ? En outre, un enregistrement visuel nécessitait de sa part une certaine préparation, voire répétition, que, vraisemblablement, son impatience d'agir n'eut pas supportée.

Claude Mercier, « Souvenirs à propos de l'intervention radiodiffusée du général de Gaulle le 30 mai 1968 », *Cahiers d'histoire de la radiodiffusion*, n° 21, PUF, décembre 1988.

Doc. **6** La manifestation gaulliste du 30 mai 1968.

Selon les sources, entre 300 000 et un million de personnes participent à cette manifestation, en partie sur les Champs-Élysées ; la préfecture de police l'estime à 400 000 participants. Au premier rang de droite à gauche : Maurice Schumann, voix de la France libre, Michel Debré, ancien Premier ministre du général de Gaulle, et André Malraux, ministre des Affaires culturelles.

POUR COMPRENDRE

1. Étudier les documents

Doc. 1 Comment est présentée la télévision ? Quels événements semblent ignorés par les médias audiovisuels ?

Doc. 2 et 4 Quel rôle joue la radio dans les manifestations ?

Doc. 3 et 5 Qu'est-il reproché à l'ORTF ? Comment le pouvoir s'en sert-il ? Pourquoi ?

Doc. 6 Quels sont les effets politiques des événements de mai 1968 ?

2. Analyse de deux documents

BAC À l'aide des documents 1 et 3, vous montrerez les causes de la critique de la télévision en mai 1968.

3. Aide à la composition

BAC À l'aide de vos connaissances, vous rédigerez un paragraphe qui réponde au sujet : « Rôle et critique des médias dans la France de 1968 ».

3 . Depuis les années 1970, l'ère de la communication

1981 Élection de François Mitterrand   **1993** Premier navigateur Internet

1974 Fin de l'ORTF   **1982** Libéralisation des médias audiovisuels   **1983** Premier téléphone portable   **1995** Premier réseau social

→ *Comment les nouveaux modes de communication modifient-ils les rapports entre l'opinion publique, les médias et la vie politique ?*

A. À partir des années 1970, la libéralisation des médias audiovisuels

• **La libéralisation des médias est amorcée dans les années 1970.** En 1974, Valéry Giscard d'Estaing met fin à l'ORTF et accorde leur autonomie aux trois chaînes de télévision et à Radio France. Mais l'audiovisuel reste un monopole d'État que conteste le mouvement des **radios libres*** à la fin des années 1970.

• **La gauche arrivée au pouvoir met fin au monopole d'État par la loi du 29 juillet 1982.** Une Haute Autorité de Communication Audiovisuelle (HACA) est chargée d'attribuer les fréquences. Des centaines de stations de radio sont ainsi légalisées. En 1984, elles reçoivent l'autorisation de diffuser de la publicité. Elles entrent désormais dans une logique commerciale.

• **La télévision est en grande partie privatisée.** La première chaîne privée, Canal Plus, est créée en 1984, suivie de La Cinq et TV6. En 1987, TF1, chaîne publique à la plus forte audience, est privatisée au profit de l'entreprise Bouygues. Désormais, la concurrence fait rage entre les chaînes, arbitrée par l'**audimat***, dont dépendent les recettes publicitaires.

B. À partir des années 1980, l'avènement de la société de communication

• **La consommation des médias audiovisuels atteint son apogée.** La télévision est désormais à la tête du système médiatique et les autres médias (presse, radio) s'en font le relais. Le temps qui lui est consacré par chaque Français atteint une moyenne de 20 heures hebdomadaires à la fin des années 1980.

• **La politique s'empare de la communication.** Les leaders politiques cherchent à connaître les attentes de l'opinion grâce aux sondages et adaptent leur message. La télévision devient l'élément clé des stratégies de communication. Guidés par des communicants professionnels, les hommes politiques apprennent à en maîtriser les codes.

• **Le rôle des médias se modifie.** Ils cherchent moins à s'adresser à l'ensemble de l'opinion qu'à cibler une catégorie précise. La presse spécialisée, comme la presse féminine, résiste mieux que la presse d'information générale. Les chaînes de télévision thématiques, dont la multiplication a été permise par le développement du câble, du satellite ou de la Télévision Numérique Terrestre (TNT), concurrencent les chaînes généralistes.

C. Dans les années 2000, l'explosion d'Internet

• **Internet fait irruption dans les foyers français à la fin des années 1990** : 11,9 millions de Français sont connectés en 2001, plus de 38 millions en 2009. L'essor d'Internet et des nouvelles technologies semblent constituer une rupture radicale dans l'histoire des médias. Internet met à disposition une information gratuite et disponible à tout moment et en tout lieu, grâce aux téléphones mobiles ou aux tablettes tactiles. Elle permet aux usagers de devenir eux-mêmes émetteurs d'informations à grande échelle par la création d'un site, d'un blog ou d'un espace sur un **réseau social**.

• **Médias et modes d'action politique traditionnels sont critiqués.** Lors de l'élection présidentielle de 2002, la télévision se voit reprocher d'avoir donné dans la surenchère sur le thème de l'insécurité et d'avoir favorisé l'accès du Front national au second tour des élections présidentielles. Lors des manifestations contre le Contrat Première Embauche (CPE) en 2004 et du référendum sur le traité constitutionnel européen en 2005, l'unité des partis politiques traditionnels a poussé à la création d'un mouvement opposé sur Internet. À partir de 2007, la **blogosphère** puis les réseaux sociaux deviennent des outils communs de mobilisation politique et de partage intellectuel, notamment dans la perspective des élections présidentielles.

---

*C*itation

« *La concurrence des autres médias – bouquets de chaînes télé, multiplication des stations de radio, explosion d'Internet – a atteint de plein fouet les titres d'information.* »

**Laurent Beccaria
et Patrick de Saint-Exupéry**,
éditorial de la revue *XXI*, n° 16,
automne 2011.

Biographie

**Robert Hersant
(1920-1996)**

Homme politique et éditeur de presse français, il rachète plusieurs journaux à partir des années 1950 et fonde un groupe de presse Hersant dont *Le Figaro* est le fleuron. « Le papivore », à la tête d'un véritable empire de 70 titres de journaux dans les années 1980, mène en parallèle une carrière politique sous les couleurs de la droite. En 1987, il devient l'opérateur principal de la chaîne de télévision La Cinq, mais cette entreprise vire à l'échec. N'ayant pas su aborder le virage des nouveaux médias, le groupe Hersant disparaît avec son fondateur.

Mots clés

Blogosphère : Ensemble des sites personnels agissant les uns sur les autres par des renvois (liens hypertextes).

Réseau social : Ensemble d'individus ou d'organisations reliés entre eux par l'usage d'une même plateforme de communication, comme Facebook, ou une même technique d'envoi de messages, comme Twitter.

Vocabulaire

* **Audimat**
* **Radios libres**

❭ lexique p. 380 à 383

Doc. **1**

La télévision, instrument politique.

Le 10 mai 1974, entre les deux tours de l'élection présidentielle, 25 millions de Français regardent Valéry Giscard d'Estaing et François Mitterrand s'affronter à la télévision.

1. Quel impact les candidats attendent-ils d'un débat télévisé ?

Doc. **2** **Le résultat des élections est annoncé à la télévision.**

Le 8 mai 1981, à 20H00, le visage de François Mitterrand apparaît progressivement devant les écrans, annonçant son élection à la présidence de la République.

1. Quel rôle la télévision joue-t-elle au cours des élections présidentielles ?

2. Pourquoi les hommes politiques cherchent-ils à l'utiliser ?

Doc. **3** **La multiplication des chaînes de télévision.**

En 1987, un cinquième réseau télévisé est attribué à deux entrepreneurs, Robert Hersant et Silvio Berlusconi. La nouvelle chaîne éphémère inaugure en France la télévision de divertissement.

1. Pourquoi une telle multiplication de chaînes de télévision ?

2. Quel en est l'impact sur le public ?

Doc. **4** **Le rôle d'Internet lors de l'élection présidentielle de 2002.**

La surprise d'Internet est venue des utilisateurs eux-mêmes, sous l'effet du choc provoqué par la présence de Jean-Marie Le Pen au second tour. Le « séisme du 21 avril » a suscité une réaction en chaîne sur le Net […].

En quelques heures ou en quelques jours, la toile est apparue comme l'instrument le plus efficace et le plus rapide pour organiser la riposte, faire circuler l'information sur les formes variées des initiatives, alimenter et relayer les mots d'ordre, garantir le succès des manifestations de rue, nationales ou locales. Il n'est pas excessif d'affirmer, alors, que nous avons assisté au lendemain du 21 avril 2002, à la première grande mobilisation politique du Web en France. […]

Compte tenu de leur spontanéité, mais aussi de leur caractère éphémère, il est très difficile de comptabiliser le nombre de sites. On en repère des dizaines, voire des centaines, reliés entre eux par le système des liens. […] Au plus fort de l'entre-deux-tours, les sites qui nous occupent enregistrent chaque jour, entre 7 000 et 20 000 connexions. De ce point de vue, la presse écrite joue un rôle de relais essentiel, évoquant, par de nombreux articles, la mobilisation sur Internet, ou même, répertoriant les sites dans des pages spéciales du journal papier ou du journal en ligne, comme c'est le cas pour *Libération*, en pointe dans le combat anti-Le Pen.

Christian Delporte, *Images et politique en France au XXᵉ siècle*,
Paris, Nouveau monde Éditions, 2006.

1. Quel rôle joue Internet dans la mobilisation des opposants à Jean-Marie Le Pen ?

2. Quel rôle y joue la presse écrite ?

Un journal face aux pouvoirs, *Le Monde*

>>> Deux historiens interrogent l'influence du grand journal français

Le 18 décembre 1944, le premier numéro du *Monde*.

Voulu par le général de Gaulle pour recréer un journal français de référence après la collaboration de nombreux journaux pendant l'Occupation, le nouveau journal dirigé par Hubert Beuve-Méry cherche à s'affranchir des influences politiques.

Un journal né d'une volonté politique.

Le Monde naît en décembre 1944. Un vide est à remplir. Certes, beaucoup de journaux sont offerts dans les kiosques, mais avec peu d'espace, à cause de la pénurie de papier – et sans l'autorité dont jouissait naguère *Le Temps* [qui] n'a pas été autorisé à reparaître. [...] Ajoutez à cela la volonté du général de Gaulle, chef du gouvernement provisoire. Quelques mois après la libération de Paris, il s'inquiète du faible rayonnement international des journaux issus de la Résistance – en dépit de la considération entourant *Libération* d'Emmanuel d'Astier de la Vigerie, *Franc-Tireur* et surtout *Combat* de Pascal Pia et Albert Camus, qui acquiert en quelques semaines un grand prestige moral, mais qui n'a pas les moyens de fournir l'information, notamment internationale, que *Le Temps* offrait avant la guerre. De Gaulle souhaite expressément « un journal officieux en politique étrangère qui conserve une entière liberté en politique intérieure ».

Par une décision régalienne, le cabinet du Général et le ministre de l'Information Pierre-Henri Teitgen choisissent trois hommes pour leur confier cette tâche, avec comme viatique l'immeuble, l'imprimerie et l'équipe rédactionnelle du *Temps*. Christian Funck-Brentano [...] représente le gaullisme orthodoxe mais n'est guère préparé à la tâche. Un professeur d'économie politique à l'université de Montpellier, René Courtin [...] constitue l'aile droite de l'équipe, très attaché au libéralisme économique et ouvertement proaméricain.

Le troisième homme, qui s'affirmera vite comme le premier, est Hubert Beuve-Méry. [...] Après l'armistice [de juin 1940], il a été responsable des études à Uriage, l'école des cadres fondée, près de Grenoble, d'abord sous l'aile de Vichy et qui, au moment du retour de Laval en avril 1942, a rallié la Résistance : Beuve-Méry a fini la guerre dans les maquis du Périgord. Dans l'équipe du *Monde*, il apparaît comme le représentant de la famille démocrate-chrétienne. [...]

Or à la surprise générale, *Le Monde* prend des positions qui ne sont pas du tout orthodoxes. Il ne choisit pas de rallier le RPF [gaulliste], étant méfiant à l'égard des aspects autoritaires de l'entreprise du Général, mais il n'en est pas pour autant fidèle au MRP [démocrate-chrétien], qui joue un rôle central dans la conduite de la guerre d'Indochine.

Jean-Noël Jeanneney, *Une histoire des médias. Des origines à nos jours,* Paris, Le Seuil, 1996.

Jean-Noël Jeanneney (né en 1942) est un historien français, professeur à l'Institut d'Études Politiques de Paris, ancien directeur de Radio-France et de la Bibliothèque nationale de France. On lui doit *Une Histoire des médias* (1996) et *L'Écho du siècle. Dictionnaire historique de la radio et de la télévision en France* (1999). Il a été secrétaire d'État à la Communication en 1992-1993.

Contexte

Dès sa fondation en 1944, *Le Monde* occupe une place particulière dans le paysage de la presse française. Alors que sa création a été voulue et encouragée par le pouvoir politique à la Libération, il affiche immédiatement une farouche volonté d'indépendance. Autre paradoxe : pensé et conçu comme un journal de référence, il est sans doute le quotidien le plus critiqué, en particulier par les élites auxquelles il s'adresse pourtant. Ce sont ces paradoxes qui traversent toute l'histoire du *Monde* de 1944 à nos jours que deux historiens spécialistes de l'histoire des médias éclairent ici.

Un journal né d'une volonté politique.

1. Dans quel contexte le journal *Le Monde* est-il créé ?

2. Pourquoi et comment le général de Gaulle œuvre-t-il à la création du *Monde* ?

3. Quel paradoxe Jean-Noël Jeanneney met-il en avant à propos des relations du *Monde* avec le pouvoir politique ?

4. Pourquoi peut-on dire que *Le Monde* occupe dès sa création une place atypique dans la presse française ?

Une indépendance politique difficile à maintenir.

Hubert Beuve-Méry considère que *Le Monde* doit être « indépendant des partis politiques, des Églises et des puissances financières ». […] À la Libération, *Le Monde* est gaulliste […] mais farouchement hostile au parti communiste, qui le lui rend bien […]. En octobre 1946, il est favorable à la ratification de la Constitution qui inaugure la IVᵉ République […]. La première rupture avec le général de Gaulle date de cette époque. *Le Monde* penche vers le centre gauche, d'autant plus facilement qu'il se rallie à Pierre Mendès-France.

En mai 1958, Hubert Beuve-Méry prend nettement parti en faveur du général de Gaulle, en dépit de l'opposition d'une partie de la rédaction […]. Mais c'est pour mieux harceler le président : après chaque conférence de presse, Sirius [*nom sous lequel signe Beuve-Méry*] fait la leçon au Général. [*En 1962*], le quotidien du soir défend le parlementarisme et n'hésite pas à comparer de Gaulle à Franco et à Napoléon III. […]

Dans les années 1970, la rédaction et la direction naviguent entre réformisme, gauchisme et mitterrandisme […]. *Le Monde* est ouvertement partisan, jusqu'à perdre ses électeurs de droite : à la suite de l'élection de 1981, le journal voit disparaître un quart de ses lecteurs, sans pour autant conserver le soutien de François Mitterrand, qui considère que le journal est trop critique à son égard. […] C'est alors, en 1985, que survient l'attentat contre le *Rainbow Warrior*, le bateau de Greenpeace que les services secrets français ont dynamité. L'enquête des journalistes d'investigation révèle que la décision a été prise aux plus hauts niveaux de l'État. Elle permet aussi au journal de démontrer à ses lecteurs qu'il a cessé d'être complaisant envers le président de la République. […]

Finalement, si *Le Monde* est longtemps apparu comme un journal gris, ce n'est pas dû à sa maquette austère mais à ses conceptions éditoriales : soucieux d'équilibre, il cherche à refléter l'ensemble du paysage politique français et à se faire l'écho de tous les choix de société. Mais ce faisant, il mécontente forcément une partie de son lectorat. Et lorsqu'il ne tient plus ce rôle, lorsqu'il devient partisan, il se met en péril.

Patrick Eveno, « Le Monde : soixante ans de politique », *L'Histoire*, n° 293, décembre 2004.

Dessin de Plantu, *Le Monde*, 16 mai 2007.

Élu président de la République le 6 mai 2007, Nicolas Sarkozy est investi dans ses fonctions le jour où paraît cette caricature. Plantu critique le *Journal du Dimanche*, accusé d'avoir diffusé sans critique la communication du candidat N. Sarkozy. Ce caricaturiste publie dans *Le Monde* un dessin quotidien depuis 1985.

Patrick Eveno (né en 1947) est professeur d'histoire contemporaine à l'Université Paris-1 et dans plusieurs écoles de journalisme. Il enseigne l'histoire des médias et l'histoire des industries culturelles. Il a notamment publié une *Histoire du journal Le Monde (1944-2004)* et *L'Argent de la presse française des années 1820 à nos jours*.

Une indépendance politique difficile à maintenir.

1. Vis-à-vis de qui *Le Monde* doit-il être indépendant selon Hubert Beuve-Méry ?

2. Comment peut-on caractériser les relations entre *Le Monde* et le général de Gaulle ?

3. Quel paradoxe Patrick Eveno met-il en avant concernant les relations du *Monde* avec son lectorat ?

4. *Le Monde* peut-il être considéré comme un journal d'opinion ? Justifiez la réponse en comparant *Le Monde* avec d'autres quotidiens français.

Bilan

À partir de l'exemple du *Monde*, vous montrerez en quoi les relations entre le pouvoir et la presse sont complexes.

Médias et opinion publique en France de l'Affaire Dreyfus à nos jours

L'essentiel

➜ *Face aux crises politiques, quel rôle les médias jouent-ils auprès de l'opinion publique française ?*

1. La presse joue un rôle majeur dans la formation de l'opinion publique.

• La naissance de la IIIᵉ République place l'instruction et le débat politique au cœur de la vie publique. Les journaux jouent un rôle essentiel dans la République.

• Lors des crises politiques majeures, la presse prend parti, comme lors de l'Affaire Dreyfus ou lors de la crise du 6 février 1934.

• Pendant la Grande Guerre, l'introduction d'une sévère censure introduit une volonté plus forte de l'État de contrôler ce qui se publie, puis face à l'essor de la radio, ce qui se dit.

2. Entre 1940 et mai 1968, les médias audiovisuels sont contrôlés par l'État.

• Dès le début de la Seconde Guerre mondiale, des journaux sont interdits. La radio sert d'outil majeur pour la propagande allemande et vichyste et pour la Résistance.

• En 1945, la quasi-totalité des titres de la presse française renaissent, en utilisant parfois les moyens techniques de la presse de collaboration.

• Contrôlées par l'État, la radio et de plus en plus la télévision se développent dans les foyers, et jouent un rôle majeur lors des crises de 1958, 1961 et 1968.

3. Depuis les années 1970, la démocratie d'opinion naît de la critique des médias traditionnels.

• Après mai 1968, le contrôle des médias par l'État est fortement critiqué. L'ORTF, libéralisée en 1974, est démantelée. En 1982 la radio et la télévision sont libéralisées.

• Dans les années 1980, l'essor des télévisions privées accompagne l'avènement de la société de communication. En parallèle, la presse connaît des difficultés financières.

• À partir de la fin des années 1990, l'essor de l'Internet et des réseaux sociaux obligent les médias traditionnels à se renouveler face aux critiques nées de l'action directe des citoyens dans les médias, la démocratie d'opinion.

Mots clés

• Audimat
• Blogosphère
• Bourrage de crâne
• Guerre des ondes
• Opinion publique
• ORTF
• Radios libres
• Radios périphériques
• Réseau social

Personnages

H. Beuve-Méry (1902-1989).
❱ Bio p. 141

L. Daudet (1867-1942)
❱ Bio p. 137

R. Hersant (1920-1996).
❱ Bio p. 146

A. Peyrefitte (1925-1999)
❱ Bio p. 138

Synthèse

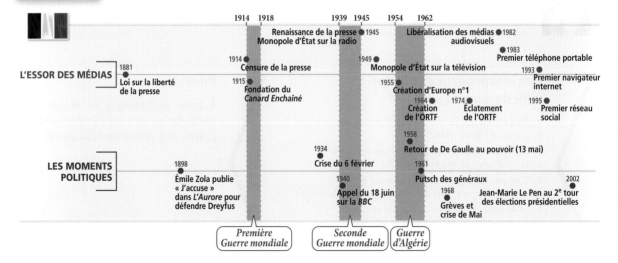

L'ESSOR DES MÉDIAS

1881 — Loi sur la liberté de la presse

1914 — Censure de la presse

1915 — Fondation du *Canard Enchaîné*

Renaissance de la presse ● 1945
Monopole d'État sur la radio

1949 ● Monopole d'État sur la télévision

1955 ● Création d'Europe n°1

1964 ● Création de l'ORTF

1974 ● Éclatement de l'ORTF

Libéralisation des médias ● 1982 audiovisuels

● 1983 Premier téléphone portable

1993 ● Premier navigateur internet

1995 ● Premier réseau social

LES MOMENTS POLITIQUES

1898 — Émile Zola publie « J'accuse » dans *L'Aurore* pour défendre Dreyfus

1934 ● Crise du 6 février

1940 ● Appel du 18 juin sur la *BBC*

1958 ● Retour de De Gaulle au pouvoir (13 mai)

1961 ● Putsch des généraux

1968 ● Grèves et crise de Mai

2002 ● Jean-Marie Le Pen au 2ᵉ tour des élections présidentielles

Première Guerre mondiale | *Seconde Guerre mondiale* | *Guerre d'Algérie*

1914 1918 1939 1945 1954 1962

BAC Composition

Méthode
> p. 10

Introduction	Explication des termes du sujet et du contexte, annonce de la problématique et du plan.
Développement	Argumentation organisée en paragraphes (un paragraphe = une idée + un exemple développé).
Conclusion	Réponse à la problématique et ouverture (une ou deux idées qui montrent l'intérêt du sujet traité).

Sujet 1

Conseils

Introduction : rappelez la loi de 1881, qui influence l'ensemble de la période.
Développement : un plan chronologique est conseillé, articulé autour de crises majeures.
Conclusion : insistez sur les difficultés de l'État à contrôler l'Internet.

Lecture du sujet

Il convient d'analyser les politiques mises en place par l'État à l'égard des médias. La question du contrôle des médias par l'État apparaît centrale.

État et médias en France depuis la fin du XIXe siècle.

Pensez à envisager les différents types de médias en distinguant en particulier la presse et les médias audiovisuels.

Il faut évoquer la loi de 1881 sur la liberté de la presse et l'Affaire Dreyfus.

Mots clés
- Bourrage de crâne
- Opinion publique
- ORTF
- Radios libres
- Radios périphériques
- Société de communication

Personnages attendus
- H. Beuve-Méry
- A. Peyrefitte
- R. Hersant

Chronologie

1881 Loi sur la liberté de la presse	**1949** Monopole d'État sur la télévision
1894 Début de l'Affaire Dreyfus	**1961** Putsch des généraux
1914 Censure de la presse	**1964** Création de l'ORTF
1934 Crise du 6 février	**1968** Grèves et crise de Mai
1945 Renaissance de la presse, monopole d'État sur la radio	**1982** Libéralisation des médias audiovisuels

Sujet 2

Conseils

Introduction : rappeler qui est Charles de Gaulle peut sembler évident.
Développement : organisez votre plan autour des crises attendues.
Conclusion : insistez sur l'influence qu'a eue de Gaulle sur l'action des présidents qui lui ont succédé.

Lecture du sujet

Sur la période envisagée, le général de Gaulle est successivement chef de la France libre (1940-1944), chef du gouvernement provisoire (1944-1946), opposant à la IVe République (1946-1958), président de la Ve République (1958-1969).

Le général de Gaulle et les médias en temps de crise (1940-1969).

Sur cette période, on peut identifier différents moments de crise : l'Occupation (1940-1944), mai 1958, le putsch des généraux (avril 1961), Mai 68.

Pensez à envisager les différents types de médias. Le général de Gaulle n'a pas eu les mêmes relations avec la presse ou les médias audiovisuels.

Mots clés
- Guerre des ondes
- Opinion publique
- ORTF
- Radios périphériques

Personnages attendus
- Ch. de Gaulle
- H. Beuve-Méry
- A. Peyrefitte

Chronologie

1940 Appel du 18 juin sur la *BBC*	**1958** Retour de De Gaulle au pouvoir (13 mai)
1945 Renaissance de la presse quotidienne régionale, monopole d'État sur la radio	**1961** Putsch des généraux
1949 Monopole d'État sur la télévision	**1964** Création de l'ORTF
1955 Création d'Europe n° 1	**1968** Grèves et crise de Mai

Introduction	Explication du sujet et du contexte, annonce de la problématique.	Méthode
Développement	Argumentation organisée en paragraphes qui structurent la réponse à la consigne.	> p. 11
Conclusion	Réponse à la problématique et ouverture (une ou deux idées qui montrent l'intérêt du sujet traité).	

Sujet   Le maréchal Pétain s'adresse aux Français (25 juin 1940).

Consigne : Présentez le document en montrant le rôle que joue la radio dans le contexte de la défaite.
Montrez comment Pétain justifie les décisions imposées par l'armistice.
Repérez ce que Pétain dit des appels à continuer les combats dans les colonies et à l'étranger.
Montrez quelles valeurs il met en avant pour justifier les nouvelles relations avec l'Allemagne
et expliquez ce qu'il en advient lors de cette année 1940.

Le jour où le maréchal Pétain prononce ce discours, les radios de la zone occupée cessent d'émettre, en vertu de l'armistice du 22 juin.

Les conditions auxquelles nous avons dû souscrire sont sévères. Une grande partie de notre territoire va être temporairement occupée. [...] Nos armées devront être démobilisées, notre matériel remis à l'adversaire, nos fortifications rasées, notre flotte désarmée dans nos ports. En Méditerranée, des bases navales seront démilitarisées. Du moins l'honneur est-il sauf. [...]
Je ne serais pas digne de rester à votre tête si j'avais accepté de répandre le sang des Français pour prolonger le rêve de quelques Français mal instruits des conditions de la lutte. Je n'ai placé hors du sol de France ni ma personne ni mon espoir. Je n'ai jamais été moins soucieux de nos colonies que de la métropole. [...]
C'est vers l'avenir que désormais nous devons tourner nos efforts. Un ordre nouveau commence. Vous serez bientôt rendus à vos foyers. Certains auront à les reconstruire. Vous avez souffert, vous souffrirez encore. Beaucoup d'entre vous ne retrouveront pas leur métier ou leur maison. Votre vie sera dure.

Ce n'est pas moi qui vous bernerai par des paroles trompeuses. Je hais les mensonges qui vous ont fait tant de mal. La terre, elle, ne ment pas. Elle demeure votre recours. Elle est la patrie elle-même. Un champ qui tombe en friche, c'est une portion de France qui meurt. Une jachère à nouveau emblavée, c'est une portion de la France qui renaît.
N'espérez pas trop de l'État. Il ne peut donner que ce qu'il reçoit. Comptez, pour le présent, sur vous-mêmes et, pour l'avenir, sur vos enfants que vous aurez élevés dans le sentiment du devoir.
Nous avons à restaurer la France. Montrons-la au monde qui l'observe, à l'adversaire qui l'occupe, dans tout son calme, tout son labeur et toute sa dignité. Notre défaite est venue de nos relâchements. L'esprit de jouissance détruit ce que l'esprit de sacrifice a édifié. C'est à un redressement intellectuel et moral que, d'abord, je vous convie. Français, vous l'accomplirez et vous verrez, je vous le jure, une France neuve sortir de votre ferveur.

Philippe Pétain, discours radiodiffusé, Bordeaux, 25 juin 1940.

Répondre à la consigne

Conseil

Veillez à critiquer, c'est-à-dire à interroger le document dans son contexte.

En introduction, vous devez notamment...
• Présenter la nature du document, son auteur et sa fonction au moment du document.
• Rappeler le contexte militaire de juin 1940, et la place que prend la radio dans les communications.
• Énoncer une problématique.

Développement : une explication structurée en paragraphes
• Repérez comment Pétain justifie les décisions de l'armistice. Comment « l'honneur » est-il justifié ?
• Repérez qui est critiqué derrière l'expression « Français mal instruits » ou « paroles trompeuses ». Prêtez attention à la chronologie des discours radiodiffusés de ce mois de juin 1940.
• Sur quoi repose « l'esprit de sacrifice » ? Pensez à reprendre la chronologie du régime de Vichy, de la collaboration, des radios collaborationnistes, etc.

En conclusion, il faut par exemple...
• Répondre à la problématique choisie au début de la réponse.
• Montrer l'intérêt du document en insistant sur le rôle joué par la radio dans la lutte entre la collaboration et la Résistance, mais aussi dans la communication hors de France à d'autres occasions de la guerre, comme après l'attaque de Pearl Harbor.

Introduction	Explication du sujet et du contexte, annonce de la problématique.	**Méthode**
Développement	Argumentation organisée en paragraphes qui structurent la réponse à la consigne.	**› p. 11**
Conclusion	Réponse à la problématique et ouverture (une ou deux idées qui montrent l'intérêt du sujet traité).	

Sujet Le général de Gaulle évoque sa réaction au putsch des généraux (1961).

Consigne : Présentez le document dans son contexte en rappelant quelle est l'image de son auteur et quelles sont ses fonctions. Rappelez la situation dans laquelle se trouve la France en Algérie. Expliquez pourquoi et comment le général de Gaulle a utilisé les médias lors du putsch des généraux. Montrez la portée d'un tel moment sur l'opinion publique, en France comme en Algérie.

Je ne me dissimule donc pas que cette tentative effrénée ait, en Algérie, des chances de saisir initialement l'avantage et je m'attends à ce qu'elle soit conduite à lancer sur Paris une expédition qui, grâce à d'actives complicités au milieu d'une passivité assez généralisée, essaierait de submerger le pouvoir. Ma décision est prise. Il faut réduire la dissidence sans composer, ni différer, en affirmant dans toute sa rigueur la légitimité qui est mienne et en amenant ainsi le peuple à prendre parti pour la loi et l'armée pour la discipline. [...]

[*Le dimanche 23 avril*], à 8 heures du soir, je suis, en uniforme, sur les écrans et au micro, pour assumer *urbi et orbi* mes responsabilités.

« Un pouvoir insurrectionnel s'est établi en Algérie par un pronunciamiento militaire. Ce pouvoir a une apparence : un quarteron de généraux en retraite. [...] Au nom de la France, j'ordonne que tous les moyens, je dis tous les moyens, soient employés pour barrer la route à ces hommes-là, en attendant de les réduire. J'interdis à tout Français, et d'abord à tout soldat, d'exécuter aucun de leurs ordres... [...] Devant le malheur qui plane sur la patrie et la menace qui pèse sur la République, j'ai décidé de mettre en œuvre l'article 16 de la Constitution. [...] Par là même, je m'affirme, pour aujourd'hui et pour demain, en la légitimité française et républicaine que la nation m'a confiée, que je maintiendrai, quoi qu'il arrive, jusqu'au terme de mon mandat ou jusqu'à ce que me manquent soit les forces, soit la vie, et dont je prendrai les moyens qu'elle demeure après moi... Françaises, Français ! Aidez-moi ! » Tous, partout, m'ont entendu. En métropole, il n'est personne qui n'ait pris l'écoute. En Algérie, un million de transistors ont fonctionné[1]. À partir de ce moment, la dissidence rencontre sur place une résistance passive qui se précise à chaque instant.

Charles de Gaulle, *Mémoires d'espoir*, t. 2, *L'Effort (1962-...)*, Paris, Plon, 1971.

1. Alors que Radio Alger est aux mains des putschistes, Radio Monte-Carlo, seule station dont les ondes traversent la Méditerranée, est chargée de diffuser toutes les heures l'appel du général de Gaulle.

Répondre à la consigne

Conseil

L'article 16 de la Constitution permet à de Gaulle de prendre les pleins pouvoirs en cas de danger national. Attention à la manière dont le document le justifie.

En introduction, vous devez notamment...

• Présenter la nature du document : pourquoi des Mémoires doivent-ils faire l'objet d'une analyse critique ?
• Présenter brièvement l'auteur : quelle fonction occupe-t-il à la date du discours ?
• Rappeler le contexte du discours : qu'est-ce que le putsch des généraux ?
• Énoncer une problématique.

Développement : une explication structurée en paragraphes

• Respectez l'ordre des consignes et reprenez leur formulation dans votre réponse.
• Analysez la façon dont le général de Gaulle utilise les ressources de la télévision et de la radio : comment utilise-t-il l'image ? Comment dramatise-t-il la situation dans son discours ? À quel autre discours radiodiffusé celui-ci fait-il écho ?
• Analysez la façon dont ce discours a influencé l'opinion : quel est l'impact de la radio et de la télévision sur l'opinion publique en 1961 ? Comment le général de Gaulle décrit-il l'état de l'opinion ?

En conclusion, il faut par exemple...

• Répondre à la problématique choisie au début de la réponse.
• Montrez l'intérêt historique du document en le replaçant dans l'histoire de l'usage des médias par le général de Gaulle en temps de crise entre le 18 juin 1940 et le 30 mai 1968.

BAC Étude critique de deux documents

Introduction	Explication du sujet et du contexte, annonce de la problématique.	**Méthode**
Développement	Argumentation organisée en paragraphes qui structurent la réponse à la consigne.	**> p. 11**
Conclusion	Réponse à la problématique et ouverture (une ou deux idées qui montrent l'intérêt du sujet traité).	

Sujet La mort de Charles de Gaulle (1970).

Consigne : Présentez les deux documents et leurs contextes respectifs, et montrez que la mort de Charles de Gaulle le 9 novembre 1970 a donné lieu, après mai 1968, à des réactions divergentes selon le type de presse. Demandez-vous si la presse reflète alors l'état de l'opinion publique.

Doc. 1 L'hommage du *Figaro*.

Nous pressentions qu'il tomberait d'un coup, comme ses frères, comme l'un des arbres de cette forêt des marches de l'Est où nous l'avons confiné deux fois… Il nous aura sauvés un jour du déshonneur, en chassant l'occupant des âmes françaises bien avant que les armées vinssent lui signifier ce congé sur le terrain ; il nous aura sauvés de la dictature et de la guerre civile, il nous aura rendu la confiance et l'amitié des peuples pauvres, il aura réconcilié la France avec l'image d'elle-même qu'elle avait distribuée à travers le monde, il aura reconstitué en sous-œuvre l'unité de son pays menacé de désintégration, il nous aura épargné la honte de retarder indéfiniment la libération des peuples auxquels nous avions enseigné la liberté, et nous lui aurons accordé l'an dernier, au mois d'avril, à la majorité, et pour reprendre une fois encore l'inoubliable mot du *Soulier de satin*, « la seule récompense qu'il méritât et qui fut digne de lui : l'ingratitude ». Il est parti avec ce viatique, précédé de peu par Edmond Michelet, son vieux compagnon, et il n'y aura pas de fin aux Mémoires ; mais cette mémoire n'aura pas de fin dans nos livres.

André Frossard, « La seule récompense », éditorial du *Figaro*, le 10 novembre 1970.

Doc. 2 La couverture de Hara-Kiri.

Quelques jours avant la mort de Charles de Gaulle, un incendie dans un dancing provoque la mort de 146 personnes. La presse use et abuse du terme « bal tragique ». Le 17 novembre, *Hara-Kiri* est interdit de publication.

Jacques Faizant, dessin paru dans *Le Figaro*, le 10 novembre 1970.

1. Lire le sujet et mobiliser ses connaissances

Conseil

Attention aux positions politiques des médias, qui orientent l'annonce de l'événement.

Quels médias sont ici confrontés ?

• **À propos du doc. 1** : à quelle tendance politique appartient *Le Figaro* ?
Quel est le rôle d'un éditorial ? Et d'un dessin de presse ?
Le moment d'un hommage peut-il être celui du recul critique ?
• **À propos du doc. 2** : quel est le type de presse dont *Hara-Kiri* est un des représentants ?
Quel est le rôle d'une telle presse ?

Quel est le contexte en France ?

• À l'aide de votre cours, expliquez la situation politique de la France : depuis quand de Gaulle a-t-il quitté le pouvoir ? Après quelle période ?

Quelle est l'image de Charles de Gaulle en 1970 ?

• Quelle est son image politique ? Son image personnelle ? Son image internationale ?
Pourquoi une partie de la presse peut-elle le critiquer comme le fait *Hara-Kiri* ?

2. Confronter les documents à ses connaissances

Conseil

Replacez le moment dans son contexte : qui contrôle ce qu'écrivent les médias ?

Le chef de la Résistance

• À l'aide de votre cours, expliquez les expressions utilisées par André Frossard. De Gaulle a été « confiné deux fois » chez lui, en Lorraine, c'est-à-dire qu'il a quitté le pouvoir. À quelles occasions ?
En quel « jour » a-t-il sauvé la France « du déshonneur », et quel rôle les médias ont-il joué ?

Le chef d'État

• À l'aide de votre cours, expliquez encore les expressions utilisées par André Frossard.
À quelle occasion les Français ont-ils été « sauvés de la dictature et de la guerre civile » ?
Discutez cette expression s'agissant de 1958 et de 1961. À quoi est-il fait allusion à propos de « la libération des peuples auxquels nous avions enseigné la liberté » ?
Quelles en ont été les conséquences ?

Le président critiqué

• Pourquoi le doc. 2 est-il la cause de l'interdiction du journal ? À quelle occasion la censure s'applique-t-elle à l'époque ? Une telle attaque aurait-elle pu avoir lieu dans une radio de l'époque ? et à l'ORTF ?

3. Répondre à la consigne

Conseil

Veillez à rester critique, c'est-à-dire neutre, vis-à-vis du sujet traité.

En introduction, vous devez notamment...

• Replacer les deux documents dans leur contexte : le départ de Charles de Gaulle du pouvoir après mai 1968 et le référendum de 1969, l'essor de la presse critique, le contrôle de la radio et de la télévision.
• Énoncer une problématique reliée aux médias.

Dans un développement structuré en paragraphes, il serait bon de...

• Analyser le doc. 1 et montrer que derrière la description factuelle du rôle du général l'hommage est sans nuances.
• Rappeler l'influence de la presse auprès de l'opinion publique et son recul face aux médias audiovisuels.
• Expliquer pour quelle raison le doc. 2 peut choquer ou amuser, et dire quelles catégories de la population sont concernées par ces éventuelles réactions.

En conclusion, il faut par exemple...

• Répondre à la problématique choisie au début de la réponse.
• Montrer la portée des documents, notamment par rapport au contrôle de l'information et à la censure qui existe encore, et rappeler les changements que les années 1970 et 1980 vont introduire.

chapitre 6

Religion et société aux États-Unis depuis les années 1890

Les États-Unis sont nés en 1776 avec la déclaration d'indépendance des 13 colonies britanniques d'Amérique. La Constitution de 1787 s'inspire des idées des Lumières et sépare la politique et la religion, mais la vie politique et sociale reste empreinte des valeurs du protestantisme anglo-saxon.

À la fin du XIXᵉ siècle, l'arrivée massive de migrants catholiques et juifs en provenance d'Europe bouleverse la société américaine. Depuis que les dernières tribus indiennes ont été battues en 1890 et que la conquête du territoire est achevée, les Américains, qui se définissaient comme des pionniers, sont confrontés au *melting pot*.

Depuis 1890, l'Amérique tente de définir son identité à travers les troubles économiques et sociaux, la ségrégation raciale, l'intervention dans les guerres mondiales et la Guerre froide, construisant un modèle fondé sur la liberté individuelle.

➜ *Quel rôle la religion joue-t-elle dans la vie politique et sociale des États-Unis depuis la fin du XIXᵉ siècle ?*

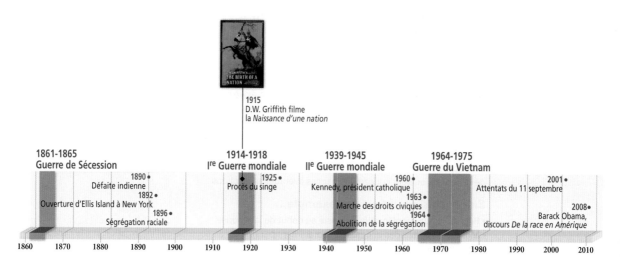

1915
D.W. Griffith filme
la *Naissance d'une nation*

1861-1865
Guerre de Sécession

1890 •
Défaite indienne
1892 •
Ouverture d'Ellis Island à New York
1896 •
Ségrégation raciale

1914-1918
Iʳᵉ Guerre mondiale

1925 •
Procès du singe

1939-1945
IIᵉ Guerre mondiale

1960 •
Kennedy, président catholique
1963 •
Marche des droits civiques
1964
Abolition de la ségrégation

1964-1975
Guerre du Vietnam

2001 •
Attentats du 11 septembre

2008•
Barack Obama,
discours *De la race en Amérique*

1860   1870   1880   1890   1900   1910   1920   1930   1940   1950   1960   1970   1980   1990   2000   2010

Grant Wood, *American Gothic*, 1930. Art Institute of Chicago.

• En 1930, les États-Unis sont en pleine remise en question. Le krach de Wall Street a mis à bas l'idée d'une prospérité considérée comme évidente jusqu'alors. Ce tableau réaliste met en avant l'image d'une Amérique mythique : celle des pionniers du Middle West, ancrés dans les valeurs d'austérité morale, d'autorité paternelle, du travail agricole nécessaire à la conquête du territoire, et empreints de la rugueuse piété puritaine mythique des pères pèlerins et des fondateurs de l'Union.

Les Américains, la politique et le fait religieux

« *C'est à nous de faire en sorte que ces morts ne soient pas morts en vain ; à nous de vouloir qu'avec l'aide de Dieu notre pays renaisse dans la liberté ; à nous de décider que le gouvernement du peuple, par le peuple et pour le peuple ne disparaîtra jamais de la face du monde.* »

Président Abraham Lincoln, *Gettysburg Address*, 19 novembre 1863, en pleine guerre de Sécession (1861-1865).

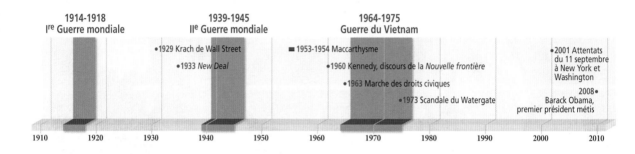

1914-1918
Ire Guerre mondiale

1939-1945
IIe Guerre mondiale

1964-1975
Guerre du Vietnam

• 1929 Krach de Wall Street

• 1933 *New Deal*

■ 1953-1954 Maccarthysme

• 1960 Kennedy, discours de la *Nouvelle frontière*

• 1963 Marche des droits civiques

• 1973 Scandale du Watergate

• 2001 Attentats du 11 septembre à New York et Washington

2008 •
Barack Obama,
premier président métis

1910   1920   1930   1940   1950   1960   1970   1980   1990   2000   2010

1. Les présidents des États-Unis depuis 1889 : tous protestants, sauf Kennedy

Fédération de 50 États, les États-Unis sont une démocratie libérale où les pouvoirs sont séparés : le président dirige le pouvoir exécutif, la Chambre des représentants et le Sénat dirigent le pouvoir législatif, et la Cour suprême contrôle la conformité des lois et des décisions de justice à la Constitution. Deux grands mouvements politiques animent la vie politique : les démocrates, partisans d'une intervention de l'État dans l'économie, et les républicains, plus conservateurs.

Démocrates		Républicains
	1889-1893	B. Harrison
G. Cleveland	1893-1896	
	1897-1901	W. McKinley
	1901-1908	T. Roosevelt
	1909-1912	W.H. Taft
W. Wilson	1912-1920	
	1921-1923	W. Harding (décédé)
	1923-1928	J. Coolidge
	1929-1932	H. Hoover
F.D. Roosevelt (décédé)	1933-1945	
H. Truman	1945-1952	
	1953-1960	D.D. Eisenhower
J.F. Kennedy (assassiné)	1961-1963	
L. Johnson	1963-1968	
	1969-1974	R. Nixon (démissionnaire)
	1974-1976	G. Ford
J. Carter	1977-1980	
	1981-1988	R. Reagan
	1989-1992	G. Bush
W. Clinton	1993-2000	
	2001-2008	G.W. Bush
B. Obama	2009-...	

2. 1892, Ellis Island, porte d'entrée des migrants

À partir de 1892, le port de New York se dote d'un lieu d'accueil des migrants sur l'île d'Ellis Island, près de la statue de la Liberté. New York est jusqu'en 1939 le plus important lieu d'immigration du continent américain.

3. 1896-1964, la ségrégation raciale

Magasin réservé aux Noirs en 1945, à Belle Glade (Floride). Au même moment, soldats noirs et blancs de l'armée américaine libèrent l'Europe. La guerre de Sécession (1861-1865) a imposé l'abolition de l'esclavage, mais la ségrégation subsiste dans les États du Sud.

4. En 1960, Kennedy et la Nouvelle Frontière

Le 15 juillet 1960, le candidat démocrate John F. Kennedy, qui sera élu en novembre président des États-Unis, est le premier président catholique. Il prononce un discours sur la « nouvelle frontière » que les États-Unis doivent dépasser. En reprenant le mythe fondateur de la frontière terrestre, dépassée en 1893 avec la fin de la conquête de l'Ouest, il appelle à dépasser les frontières extérieures (conquête de l'espace, p. 185) et intérieures (fin de la ségrégation).

5. En 2009, Obama prête serment sur la Bible de Lincoln

Le 20 janvier 2009, Barack Obama prête serment sur la Bible du président abolitionniste Abraham Lincoln. Le texte du serment est le suivant : « Je jure solennellement que j'exécuterai loyalement la charge de président des États-Unis et que dans toute la mesure de mes moyens, je préserverai, protégerai et défendrai la Constitution des États-Unis. » Beaucoup de présidents ajoutent : « avec l'aide de Dieu. »

Les religions aux États-Unis

Depuis 1791, le premier amendement de la Constitution garantit la liberté religieuse. Jusqu'au début du XXᵉ siècle, la population est massivement **WASP**.
Mais l'immigration de populations de religion catholique, juive et musulmane, alliée à la liberté religieuse pour des mouvements considérés ailleurs comme des sectes, font des États-Unis un pays où la religiosité est érigée en norme. Ces normes sont appliquées dans la vie sociale, les habitudes culturelles ; elles profitent aux actions économiques et orientent également le fonctionnement de la vie politique.

Mot clé

WASP : *White Anglo Saxon Protestant*, nom donné aux protestants blancs d'origine anglo-saxonne constituant la population d'origine des colons britanniques d'Amérique.

Doc. **1** La formation du territoire américain.

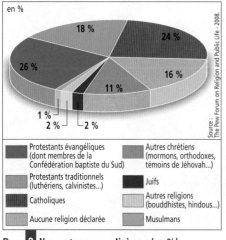

Doc. **2** L'appartenance religieuse (en %).

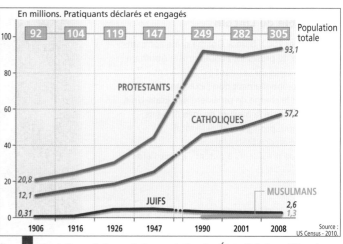

Doc. **3** L'évolution religieuse de la population des États-Unis (en millions).

160

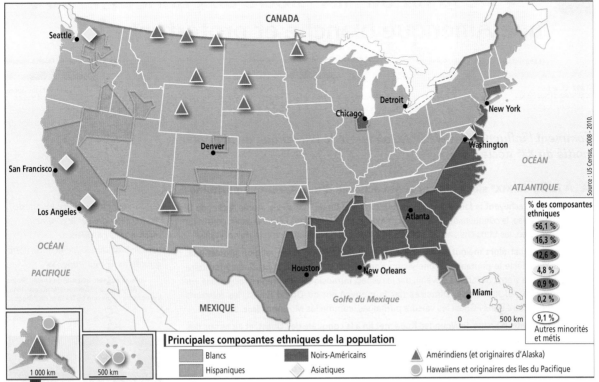

Doc. **4** **La répartition ethnique de la population, par comté (2008).**

Principales composantes ethniques de la population

- Blancs
- Hispaniques
- Noirs-Américains
- Asiatiques
- Amérindiens (et originaires d'Alaska)
- Hawaiiens et originaires des îles du Pacifique

% des composantes ethniques
- 56,1 %
- 16,3 %
- 12,6 %
- 4,8 %
- 0,9 %
- 0,2 %
- 9,1 % Autres minorités et métis

Source : US Census, 2008 - 2010.

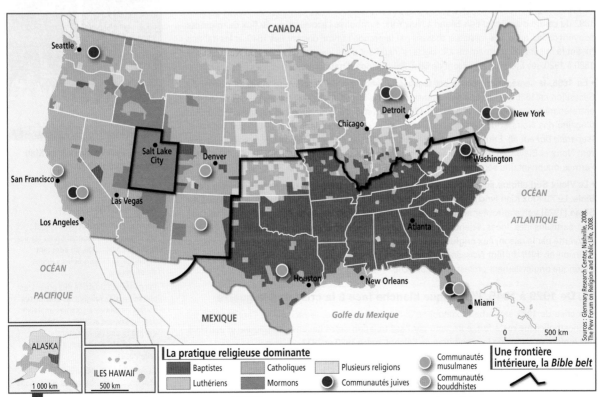

Doc. **5** **La pratique religieuse dominante, par comté (2008).** La *Bible belt* délimite les territoires les plus religieux.

La pratique religieuse dominante
- Baptistes
- Luthériens
- Catholiques
- Mormons
- Plusieurs religions
- Communautés juives
- Communautés musulmanes
- Communautés bouddhistes

Une frontière intérieure, la *Bible belt*

Sources : Glenmary Research Center, Nashville, 2008.
The Pew Forum on Religion and Public Life, 2008.

1. De la fin du XIXᵉ siècle aux années 1940 : une Amérique blanche et protestante ?

1892 Ouverture d'Ellis Island (New York)

1896 Instauration de la ségrégation raciale

1914-1918 Première Guerre mondiale

1925 Procès du Singe
1928 Interdiction du Ku Klux Klan

1929 Krach de Wall Street

1939-1945 Seconde Guerre mondiale

1941 Attaque japonaise contre Pearl Harbor

→ *Comment l'influence des WASP façonne-t-elle l'Amérique de la première moitié du XXᵉ siècle ?*

A. À la fin du XIXᵉ siècle, la conquête achevée d'une Amérique puritaine

• **Les États-Unis achèvent la formation de leur territoire à la fin du XIXᵉ siècle.** Après l'achat de la Louisiane française, la conquête de la Californie mexicaine, du Texas, de la Floride espagnole et de l'Oregon canadien, les États-Unis achètent l'Alaska à la Russie (1867) et annexent Hawaï (1898).

• **La population est alors majoritairement d'origine anglo-saxonne et de religion protestante.** Depuis le XVIIᵉ siècle le **puritanisme**, une vision rigoriste du calvinisme, considère ce territoire comme une terre vierge destinée à devenir, par le respect intransigeant des règles religieuses, un paradis terrestre. Au XIXᵉ siècle, stimulées par le mouvement du Grand Réveil, les missions protestantes ancrent dans l'Ouest les valeurs puritaines, comme les Mormons (doc. 3).

• **En 1890, la défaite indienne de Wounded Knee met fin à la conquête de l'Ouest, et au temps des pionniers** persuadés que les États-Unis ont reçu de la Providence (Dieu) la « destinée manifeste » de contrôler le continent. Les tensions issues de la guerre de Sécession (1860-1865) et les difficultés d'application de l'abolition de l'esclavage montrent une Amérique divisée.

B. Dans les années 1890-1920, une identité en mutation

• **L'essor migratoire du XIXᵉ siècle voit s'opposer protestants et catholiques.** L'ouverture en 1892 du centre d'accueil d'Ellis Island à New York, symbolise l'accélération du flux de migrants souvent catholiques. Les Irlandais, chassés par la grande famine des années 1840, et les Italiens fuyant la misère, au tournant du XXᵉ siècle, s'installent dans les grandes villes du Nord-Est. De 1880 à 1920, les États-Unis passent de 50 à 106 millions d'habitants.

• **En 1896, la ségrégation raciale est légalisée.** L'abolition de l'esclavage après la guerre de Sécession en 1865 n'a pas apaisé les tensions. Le Ku Klux Klan (p. 166) est créé la même année, entretenant le racisme dans le Sud. En 1896, un arrêt de la Cour suprême rappelle le principe d'égalité des Noirs et des Blancs mais autorise la séparation dans la vie publique et privée (*separate but equal*). Entreprises, commerces, armée, écoles et transports en communs séparent Noirs et Blancs en toute légalité, et les mariages interraciaux sont interdits. En 1917-1918, l'armée maintient une séparation entre Noirs et Blancs.

• **Le Vieux Sud affirme son identité blanche protestante attachée à une lecture littérale de la Bible.** Le Ku Klux Klan lynche les Noirs qui cherchent à exercer leur droit de vote. Le **procès du Singe (1925)** voit s'affronter les partisans d'une lecture littérale de la Bible, les créationnistes, aux partisans des idées scientifiques de Darwin, les évolutionnistes. L'idéal d'un peuple gouverné par la raison, aux origines mélangées, le *melting pot*, est combattu dans les faits. La diffusion en 1915 du film *Naissance d'une nation* stimule l'idée, chez nombre de *WASP*, d'une Amérique originellement protestante et blanche.

C. De 1929 à 1945, l'Amérique blanche face à la crise et à la guerre

• **La crise de 1929** exacerbe la xénophobie, l'anticatholicisme, le racisme et l'antisémitisme. L'anticatholicisme reste fort, entretenu par l'assimilation entre Italiens catholiques et activités des mafias au temps de la prohibition de l'alcool, entre 1920 et 1933.

• **Les *WASP* se partagent, en 1940, entre isolationnistes et interventionnistes.** Les Églises de la *Bible belt* sont opposées à toute intervention américaine hors du continent et s'appuient sur la doctrine Monroe prônant le repli sur le continent. L'appui massif des Américains à l'entrée en guerre après l'attaque de Pearl Harbor, le 7 décembre 1941, met fin à ce mouvement.

*C*itation

« *Il est de notre destinée manifeste de nous étendre sur le continent offert par la Providence pour le libre développement de notre grandissante multitude.* »

John O'Sullivan, éditorial du *United States Magazine and Democratic review*, 1845, à propos de l'annexion du Texas et de l'Oregon.

Doc. 1 **Parade du Ku Klux Klan à Washington (1925).**

Mots clés

Melting pot : Creuset dans lequel les immigrants se fondent pour former le peuple américain, en adoptant la langue, la culture et les valeurs américaines.

Puritanisme : Doctrine des premières communautés religieuses calvinistes installées dans les colonies anglaises des Amériques au XVIIᵉ siècle, qui prône une rigueur morale et une stricte observance des règles religieuses.

Ségrégation : Système judiciaire et social de séparation des populations selon la couleur de peau.

Doc. 2 Les institutions américaines et la croyance en Dieu.

Aucune profession de foi religieuse ne sera exigée comme condition d'aptitude aux fonctions ou charges publiques sous l'autorité des États-Unis.

Constitution des États-Unis, article VI, § 3, 1787.

Le Congrès ne fera aucune loi qui touche l'établissement ou interdise le libre exercice d'une religion, ni qui restreigne la liberté de la parole ou de la presse, ou le droit qu'a le peuple de s'assembler paisiblement et d'adresser des pétitions au gouvernement pour la réparation des torts dont il a à se plaindre.

Constitution des États-Unis, premier amendement, 1791.

Attendu qu'il a plu au Dieu tout-puissant de diriger et de garder les États-Unis d'Amérique à travers un siècle de vie nationale et de couronner notre peuple des bienfaits suprêmes de la liberté civile et religieuse ;
Le Sénat et la Chambre des Représentants reconnaissent avec adoration, an nom du peuple des États-Unis, que Dieu a été la fontaine et la source, l'auteur et le donateur de tous ces bienfaits et que nous dépendons entièrement de sa providence.

Déclaration du Congrès des États-Unis, 5 juillet 1877.

1. Que dit la Constitution des relations entre la religion et la vie politique ? et dans la pratique ?

2. Pourquoi le premier amendement est-il au cœur de l'identité américaine ?

Doc. 3 Des Mormons installés en Utah, à la fin du XIXᵉ siècle.

L'Église de Jésus-Christ des Saints des Derniers Jours est une Église protestante fondée au début du XIXᵉ siècle par Joseph Smith. Surnommés Mormons, du nom d'un de leurs livres sacrés, ils fondent la ville de Salt Lake City (Utah) après avoir été chassés par les habitants d'États des Grandes plaines, où ils s'étaient d'abord installés. Ils pratiquent la polygamie et attachent une grande importance à la famille et aux missions de conversion.

1. Quel élément de la photographie montre que les Mormons sont des pionniers ?

2. Sont-ils des *WASP* ? Expliquez.

Doc. 4 À Chicago, une soupe populaire entretenue par la mafia italienne (1930).

En 1930, à Chicago, le chef de la mafia Al Capone fait distribuer une soupe populaire aux chômeurs touchés par la crise de 1929. Enrichis par la prostitution et la vente interdite d'alcool sous la Prohibition, profitant de la faiblesse de l'État fédéral, les clans italiens et irlandais maintiennent leur emprise sur les migrants par les œuvres sociales et leur soutien financier aux paroisses catholiques.

1. Pour quelle raison les communautés multiplient-elles les lieux d'entraide ?

2. Quel intérêt les mafias ont-elles à s'engager dans les œuvres de charité ?

Doc. 5 La religion du président Roosevelt.

Un jeune reporter naïf demanda une fois à Roosevelt devant moi :
« Mr le président, êtes-vous communiste ? – Non.
– Êtes-vous capitaliste ? – Non – Êtes-vous socialiste ? – Non », dit-il avec un air surpris, comme s'il se demandait sur quoi allait porter la suite de l'interrogatoire. Le jeune homme a demandé :
« Eh bien, quelle est votre philosophie dans ce cas ? ».
– Ma philosophie ? demanda le président étonné. Je suis un chrétien et un démocrate, c'est tout. » Ces deux mots définissaient, à mon avis, exactement ce qu'il était. Ils décrivaient l'ensemble de sa ligne politique et économique. Il avait le désir de faire par l'expérience tout ce qu'il était possible de faire pour respecter la Règle d'Or[1] et d'autres idéaux qu'il considérait comme chrétiens, et tout ce qu'il était en son pouvoir de faire dans les limites de la Constitution des États-Unis et selon les principes du parti démocrate.

Frances Perkins, *Roosevelt tel que je l'ai connu*, Penguin Books, 1946.

1. Les dix commandements.

1. Quelles sont les origines idéologiques du président Roosevelt ? Que signifient-elles ?

2. Quelle place la religion occupe-t-elle dans son action politique ?

Le procès du Singe divise l'Amérique (1925)

Au début du XXe siècle, les protestants fondamentalistes, attachés à une lecture littérale de la Genèse, condamnent les théories de Darwin sur la sélection naturelle, considérant qu'elle pousse l'homme, créé à l'image de Dieu, à s'attacher à ses pulsions animales. En mars 1925, la Chambre des représentants du Tennessee, interdit par la loi Butler l'enseignement des théories de l'évolution appliquées à l'homme. En juillet de la même année, un professeur, John T. Scopes, est accusé de continuer à enseigner cette théorie à ses élèves. Le procès Scopes devient un phénomène médiatique à l'échelle du pays, caricaturé en « procès du Singe ».

➔ *Que montre ce procès des tensions entre religion et science aux États-Unis ?*

Dates clés

Une querelle qui épouse le siècle

1859 Ch. Darwin, *De l'origine des espèces*.

1925 Le Tennesse interdit l'enseignement des théories de l'évolution.

1925 Procès Scopes.

1927 La Cour suprême du Tennessee déclare la loi Butler constitutionnelle.

1967 Abolition de la loi Butler.

Doc. 1 Darwin et la sélection naturelle.

L'extinction des espèces et de groupes d'espèces tout entiers, qui a joué un rôle si considérable dans l'histoire du monde organique, est la conséquence inévitable de la sélection naturelle ; car les formes anciennes doivent être supplantées par des formes nouvelles et perfectionnées. [...] Ce sont les formes les plus récentes et les plus perfectionnées qui, dans la lutte pour l'existence, ont dû l'emporter sur les formes les plus anciennes et moins parfaites ; leurs organes ont dû aussi se spécialiser davantage pour remplir leurs diverses fonctions. [...]

Il est si facile de cacher notre ignorance sous des expressions telles que plan de création, unité de dessein, etc. ; et de penser que nous expliquons, quand nous ne faisons que répéter le même fait. Celui qui a quelque disposition naturelle à attacher plus d'importance à quelques difficultés non résolues qu'à l'explication d'un certains nombres de faits rejettera certainement ma théorie.

Charles Darwin, *De l'origine des espèces*, Paris, Flammarion, trad. E. Barbier, 2009 (1re éd. 1859).

Charles Darwin (1809-1882)

Ce géologue et naturaliste élabore deux théories qui transforment les sciences. La théorie de l'évolution énonce l'idée que les espèces, dont l'espèce humaine, naissent et disparaissent pour des raisons biologiques et physiques. La sélection naturelle stipule que seules les espèces adaptées aux modifications du milieu survivent. Ces deux théories sont combattues par les fondamentalistes chrétiens créationnistes, partisans d'une lecture littérale de la Bible, donc immuable, selon laquelle Dieu a créé l'homme à son image.

Doc. 2
Une caricature des théories de Darwin. *The Hornet*, 1871.

Ce n'est qu'après la parution en 1871 d'une étude sur les liens entre l'homme et son environnement que les caricaturistes et les opposants à Darwin assimilent la sélection naturelle à un cousinage entre l'homme et le singe, pourtant refusé par Darwin.

Considérant la taille corporelle et la force, nous ne savons pas si l'homme est le descendant d'espèces comparativement petites, telles que le chimpanzé, ou d'une espèce aussi puissante que le gorille ; ainsi, nous ne pouvons pas dire si l'homme est devenu plus grand et plus fort ou plus petit et plus faible par rapport à ses ancêtres.

Charles Darwin, *La Filiation de l'homme*, Londres, 1871.

Doc. 3 Une caricature anti-évolutionniste.

Ce dessin paru en juillet 1925 à la Une du principal journal de Memphis (Tennessee), le *Commercial Appeal*, se moque des antidarwiniens en représentant l'avocat darwinien Clarence Darrow dans la posture du diable biblique, à ses pieds « l'agnosticisme », « l'anéantissement » et « le désespoir spirituel ».

Doc. 4 Les minutes du procès.

L'avocat de l'enseignant Scopes, Clarence Darrow, interroge le procureur William J. Bryan, devant le tribunal.

Darrow. – Vous affirmez que tout ce qui est dans la Bible doit être interprété à la lettre ?

Bryan. – Je crois que tout ce qui est dans la Bible doit être accepté comme je vous le dis : il y a des choses dans la Bible qui sont des illustrations. Par exemple, « Vous êtes le sel de la Terre », ne signifie pas que les hommes sont en sel, ou qu'ils ont une chair de sel, mais c'est utilisé pour dire que nous sommes la force du Peuple de Dieu.

D. – Mais, lorsque vous lisez que Jonas a été avalé par la baleine, comment interprétez-vous cela ?

B. – Quand je lis que Jonas a été avalé par un gros poisson (le texte ne dit pas une baleine)… D'après mon souvenir, un gros poisson, je le crois, et je crois en un Dieu qui a pu faire une baleine, et qui a fait l'homme, et qui fait ce qu'il veut des deux.

D. – Donc, dites–vous, le gros poisson a avalé Jonas, et il est resté là, combien, trois jours – et ensuite il a été vomi sur la terre ferme. Vous croyez que la baleine a été créée pour avaler Jonas ?

B. – Je ne suis pas prêt à dire ça ; la Bible dit juste qu'il en a été ainsi.

D. – Vous ne savez pas si c'était un poisson ordinaire ou bien s'il a été créé exprès ?

B. – Devinez, vous, les évolutionnistes !

D. – Vous n'êtes pas prêt à dire si ce poisson a été créé exprès pour avaler un homme ou non ?

B. – La Bible ne le dit pas, donc, je ne peux pas le dire. […]

D. – Vous pensez que le récit du Déluge peut avoir une interprétation à la lettre ?

B. – Oui, monsieur.

D. – Quand a eu lieu ce Déluge ?

B. – Je ne me risquerais pas à fixer une date. On a donné la date ce matin.

D. – Autour de 4004 avant Jésus Christ ?

B. – C'est une estimation acceptée aujourd'hui. Je ne dirai pas que c'est très précis.

D. – Cette estimation est imprimée dans la Bible ?

B. – Tout le monde sait, ou au moins la plupart des gens savent, que c'est l'estimation qu'on a donnée.

Minutes du procès *Tennessee v. John Scopes*, 1925, publié sur le site de la faculté de droit de l'Université du Missouri à Kansas City.

Intervention de l'avocat Clarence Darrow face au procureur Bryan, le 11 juillet 1925.

Plus de 200 personnes assistent tous les jours au procès, dans une chaleur étouffante. Les plus grands journaux du pays assistent aux séances du tribunal.

Doc. 5 Le Tennessee et l'enseignement de la théorie de l'évolution.

Il est illégal pour tout enseignant de toute université et de toute école publique de l'État qui sont financées en totalité ou en partie par l'argent public de l'État, d'enseigner toute théorie qui nie la Création Divine de l'homme comme elle est décrite dans la Bible, et d'enseigner à la place que l'homme descend d'un ordre inférieur d'animaux.

Chambre des Représentants du Tennessee, Loi n° 185, 1925.

La loi interdisant l'enseignement de l'évolution est abrogée.

Chambre des Représentants du Tennessee, Loi n° 48, 1967.

Doc. 6 Un historien explique les enjeux religieux du procès du Singe.

Pour comprendre cet épisode héroïco-comique, il faut expliquer ce qu'est le fondamentalisme. Ce courant de pensée date du XIXᵉ siècle […]. [*Pour ce courant*], les Écritures ont été inspirées par Dieu et ne sauraient, en conséquence, comporter d'erreurs ; le Christ [*reviendra*] sur Terre très bientôt. […] Le fondamentalisme rejette la méthode scientifique, qu'elle s'applique à l'étude de la Bible ou à l'analyse des phénomènes naturels […]. Il faut se repentir, rejeter les subtilités diaboliques de la « nouvelle » religion, retrouver la foi de ses ancêtres. Tout ce qui contribue à affaiblir ou à miner les croyances est détestable : le cinéma, l'alcool, l'automobile parce qu'ils s'éloignent du culte, les immigrants parce qu'ils sont en majorité catholiques depuis le début du siècle, les communistes et les anarchistes parce qu'ils s'emploient à instaurer une civilisation matérialiste. Un [*pasteur*] de Louisiane résume […] : « Je dirai qu'un moderniste dans le domaine du gouvernement est un anarchiste et un bolchevik ; en science, il est évolutionniste ; dans le domaine des affaires, c'est un communiste ; […] dans celui de la musique, son nom est jazz, dans celui de la religion, c'est un athée et un infidèle ».

Willard B. Gatewood jr., *Controversy in the Twenties. Fundamentalism, Modernism and Evolution*, Nashville, Vanderbilt University Press, 1969.

POUR COMPRENDRE

1. Étudier les documents

Doc. 1 et 2 Qu'est-ce que la sélection naturelle ? Quel lien Darwin fait-il entre le singe et l'homme ?

Doc. 3 et 5 Pour quelles raisons les théories de l'évolution sont-elles attaquées ?

Doc. 4 et 6 Comment définir les idées du fondamentalisme chrétien ? À quelles tendances de l'Amérique du début du XXᵉ siècle s'opposent-elles ?

2. Analyse de deux documents

BAC À l'aide des documents 3 et 6, expliquez les causes de l'hostilité des fondamentalistes envers les évolutionnistes.

3. Aide à la composition

BAC À l'aide de vos connaissances, vous rédigerez un plan détaillé qui réponde au sujet : « L'influence du fondamentalisme chrétien dans la vie politique, sociale et culturelle des États-Unis depuis la fin du XIXᵉ siècle ».

Un mouvement nationaliste religieux : le Ku Klux Klan

À la fin de la guerre de Sécession (1861-1865), l'abolition de l'esclavage est refusée par une partie de la population blanche du Sud. Dès 1865, quelques officiers sudistes forment un groupe secret destiné à lutter contre la fin de la ségrégation et l'application des droits des Noirs américains. Le « cercle » (*kuklos*) affirme son racisme, sa haine du gouvernement fédéral, et sa volonté de défendre une Amérique blanche et protestante contre les migrants catholiques ou juifs. Recréé en 1915 après avoir été interdit en 1869, le KKK devient jusqu'aux années 1930 une organisation de masse.

➜ *Que révèle le Ku Klux Klan des tensions dans l'Amérique du début du XXᵉ siècle ?*

Dates clés

Un groupe raciste et influent

1865 Fondation du Ku Klux Klan pour imposer la ségrégation.

1869 Interdiction du KKK, responsable de lynchages, viols et massacres de Noirs.

1896 Légalisation de la ségrégation raciale.

1915 *Naissance d'une nation.*

1928 Seconde interdiction du KKK

1929 Création de la commission des activités antiaméricaines pour lutter contre l'influence du KKK, puis celle des communistes.

1944 Dissolution du KKK pour raisons fiscales.

2007 Une enquête fédérale estime à 7 000 les sympathisants actifs du KKK.

Doc. 1 La profession de foi du *klansman*, membre du KKK.

Je crois qu'une Église qui n'est pas fondée sur les principes de la moralité et de la justice n'est qu'une insulte à Dieu et aux hommes.

Je crois qu'une Église qui ne prend pas à cœur le soin du peuple n'en vaut pas la peine.

Je crois en la séparation permanente de l'Église et de l'État.

Je n'ai aucune soumission à aucun gouvernement étranger, empereur, roi, pape ou tout autre pouvoir politique ou religieux. Je fais allégeance au drapeau en même temps qu'à Dieu seul.

Je crois aux lois justes et à la liberté.

Je crois en la défense de la Constitution des États-Unis.

Je crois que notre École publique [*non catholique*] est la pierre angulaire d'un bon gouvernement et que ceux qui essaient de la détruire sont des ennemis de notre République et ne méritent pas d'être citoyens.

Je crois en la liberté de parole.

Je crois en une presse libre et sans contrôle des partis politiques ou de sectes religieuses.

Je crois en la loi et l'ordre.

Je crois en la protection de la pureté de nos femmes.

Je ne crois pas aux émeutes, mais je crois que des lois doivent prévenir les causes des émeutes.

Je crois en un partenariat étroit entre le capital et le travail.

Je crois qu'il faut empêcher les grèves sans motif organisées par des agitateurs étrangers.

Je crois en la limitation de l'immigration.

Je suis un citoyen américain né aux États-Unis et je crois que mes droits sont supérieurs à ceux des étrangers.

Lenwood G. Davis et Janet L. Sims-Wood, *The Ku Klux Klan, A Biography*, NY, Greenwood Press, 1984.

Doc. 2

***Naissance d'une nation*, un film à la gloire du KKK (1915).**

Ce film présente le *klansman* comme un héros. Après sa diffusion dans les salles de cinéma, le Ku Klux Klan renaît dans la plupart des villes du Vieux Sud.

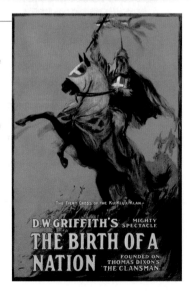

THE FIERY CROSS OF THE KU KLUX KLAN

D.W. GRIFFITH'S MIGHTY SPECTACLE
THE BIRTH OF A NATION
FOUNDED ON THOMAS DIXON'S THE CLANSMAN

Doc. 3 Une analyse du Ku Klux Klan dans les années 1920.

Le *Kloran*, rituel du Klan [*contient*] toute la substance d'un mouvement anticatholique ou antijuif. C'est un parfait manuel d'américanisme « cent pour cent », [...] une manifestation de protestantisme outré, propre à satisfaire le fondamentalisme le plus étroit. [...] Chez nous les « honnêtes gens » sont des amis de l'ordre, capables de taper dur à l'occasion. [...] C'est dans ce sens que les membres du Klan sont d'« honnêtes gens », prêts à se charger spontanément d'appliquer la loi, même non écrite, si le gouvernement faiblit. Par cette façon extra-légale de donner une expression au sentiment de la communauté, le Klan est fasciste d'inspiration ; [*il tient*] du comité de vigilance chargé d'administrer des corrections, de faire des exemples ; c'est une démagogie de l'ordre, entre les mains des « purs » du nationalisme protestant. Pour en faire partie, il faut en effet être né aux États-Unis, ce qui exclut les étrangers ; il faut être chrétien, ce qui exclut les Juifs ; il faut admettre les institutions américaines, ce qui n'a l'air de rien, mais tend à exclure les catholiques sujets du pape, ce souverain étranger !

André Siegfried, *Les États-Unis d'aujourd'hui*, Paris, A. Colin, 1927.

Doc. 4 Dans les années 1920, le KKK est un mouvement de masse.

En 1915, William J. Simmons, qui vient d'assister à la projection du film de Griffith, *Naissance d'une nation*, décide de recréer le Ku Klux Klan. [...] L'Empire est divisé en royaumes, les royaumes en domaines. Un vocabulaire ésotérique désigne les fonctions et les rites. Du simple *klansman* aux Esprits malins, en passant par les Faucons de nuit, les Grands Dragons, les Cyclopes Exaltés et les Grands Titans, le Grand Sorcier impérial règne sur 2 à 3 millions d'Américains en 1926. Ils sont nombreux dans les campagnes et les villes de 50 à 100 000 habitants.

D'Atlanta à Los Angeles, de Dallas à Chicago, de New York à Philadelphie, les *klansmen* sont présents pour dire avec violence leur haine des catholiques, des Juifs, des Noirs, des étrangers, des communistes, et brûler devant les maisons des indésirables des croix de bois. Leur propagande se diffuse par la presse et le bouche à oreille. Les rassemblements des membres du Klan, encapuchonnés et revêtus de robes blanches, débouchent souvent sur des manifestations dans les rues, des émeutes racistes et des lynchages. Les pouvoirs publics réagissent en fonction des circonstances et de l'atmosphère locale. Au fond, la ségrégation raciale est inscrite dans les lois du Sud et dans la pratique du Nord.

André Kaspi, *Les Américains*, t. 1, *Naissance et essor des États-Unis (1607-1945)*, Paris, Le Seuil, 1986.

Sombres Exploits de Fanatiques

Parmi les sociétés, il n'en est pas de plus étrange ni de plus dangereuse que celle des Ku-Klux-Klan. Malgré les mesures radicales prises pour la combattre, malgré les troupes mobilisées contre elle, cette secte américaine poursuit ses réunions mystérieuses, s'érige en tribunal et fait subir d'effroyables tortures à ceux qu'elle condamne.

Doc. 6 Un groupe fanatique et raciste.

En 1923, *Le Petit Journal illustré* rend compte aux lecteurs français des activités du Ku Klux Klan.

Doc. 5 Défilé du Ku Klux Klan à Washington (1925).

Le 8 août 1925, plus de 35 000 membres défilent devant le Congrès et la Maison-Blanche à l'occasion de la convention nationale du Ku Klux Klan.

POUR COMPRENDRE

1. Étudier les documents

Doc. 1 et 3 Quels sont les fondements idéologiques du Klan ? Est-il opposé au principe de la démocratie américaine ? Pourquoi André Siegfried écrit-il qu'il est « fasciste » ?

Doc. 2 et 4 Comment le Klan est-il organisé ? Qu'est-ce qui explique son essor dans les années 1920 ?

Doc. 4, 5 et 6 Quelles actions sont menées par le Klan ? Contre qui ? Pourquoi ?

2. Analyse de deux documents

BAC En vous aidant des documents 1 et 3, expliquez la place que prennent la religion et les valeurs américaines dans l'idéologie du Ku Klux Klan.

3. Aide à la composition

BAC À l'aide de vos connaissances, vous rédigerez un paragraphe qui réponde au sujet : « Le Ku Klux Klan, un mouvement de masse ségrégationniste dans les années 1920 ».

2. Les années 1940-1960 : le temps des remises en cause

1939-1945 Seconde Guerre mondiale	1960 Kennedy, discours sur la Nouvelle frontière	1964-1975 Guerre du Vietnam

1954 Fin de la ségrégation scolaire
Instauration du Jour national de prière

1962 Interdiction de la prière dans les écoles

1964 Abolition de la ségrégation raciale
1963 Marche des droits civiques

→ *Quel rôle les Églises jouent-elles dans l'Amérique de la Guerre froide ?*

A. Après 1945, la place des religions s'accroît

• **Les Églises protestantes voient leur influence croître.** Les communautés religieuses protestantes répondent à la croissance démographique par la construction de *megachurches* qui peuvent, dès la fin des années 1950, accueillir de 2 000 à 40 000 fidèles. Depuis le début du siècle, les Églises noires se multiplient, notamment dans le Sud resté favorable à la ségrégation.

• **Catholiques, juifs et musulmans sont plus nombreux.** L'immigration européenne après la Shoah fait de la communauté juive américaine la plus importante du monde, hors Israël. Le nombre de catholiques croît avec l'immigration en provenance d'Amérique latine, notamment en Californie et en Floride. Des communautés musulmanes, jusqu'en 1945 très peu nombreuses, se développent dans le Nord-Est.

• **La Guerre froide favorise l'expression d'un fort anticommunisme.** En 1951, le procès de Julius et Ethel Rosenberg, accusés d'espionnage au profit de l'URSS, est l'occasion de mouvements antisémites, notamment dans le Sud. L'anticommunisme, déjà présent dans le vocabulaire d'une partie des Églises, s'exprime dans les prêches **évangélistes fondamentalistes**.

B. Années 1950 : l'action religieuse et sociale d'Eisenhower

• **En 1954, le président Eisenhower modifie une partie des symboles américains.** Il fait du Jour national de prière une cérémonie présidentielle ouverte à toutes les confessions, et ajoute au serment d'allégeance la mention *under God* (« sous le règne de Dieu »).

• ***In God we trust* devient devise nationale.** En 1956, est ajouté sur les billets de banque, à côté de l'ancienne devise *E pluribus Unum* (« de plusieurs hommes, une seule nation »), une seconde devise, *In God we trust* (« en Dieu nous avons confiance »).

• **Avec l'appui des Églises noires, le mouvement des droits civiques se développe autour de la figure du pasteur Martin Luther King.** Par l'arrêt Brown v. *Board of Education of Topeka*, la Cour suprême impose en 1954 la fin de la ségrégation scolaire. En 1955 à Montgomery (Alabama), la couturière noire Rosa Parks refuse de céder sa place à un Blanc dans un bus. En septembre 1957, à Little Rock, en Arkansas, 9 élèves noirs de l'école publique, doivent être protégés par des soldats, sur ordre du président Eisenhower.

C. Années 1960 : les Églises noires et les droits civiques

• **En 1960, le catholique John F. Kennedy est élu président.** Son discours de la *Nouvelle frontière* propose de conquérir l'espace et d'abolir les discriminations raciales. En 1962, la prière est interdite à l'école publique. Les marches des droits civiques se multiplient : le 28 août 1963 à Washington, près de 300 000 personnes entendent Martin Luther King clamer « *I have a dream* ».

• **Le président Johnson abolit en 1964 la ségrégation raciale.** Le *Civil Rights Act* abolit toute discrimination, et Martin Luther King reçoit le prix Nobel de la paix. Le *Voting Rights Act* interdit en 1965 toute restriction au droit de vote. Il fait appliquer la politique d'***affirmative action*** décidée par Kennedy. En 1967, il nomme le premier juge noir à la Cour suprême.

• **En pleine guerre du Vietnam, la contestation monte.** Les Églises et les universités se font les relais de la contestation contre la conscription. Le champion de boxe Cassius Clay, converti à l'islam sous le nom de Mohammed Ali, refuse d'être incorporé et est emprisonné. En 1967, l'abolition de la loi Butler, qui interdit l'enseignement de la théorie de l'évolution depuis 1925, est contestée par les protestants fondamentalistes. Des groupes radicaux musulmans issus de la communauté noire, comme la Nation of Islam ou les Black Panthers, refusent la conscription.

Biographie

Dwight D. Eisenhower (1890-1969)

Ancien commandant en chef des forces alliées en Europe en 1944-1945, républicain, président des États-Unis de 1952 à 1960, Eisenhower est élevé dans une famille de témoins de Jéhovah et baptisé dans le culte protestant presbytérien. Dès son entrée en fonction en 1952, il fait rajouter la mention « *under God* » (« sous le regard de Dieu ») dans le serment d'allégeance. Sa politique intérieure est en partie tournée vers la lutte contre l'influence communiste, et sa politique étrangère entièrement orientée vers la lutte contre l'URSS.

Mots clés

***Affirmative action* :** « Discrimination positive ». Ensemble de règles instituées à partir des années 1960 pour favoriser l'intégration des minorités dans les écoles, les universités et les entreprises.

Évangélisme : Mouvement protestant fondé sur l'idée de la nécessité de la conversion individuelle et la conviction de l'exactitude littérale du texte biblique.

Fondamentalisme : Doctrine qui prône une lecture littérale de la Bible.

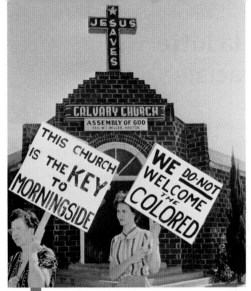

Doc. 1 Le racisme au Texas (1956).

Manifestation contre la vente de l'église de Morningside (Texas) à une communauté noire en octobre 1956. Sur les affiches : « Cette église est la clé de Morningside » et « Nous ne souhaitons pas la bienvenue aux gens de couleur ».

1. Pourquoi refuser de vendre cette église ?

2. Dans quel contexte national cette polémique éclate-t-elle ?

Doc. 2 Le pasteur évangéliste Billy Graham prêche devant Wall Street (1957).

Dans un sermon retransmis à la radio, Billy Graham prêche le retour à une morale conservatrice devant 30 000 personnes. Il est un des premiers à animer des émissions religieuses à la télévision, et crée un réseau évangéliste très influent dans les médias et la vie politique.

1. Quel symbole représente Wall Street ?

2. Pourquoi un pasteur évangéliste, partisan d'un retour à une morale stricte, peut-il y voir un symbole à attaquer ?

Doc. 3 Le discours d'adieu du président Eisenhower (1961).

Mes chers concitoyens Américains,

Dans trois jours, après un demi-siècle au service de notre pays, je quitterai mes responsabilités avec la cérémonie traditionnelle et solennelle qui investira à la présidence mon successeur. [...] Nous faisons face à une idéologie globale hostile, athée de caractère, impitoyable dans ses buts et insidieuse par ses méthodes. Malheureusement, le danger qu'elle pose promet de durer longtemps. [...] Dans les conseils du gouvernement, nous devons donc nous garder de toute influence sans garantie, voulue ou pas, du complexe militaro-industriel. Le risque potentiel d'une augmentation désastreuse d'un pouvoir mal placé existe et persistera. Nous ne devrons jamais laisser le poids de cette combinaison mettre en danger nos libertés et processus démocratiques. [...]

Vous et moi, chers concitoyens, avons besoin d'être forts dans notre croyance que toutes les nations, sous le regard de Dieu [*under God*], atteindront ce but de paix et de justice. [...] À tous les peuples du monde, je veux une fois de plus exprimer l'aspiration perpétuelle et la prière de l'Amérique : nous prions pour que les peuples de toutes les fois, de toutes les races, de toutes les nations, puissent satisfaire leurs besoins humains essentiels ; pour que ceux qui actuellement n'ont pas cette occasion puissent, un jour, l'apprécier pleinement ; que tous ceux qui aspirent à la liberté puissent en éprouver les bénédictions spirituelles ; que ceux qui ont la liberté comprennent ses lourdes responsabilités ; que tous ceux qui sont peu sensibles aux besoins des autres apprennent la charité ; que les fléaux de la pauvreté, de la maladie et de l'ignorance soient faits pour disparaître de la Terre, et que, par la grâce du temps, tous les peuples vivent ensemble dans une paix garantie par la force irrévocable du respect et de l'amour mutuels.

Vendredi soir, je redeviendrai un citoyen ordinaire. J'en suis fier, et j'en ai hâte. Merci, et bonne nuit.

Dwight D. Eisenhower, discours d'adieu, prononcé à la télévision le 17 janvier 1961.

1. Quelle place le vocabulaire religieux prend-il dans ce discours officiel ?

2. Quel rôle moral les États-Unis doivent-ils jouer dans la Guerre froide ?

Doc. 4 Cassius Clay et Malcom-X (1964).

Le 1er mars 1964, après avoir remporté un match de boxe, le champion Cassius Clay, converti à l'islam sous le nom de Mohammed Ali, est rejoint par l'activiste des droits civiques Malcom Little, dit Malcom-X, un des dirigeants du groupe radical afro-américain de la Nation of Islam.

1. À quel groupe ethnique américain appartiennent Mohamed Ali et Malcom-X ?

2. Pourquoi cette rencontre a-t-elle un grand écho auprès des Afro-américains musulmans ?

Martin Luther King et la lutte contre la ségrégation raciale

Dès sa promulgation en 1896, la ségrégation raciale voit se lever contre elle des mouvements, qu'ils viennent des Blancs ou des Noirs. Les deux guerres mondiales forgent le souvenir d'une égalité des Blancs et des Noirs dans le sacrifice. Dès 1945, les mouvements en faveur des droits civiques se développent. Un grand mouvement en faveur de l'affirmation des droits civiques des Noirs s'organise, symbolisé par le combat du pasteur noir Martin Luther King et de la SCLC (*Southern Christian Leadership Confederation*). Ce combat légaliste et non-violent est attaqué par les organisations racistes blanches et par les radicaux noirs de la Nation of Islam ou des Blacks Panthers.

➜ *Quels moyens ont permis de mettre fin à la ségrégation raciale dans toute l'Union ?*

Dates clés

Le combat pour les droits civiques

1896 Légalisation de la ségrégation.

1954 La Cour suprême met fin à la ségrégation scolaire.

1957 Création de la SCLC par Martin Luther King.

1963 Marche sur Washington : « *I have a dream* ».

1964 Le *Civil Rights Act* met fin à la discrimination raciale. Martin Luther King devient prix Nobel de la paix.

1965 Le *Voting Rights Act* permet aux Noirs de voter. Assassinat de Malcom X par un militant de la Nation of Islam.

1968 Assassinat de Martin Luther King.

Doc. 1 Le boycott des bus de Montgomery (1955).

Le 1er décembre 1955, Rosa Parks refuse de céder sa place à un Blanc dans un bus public de Montgomery (Alabama). Elle est soutenue par le mouvement des droits civiques créé par Martin Luther King et devient le symbole des discriminations raciales dans le Sud. La Cour suprême statue sur l'illégalité de la discrimination raciale dans les transports en commun. Le 21 décembre 1956, Rosa Parks est photographiée assise, en toute légalité, dans un bus de Montgomery.

Doc. 2 « *I have a dream* ».

Le 28 août 1963, plus de 250 000 personnes dont 60 000 Blancs, et des artistes comme Marlon Brando ou Joan Baez se rassemblent devant le Lincoln Memorial de Washington. En juillet 1964, le président Johnson promulgue le Civil Rights Act *qui abolit toute discrimination sur le territoire de l'Union.*

Il y a un siècle de cela, un grand Américain qui nous couvre aujourd'hui de son ombre symbolique, signait notre acte d'émancipation. [...] Mais cent ans ont passé, et le Noir n'est pas encore libre. [...] Retournez au Mississippi, retournez en Alabama, retournez en Caroline du Sud ; retournez en Géorgie, retournez en Louisiane, retournez à vos taudis et à vos ghettos dans les villes du Nord, en sachant que d'une façon ou d'une autre, cette situation peut changer et changera. Ne nous complaisons pas dans les vallées du désespoir ! Je vous dis ici et maintenant, mes amis : même si nous devons affronter des difficultés aujourd'hui et demain, je fais pourtant un rêve. C'est un rêve profondément enraciné dans le rêve américain.

Je rêve qu'un jour, notre nation se lèvera et vivra pleinement la vrai réalité de son Credo : « Nous tenons ces vérités pour évidentes par elles-mêmes que tous les hommes sont créés égaux.[1] »

Je rêve qu'un jour, sur les collines de terre rouge de Géorgie, les fils des anciens esclaves et les fils des anciens propriétaires d'esclaves pourront s'asseoir ensemble à la table de la fraternité.

Je rêve qu'un jour l'État de Mississippi lui-même, tout brûlant des feux de l'injustice, tout brûlant des feux de l'oppression, se transformera en oasis de liberté et de justice.

Je rêve que mes quatre enfants vivront un jour dans un pays où on ne les jugera pas à la couleur de leur peau mais à la nature de leur caractère. Je fais aujourd'hui un rêve !

Je rêve qu'un jour, même en Alabama où le racisme est vicieux, où le gouverneur a la bouche pleine des mots « interposition » et « invalidation », un jour justement en Alabama, les petites filles et petits garçons noirs, les petites filles et petits garçons blancs pourront tous se prendre par la main comme frères et sœurs. Je fais aujourd'hui un rêve ! [...]

Ce sera le jour où les enfants de Dieu pourront chanter ensemble cet hymne auquel ils donneront une signification nouvelle : « Mon pays c'est toi, douce terre de liberté, c'est toi que je chante. Pays où sont morts nos pères, pays qui fit la fierté des Pèlerins, du flanc de chaque montagne que résonne la liberté.[2] »

1. Extrait de la Déclaration d'indépendance de 1776.
2. Chanson patriotique, *America*.

Martin Luther King, discours prononcé le 28 août 1963 à Washington.

Biographie

Martin Luther King (1929-1968)

Pasteur baptiste, Martin Luther King s'engage dans la lutte contre la ségrégation raciale au début des années 1950. Après le succès du boycott des bus de Montgomery, il organise le mouvement des droits civiques en un mouvement populaire. Après la fin de la ségrégation scolaire en 1954, l'appui du président Kennedy à son mouvement et la marche sur Washington d'août 1963, toute forme de discrimination est abolie en juillet 1964. Le prix Nobel de la paix vient couronner ce combat la même année. En s'engageant contre la guerre du Vietnam, il est assassiné à Memphis en 1968 par un ségrégationniste.

Doc. 4 Une historienne analyse le contexte de la marche de 1963.

Au début de 1960, le mouvement pour les droits civiques commence avec les sit-ins d'étudiants de Greensboro, en Caroline du Nord, qui veulent se faire servir dans la cafétéria d'un grand magasin où, comme dans tous les lieux publics du Sud, la ségrégation est la règle. [...] Le mouvement, qui implique un nombre croissant de gens ordinaires, devient un mouvement de masse [...]. Les marches, souvent conduites par des pasteurs, locaux ou de réputation nationale, sont composées d'habitants du lieu où se poursuit la lutte pour la déségrégation, la plupart du temps des adultes, mais souvent des étudiants et même des enfants. [Leur] non-violence n'était pas spontanée. Elle avait été inculquée à bon nombre de manifestants au cours de séances de préparation et d'entraînement dans des églises, des universités ou d'autres lieux. [...]

En 1941, A. Philip Randolph, figure légendaire du mouvement syndical noir, menaça d'organiser une marche à Washington pour obliger le gouvernement fédéral à mettre fin à la discrimination contre les noirs dans l'industrie de guerre. Roosevelt préféra donner satisfaction à cette revendication plutôt que de voir se fissurer le front domestique. [Depuis lors] une tradition et un rituel ont été établis. Le Lincoln Memorial est devenu un haut lieu de la morale et de la réconciliation. S'y rassembler signifie adhérer aux idéaux américains. Dans les années qui suivirent la marche, les Noirs ont peu à peu abandonné le Lincoln Memorial et cet abandon est révélateur : le mouvement est devenu plus militant, plus désireux de rompre avec les « libéraux » blancs, plus critique du personnage de Lincoln.

Marianne Debouzy, « Les marches de protestation aux États-Unis (XIXᵉ-XXᵉ siècles) », *Le Mouvement social*, n° 202, Éditions La Découverte, janvier 2003.

Doc. 5
L'élection du premier président métis (2008).

Fils d'un Kenyan et d'une Américaine d'origine irlandaise, Barack Obama est élu président en 2008 avec le soutien, notamment, d'une très grande partie des Églises noires américaines. **> Bio p. 207**

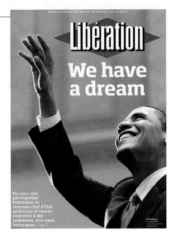

Doc. 3 Le discours d'acceptation du prix Nobel de la paix (1964).

J'accepte le prix Nobel de la paix à un moment où vingt-deux millions de Noirs, aux États-Unis d'Amérique, sont engagés dans une bataille créatrice pour mettre fin à la longue nuit d'injustice raciale. [...] Je n'oublie pas que, hier encore, à Birmingham, en Alabama, nos enfants qui imploraient un sentiment de fraternité ont été accueillis par des lances à incendie, des chiens féroces et même la mort. Je n'oublie pas que, hier encore, à Philadelphia, dans le Mississippi, des jeunes gens désireux d'exercer leur droit de vote ont été brutalisés et assassinés. [...] Je n'oublie pas que mon peuple est affligé par une pauvreté qui le mine, l'use et l'enchaîne au barreau le moins élevé de l'échelle économique. [...]

La route sinueuse qui m'a mené de Montgomery jusqu'à Oslo peut témoigner de cette vérité. [Elle] a conduit à une nouvelle loi sur les droits civiques et elle sera élargie, agrandie aux dimensions d'une autoroute de justice à mesure que les Noirs et les Blancs en nombre croissant multiplieront leurs alliances pour venir à bout de leurs problèmes communs.

J'accepte aujourd'hui ce prix avec une foi immuable en l'Amérique et une foi hardie dans l'avenir de l'humanité. Je refuse d'admettre l'idée que les lacunes actuelles de la nature humaine rendent l'homme moralement incapable de remplir les devoirs éternels qu'il doit affronter à jamais. [...]

Je continue de croire qu'un jour viendra où l'humanité s'inclinera devant les autels de Dieu pour recevoir la couronne de la victoire sur la guerre et l'effusion de sang, où la bonne volonté animée par la non-violence rédemptrice dictera la loi sur la terre. « Et le lion habitera avec l'agneau, et chaque homme s'assoira sans crainte sous sa propre vigne ou son propre figuier et nul n'aura rien à redouter[1]. »

1. Martin Luther King regroupe souvent sans les souligner, comme dans un prêche, des citations de plusieurs passages bibliques. Ici un mélange du livre d'Isaïe et du livre de Michée.

Martin Luther King, *Discours d'acceptation du prix Nobel de la paix*, prononcé à Oslo le 10 décembre 1964.

POUR COMPRENDRE

1. Étudier les documents

Doc. 1 et 4 Comment se manifeste, avant les années 1960, le combat en faveur des droits civiques ? Quelle tendance politique américaine est combattue ?

Doc. 1 et 2 Quelles méthodes sont utilisées pour combattre la ségrégation raciale ? Avec quels effets ?

Doc. 2 et 3 Comment Luther King justifie-t-il son combat ? Quelle place y prennent le patriotisme et la religion ?

Doc. 5 Que signifie un tel titre ?

2. Analyse de deux documents

BAC À l'aide des documents 3 et 4, expliquez le rôle que jouent les valeurs et organisations religieuses dans la lutte pour les droits civiques.

3. Aide à la composition

BAC À l'aide de vos connaissances, vous rédigerez un paragraphe qui réponde au sujet : « Martin Luther King, un pasteur en lutte contre la ségrégation raciale ».

3. Depuis la fin des années 1960 : une diversification religieuse et sociale

1964-1975 Guerre du Vietnam

2001 Attentats du 11 Septembre à New York et Washington

1973 Scandale du Watergate

1998 Échec d'une procédure d'*impeachment* contre Bill Clinton

2008 Barack Obama, discours *De la race en Amérique*

→ *L'évolution sociale modifie-t-elle la place des religions ?*

A. Dans les années 1970-1980, les Églises protestantes veulent jouer un rôle politique

• **Depuis les années 1970, le fractionnement du protestantisme et la mobilité professionnelle amènent un mouvement de conversions et de changements d'Église.** Le protestantisme n'ayant pas d'organisation hiérarchique comme l'Église catholique, les communautés protestantes sont de toutes tailles. Pratiquer le culte au temple et fréquenter la communauté religieuse sert de lien social, de système d'entraide en temps de crise, et de réseau professionnel.

• **Les années 1970-1980 voient l'essor du télévangélisme.** La guerre du Vietnam, le scandale du Watergate et les crises économiques créent une crise morale. Les prédicateurs protestants, comme Billy Graham ou Pat Robertson, créent des empires télévisuels et organisent leurs prêches comme de véritables spectacles.

• **Les Églises deviennent des acteurs politiques, et les hommes politiques y prêtent attention.** Les présidents Jimmy Carter et Ronald Reagan expriment pendant les campagnes électorales leurs convictions religieuses nées d'une conversion ; comme eux, près de 25 % des Américains de la fin du XXᵉ siècle se considèrent comme *Born-again*. Un regroupement d'Églises conservatrices, la **Majorité morale**, aidée par des télévangélistes, pousse à la fin de la séparation entre les Églises et l'État, règle depuis la Constitution de 1787.

B. Dans les années 1990, les extrêmes s'affirment contre l'État fédéral

• **À la fin des années 1980, la politique de discrimination positive s'essouffle.** Les tensions raciales restent fortes : en 1992, des émeutes à Los Angeles font 55 morts et plus de 2 000 blessés.

• **Durant les mandats du président Clinton, l'extrême-droite nationaliste menace les représentants de l'État.** Le Ku Klux Klan, très affaibli depuis son interdiction en 1944, multiplie les groupuscules attachés à la suprématie blanche. En 1995, un attentat perpétré à Oklahoma City contre un bâtiment fédéral fait 182 morts : les auteurs s'opposaient à un projet de réduction du droit de posséder librement une arme à feu, droit considéré comme partie intégrante de la liberté individuelle et défendu par le premier amendement.

• **La multiplication des faits divers entraîne des polémiques dont s'empare la droite religieuse conservatrice.** En 1993, l'échec du siège par le FBI de la secte des Davidiens, à Waco (Texas) fait 82 morts. L'extension fédérale du droit à l'avortement donne lieu à des manifestations violentes. En 1998, la procédure de destitution (impeachment) contre le président Clinton pour un mensonge proféré en justice lors d'une affaire de mœurs, l'affaire Lewinsky, finalement interrompue, voit les conservateurs religieux lutter contre une Amérique qu'ils jugent éloignée des valeurs du puritanisme originel.

C. Depuis 2001, les hésitations face au nouvel ordre mondial

• **L'élection d'un *Born-again*, George W. Bush, donne une forte visibilité à l'évangélisme, mais réactive les oppositions religieuses.** Les attentats du 11 septembre 2001 sont une occasion d'unité nationale et de prières collectives. Expression religieuse et nationalisme s'expriment fortement.

• **Les Églises américaines se mondialisent.** La société de communication rendue mondiale par l'Internet permet la diffusion non seulement d'informations sur les Églises américaines, mais également, par les réseaux sociaux, l'accès aux prêches en ligne. L'élection du protestant presbytérien Barack Obama, en 2008, provoque une forte attente sociale causée par la crise financière, et véhiculée par les réseaux d'assistance sociale des Églises.

Citation

« Ce qui lui importe le plus, ce n'est pas tant que tous les citoyens professent la vraie religion, mais qu'ils professent une religion. »

Alexis de Tocqueville,
De la démocratie en Amérique, t. 1, Paris, 1835, à propos du législateur américain.

Doc. 1 La contestation de l'Amérique blanche.

Aux Jeux olympiques de Mexico, le 16 octobre 1968, les athlètes américains Tommie Smith et John Carlos, sympathisants du mouvement radical Black Panthers, lèvent le poing en signe de protestation quand retentit l'hymne national.

Mots clés

Born-again : Nom donné aux évangélistes revenus à une pratique rigoriste par une conversion personnelle.

Télévangélisme : Phénomène médiatique massif créé par des pasteurs fondamentalistes pour promouvoir l'évangélisme.

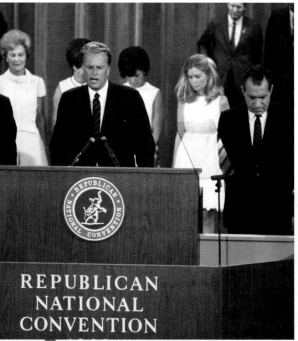

Doc. **2** **La vie politique, un moment d'expression religieuse.**

Le 8 août 1968, le pasteur évangéliste Billy Graham mène la prière lors de la Convention républicaine qui voit Richard Nixon être désigné candidat pour l'élection présidentielle.

1. Que montre cette scène de la place de la prière dans la vie publique ? En connaissez-vous d'autres exemples ?

2. Pourquoi le protestantisme évangélique est-il plus proche des valeurs républicaines que des démocrates ?

Doc. **3** **Le pape Jean-Paul II à New York (1995).**

Le pape se rend sept fois aux États-Unis lors de son pontificat (1978-2005). La forte augmentation du nombre de catholiques est en partie due à l'immigration hispanique, mais Irlandais et Italiens ont fait du catholicisme la deuxième communauté religieuse des États-Unis.

1. Expliquez la présence de drapeaux américains.

Doc. **4** **La religion dans les discours présidentiels.**

Parce que je suis un catholique – et aucun catholique n'a encore été élu président – les vrais enjeux de notre campagne ont été obscurcis […]. Je crois en une Amérique où la séparation de l'Église et de l'État est absolue. Où aucun prélat catholique ne pourrait dire à un président (qui serait catholique) ce qu'il doit faire, et où aucun pasteur protestant ne pourrait dire à ses paroissiens pour qui voter, […] où aucun représentant public ne demanderait ou recevrait d'instructions concernant les affaires publiques d'un pape, du Conseil national des Églises ou d'une quelconque entité ecclésiastique.

John F. Kennedy, discours de campagne prononcé à Houston, le 12 septembre 1960.

Notre tâche, pour reprendre les mots du sénateur Humphrey, est « la réconciliation, la reconstruction et la renaissance ». Réconcilier les besoins privés et les intérêts généraux vers un but plus élevé. Reconstruire les vieux rêves de justice et de liberté pour le pays et la communauté. Renaissance de la foi en un dieu commun. Chacun d'entre nous, ici, ce soir, et vous tous qui écoutez de chez vous, nous devons reprendre notre effort les uns envers les autres pour le bien commun. Nos destinées individuelles sont liées, nos futurs sont entremêlés. Si nous agissons dans cet esprit, ensemble, comme le dit la Bible, nous pourrons déplacer des montagnes.

Jimmy Carter, discours sur l'État de l'Union, janvier 1978.

La crise face à laquelle nous sommes aujourd'hui ne demande pas les sacrifices que Martin Treptow[1] et des milliers d'autres ont été appelés à faire. Cela demande, en revanche, notre plus bel effort et notre plus grande volonté de croire en nous-mêmes et de croire en notre capacité à réussir les grandes actions, et de croire qu'ensemble, avec l'aide de Dieu, nous pouvons et nous allons trouver une solution aux problèmes qui nous font face. Et puis, après tout, pourquoi ne le croirions-nous pas ? Nous sommes Américains ! Que Dieu vous bénisse et merci.

Ronald Reagan, discours inaugural, janvier 1981.

1. Treptow est le nom d'un soldat américain de la Première Guerre mondiale qui avait écrit dans son journal intime que l'Amérique gagnerait si l'on se sacrifiait pour elle ; il est mort au combat.

1. Pour ces présidents, quelle place la religion doit-elle prendre dans la vie publique ?

2. Quelle définition de la nation américaine est donnée par chacun de ces discours ?

Les États-Unis sont-ils un pays laïque ?

>>> *Une politiste et un historien analysent les liens entre pratique religieuse et vie publique*

Les États-Unis séparent les Églises et l'État.

Si Dieu est absent de la Constitution, c'est qu'il n'a pas sa place dans un projet de fondation républicaine soucieux prioritairement de garantir les libertés et la propriété des citoyens. En 1797, le président John Adams et le Sénat ratifient un traité de commerce avec Tripoli stipulant, dans son article 11 : « Le gouvernement des États-Unis d'Amérique n'est pas fondé sur la religion chrétienne ». L'affirmation n'a pas pour seul objectif de permettre des relations commerciales pacifiques avec des pays musulmans, elle condense la spécificité américaine du point de vue des relations entre politique et religion : la neutralité religieuse de l'État fédéral ne signifie pas que les Américains sont un peuple non religieux. […]

La Constitution reflète ainsi la conviction qu'Adam Smith exprimait dans *La Richesse des Nations* (en 1776), selon laquelle la religion devait pouvoir se déployer dans le contexte d'un libre marché des idées, c'est-à-dire en dehors de toute intervention gouvernementale pour l'encourager ou la contraindre. L'importance de ce postulat se mesure à la place qui revient à la liberté religieuse dans le *Bill of Rights* : elle est la première des libertés posée avant que ne soient ensuite affirmées […] les libertés de parole, de presse et de réunion. C'est que la possibilité de parler librement et de s'assembler librement a d'abord été conçue pour permettre à chacun d'exprimer ses convictions religieuses sans encourir de poursuites. Quant à la séparation, elle est tout aussi impérative, ainsi que le précise Thomas Jefferson [*en 1802*] : « En énonçant que sa législature ne pourra faire aucune loi établissant une religion quelconque comme religion d'État ou ayant pour effet d'interdire le libre exercice d'un culte, le peuple américain a voulu établir un mur de séparation entre l'Église et l'État. » (Lettre du 1er janvier 1802 en réponse à la Danbury Baptist Association qui lui demandait de décréter un jour national de prière).

Camille Froidevaux-Metterie, *Politique et religion aux États-Unis*, Paris, La Découverte, 2009.

La Proclamation de la déclaration d'indépendance, le 4 juillet 1776.
Huile sur toile de John Trumbull, 1817, coll. particulière.

Les textes fondateurs des États-Unis – la déclaration d'indépendance, la déclaration des droits (*Bill of Rights*) anglaise, et la Constitution – écartent toute action du politique sur le religieux, chacun pouvant exprimer librement son opinion religieuse.

Camille Froidevaux-Metterie est professeure de Sciences politiques à l'Université de Reims Champagne-Ardennes. Elle est spécialiste des liens entre le religieux et le politique aux États-Unis, et travaille aujourd'hui sur l'évolution du statut de la femme dans les sociétés occidentales.

Contexte

L'histoire américaine et l'histoire française ont développé une application différente de la laïcité. En France, la laïcité est synonyme de stricte neutralité de l'État face aux religions. Aux États-Unis, toutes les religions sont reconnues par l'État et la vie publique est emplie de religiosité, même si en 1802, le président Jefferson a utilisé l'expression « mur de séparation » entre religions et État. Dans les deux pays, la place de la religion dans la société repose sur un débat politique et social que seule permet la pratique de la démocratie libérale.

Les États-Unis séparent les Églises et l'État.

1. Comment la Constitution définit-elle le lien entre la religion et l'État ?

2. Comment les Américains considèrent-ils la liberté religieuse ?

3. Quelles sont les conséquences de la liberté définie par les penseurs des Lumières ?

4. Comment le président Jefferson définit-il les relations entre les Églises et l'État ? Avec quels effets ?

L'obligation sociale d'appartenir à une communauté.

Le modèle politique intègre l'idée de laïcité définie par le 1er amendement. Elle existe sous une forme différente de celle, individuelle, qu'on lui associe généralement en France. Puisqu'il est de mauvais ton de prétendre n'avoir aucune affiliation religieuse, l'Américain est membre d'une congrégation, quelle qu'elle soit (c'est une des multiples formes que prend outre-Atlantique l'importance de l'appartenance à la communauté). Mais aucun groupe religieux ne saurait politiquement l'emporter sur un autre : le principe de pluralisme garanti par la Constitution est gage de laïcité dans la mesure où les individualités collectives sont toutes mises sur le même plan.

Par contre, l'individu, lui, doit, par pression sociale, s'intégrer dans l'une des communautés de foi présentes sur le marché de la croyance. On pourrait croire que les différentes confessions sont renvoyées à la seule sphère privée individuelle, renonçant à toute influence dans la vie publique et tout rôle dans la détermination des affaires du pays. Pourtant, la religion et les Églises sont restées des acteurs de premier plan de la vie civique et n'ont jamais cessé d'exercer un magistère prépondérant auprès des âmes du quidam comme des politiques.

D'une part, le poids de la communauté et l'attachement que les Américains portent envers elle relayent efficacement la parole et l'idéologie religieuses auprès des petits groupes locaux ; en outre, le système politique pluraliste, avec son jeu d'influences et de *lobbies* offre un moyen aux organisations religieuses pour faire entendre leur voix au niveau des instances de gouvernement – et de peser sur les choix.

Reste qu'une intervention directe d'hommes de foi dans la politique n'est pas autorisée : le Père Coughlin qui utilisait les ondes dans les années 1930 pour répandre ses idées extrémistes et fascistes le faisait depuis le Canada…

Adrien Lherm, dans A. Kaspi *et alii*, *La Civilisation américaine*, Paris, PUF, 2006.

Adrien Lherm est maître de conférences en civilisation américaine, spécialiste de l'Amérique du Nord à l'Université Paris-IV.

À la fois cérémonie religieuse et fête laïque : Thanksgiving.

En 1998, à l'occasion de la fête de Thanksgiving, le président des États-Unis Bill Clinton gracie une dinde destinée au festin de la Maison-Blanche. Cette fête fériée a pour origine une prière de remerciements adressée à Dieu par les pères pèlerins lors de leur première récolte dans la colonie de Plymouth (Massachussets), créée en 1620. Chaque famille, quelles que soient ses croyances religieuses, partage la dinde en remerciement de l'année écoulée.

L'obligation sociale d'appartenir à une communauté.

1. Appartenir à une communauté religieuse, est-ce un acte de foi ou un acte social ?

2. Par quel moyen les religions peuvent-elles influencer la vie politique ? Est-ce le cas uniquement pour les Églises ?

3. Quel élément de la Constitution garantit la laïcité de l'État ? Est-ce différent en France ?

4. Pourquoi les Américains sont-ils attachés à l'idée d'appartenir à une communauté ?

Bilan

En vous aidant de vos connaissances, répondez à la question « Comment expliquer l'importance de la religion dans la vie quotidienne et la vie politique américaine ? »

Religion et société aux États-Unis depuis la fin du XIXe siècle

L'essentiel

→ *Quel rôle la religion joue-t-elle dans la vie politique et sociale des États-Unis depuis la fin du XIXe siècle ?*

1. **L'Amérique blanche et protestante (de la fin du XIXe siècle à 1940).**
   - À la fin du XIXe siècle se diffuse le mythe que les protestants blancs sont destinés à conquérir le continent.
   - Vers 1900 les réactions à l'immigration catholique et la ségrégation raciale montrent l'influence de l'idée d'une Amérique *WASP*.
   - Les tensions nationalistes véhiculées par le Ku Klux Klan, et le refus de la science et de la raison par les fondamentalistes indiquent que le Sud reste attaché à l'idée d'une Amérique *WASP*.

2. **La question religieuse et la ségrégation s'imposent dans la vie publique (années 1940-1960).**
   - En pleine Guerre froide, le président Eisenhower modifie le serment d'allégeance et ajoute la devise « *In God we trust* ».
   - Par l'action du mouvement des droits civiques de Martin Luther King, la ségrégation est abolie en 1964.
   - Le nombre de fidèles s'accroît fortement pendant les Trente Glorieuses ; la télévision met en avant les premiers télévangélistes.

3. **Depuis les années 1970, le protestantisme évangélique accroît son influence.**
   - Le refus de la guerre du Vietnam, le scandale du Watergate et les effets de la crise économique des années 1970 permettent aux Églises protestantes de se développer.
   - L'essor de l'expression des *Born-again* dans la vie politique, pousse certains protestants fondamentalistes à former une majorité morale.
   - Depuis la fin de la Guerre froide, l'usage du vocabulaire religieux dans la vie politique et les médias, notamment après 2001, ne doit pas tromper sur la réalité de la séparation institutionnelle entre les Églises et l'État américain.

Mots clés

- *Affirmative action*
- *Born-again*
- Évangélisme
- *Melting pot*
- Fondamentalisme
- Puritanisme
- Ségrégation
- Télévangélisme
- *WASP*

Personnages

D. D. Eisenhower
(1890-1969)
❭ Bio p. 168

J. F. Kennedy
(1917-1963)
❭ Bio p. 213

M. Luther King
(1929-1968)
❭ Bio p. 171

B. Obama
(né en 1961)
❭ Bio p. 207

Synthèse

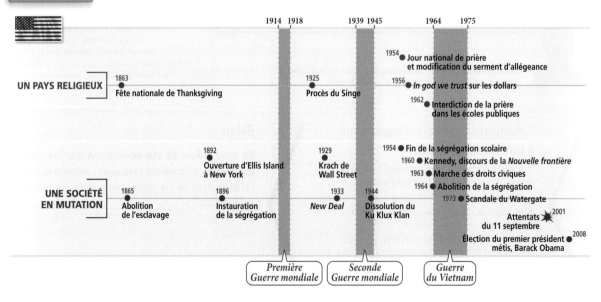

BAC Composition

Méthode ⟩ p. 10

Introduction	Explication des termes du sujet et du contexte, annonce de la problématique et du plan.
Développement	Argumentation organisée en paragraphes (un paragraphe = une idée + un exemple développé).
Conclusion	Réponse à la problématique et ouverture (une ou deux idées qui montrent l'intérêt du sujet traité).

Sujet 1

Conseils

Introduction : expliquez ce que dit la Constitution à ce sujet.
Développement : appuyez-vous sur des exemples précis.
Conclusion : une comparaison internationale est possible en ouverture.

Lecture du sujet

Distinguez croyances (les idées) et Églises (les organisations, qui ont des modes d'expansion à expliquer).

Les institutions, les symboles, l'application des décisions de justice...

Religion et vie politique aux États-Unis depuis la fin du XIXe siècle.

Le sujet porte sur les relations entre les deux ensemble.

Mots clés	Personnages attendus	Chronologie
• *Born-again*	• D. D. Eisenhower	**1954** Instauration du Jour national de prière
• Évangélisme	• B. Graham	**1954** Modification du serment d'allégeance
• Fondamentalisme	• J. F. Kennedy	**1956** *In god we trust* sur les billets de banque
• Puritanisme	• B. Obama	**1962** Interdiction de la prière dans les écoles
• Télévangélisme	• M. Luther King	**2001** Attentats du 11 septembre à New York et Washington
• *WASP*		

Sujet 2

Conseils

Introduction : le serment d'allégeance permet d'aborder de front les termes du sujet.
Développement : un plan thématique est possible.
Conclusion : vous pouvez insister sur le caractère laïque de l'État.

Lecture du sujet

Il n'y a pas que la vie politique, mais aussi les différentes causes d'engagement et les modes de participation à la vie politique.

Être citoyen engagé et croyant aux États-Unis au XXe siècle.

Pensez que les Églises n'ont pas qu'un rôle religieux mais aussi social, et parfois politique. Pensez que les croyances ne passent pas seulement par des Églises mais aussi par des groupes plus fermés.

Mots clés	Personnages attendus	Chronologie
• *Affirmative action*	• D. D. Eisenhower	**1954** Instauration du Jour national de prière
• *Born-again*	• B. Graham	**1954** Modification du serment d'allégeance
• Évangélisme	• J. F. Kennedy	**1956** *In god we trust* sur les billets de banque
• Fondamentalisme	• M. Luther King	**1962** Interdiction de la prière dans les écoles
• Puritanisme		**2001** Attentats du 11 septembre à New York et Washington
• Ségrégation		
• Télévangélisme		

Étude critique d'un document

Introduction	Explication du sujet et du contexte, annonce de la problématique.
Développement	Argumentation organisée en paragraphes qui structurent la réponse à la consigne.
Conclusion	Réponse à la problématique et ouverture (une ou deux idées qui montrent l'intérêt du sujet traité).

Méthode
⟩ p. 11

Sujet — John F. Kennedy, discours de la Nouvelle frontière (15 juillet 1960).

Consigne : Présentez le document et son auteur. Expliquez le sens de la notion de frontière dans l'histoire américaine, et la place que prend le religieux dans la vie politique.
Insistez sur la place prise par la lutte contre la ségrégation raciale dans ce discours.
Montrez la portée et les limites de ce programme en expliquant quels éléments ont été appliqués dans les années 1960.

Chers concitoyens démocrates, [...]

C'est avec un sens profond du devoir et une grande résolution que j'accepte votre nomination. [...] Une explosion de la population urbaine a entraîné une surpopulation scolaire, un engorgement de nos banlieues et une augmentation de l'insalubrité dans les quartiers les plus pauvres. Une révolution pacifique en faveur des droits de l'homme, réclamant la fin de la discrimination raciale dans tous les secteurs de notre société, a tendu au maximum les liens imposés par une direction gouvernementale trop timide. [...]

Je me tiens debout ce soir face à l'Ouest sur ce qui fut autrefois la dernière frontière. De tous ces pays qui s'étendent sur cinq mille kilomètres derrière moi, les pionniers jadis abandonnèrent leur sécurité, leur confort, et parfois leur vie et vinrent ici dans l'Ouest y bâtir un nouveau monde. [...] Oui je vous le dis, la Nouvelle frontière est ici, que nous la cherchions ou pas. Au-delà de cette frontière s'étendent des zones inexplorées de la science et de l'es-pace, des problèmes non résolus de paix et de guerre, des poches d'ignorance et de préjugés qu'il faudra réduire, des problèmes de pauvreté et de surplus qui attendent encore leur solution. [...] Mais je crois que l'époque actuelle réclame invention, innovation, imagination et décision. Je demande à chacun d'entre vous d'être les pionniers sur cette Nouvelle frontière. [...]

Donnez-moi votre aide, votre main, votre voix, votre vote. Reprenez avec moi les paroles d'Isaïe : « Ceux qui espèrent dans le Seigneur renouvellent leur force, ils déploient leurs ailes comme des aigles, ils courent sans s'épuiser, ils marchent sans se fatiguer. » Face au défi qui nous attend, plaçons notre confiance dans le Seigneur, et demandons qu'il renouvelle nos forces. Alors nous serons égaux face à l'épreuve. Alors nous ne serons pas fatigués. Et alors nous ferons face.

Je vous remercie.

John F. Kennedy, discours d'acceptation de l'investiture démocrate, Los Angeles, 15 juillet 1960.

Répondre à la consigne

Conseil

Rappelez à quel stade de la campagne électorale pour les élections présidentielles ce discours est prononcé.

En introduction, vous devez notamment...

• Rappeler qui est l'auteur et dans quel contexte il prononce ce discours.
Quelle catégorie d'Américains représente-t-il ?
• Insister sur le contexte plus large : quelles tensions existent dans l'Amérique de la fin des années 1950 ?
• Énoncer une problématique claire.

Développement : une explication structurée en paragraphes

• Rappeler la place prise par la lutte contre la ségrégation dans les années 1950 :
pourquoi est-elle toujours présente ? où est-elle vivace ? comment s'est mise en place la lutte pour les droits civiques ? quel succès rencontre-t-elle à l'époque du discours ?
• Ce discours insiste sur la place des pionniers : rappeler les origines de ce terme, et pourquoi il peut toucher l'auditoire.
• Insister sur la place des termes religieux et sur les modifications qu'a connu la place de la religion dans la vie publique américaine dans les années qui précèdent ce discours.

En conclusion, il faut par exemple...

• Répondre à la problématique choisie au début de la réponse.
• Rappeler la portée du document, notamment son caractère de programme présidentiel : expliquer s'il a été appliqué dans les années qui ont suivi.

Introduction	Explication du sujet et du contexte, annonce de la problématique.	**Méthode**
Développement	Argumentation organisée en paragraphes qui structurent la réponse à la consigne.	**> p. 11**
Conclusion	Réponse à la problématique et ouverture (une ou deux idées qui montrent l'intérêt du sujet traité).	

Sujet Barack H. Obama, discours de Philadelphie (18 mars 2008).

Consigne : Présentez le document dans son contexte. Expliquez ce qu'il dit de la ségrégation, du rôle des Églises et des conséquences de la politique suivie depuis l'abolition de la ségrégation raciale. Montrez la portée du document et l'objectif de son auteur par rapport au contexte électoral.

Mais beaucoup de ceux qui ont travaillé dur pour se tailler une part du Rêve Américain n'y sont pas arrivés, vaincus, d'une façon ou d'une autre, par la discrimination. [...]

Leur colère ne s'exprime peut-être pas en public, devant des collègues blancs ou des amis blancs. Mais on peut l'entendre chez le coiffeur ou autour de la table familiale. Elle est exploitée par les hommes politiques pour gagner des votes en jouant la carte raciale ou pour compenser leur incompétence.

Il lui arrive aussi de trouver une voix, le dimanche matin à l'église, venant du haut de la chaire ou parmi les bancs des fidèles. Que l'on entende cette colère dans les sermons du révérend Wright[1] ne devrait avoir rien de surprenant : on sait que c'est à l'office du dimanche que la ségrégation est la plus frappante.

Cette colère n'est pas toujours une arme efficace.

On retrouve une colère similaire dans certaines parties de la communauté blanche. La plupart des Américains de la classe ouvrière et de la classe moyenne blanche n'ont pas l'impression d'avoir été spécialement favorisés par leur appartenance raciale.

Leur expérience est l'expérience de l'immigrant. Ils n'ont hérité de personne. Ils sont partis de rien. Ils ont travaillé dur toute leur vie, souvent pour voir leurs emplois délocalisés et leurs retraites partir en fumée. [...]

Alors, quand on leur dit que leurs enfants sont affectés à une école à l'autre bout de la ville, quand on leur dit qu'un Afro-Américain décroche un bon job ou une place dans une bonne fac pour réparer une injustice qu'ils n'ont pas commise, quand on leur dit que leur peur de la délinquance dans les quartiers est une forme de racisme, la rancœur, au fil du temps, s'accumule. [...]

Voilà où nous en sommes : incapables depuis des années de nous extirper de l'impasse raciale. [...]

Mais j'ai affirmé ma conviction profonde – une conviction ancrée dans ma foi en Dieu et ma foi dans le peuple américain – qu'en travaillant ensemble nous arriverons à panser nos vieilles blessures raciales. En fait nous n'avons pas d'autres choix si nous voulons continuer d'avancer dans la voie d'une union plus parfaite.

Barack H. Obama, *De la race en Amérique*,
traduction Didier Rousseau et Françoise Simon, Ammon & Rousseau
Translations, New York.

1. Allusion aux scandales provoqués par les prêches de ce pasteur, proche du président Obama.

Répondre à la consigne

Conseil

N'oubliez pas qu'un discours a pour but de convaincre un auditoire.

En introduction, vous devez notamment...
• Rappeler le contexte dans lequel ce discours est prononcé, en insistant sur l'importance de la Constitution dans la vie politique.
• Rappeler en quelques mots le rôle du président des États-Unis, et le caractère inédit de la campagne de 2008 en insistant sur la personnalité de l'auteur.

Développement : une explication structurée en paragraphes
• Rappeler l'histoire de la ségrégation, de la lutte pour les droits civiques et des politiques de mise en avant des minorités depuis lors.
• Expliquer pourquoi l'auteur équilibre la description des deux populations, et ses raisons liées au contexte.
• Insister sur le rôle joué par la religion dans l'argumentation de ce discours.

En conclusion, il faut par exemple...
• Répondre à la problématique choisie au début de la réponse.
• Rappeler la portée du document, à la fois par sa diffusion et en expliquant l'avenir politique de son auteur.

BAC   Étude critique de deux documents

Introduction	Explication du sujet et du contexte, annonce de la problématique.	**Méthode**
Développement	Argumentation organisée en paragraphes qui structurent la réponse à la consigne.	**> p. 11**
Conclusion	Réponse à la problématique et ouverture (une ou deux idées qui montrent l'intérêt du sujet traité).	

Sujet   L'influence du télévangélisme dans la vie publique américaine.

Consigne : Présentez et comparez ces documents. Repérez la place que prend la religion à l'école et dans la vie politique américaine. Montrez quelles sont les idées du fondamentalisme protestant et ses conséquences dans la vie publique.

Doc. 1 Un télévangéliste critique l'école publique (1978).

Jusqu'à il y a environ trente ans, les écoles publiques américaines fournissaient le soutien dont nos garçons et nos filles avaient besoin. L'éducation chrétienne et les préceptes de la Bible imprégnaient encore les programmes des écoles publiques. La Bible était lue, et des prières offertes dans chacune des écoles de notre pays. Mais nos écoles publiques n'enseignent plus l'éthique chrétienne qui éduque les enfants et les jeunes gens intellectuellement, physiquement, émotionnellement et spirituellement. [...] J'estime que la décadence de notre système scolaire public a subi une énorme accélération quand la prière et la lecture de la Bible ont été retirées des classes par la Cour suprême des États-Unis.

Notre système scolaire public est maintenant imprégné d'humanisme. [...] L'humanisme place l'homme au centre de l'univers. [...] Cette philosophie enseigne que l'homme n'est pas la création unique et spécifique de Dieu. L'homme est seulement le dernier résultat d'un processus d'évolution, qui a acquis un sens de l'intelligence l'empêchant d'agir comme un animal. [...] Ces philosophies détruisent notre système éducatif [et] sont en train de saper les bases et la fondation de la famille chrétienne. Des valeurs fondamentales telles que la moralité, l'individualisme, le respect de l'héritage national, et les bénéfices du système de libre entreprise ont été pour l'essentiel censurés dans des livres de classe utilisés dans les écoles publiques aujourd'hui.

Jerry Falwell, *Listen America !*, New York, Basic Books, 1978.

Doc. 2

Un télévangéliste prêche lors d'une cérémonie politique (1995).

Le 17 janvier 1995 le pasteur évangéliste Billy Graham mène la prière lors de la cérémonie d'installation du gouverneur élu du Texas, George W. Bush.

1. Lire le sujet et mobiliser ses connaissances

Conseil

Faites un brouillon et utilisez-le en rayant, au fur et à mesure, les idées que vous placez dans votre copie.

Qui s'exprime ?
- **À propos du doc. 1** : repérez la date et l'auteur. Quelle est l'influence des télévangélistes à l'époque ?
- **À propos du doc. 2** : repérez le moment où la photo a été prise. Qui est Billy Graham ?

Quel est le contexte ?
- À l'aide de votre cours, expliquez la place prise par la religion aux États-Unis.
- Quelles religions cohabitent ? Quelle est la plus importante ? Comment est-elle organisée ?
- Quels liens existent entre l'État et les Églises ? depuis quand ?
  Quelles conséquences cela a-t-il dans la vie politique et sociale ?

Comment ont évolué les relations entre religion et société depuis 1945 ?
- À l'aide de votre cours, faites le point sur ces relations aux États-Unis.
- À l'aide de vos connaissances, dressez la liste des moments politiques
  dans lesquels la religion joue un rôle.
- À l'aide de vos connaissances, expliquez que les États-Unis sont un pays laïque,
  et sur quels textes cette laïcité s'appuie.

2. Confronter les documents à ses connaissances

Conseil

Aux États-Unis, la religion n'occupe pas la même place qu'en France ; attention à bien définir son influence.

Quel rôle l'État joue-t-il dans la mise à l'écart des Églises à l'école ?
- Quel rôle joue la Bible pour l'auteur ? Par quoi les familles chrétiennes seraient-elles menacées ?
- Quels autres systèmes de pensée l'ont remplacée à l'école depuis 1962 ?
  En quoi sont-ce des menaces selon l'auteur ? Qui pense comme lui à l'époque ?

Quelle place prend la religion dans la vie politique ?
- Que dit le doc. 1 des liens entre religion et « héritage national » ?
  Comment le doc. 2 montre-t-il ces liens ?
- Quelles décisions politiques sont prises dans les années 1950 en faveur de l'expression
  religieuse dans la vie publique ?
- Quels éléments ont changé dans les années 1960 ?

Quelles tendances de la société américaine sont reflétées dans ces documents ?
- Expliquez le rôle, les moyens et l'influence de la droite religieuse aux États-Unis depuis 1945.
- Expliquez ce qu'est la Majorité morale et son influence.

3. Répondre à la consigne

Conseil

Analyser un document textuel, c'est en citer des passages pour appuyer vos arguments.

En introduction, vous devez notamment...
- Comparer la nature des documents : à qui s'adressent-ils ? Ont-ils les mêmes objectifs ?
- Rappeler que les États-Unis sont un pays laïque en revenant aux textes fondateurs.
- Rappeler la place nouvelle de la religion dans la vie politique des années 1950.
- Énoncer une problématique.

Dans un développement structuré en paragraphes, il serait bon de...
- Expliquer les fondements idéologiques de l'évangélisme fondamentaliste.
- Expliquer la manière dont la place de la religion a évolué dans la société américaine
  depuis les années 1950.
- Montrer que les États-Unis sont un pays laïque en vous appuyant sur les deux documents.

En conclusion, il faut par exemple...
- Répondre à la problématique choisie au début de la réponse.
- Proposer une ouverture qui montre l'importance de l'expression religieuse
  dans l'expression de l'unité nationale américaine.

III

Puissances et tensions dans le monde de la fin de la Première Guerre mondiale à nos jours

Le 11 septembre 2001, les États-Unis sont touchés au cœur de villes qui incarnent le capitalisme, les libertés individuelles et la démocratie, valeurs considérées comme universelles depuis la fin de la Guerre froide. Ces attentats montrent la fragilité de la position américaine dans certains espaces de tension, comme le Proche et le Moyen-Orient. Leur puissance est donc contestée alors qu'émergent de nouvelles puissances, comme la Chine, dont l'influence économique s'étend lentement à toute la planète.

Les attentats du 11 septembre 2001
contre le World Trade Center, à New York.

Les chemins de la puissance : les États-Unis et le monde depuis 1918

En utilisant la force de leur industrie, de leurs finances, l'influence de leur diplomatie et la capacité de projection de leurs armées, les États-Unis interviennent, seuls ou avec leurs alliés, là où leurs intérêts sont en jeu. Ils diffusent un mode de vie attractif, libéral et optimiste (*American way of life*) qui s'oppose aux modèles totalitaires.

Depuis 1776, les Américains se considèrent investis d'une « destinée manifeste » qui consiste à défendre et à diffuser l'idéal démocratique.

Empire américain, superpuissance, hyperpuissance, sont des termes utilisés par les historiens et entretenus par la presse, le cinéma et les réseaux de communication pour qualifier la montée en puissance des États-Unis au cours du XXᵉ siècle.

➜ *Comment l'influence des États-Unis évolue-t-elle dans les relations internationales depuis 1918 ?*

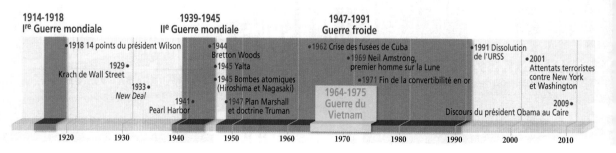

▌ Le salut au drapeau fiché sur le sol lunaire (21 avril 1972).

• La conquête spatiale est stimulée par la concurrence soviétique à l'époque de la Guerre froide. Le 12 avril 1961,
le Soviétique Youri Gagarine est le premier homme dans l'espace. Le président Kennedy place aussitôt l'espace,
cette « nouvelle frontière », comme priorité stratégique.

• L'espace devient un enjeu de puissance scientifique autant que militaire.

• Le 21 juillet 1969, les Américains Neil Armstrong et Buzz Aldrin sont les premiers hommes à marcher sur la Lune.

Le XXᵉ siècle, siècle américain

« *Vous qui, comme moi, êtes Américains, ne vous demandez pas ce que votre pays peut faire pour vous, mais demandez-vous ce que vous pouvez faire pour votre pays. Vous qui, comme moi, êtes citoyens du monde, ne vous demandez pas ce que l'Amérique peut faire pour vous, mais ce que nous pouvons faire ensemble pour la liberté des hommes.* »

John Fitzgerald Kennedy, discours d'investiture à la présidence des États-Unis, 20 janvier 1961.

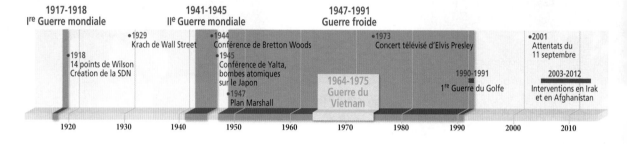

1917-1918
Iʳᵉ Guerre mondiale

1941-1945
IIᵉ Guerre mondiale

1947-1991
Guerre froide

●1929
Krach de Wall Street

●1918
14 points de Wilson
Création de la SDN

●1944
Conférence de Bretton Woods
●1945
Conférence de Yalta,
bombes atomiques
sur le Japon
●1947
Plan Marshall

1964-1975
Guerre du
Vietnam

●1973
Concert télévisé d'Elvis Presley

1990-1991
1ʳᵉ Guerre du Golfe

●2001
Attentats du
11 septembre

2003-2012
Interventions en Irak
et en Afghanistan

1920   1930   1940   1950   1960   1970   1980   1990   2000   2010

1. Le krach de 1929 et le *New Deal* de Roosevelt (1933-1939)

L'effondrement de la bourse de New York, en octobre 1929, provoque une succession de faillites aux États-Unis et en Europe. La crise précipite 15 millions d'Américains au chômage et entraîne des crises politiques en Europe, notamment en France et en Allemagne.
Le président Roosevelt mène alors une politique d'intervention directe de l'État dans l'économie, le *New Deal*, inspirée des idées de l'économiste Keynes.

2. 1944-1947, la consécration de la puissance américaine

La conquête de l'Allemagne en mai 1945 et la défaite japonaise après les bombardements d'Hiroshima et Nagasaki (septembre 1945) font des États-Unis la grande puissance mondiale.
Les fondements du nouvel ordre économique épousent les idées de libre-échange et de coopération entre les États lors de la conférence de Bretton Woods (1944).
Les conférences de Yalta (février 1945) et Potsdam (juillet-août 1945) permettent aux États-Unis de peser, face à l'URSS, dans la reconstruction politique de l'Europe.

Plus gros détenteurs d'or et première puissance industrielle, les États-Unis proposent en 1947 un plan d'aide matérielle et financière à la reconstruction aux pays européens. Si l'URSS et ses alliés le refusent, le plan Marshall va faciliter la reconstruction et permettre le développement économique de l'Europe de l'Ouest.

Yalta (février 1945).

Les travaux du Hoover Dam (Colorado), en 1935, financés par le *New Deal*.

Hiroshima (août 1945).

3. Une économie-monde devenue superpuissance depuis 1945

Les États-Unis sont en 1945 la plus grande puissance économique et militaire. Les réserves d'or, le dollar et le système économique de Bretton Woods en font le leader des États capitalistes. Depuis la fin de la Guerre froide en 1991, ils sont la seule superpuissance mondiale.
À l'ère de la mondialisation, et malgré les crises de 1929, 1973, 1979 et 2008, les entreprises américaines lui permettent de conserver sa place de plus grande puissance économique mondiale.

L'Apple store de Shanghai (Chine), ouvert en 2010.

4. Le leader du « monde libre » pendant la Guerre froide (1947-1991)

Entre 1947 et 1991, les États-Unis participent à la reconstruction de l'Europe et luttent par tous les moyens contre l'influence communiste, selon la doctrine Truman du *containment*.
Ils interviennent dans la guerre de Corée (1950-1953), la guerre du Vietnam (1964-1975), et dans une série d'opérations militaires, notamment en Amérique latine.

En 1991, l'aviation américaine survole les puits de pétrole koweitien en feu. Quelques heures plus tard, l'armée irakienne est repoussée hors du Koweït par une coalition menée par les États-Unis.

5. L'influence passe aussi par la culture : le *soft power*

Le modèle américain est diffusé par les sciences, le cinéma, les arts, la littérature, la presse et Internet, qui donnent l'image d'un pays complexe mais attractif. On parle de « pouvoir doux » (*soft power*), par opposition à la puissance économique ou militaire (*hard power*).

Le 14 janvier 1973 un concert est pour la première fois retransmis par satellite. Depuis Hawaii, le chanteur de rock Elvis Presley (1935-1977) touche ainsi plus d'un milliard de téléspectateurs.

1. 1918-1941 : les États-Unis entre isolationnisme et interventionnisme

1917-1918 Les États-Unis dans la Première Guerre mondiale

1941-1945 Seconde Guerre mondiale

1918 14 points du président Wilson

1920 Rejet du traité de Versailles par le Sénat

1929 Krach de Wall Street

1941 Attaque japonaise sur Pearl Harbor

➜ *Comment expliquer les hésitations américaines pour intervenir dans les relations internationales ?*

A. Wilson, président idéaliste d'un pays isolationniste (1917-1920)

• **Depuis la fin de la guerre d'Indépendance (1783), les États-Unis se tiennent à l'écart des affaires européennes.** Même si la **doctrine Monroe*** n'a pas totalement isolé les États-Unis des affaires mondiales, l'**isolationnisme** est ancré dans l'opinion publique. En 1915, le torpillage du paquebot *Lusitania* par un sous-marin allemand et la mort de nombreux passagers américains émeuvent l'opinion publique, mais le président Wilson est réélu en 1916 sur un slogan isolationniste.

• **L'entrée des États-Unis dans la Première Guerre mondiale le 2 avril 1917** est provoquée par la révélation d'un plan allemand pour faire entrer le Mexique en guerre contre les États-Unis. Au printemps 1918, plus de 200 000 soldats américains débarquent chaque mois en Europe et permettent la victoire sur l'Allemagne.

• **Le président démocrate Wilson développe un projet idéaliste de nouvel ordre mondial dans ses 14 points**, inclus dans le traité de Versailles : droit des peuples à disposer d'eux-mêmes, sécurité collective, solidarité en cas d'agression d'un État membre. En 1920 le Sénat refuse de ratifier le traité : la majorité républicaine, sensible à l'isolationnisme de l'opinion publique et craignant de voir la souveraineté des États-Unis limitée par la future organisation internationale, fait échouer le rêve de Wilson **(doc. 1)**.

B. Une puissance mondiale fragilisée par la crise de 1929

• **Dans les années 1920, les États-Unis concurrencent le Royaume-Uni comme première puissance économique mondiale.** Ils possèdent en 1919 45 % du stock d'or mondial. De débitrice, l'Amérique est devenue créancière. En 1929, les États-Unis sont à l'origine du tiers des investissements dans le monde.

• **La « diplomatie du dollar »** permet aux États-Unis, alors que la France occupe militairement la Sarre allemande pour récupérer les réparations de la guerre, de réintégrer l'Allemagne dans le commerce mondial. Le dollar leur permet d'ouvrir la Chine intérieure au commerce, alors que depuis le XIXᵉ siècle seuls les ports étaient ouverts.

• **En 1929, le krach de Wall Street vient saper les fondements sur lesquels s'appuyait la puissance américaine pendant les années 1920.** Les pays européens, touchés par le rapatriement des capitaux des banques américaines, cessent de rembourser leurs prêts contractés pendant la guerre. Le président Roosevelt lance en 1933 un plan de grands travaux et d'aides sociales, le *New Deal* : les intérêts américains se replient sur leur sol.

C. La difficile montée de l'interventionnisme (années 1930)

• **L'isolationnisme se nourrit des dettes de guerre non remboursées.** Plusieurs lois de neutralité interdisent la vente d'armes à des pays en guerre, ou les obligent à venir chercher eux-mêmes ces marchandises (*Cash and carry*). L'opinion publique s'exprime par des associations puissantes, comme l'*America First Committee* de l'aviateur Charles Lindbergh – 800 000 adhérents en 1940 **(doc. 2)**. En 1940, Roosevelt est réélu pour un 3ᵉ mandat sur un programme isolationniste.

• **La Seconde Guerre mondiale met fin à la neutralité américaine.** En mars 1941, les États-Unis adoptent la loi **prêt-bail** qui permet de prêter à l'Angleterre du matériel de guerre. Le 14 août 1941, Roosevelt et Churchill signent la **Charte de l'Atlantique (doc. 3)** et appellent à un nouvel ordre international basé sur le droit des peuples. L'attaque japonaise de la flotte américaine à **Pearl Harbor** en 1941 achève de précipiter les États-Unis dans la Seconde Guerre mondiale **(doc. 4)**.

Citation

« *He kept us out of war.* »

[Il nous a préservés de la guerre.]

Slogan de campagne du président W. Wilson pour sa réélection en 1916, alors que la Grande Guerre ravage l'Europe.

Biographie

Franklin D. Roosevelt (1882-1945)

Gouverneur démocrate de New York, Roosevelt est élu président des États-Unis en 1932, puis réélu plusieurs fois. Il met en œuvre un plan de grands travaux et d'aides sociales (*New Deal*) pour atténuer les effets de la crise de 1929. Après l'attaque de Pearl Harbor, il lance les États-Unis dans la Seconde Guerre mondiale, y organise une industrie de guerre et lance la recherche atomique. Héritier politique de Wilson, il pose en 1945 les fondements d'un nouvel ordre mondial par la conférence de Bretton Woods et la création de l'ONU.

Mots clés

Isolationnisme : Principe selon lequel un pays se refuse à intervenir, politiquement ou militairement, dans les affaires d'autres pays.

Interventionnisme : Principe selon lequel un pays intervient politiquement, militairement ou par une action économique dirigée par l'État, dans les affaires intérieures d'un autre État.

Vocabulaire

* Doctrine Monroe

❯ lexique p. 380 à 383

Doc. 1 Un discours hostile à l'entrée des États-Unis dans la Société des Nations (1919).

Président de la Commission du Sénat américain pour les relations internationa-les, Cabot Lodge prend la tête du mouvement contre le traité de Versailles et l'entrée des États-Unis dans la SDN.

Je désire que nos représentants décident, après mûre réflexion, s'ils sont disposés à voir la jeunesse des États-Unis envoyée au combat par d'autres nations. [...] Ce que je désire par-dessus tout, ce que j'ai le plus à cœur est de voir nos soldats dans leurs foyers. La création de la Société des Nations ne les y amènera pas. [...]

Nous avons dans ce pays un gouvernement du peuple, pour le peuple, par le peuple, le gouvernement le plus libre et le meilleur du monde, et nous sommes aujourd'hui le grand rempart contre l'anarchie et les désordres qui se sont emparés de la Russie et essayent d'envahir toutes les nations possibles du monde. Au gouvernement du peuple, pour le peuple et par le peuple [...] on nous demande de substituer aux États-Unis, sur beaucoup de points importants, un gouvernement de, pour et par d'autres peuples. Réfléchissez bien avant de prendre cette décision capi-tale. [...] Je veux du bien à toutes les races humaines. J'espère, et je le souhaite ardemment, que la paix, une paix non troublée, régnera par-tout sur la terre. Mais l'Amérique et le peuple américain ont la première place dans mon cœur, aujourd'hui et toujours.

Henry Cabot Lodge, discours devant le Sénat des États-Unis, le 28 février 1920.

1. Que refuse H. Cabot Lodge dans ce texte ? Avec quels arguments ?

2. En quoi s'oppose-t-il aux idées de Wilson ?

Doc. 3 Une déclaration en faveur de la liberté des États et des peuples : la Charte de l'Atlantique (14 août 1941).

Le président des États-Unis et le Premier ministre, M. Churchill, repré-sentant le gouvernement du Royaume-Uni, se sont rencontrés en mer. [...] Ils se sont mis d'accord sur le texte d'une déclaration commune : [...]

1. Leurs pays ne recherchent pas d'expansion territoriale ou autre.

2. Ils ne veulent pas de modifications territoriales qui ne répondraient pas aux vœux populaires librement exprimés.

3. Ils respectent le droit de chaque peuple à choisir la forme de son gouvernement et espèrent que les droits souverains et l'autonomie de gouverner seront restitués à ceux qui en ont été privés par la force.

4. Ils s'efforceront [...] de favoriser l'accès de tous les États [...] aux mar-chés mondiaux et aux matières premières [...].

7. La paix devrait offrir à tous la liberté des mers et des océans.

8. Ils ont la certitude que tous les pays [...] devront renoncer à l'usage de la force. Étant donné que la paix ne pourra pas être préservée si des armements terrestres, navals ou aériens continuent d'être utilisés par des pays qui brandissent la menace d'une agression hors de leurs frontières ou qui sont susceptibles de le faire, ils sont fermement convaincus qu'en attendant la mise en place d'un système permanent et plus large de sécu-rité globale, le désarmement de ces pays est essentiel.

Charte de l'Atlantique, signée 14 août 1941 sur l'USS *Augusta* par le président des États-Unis Franklin D. Roosevelt et le Premier ministre britannique Winston Churchill.

1. Quels sont les principes défendus par les États-Unis et le Royaume-Uni ?

2. Qu'est-ce qui motive la signature de cette entente ?

Doc. 2 Une affiche isolationniste placardée avant Pearl Harbor (1941). « La première victime de la guerre ».

1. Quels seraient les effets de la guerre pour les isolationnistes ?

2. Pourquoi ce comité a-t-il été dissous après Pearl Harbor ?

Doc. 4 Une affiche interventionniste après l'agression japonaise de Pearl Harbor (7 décembre 1941).

« Nous sommes fortement résolus à ce que ces morts ne soient pas morts en vain ». Extrait du *Gettysburg Address* en faveur de l'unité nationale, prononcé en 1863, pendant la guerre de Sécession, par le président Lincoln.

1. Quels arguments sont utilisés pour convaincre les Américains d'entrer dans la guerre ?

2. Pourquoi citer Lincoln ? Quel est l'effet escompté ?

En 1917, après le torpillage de navires de commerce américains par l'Allemagne, les États-Unis, jusque-là neutres, entrent dans la guerre. La victoire fait d'eux le grand acteur des règlements du conflit. Le président Wilson propose de réorganiser les relations entre les États en suivant 14 points, parmi lesquels la création d'une Société des Nations qui doit empêcher les guerres et établir le droit des peuples à disposer d'eux-mêmes. Tous les États vainqueurs ne partagent pas cet idéalisme, et aux États-Unis le mouvement isolationniste est toujours très influent.

➜ *Quelles difficultés l'action internationale du président Wilson rencontre-t-elle ?*

Dates clés

Wilson, un acteur majeur de la Grande Guerre

2 avril 1917 Entrée en guerre des États-Unis.

11 novembre 1918 Armistice, fin des combats.

28 juin 1919 Signature du traité de Versailles et création de la Société des Nations.

Mars 1920 Refus définitif du Congrès de ratifier le traité de Versailles.

Doc. 1 Les 14 points du président Wilson.

Messieurs,

[...] Nous sommes entrés dans cette guerre parce que des violations du droit se sont produites qui nous touchaient au vif, et qui rendaient la vie de notre peuple impossible [...], nous voyons très clairement qu'à moins que justice ne soit rendue aux autres, elle ne nous sera pas rendue à nous-mêmes. C'est donc le programme de la paix du monde qui constitue notre programme. Et ce programme, le seul possible selon nous, est le suivant :

1. Des conventions de paix, préparées au grand jour ; après quoi il n'y aura plus d'ententes particulières et secrètes d'aucune sorte entre les nations, mais la diplomatie procédera toujours franchement et à la vue de tous.

2. Liberté absolue de la navigation sur mer, en dehors des eaux territoriales, aussi bien en temps de paix qu'en temps de guerre, sauf dans le cas où les mers seraient fermées en tout ou en partie par une action internationale tendant à faire appliquer des accords internationaux.

3. Suppression, autant que possible, de toutes les barrières économiques, et établissement de conditions commerciales égales pour toutes les nations consentant à la paix et s'associant pour son maintien.

4. Échange de garanties suffisantes [*sur le fait*] que les armements de chaque pays seront réduits au minimum compatible avec la sécurité intérieure.

5. Un accord librement débattu, dans un esprit d'ouverture et d'une manière absolument impartiale, concernant toutes les revendications coloniales [...].

6. Évacuation du territoire russe tout entier et règlement de toutes questions concernant la Russie qui assure la meilleure et la plus libre coopération de toutes les nations du monde, en vue de donner à la Russie toute latitude, sans entrave ni obstacle, de décider, en pleine indépendance, de son propre développement politique et de son organisation nationale [...].

7. Il faut que la Belgique, tout le monde en conviendra, soit évacuée et restaurée [...].

8. Le territoire français tout entier devra être libéré et les régions envahies devront être restaurées ; le préjudice causé à la France par la Prusse en 1871 en ce qui concerne l'Alsace-Lorraine, préjudice qui a troublé la paix du monde durant près de cinquante ans, devra être réparé afin que la paix puisse de nouveau être assurée dans l'intérêt de tous.

9. Une rectification des frontières italiennes devra être opérée conformément aux données clairement perceptibles du principe des nationalités.

10. Aux peuples de l'Autriche-Hongrie dont nous désirons voir sauvegarder et assurer la place parmi les nations, devra être accordé au plus tôt la possibilité d'un développement autonome.

11. La Roumanie, la Serbie, le Monténégro devront être évacués ; les territoires occupés devront être restaurés ; à la Serbie devra être assuré un libre accès à la mer [...].

12. Aux régions turques de l'Empire ottoman actuel devront être garanties la souveraineté et la sécurité [...].

13. Un État polonais indépendant devra être créé, qui comprendra les territoires habités par des populations indiscutablement polonaises, auxquelles on devra assurer un libre accès à la mer [...].

14. Une société des nations doit être constituée en vertu de conventions formelles ayant pour objet d'offrir des garanties mutuelles d'indépendance politique et d'intégrité territoriale aux petits comme aux grands États.

Un principe évident est présent dans l'ensemble du programme que j'ai exposé dans les grandes lignes. C'est le principe de justice pour tous les peuples et nationalités, et leurs droits à vivre ensemble sur un pied d'égalité, de liberté et de sécurité, qu'ils soient puissants ou faibles. [...] Les citoyens des États-Unis ne pourront agir selon aucun autre principe ; et pour défendre ce principe, ils sont prêts à donner leur vie, leur honneur et tout ce qu'ils possèdent.

Message sur les Conditions de la Paix, adressé par le président Wilson le 8 janvier 1918 au Congrès des États-Unis.

Thomas Woodrow Wilson (1856-1924)

Gouverneur démocrate du New Jersey, Wilson est élu en 1912 à la présidence des États-Unis. À l'intérieur, il mène une politique de modernisation de l'État instituant notamment un impôt fédéral sur le revenu en 1913 et le vote des femmes en 1920. Réélu en 1916 sur le thème isolationniste « il nous a préservé de la guerre », il engage son pays dans la Première Guerre mondiale en avril 1917. Malgré la victoire, il achève sa présidence sur un échec en ne parvenant pas à convaincre le Congrès de ratifier le traité de Versailles et son projet de Société des Nations.

Doc. 2 Une caricature américaine contre la SDN (1920).
Caricature, Windor MacCay, « Si nous étions dans la Société des Nations »,
Bibliothèque du Congrès des États-Unis, 1920.

John Bull (le Royaume-Uni) interpelle l'Oncle Sam (les États-Unis) :
« Hé Sam ! Envoie-moi de nouvelles troupes ! ».

Doc. 4 Le regard d'un historien sur la postérité de Wilson.

Rejetant les douteux équilibres des alliances secrètes, fondant un ordre sur le droit, la transparence et l'opinion publique, les principes de Wilson ont tracé la voie du système international tel qu'il se développe aujourd'hui. [...] Repris par Franklin Roosevelt après 1945, le schéma libéral et internationaliste fut [...] mis en place avec plus de succès. [...] À la fin de la Guerre froide, les paradigmes wilsoniens furent à nouveau repris par le président Bush qui s'en inspira pour proclamer [...] un nouvel ordre mondial basé sur le droit dont l'ONU devait être la pierre angulaire.

[Les] principes de Wilson furent l'objet de controverses animées [...] au sein même des élites américaines. Pour les uns, l'économie de marché, la démocratie et la sécurité collective étaient les seuls objectifs qu'une république, même impériale, pouvait poursuivre sans renier ses principes. Pour les autres, ignorer la puissance, c'était [...] compromettre les impératifs de la sécurité nationale.

Jean-Yves Haine, « La Politique étrangère américaine : Wilson orphelin »,
Paris, La Documentation française, 2001.

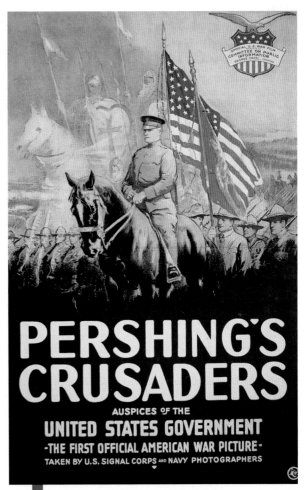

Doc. 3 Un film de propagande américaine (1918).
Le général Pershing est le commandant des forces américaines engagées en Europe en 1917 et 1918.

POUR COMPRENDRE

1. Étudier les documents

Doc. 1. Comment Wilson justifie-t-il l'entrée en guerre des États-Unis ? Quelles valeurs doivent selon lui organiser les relations internationales ? En quoi sont-elles idéalistes ?

Doc. 2 et 3. Comparez les documents : comment sont présentés les soldats engagés dans les combats ? Pourquoi une telle opposition à la SDN ?

Doc. 4. Quels ont été les effets des idées de Wilson en 1920 ? en 1945 ? et aujourd'hui ?

2. Analyse de deux documents

BAC Présentez le discours des 14 points (doc. 1) et la caricature (doc. 2) dans leur contexte, exposez les principes du wilsonisme et soulignez-en la portée et les limites.

3. Aide à la composition

BAC À l'aide de vos connaissances, rédigez un paragraphe sur le sujet : « L'influence de l'isolationnisme aux États-Unis à l'époque de Wilson ».

2. 1941-1949 : la Seconde Guerre mondiale et l'affirmation de la puissance américaine

1939-1945 Seconde Guerre mondiale

1941	1945	1947	1949
Pearl Harbor	Création de l'ONU	Doctrine Truman	Pacte atlantique
	Capitulation de l'Allemagne et du Japon	Plan Marshall	

→ *Quel rôle les États-Unis jouent-ils dans la mise en place d'un nouvel ordre mondial ?*

A. Les États-Unis à la tête de la Grande Alliance

• **Le 8 décembre 1941**, au lendemain de l'attaque japonaise sur Pearl Harbor, **les États-Unis entrent en guerre contre l'Axe** aux côtés du Royaume-Uni et de l'URSS avec qui ils forment la Grande Alliance. En janvier 1942, Roosevelt lance le *Victory Program* : la production massive et standardisée d'armes, de navires, d'avions et de véhicules livrés à tous les Alliés – URSS comprise – permet de surclasser les forces de l'Axe. Seize millions d'Américains sont directement engagés dans les combats.

• **À partir de la mi-1942, l'écrasante supériorité militaire américaine est décisive en Europe comme dans le Pacifique** (doc. 1). Après le débarquement anglo-américain en Afrique du Nord (1942) et en Italie (1943), les débarquements en Normandie (6 juin 1944), et en Provence (août 1944), assistés par l'action de la Résistance française, ouvrent la voie à l'invasion de l'Allemagne.

• **En 1945, les États-Unis et leurs alliés sont victorieux.** Le 8 mai, l'Allemagne capitule. Le Japon capitule le 2 septembre après l'explosion des bombes atomiques américaines sur **Hiroshima** (6 août) puis **Nagasaki** (9 août).

B. Les États-Unis, architectes d'un monde nouveau

• **En 1945, les États-Unis sont la première puissance mondiale.** Comme en 1918, ils sont au cœur des relations internationales. Ils détiennent deux tiers du stock d'or mondial et le monopole nucléaire. Ils sont le seul protagoniste du conflit à pouvoir économiquement soutenir les nations belligérantes. Le dollar devient de fait la principale monnaie d'échanges.

• **Les États-Unis sont à l'origine de l'Organisation des Nations unies.** L'ONU naît le 26 juin 1945 à San Francisco. Le choix de son siège à New York marque la perte d'influence de l'Europe. Son Conseil de sécurité assure l'influence des vainqueurs par un droit de veto.

• **Les États-Unis façonnent les institutions internationales.** Les accords de Bretton Woods (22 juillet 1944), près de New York, posent les bases du commerce international et des règles économiques entre les États. Le **FMI***, la **BIRD***, puis en 1947 le *GATT**, recréent un monde libéré des entraves qui pesaient sur la liberté du commerce.

C. Face au bloc soviétique, « l'empire américain » ?

• **Les États-Unis établissent leur hégémonie sur le Pacifique en occupant le Japon.** Nommé gouverneur du pays, le général MacArthur redresse l'économie et dote le Japon d'une nouvelle Constitution qui enlève tout pouvoir à l'empereur et réduit l'armée à une force d'autodéfense.

• **En Europe, les États-Unis cherchent à réduire l'influence soviétique.** Pour éviter que la Turquie et la Grèce ne tombent dans la sphère d'influence de Moscou, le président Truman annonce, en mars 1947, une politique « d'endiguement », le *containment* (doc. 3) et octroie à ces pays une aide de 400 millions de dollars votée par le Congrès. En juin 1947, pour aider à la reconstruction de l'Europe et empêcher le retour de pouvoirs autoritaires, il propose le **plan Marshall**, accepté par les seize pays d'Europe occidentale (p. 196).

• **Pour contrer l'expansion soviétique en Europe, les États-Unis signent en 1949 avec leurs alliés un accord de protection militaire**, le Pacte atlantique, qui se dote d'une armée commune, l'**OTAN*** (1950). Le Canada et les principaux pays d'Europe occidentale voient s'installer sur leur sol des bases militaires américaines. En 1951, par le traité de San Francisco, les États-Unis rendent au Japon sa souveraineté en échange de l'établissement de bases militaires dans le pays.

Citation

« *Les rênes du leadership mondial [...] seront ramassées soit par les États-Unis soit par la Russie.* »

William L. Clayton, sous-secrétaire d'État aux Affaires économiques des États-Unis, février 1947.

Biographie

Harry S. Truman (1884-1972)

Vice-président de F. D. Roosevelt, il lui succède en juillet 1945 et décide d'utiliser, en août, la bombe atomique. En 1947, il engage les États-Unis dans une politique d'endiguement du communisme. Partisan de la fermeté à l'égard de l'URSS, il défend Berlin-Ouest lors du blocus de la ville en 1948-1949 et place les États-Unis à la tête des troupes de l'ONU lors de la guerre de Corée (1950-1953).

Mots clés

Containment : En français, endiguement. Politique officielle des États-Unis à partir de 1947 pour faire barrage au communisme.

Plan Marshall : Programme d'aide à la reconstruction des pays européens, proposé par le secrétaire d'État Georges Marshall en juin 1947. Mis en place quelques semaines plus tard, il leur octroie des crédits et la fourniture de matériels et d'experts.

Vocabulaire

* BIRD
* FMI
* OTAN
* GATT
❯ lexique p. 380 à 383

@ http://www.tle.esl.histeleve. magnard.fr
L'Europe en 1948. La télévision française fait le point sur les relations États-Unis/URSS.

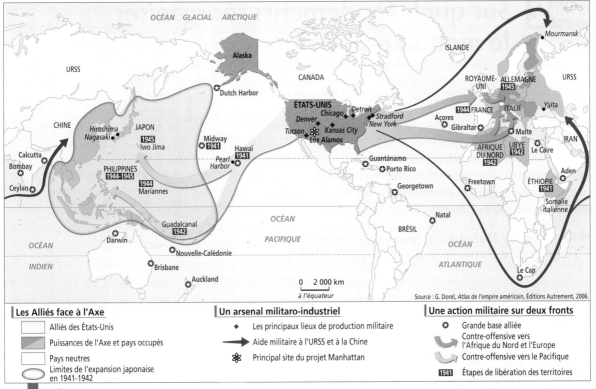

Les Alliés face à l'Axe

- Alliés des États-Unis
- Puissances de l'Axe et pays occupés
- Pays neutres
- Limites de l'expansion japonaise en 1941-1942

Un arsenal militaro-industriel

- ◆ Les principaux lieux de production militaire
- → Aide militaire à l'URSS et à la Chine
- ❋ Principal site du projet Manhattan

Une action militaire sur deux fronts

- ✿ Grande base alliée
- Contre-offensive vers l'Afrique du Nord et l'Europe
- Contre-offensive vers le Pacifique
- **1941** Étapes de libération des territoires

Source : G. Dorel, *Atlas de l'empire américain*, Éditions Autrement, 2006.

Doc. 1 Les États-Unis dans la Seconde Guerre mondiale.
D'après Gérard Dorel, *Atlas de l'empire américain*, Paris, Autrement, 2006.

1. Quels moyens permettent aux États-Unis d'intervenir hors de leur territoire ?

2. Sur quoi repose la suprématie des États-Unis sur le monde en 1945 ?

Doc. 2 Le débarquement en Normandie (Omaha Beach, 6 juin 1944).

1. Que montre cette photographie de la puissance américaine ?

Doc. 3 La doctrine Truman (1947).

Au moment présent de l'histoire du monde, presque toutes les nations se trouvent placées devant le choix entre deux modes de vie. Et trop souvent ce choix n'est pas un libre choix.

L'un de ces modes de vie est basé sur la volonté de la majorité. Ses principaux caractères sont des institutions libres, des gouvernements représentatifs, des élections libres, des garanties données à la liberté individuelle, à la liberté de parole et du culte et à l'absence de toute oppression politique.

Le second mode de vie est basé sur la volonté d'une minorité imposée à la majorité. Il s'appuie sur la terreur et l'oppression, sur une radio et une presse contrôlées, sur des élections dirigées et sur la suppression de la liberté personnelle.

Je crois que les États-Unis doivent pratiquer une politique d'aide aux peuples libres qui résistent actuellement aux manœuvres de certaines minorités armées ou à la pression extérieure. Je crois que notre aide doit se manifester en tout premier lieu sous la forme d'une assistance économique et financière [...]. En aidant les nations libres et indépendantes à maintenir leur liberté, les États-Unis mettront en œuvre les principes de la Charte des Nations unies. [...] Les germes des régimes totalitaires sont nourris par la misère et le besoin. Ils se répandent et grandissent dans la mauvaise terre de la pauvreté et de la guerre civile. Ils parviennent à maturité lorsqu'un peuple voit mourir l'espoir qu'il avait mis en une vie meilleure. Nous devons faire en sorte que cet espoir demeure vivant.

Déclaration du président Truman au Congrès, 12 mars 1947.

1. Quels sont les deux modes de vie identifiés par Truman ?

2. Quelle doit être la mission des États-Unis selon lui ? Pourquoi ?

Sur quels fondements réorganiser le monde en 1945 ?

Dès les débuts de la Seconde Guerre mondiale la question des conditions d'organisation du nouvel ordre mondial se pose. Dans la Charte de l'Atlantique (1941), les États-Unis et le Royaume-Uni énoncent les valeurs qui fondent le monde libre. Rejoints par l'URSS, les Alliés, imaginent l'organisation du monde libéré autour de valeurs démocratiques et libérales lors de conférences organisées en pleine guerre. Mais démocratie et liberté sont des notions qui n'ont pas le même sens de part et d'autre.

➜ *Comment les États-Unis et leurs alliés ont-ils influencé l'organisation du nouvel ordre mondial en 1945 ?*

Dates clés

1941 Charte de l'Atlantique.

1943 Conférence de Téhéran (décembre).

1944 Conférence de Bretton Woods (juillet).

1945 Conférences de Yalta (février), de San Francisco (juin) et de Potsdam (juillet-août).

1946 Churchill prononce le discours de Fulton (« rideau de fer »).

Doc. 1 La déclaration sur l'Europe libérée proclamée lors de la conférence de Yalta (1945).

Réunis au bord de la mer Noire, à Yalta (URSS), Roosevelt, Churchill et Staline s'accordent sur le sort de l'Allemagne, qui devra être occupée, sur l'organisation d'élections libres dans tous les pays libérés, et s'accordent sur l'idée d'une organisation internationale chargée de maintenir la paix et de contribuer au développement, l'Organisation des Nations Unies, proposée par Roosevelt lors de la conférence de Téhéran (1943).

Le rétablissement de l'ordre en Europe et la reconstruction de la vie économique nationale devront être réalisés par des méthodes qui permettront aux peuples libérés d'effacer les derniers vestiges du nazisme et du fascisme et de se donner des institutions démocratiques de leur propre choix. C'est un des principes de la Charte de l'Atlantique que tous les peuples ont le droit de choisir la forme de gouvernement sous laquelle ils entendent vivre et que les droits souverains et l'autonomie, dont ils ont été dépossédés de force par les pays agresseurs, doivent leur être restitués.
Afin de favoriser les conditions dans lesquelles les peuples libérés pourront exercer ces droits, les trois gouvernements prêteront conjointement leur aide aux peuples des États libérés d'Europe ou des anciens satellites de l'Axe, chaque fois qu'il sera nécessaire, en raison de la situation :
1. D'assurer la paix intérieure du pays ;
2. De prendre des mesures d'urgence pour soulager la détresse de la population ;
3. D'installer des gouvernements provisoires dans lesquels seront largement représentés tous les éléments démocratiques de la population qui devront, par voie d'élections libres, constituer aussi rapidement que possible des gouvernements répondant à la volonté populaire et enfin de faciliter, si besoin en est, de telles élections. […]
Nous réaffirmons ici notre foi dans les principes de la Charte de l'Atlantique, nous confirmons les engagements pris par nous dans la déclaration des Nations unies et notre résolution d'édifier, en coopération avec les autres nations pacifiques, un ordre mondial régi par le droit et consacré aux intérêts de la paix, de la sécurité, de la liberté et de la prospérité commune.

Extrait de la « Déclaration sur l'Europe libérée », 5ᵉ point du communiqué final de la conférence de Yalta, 12 février 1945.

Doc. 2 Le regard d'un historien sur la conférence de Bretton Woods.
❱ **Dossier p. 352**

Aux yeux des Américains, en particulier, l'effondrement économique de l'entre-deux-guerres était la source première de la crise européenne (et mondiale). À moins que les devises fussent convertibles et que l'accroissement des échanges se fît au bénéfice mutuel des nations, rien ne pouvait empêcher un retour aux mauvais jours […]. [*Selon l'économiste*] Keynes, il faudrait un semblant de banque internationale, qui fonctionnerait en gros comme la banque centrale d'une économie intérieure, pour le gérer : maintenir des taux de change fixes tout en encourageant et en facilitant les transactions de devises étrangères. Au fond, c'est ce qui fut convenu à Bretton Woods, avec la création d'un Fonds monétaire international (pourvu d'espèces américaines) « pour faciliter l'expansion et l'accroissement harmonieux du commerce international » (article 1). […] Les nobles idéaux de ceux qui lancèrent les plans ou institutions en vue d'un meilleur système international supposaient une ère de coopération internationale stable à laquelle tout le monde gagnerait. […] Peut-être était-il naïf de la part des Américains (et de certains Britanniques) d'imaginer que ces propositions seraient acceptables aux responsables russes.

Tony Judt, *Après guerre. Une histoire de l'Europe depuis 1945*, Paris, Armand Colin, trad. P.-E. Dauzat, 2007.

Doc. **3** **L'ONU face aux grandes puissances.**

Le 17 janvier 1946 le représentant soviétique Andrev Gromyko s'adresse à l'Assemblée générale de l'ONU. Le droit de veto accordé aux vainqueurs de la guerre (États-Unis, URSS, Royaume-Uni, France, Chine) bloque un grand nombre de décisions de l'ONU pendant la Guerre froide.

Doc. **4** **De Gaulle face à la puissance américaine.**

Le 22 août 1945, De Gaulle rencontre Truman à Washington.

Le président Truman a déclaré que les Alliés avaient, après la dernière guerre, commis une folie et que les États-Unis, pour leur part, étaient décidés à ne pas retomber dans les mêmes erreurs. Si les industries de guerre allemandes avaient pu renaître, c'était avec la complicité d'industriels aveugles de Grande-Bretagne, d'Amérique et même de France. Les dossiers de la Farbenindustrie, qui sont entre les mains des Américains, en apportent la preuve. Les États-Unis, d'autre part, ne financeront plus, comme ils l'avaient fait, les réparations allemandes. [*Truman et son Secrétaire d'État ont*] répété leur conviction que la sécurité du monde serait assurée par l'entente des alliés au sein d'une organisation internationale. Les États-Unis disposent d'une nouvelle arme, la bombe atomique, qui fera reculer n'importe quel agresseur. Ce sont le monde entier a besoin avant tout, c'est d'une restauration économique. Actuellement, toutes les puissances, y compris l'Angleterre et la Russie, demandent l'aide des États-Unis.

Charles de Gaulle, *Mémoires de guerre*,
t. 3, *Le Salut*, Paris, Plon, 1959.

Doc. **5** **Affiche de propagande soviétique, 1945.**
« Plantons sur Berlin le drapeau de la victoire ! »

POUR COMPRENDRE

1. Étudier les documents

Doc. 1 et 2 Quels sont les fondements des valeurs libérales proposées par les États-Unis et le Royaume-Uni ?

Doc. 2 et 4 Comment reconstruire matériellement les pays ruinés par la guerre ? Quelle place y prennent les États-Unis ?

Doc. 3 Pourquoi vouloir recréer une organisation internationale chargée d'assurer la paix ? Avec quelles différences vis-à-vis de la SDN ?

Doc. 2 et 5 Quelle menace l'URSS fait-elle peser sur la volonté américaine de reconstruire le monde sur des fondements libéraux ?

2. Analyse de deux documents

BAC En comparant les documents 2 et 4, expliquez sur quels fondements et avec quels moyens les États-Unis veulent reconstruire l'économie mondiale.

3. Aide à la composition

BAC À l'aide de vos connaissances, rédigez un paragraphe dans lequel vous opposerez les intentions américaines pour reconstruire le monde dévasté par la guerre, et les problèmes rencontrés ou attendus.

Au lendemain de la Seconde Guerre mondiale, l'Europe occidentale est en ruine. Libérée du nazisme et du fascisme par les troupes américaines, elle est à reconstruire. Les États-Unis, dans une logique de Guerre froide, entendent conserver un lien étroit avec cette partie de l'Europe qu'ils considèrent comme une base stratégique de premier plan pour endiguer le communisme. Entraînés par deux fois dans les conflits européens, ils militent, dès 1945, pour l'unité européenne.

➜ *Quel rôle les États-Unis jouent-ils dans les débuts de la construction européenne ?*

Dates clés

Une construction européenne sous protection américaine > chap. 11

1947 Plan Marshall.
1948 Création de l'OECE.
1951 Création de la **CECA**.
1954 Rejet du projet de la CED par la France.
1954 Fondation de l'**UEO**.
1957 Traités de Rome instituant la CEE.

Doc. 1 Une affiche française en faveur du plan Marshall (1947).

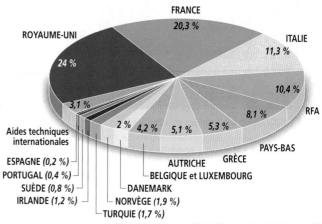

Source : G. Bossuat, *L'Europe occidentale à l'heure américaine*, Paris, Complexe, 1992.

Doc. 2 Qui bénéficie du plan Marshall ?

Doc. 3 L'appel à l'Amérique.

L'article est rédigé par le comité d'experts de la France libre fondé par Jean Moulin en 1942.

Au lendemain du traité de Versailles[1], quelle a été la cause essentielle du désarroi européen, sinon l'éloignement de plus en plus marqué des États-Unis ? Le même péril menacerait demain notre sécurité péniblement reconquise, [...] si nous concevions l'Europe comme une Communauté indépendante et autonome. Nous ne sommes pas capables, par nos propres moyens, de réfréner les appétits de domination qui, d'âge en âge, se réveillent dans le peuple allemand. Il faut, pour les tenir en respect, la présence réelle de l'Amérique, sans laquelle nous n'aurions pas gagné la guerre en 1918, et sans laquelle nous aurions été cette fois définitivement réduits à l'esclavage. Notre seule garantie que la paix nouvelle ne sera pas déchirée comme la précédente, c'est que les États-Unis continuent à s'intéresser effectivement aux affaires de l'Europe.

Comité général d'étude de la Résistance, « *La France et l'idée d'Europe* », *Les Cahiers politiques*, n° 1, avril 1943.

1. Traité de paix signé le 28 juin 1919 entre les Alliés et l'Allemagne suite à la Première Guerre mondiale.

Mots clés

CECA : Communauté européenne du charbon et de l'acier créée en 1951. Elle met en commun la production de charbon et d'acier des pays membres.

UEO : Union de l'Europe occidentale née en octobre 1954. Elle prévoit une défense collective et une collaboration économique.

Pacte de Varsovie : Traité d'alliance militaire signé entre l'URSS et les démocraties populaires en 1955.

Doc. 4 Raymond Aron, le plan Marshall et l'unité de l'Europe.

Philosophe et sociologue, libéral et atlantiste, vigoureux pourfendeur des totalitarismes, R. Aron est éditorialiste au Figaro.

Le véritable objectif du plan Marshall est bien plus stratégique qu'économique. Ce n'est pas la crainte de la crise, mais la volonté d'élever un barrage à l'expansion du communisme qui l'a inspiré aux dirigeants d'outre-Atlantique. Bien qu'à certains égards il facilite le fonctionnement du système américain et évite des transferts de moyens de production, ni l'égoïsme, ni la peur ne provoqueront quatre fois le vote du Congrès si les résultats obtenus ne donnent pas à l'opinion la certitude que l'Europe est résolue à se sauver elle-même.

Ainsi s'explique l'accord, pour l'essentiel, entre les demandes américaines et nos propres intérêts. Les administrateurs du plan Marshall nous invitent à mettre en ordre nos finances, à lutter efficacement contre l'inflation, à accroître la production, à pousser nos exportations.

De même, les administrateurs du plan insistent sur l'intensification des échanges européens : ils veulent que l'organisation des « Seize » prenne peu à peu consistance et autorité. Autrement dit, ils favorisent la formation de cette union de l'Europe occidentale dont chacun, en paroles (à l'exception des communistes), se déclare partisan. Le dispensateur des dollars se soucie du bon usage de ses dons, afin que l'opinion et le Congrès américains soutiennent quatre années durant, le progrès de l'entreprise.

Raymond Aron,
« Du plan Marshall à l'Europe unie »,
Le Figaro, 27 juillet 1948.

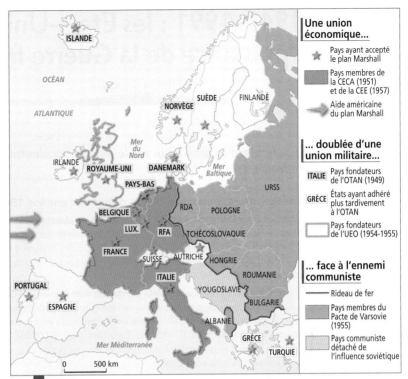

Doc. 5 Les États-Unis et la construction de l'Europe occidentale (1945-1957).

Une union économique...
- ★ Pays ayant accepté le plan Marshall
- Pays membres de la CECA (1951) et de la CEE (1957)
- → Aide américaine du plan Marshall

... doublée d'une union militaire...
- ITALIE Pays fondateurs de l'OTAN (1949)
- GRÈCE États ayant adhéré plus tardivement à l'OTAN
- Pays fondateurs de l'UEO (1954-1955)

... face à l'ennemi communiste
- Rideau de fer
- Pays membres du Pacte de Varsovie (1955)
- Pays communiste détaché de l'influence soviétique

Doc. 6 John F. Kennedy et l'Europe. > Bio p. 213

Le 26 mars 1962, le président démocrate J. F. Kennedy reçoit Jean Monnet, l'un des pères de la construction européenne et fédéraliste convaincu.

Nous ne considérons pas une Europe forte et unie comme une rivale mais comme une associée. Contribuer à son progrès a constitué l'objectif fondamental de notre politique depuis dix-sept ans. Nous croyons qu'une Europe unie sera capable de jouer un plus grand rôle dans la défense commune, de répondre plus généreusement aux besoins des nations plus pauvres, de se joindre aux États-Unis et à d'autres pour abaisser les barrières douanières, de résoudre les problèmes de devises et de marchandises, de mettre en œuvre une politique coordonnée dans tous les domaines d'ordre diplomatique, économique et politique. Nous voyons dans une telle Europe une associée avec laquelle nous pourrions traiter sur une base de pleine égalité en ce qui concerne toutes les tâches immenses que constituent la mise sur pied et la défense d'une communauté de nations libres.

Discours de J. F. Kennedy à Philadelphie, le 4 juillet 1962, lors de la fête de l'indépendance américaine.

POUR COMPRENDRE

1. Étudier les documents

Doc. 1 à 5 Quelles sont les formes d'intervention des États-Unis en Europe occidentale au lendemain de la Seconde Guerre mondiale ? Quelles en sont les conséquences ?

Doc. 3 Pourquoi le comité d'experts de la France libre milite-t-il pour l'implication des États-Unis en Europe ?

Doc. 5 et 6 Comment évoluent les relations entre les États-Unis et l'Europe occidentale ?

2. Analyse de deux documents

BAC Choisissez parmi ces documents les deux qui, selon vous, montrent le mieux le rôle moteur des États-Unis dans la construction européenne. Justifiez votre choix.

3. Aide à la composition

BAC À l'aide de vos connaissances, rédigez une problématique et un plan qui répondent au sujet : « Les États-Unis et l'Europe de 1945 à 1962 ».

3. 1949-1991 : les États-Unis, superpuissance de la Guerre froide

1950-1953 Guerre de Corée   1964-1975 Guerre du Vietnam   1987 Accords de Washington

1950 Création de l'OTAN   1962 Crise de Cuba   1991 Dissolution de l'URSS

→ *Comment s'exerce le leadership américain sur le monde occidental pendant la Guerre froide ?*

A. Un interventionnisme assumé (années 1950 - début des années 1960)

• **Au milieu des années 1950, les États-Unis produisent 33 % des biens de la planète avec seulement 6 % de la population.** Le modèle américain fascine (doc. 3). La prospérité des États-Unis permet de financer la militarisation de la **Guerre froide**. Les dépenses de sécurité atteignent 67 % du budget en 1953 et permettent d'entretenir une armée de plus de 3 millions d'hommes, un chiffre jamais atteint auparavant (doc. 4).

• **En 1950, les États-Unis, placés à la tête de l'armée de l'ONU, s'engagent dans la guerre de Corée** pour éviter que la Corée du Sud ne tombe aux mains de son voisin communiste nord-coréen. La politique américaine de *containment* s'étend désormais en Asie, un tournant qui s'explique aussi par la victoire des communistes chinois en 1949. En 1954, les États-Unis signent l'**OTASE*** qui organise la défense de l'Asie du Sud-Est sous leur domination (doc. 2). Bien qu'hostiles à la colonisation, ils appuient l'effort militaire français en Indochine.

• **En Europe, les États-Unis réarment l'Allemagne fédérale.** En 1954 naît l'UEO qui permet à la RFA de se réarmer et d'intégrer l'OTAN en 1955. Lors de la crise de Cuba de 1962, les États-Unis s'érigent en défenseur de l'hémisphère occidental et contraignent les Soviétiques à retirer leurs fusées.

B. Le leadership américain remis en question (milieu des années 1960-1980)

• **La guerre du Vietnam change les rapports des États-Unis au monde en freinant leur politique activiste d'endiguement.** Elle ne marque pas pour autant un retour à l'isolationnisme. Avec l'URSS, les États-Unis privilégient désormais la discussion, notamment sur la limitation des armements. Ils se rapprochent de la Chine avant de la reconnaître officiellement en 1978 (chap. 8).

• **Le conflit vietnamien érode l'écrasante supériorité économique que les États-Unis avaient sur le monde depuis 1945.** En 1971, les États-Unis connaissent le premier déficit commercial de leur histoire. Ils émettent trop de dollars pour financer la guerre. Incapables d'assurer la conversion de leur monnaie en or du fait d'une réserve en métal précieux en baisse constante, le président Nixon suspend en 1971 la convertibilité en or (p. 354).

• **À la fin des années 1970, la « politique des bons sentiments » se traduit par un recul des États-Unis sur la scène internationale.** La Grenade et le Nicaragua se rapprochent de l'URSS, la révolution iranienne de 1979 met fin au régime pro-occidental du shah. Les États-Unis obtiennent toutefois un succès lors des accords de Camp-David qui mènent Israéliens et Égyptiens sur la voie de la paix.

C. Le leadership retrouvé (années 1980)

• **Les États-Unis renouent avec leur politique d'endiguement.** En 1982, R. Reagan expose sa doctrine qui consiste à aider dans les pays du Tiers-Monde les « combattants de la liberté » contre le communisme. Les États-Unis arment la résistance afghane en lutte contre l'URSS, fournissent une aide à la Contra nicaraguayenne qui s'oppose aux sandinistes marxistes au pouvoir.

• **Les États-Unis relancent la course aux armements.** En pleine crise des Euromissiles, Reagan lance le programme spatial antinucléaire **IDS***.

• **Les États-Unis gagnent la Guerre froide.** Ils poussent l'URSS à reprendre le dialogue sur le désarmement. En 1987, les accords de Washington concrétisent le désarmement. Dans un contexte d'effondrement du rideau de fer, les États-Unis soutiennent la réunification allemande et parviennent à faire accepter par l'URSS l'intégration de la nouvelle Allemagne dans l'OTAN.

Citation

« *De Stettin dans la Baltique jusqu'à Trieste dans l'Adriatique, un rideau de fer est descendu à travers le continent.* »

Winston Churchill, discours prononcé à Fulton (États-Unis), le 5 mars 1946.

Source : Banque mondiale.

Doc. 1 Les réserves d'or des États-Unis (en milliards de dollars).

Mot clé

Guerre froide : Popularisée par le journaliste américain Walter Lippmann en 1947, cette expression synthétise l'impossibilité d'affrontement entre États-Unis et URSS, deux nations nucléaires.

Vocabulaire

* IDS
* OTASE
* UEO
❯ lexique p. 380 à 383

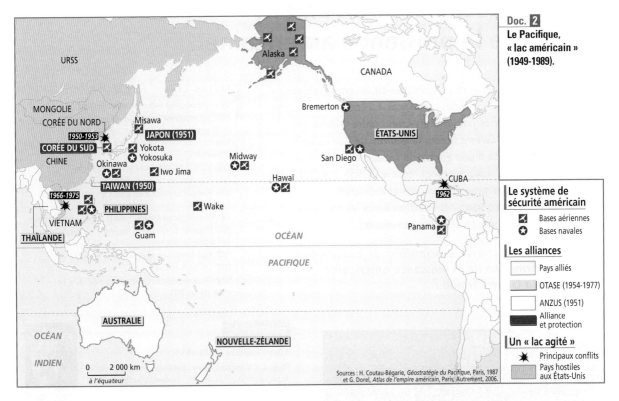

URSS

CANADA

Alaska

MONGOLIE
CORÉE DU NORD
1950-1953
CORÉE DU SUD
CHINE

Misawa
JAPON (1951)
Yokota
Yokosuku
Okinawa
Iwo Jima

Bremerton

ÉTATS-UNIS

San Diego

Midway

Hawaï

TAIWAN (1950)

1966-1975

PHILIPPINES

VIETNAM
THAÏLANDE
Guam

Wake

OCÉAN

CUBA
1962

Panama

PACIFIQUE

OCÉAN

INDIE

AUSTRALIE

NOUVELLE-ZÉLANDE

0   2 000 km
à l'équateur

Le système de sécurité américain

- Bases aériennes
- Bases navales

Les alliances

- Pays alliés
- OTASE (1954-1977)
- ANZUS (1951)
- Alliance et protection

Un « lac agité »

- Principaux conflits
- Pays hostiles aux États-Unis

Sources : H. Coutau-Bégarie, *Géostratégie du Pacifique*, Paris, 1987 et G. Dorel, *Atlas de l'empire américain*, Paris, Autrement, 2006.

Doc. **3** **Simone de Beauvoir et le modèle américain.**

Le soir descend sur New York : le dernier soir. Ce pays contre lequel je me suis si souvent irritée, voilà que je suis déchirée de le quitter. […] Il ne s'est guère passé de jour que l'Amérique ne m'ait éblouie, guère de jour qu'elle ne m'ait déçue. Je ne sais pas si je pourrais y vivre heureuse ; je suis sûre que je la regretterai avec passion.

Colombus Circus, Broadway, Times Square. Quatre mois ont passé. C'est la même foule, les taxis, les voitures, le ruissellement des lumières. Les drugstores et les gratte-ciel n'ont rien perdu de leur magie. Je sais pourquoi je les aime. À travers les facilités de cette civilisation et sa généreuse abondance, il y a un fascinant mirage qui se déploie : celui d'une existence qui ne se consumerait pas à s'entretenir et qui pourrait s'employer toute entière à se dépasser. Manger, se déplacer, se vêtir, tout cela se fait sans effort et sans dépense de temps : à partir de là, tout peut recommencer. L'attrait vertigineux qu'a pour moi l'Amérique où rôde encore le proche souvenir des pionniers, c'est qu'elle semble le royaume de la transcendance ; contractée dans le temps, magnifiquement répandue à travers l'espace, son histoire est celle de la création d'un monde.

Simone de Beauvoir, *L'Amérique au jour le jour*, Paris, Gallimard, 1954.

1. Pourquoi l'Amérique fascine-t-elle S. de Beauvoir ?

2. Expliquez l'expression « le proche souvenir des pionniers ».

Doc. **4** **Le président Eisenhower et le système militaro-industriel.**

Un élément essentiel pour conserver la paix est notre système militaire. […] Notre organisation militaire est aujourd'hui sans rapport avec ce que connurent mes prédécesseurs en temps de paix, ou même les combattants de la Seconde Guerre mondiale ou de la guerre de Corée. […]

Nous avons été obligés de créer une industrie d'armement permanente de grande échelle. De plus, trois millions et demi d'hommes et de femmes sont directement impliqués dans la défense en tant qu'institution. Nous dépensons chaque année pour la sécurité militaire une somme supérieure au revenu net de la totalité des sociétés américaines.

Cette conjonction d'une immense institution militaire et d'une grande industrie de l'armement est nouvelle dans l'expérience américaine. […] Dans les assemblées du gouvernement, nous devons nous garder de toute influence injustifiée, […] exercée par le complexe militaro-industriel. Le risque potentiel d'une désastreuse ascension d'un pouvoir illégitime existe et persistera. Nous ne devons jamais laisser le poids de cette combinaison mettre en danger nos libertés et nos processus démocratiques. Nous ne devrions jamais rien prendre pour argent comptant. Seule une communauté de citoyens prompts à la réaction et bien informés pourra imposer un véritable entrelacement de l'énorme machinerie industrielle et militaire de la défense avec nos méthodes et nos buts pacifiques, pour que sécurité et liberté puissent prospérer ensemble.

Extraits du discours d'adieu du président républicain Dwight D. Eisenhower, le 17 janvier 1961, trad. P. Delamaire, cité par Vincent Michelot, *Le Président des États-Unis, un pouvoir impérial ?*, Paris, Gallimard, coll. « Découvertes », 2008.

1. Quelle conséquence principale la Guerre froide a-t-elle eu sur l'appareil militaire américain ?

2. Quelle mise en garde adresse D. Eisenhower à ses compatriotes ?

Dossier 4 La science, instrument de la puissance américaine

La maîtrise des sciences et des techniques est un enjeu majeur dans la rivalité entre les grandes puissances. La course à la maîtrise de l'atome a été gagnée par les États-Unis contre l'Allemagne en 1945. Pendant la Guerre froide, la maîtrise de l'air et de l'espace s'accompagne d'une guerre de l'image et devient un élément de la course aux armements contre l'URSS. Les États-Unis mobilisent d'énormes moyens financiers et industriels pour devancer leurs concurrents et attirer à eux les meilleurs chercheurs de la planète (**fuite des cerveaux**).

➡ *Quel rôle les découvertes scientifiques jouent-elles dans l'affirmation de la puissance américaine pendant la Guerre froide ?*

Dates clés

Une contribution entre les deux Grands

1945 Bombardements atomiques sur Hiroshima et Nagasaki.

1946 Premier ordinateur, commandé par l'armée américaine.

1949 L'URSS construit une bombe atomique.

1951 Premier ordinateur soviétique.

1958 Premier satellite américain Explorer ; création de la NASA.

1961 Youri Gagarine (URSS), premier homme dans l'espace.

1967 Création de l'Arpanet, ancêtre d'Internet, commande de l'armée américaine.

1969 Neil Armstrong, premier homme sur la Lune.

1972 Création de l'Internet.

1990 Tim Berners-Lee crée le Web à Genève, puis enseigne au **MIT**.

Biographie

Albert Einstein (1879-1955)

Physicien allemand, suisse, puis américain, prix Nobel de physique en 1921, il est à l'origine de la théorie de la relativité générale, qui bouleverse en 1915 toute l'histoire des sciences du XXᵉ siècle. Pacifiste et juif, il quitte l'Allemagne au moment des premières persécutions antisémites. En 1939, il avertit le président Roosevelt des recherches que font les nazis sur une bombe très puissante, et se trouve ainsi à l'origine du projet Manhattan de construction de la bombe atomique. Il lutte en vain pour un contrôle international de la bombe atomique.

Doc. 1 Le premier essai nucléaire (16 juillet 1945).
Le 16 juillet 1945, la bombe *Trinity* explose près d'Alamagordo, dans le désert du Nouveau-Mexique (États-Unis).

Le projet Manhattan (1942-1945) est créé par Roosevelt après une mise en garde d'Albert Einstein sur les recherches militaires nazies. Mené par Robert Oppenheimer depuis la base de Los Alamos, ce projet permet la maîtrise de l'atome à des fins militaires. Les 6 août 1945 *Little Boy* est lancé sur Hiroshima (70 000 à 120 000 morts) et le 9 août *Fat Man* est largué sur Nagasaki (40 000 à 80 000 morts). Le Japon annonce la fin des combats le 14 août et capitule le 2 septembre 1945, évitant une invasion soviétique prévue par Staline.

Mots clés

Fuite des cerveaux (*Brain drain*) : Capacité d'une puissance à attirer les meilleurs chercheurs d'autres États par des conditions financières, techniques et scientifiques supérieures.

MIT : Massachussets Institute of Technology. Centre de recherche en sciences et technologies, près de Boston, le MIT est l'une des plus prestigieuses universités du monde.

Doc. 2 Le premier ordinateur (1946).

En 1946, à Philadelphie, est inventé le premier ordinateur, fruit d'une commande de l'armée américaine. Il pèse 30 tonnes, occupe 72 m² et effectue 330 opérations à la seconde. En 1951, l'URSS annonce avoir mis au point son propre ordinateur. Les commandes militaires sont ensuite à l'origine de la création d'un réseau d'informations secrètes, l'Arpanet (1967), puis d'un système plus ouvert, l'Internet (1972).

Doc. 3 L'espace, objectif national selon John F. Kennedy.

Après son discours de la Nouvelle Frontière (1960), et alors que l'URSS vient d'envoyer le premier homme dans l'espace, le président Kennedy explique au Congrès les objectifs de sa politique spatiale.

Je crois que cette nation devrait s'engager à réaliser, avant la fin de cette décennie, l'objectif d'envoyer un homme sur la Lune et de le ramener sain et sauf sur terre. Aucun autre projet spatial à notre époque ne sera plus [imposant] ni plus important pour l'exploration de l'espace à long terme ; aucun ne sera non plus aussi difficile ou aussi onéreux à accomplir. [...] Nous proposons d'accélérer le développement de vaisseaux spatiaux lunaires adéquats. Nous proposons de développer de nouvelles fusées de lancement à combustible aussi bien liquide que solide, d'une puissance nettement supérieure à celles sur lesquelles les recherches portent actuellement, jusqu'à pouvoir décider avec certitude de la supériorité des unes ou des autres. Nous proposons que des fonds supplémentaires soient alloués à des recherches complémentaires sur les moteurs et à des missions non habitées, missions d'une importance cruciale au regard d'un objectif que cette nation n'oubliera jamais : la survie de l'homme qui le premier entreprendra un vol aussi audacieux. Mais, véritablement, il ne s'agira pas du voyage sur la Lune d'un seul homme ; il s'agira de celui de la nation tout entière. Car l'y envoyer demandera que nous unissions tous nos efforts.

John F. Kennedy, discours devant le Congrès, 25 mai 1961, trad. Josée Bégaud.

Le 21 juillet 1969, l'Américain Neil Armstrong est le premier homme à marcher sur la Lune.

Doc. 4
**L'espace au service du renseignement militaire :
le système *Échelon*.**

Mis en place en 1948 et actualisé à l'âge spatial, le système *Échelon* consiste en un vaste système d'interception mondiale des communications privées et publiques qui permet aux États-Unis de disposer d'un outil très performant de collecte de renseignements.

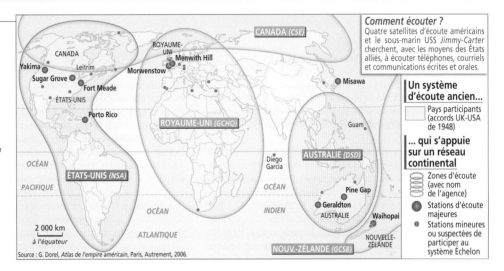

Comment écouter ?
Quatre satellites d'écoute américains et le sous-marin USS *Jimmy-Carter* cherchent, avec les moyens des États alliés, à écouter téléphones, courriels et communications écrites et orales.

Un système d'écoute ancien...
☐ Pays participants (accords UK-USA de 1948)

... qui s'appuie sur un réseau continental
Zones d'écoute (avec nom de l'agence)
● Stations d'écoute majeures
• Stations mineures ou suspectées de participer au système Échelon

Source : G. Dorel, *Atlas de l'empire américain*, Paris, Autrement, 2006.

	1901	1910	1920	1930	1940	1950	1960	1970	1980	1990	2000	2010
Physique												
Chimie												
Médecine												
Économie												
Littérature												
Paix												

Doc. 5 Les prix Nobel décernés à des Américains (1901-2010). Sources : Forbes et Académie Nobel.
Entre 1901 et 2011, 859 prix Nobel ont été décernés ; 40 % l'ont été à des Américains, et 72 prix pour le seul MIT.

POUR COMPRENDRE

1. Étudier les documents

Doc. 1, 2 et 4 Quelle institution est à l'origine d'une partie des innovations scientifiques ? Pourquoi ?
Doc. 3 Quel rôle joue l'évolution des techniques dans les relations entre les États ?
Doc. 2, 3 et 5 Quelles sont les conséquences de l'accélération des découvertes scientifiques aux États-Unis ?

2. Analyse de deux documents

BAC En analysant les documents 3 et 5 dans leur contexte, montrez en quoi ils illustrent la puissance mondiale des États-Unis.

3. Aide à la composition

BAC Rédigez une partie de composition qui mette en évidence les moyens dont se dotent les États-Unis dans leur lutte contre l'URSS.

Dossier 5 Les États-Unis face aux troubles du Tiers-Monde

En 1945, les puissances européennes sont toujours à la tête de vastes empires. Elles sont confrontées à la montée des nationalismes soutenus par les États-Unis, partisans de la décolonisation depuis leur guerre d'indépendance contre le Royaume-Uni (1776-1783) et par l'URSS, qui se définit comme anti-impérialiste. La Guerre froide change la position américaine à l'égard des mouvements d'indépendance : l'endiguement contre le communisme s'impose comme la priorité de la politique étrangère américaine. Interventions ponctuelles comme guerres longues fragilisent l'image des États-Unis dans le **Tiers-Monde**.

➜ *Quel rôle les États-Unis jouent-ils dans la décolonisation et l'affirmation du Tiers-Monde ?*

Dates clés

Entre appui à la décolonisation et interventions militaires
1945-1954 Décolonisation de l'Asie.
1954-1975 Décolonisation de l'Afrique.
1955 Conférence de Bandung : naissance du Tiers-Monde politique.
1959 Fidel Castro prend le pouvoir à Cuba.
1961 Conférence de Belgrade : naissance des non-alignés.
1964-1975 Guerre du Vietnam.
1973 Conférence d'Alger : condamnation de l'impérialisme américain.
1982 Doctrine Reagan.
1999 Retrait américain du canal de Panama, contrôlé depuis 1903.

Doc. 1 **Franklin D. Roosevelt et le colonialisme.**

– Vraiment, papa, il y a là quelque chose que je ne comprends pas très bien. Je sais que la question des colonies est importante, mais après tout elles appartiennent à la France. Comment pouvons-nous, nous autres, parler de ne pas lui rendre ?
Il me regarda et dit :
– Qu'est-ce à dire qu'elles appartiennent à la France ? En vertu de quoi le Maroc, peuplé de Marocains, appartient-il à la France ? Ou bien encore considérons l'Indochine. Cette colonie est maintenant au pouvoir du Japon. Pourquoi le Japon était-il si sûr de conquérir ce pays ? Les indigènes y étaient si opprimés qu'ils se disaient : « Tout vaut mieux que de vivre sous le régime colonial français ». Un pays peut-il appartenir à la France ? En vertu de quelle logique, de quelle coutume et de quelle loi historique ? [...] Je parle d'une autre guerre, Elliott, s'écria mon père, la voix soudain coupante. Je parle de ce qui va arriver à notre monde si, après cette guerre, nous permettons que des millions de gens retombent dans ce même demi-esclavage.

– Et puis, insinuai-je, nous devrions avoir notre mot à dire. C'est nous qui libérons la France.
– Ne crois pas un seul instant, Elliott, que des Américains seraient en train de mourir ce soir dans le Pacifique, s'il n'y avait pas la cupidité à courte vue des Français, des Anglais et des Hollandais. Devons-nous leur permettre de tout recommencer ? [...]
– Les Nations unies, une fois organisées, ne pourraient-elles pas s'occuper de ces colonies ? Celles-ci seraient placées sous mandat ou sous tutelle pendant un certain nombre d'années.
– Encore un mot, Elliott, et ensuite je te mettrai à la porte. Je suis fatigué. Voici : quand nous aurons gagné la guerre, je travaillerai de toutes mes forces pour que les États-Unis ne soient amenés à accepter aucun plan susceptible de favoriser les ambitions impérialistes de la France, ou d'aider, d'encourager les ambitions de l'empire anglais.

Elliott Roosevelt, *Mon père m'a dit...*, Paris, Flammarion, 1947.

Doc. 2
Les impérialistes américains et chinois essayant de dévorer la planète.
Lithographie soviétique de 1970.

Mots clés

Impérialiste : Partisan d'une politique d'expansion d'un État qui cherche à dominer politiquement, économiquement et culturellement un peuple et son territoire.

Tiers-Monde : Expression créée en 1952 par l'économiste Alfred Sauvy pour qualifier les pays ou territoires qui ne sont membres d'aucun des deux blocs de la Guerre froide.

НЕ ПО ЗУБАМ !

Doc. 3 Décolonisation et *containment* en 1953.

Au XIXe siècle en particulier les puissances occidentales ont pratiqué le colonialisme ; mais par la nature même de la civilisation occidentale fondée sur la croyance en la nature spirituelle de l'homme, il était inéluctable que ce colonialisme soit transitoire et ne se supprime de lui-même. L'Occident a quelque chose à offrir que les autres lui envient : il ne s'agit pas de chaînes, mais des clefs qui ouvrent sur la liberté morale et économique. [...]

Peut-être certains d'entre vous trouvent-ils que notre gouvernement ne pousse pas la politique de liberté aussi vigoureusement qu'il le faudrait. Je peux vous dire trois choses :

– que nous poussons vers le *self-government* plus qu'il n'apparaît en surface ;

– que là où nous mettons un frein, c'est dans la conviction raisonnée qu'une action précipitée ne conduirait pas en fait à l'indépendance mais à une servitude plus dure que la dépendance présente ;

– nous savons distinguer les cas où la possibilité d'invoquer la menace communiste est susceptible de justifier des délais, et les cas où il n'existe pas de raison valable.

Nous avons de bonnes raisons de souhaiter maintenir l'unité avec nos alliés occidentaux, nous n'avons pas oublié que nous fûmes la première colonie à arracher l'indépendance. Et nous n'avons donné de chèque en blanc à aucune puissance coloniale. Il n'a pas le moindre doute dans notre conviction que la transition normale du statut colonial à l'autonomie doit être menée à une complète réalisation.

John Foster Dulles, secrétaire d'État, discours devant le Congrès des organisations industrielles, Cleveland, 18 novembre 1953.

Doc. 4 La doctrine Nixon.

Cette interview du président Nixon le 25 juillet 1969 intervient dans un contexte d'enlisement des troupes américaines au Vietnam qui oblige le gouvernement à changer de politique.

Je me souviens d'un conseil que j'ai reçu en 1964 de Ayub Khan, qui était alors président du Pakistan. C'était avant que les États-Unis aient engagé d'importants effectifs au Vietnam. Je lui ai demandé ce qu'à son avis, devait être notre rôle. Il m'a répondu : « Le rôle des États-Unis au Vietnam, aux Philippines, en Thaïlande mais dans tout autre pays affecté par la subversion interne est de les aider à faire la guerre, mais non de la faire pour eux ». Eh bien, c'est un bon principe général, qui, nous l'espérons, sera notre politique d'une manière générale dans le monde. [...] Tout particulièrement dans le domaine militaire, où nous sommes très avancés, nous pensons que nous pouvons faire nous-mêmes les choses beaucoup mieux que d'essayer d'apprendre à d'autres à le faire eux-mêmes. Il se peut qu'au début ce soit la bonne réponse, mais à long terme, c'est la mauvaise. Je veux être sûr qu'à l'avenir notre politique dans le monde entier, en Asie, en Amérique latine, et ailleurs, réduira les interventions américaines. Une politique d'assistance, oui, d'assistance pour les aider à résoudre leurs propres problèmes, mais sans que nous fassions nous-mêmes le travail, simplement parce que c'est le moyen le plus facile.

Public Papers of the Presidents of the United States : Richard Nixon, 1969, Washington, GPO, 1971, cité par Jean Heffer, *Les États-Unis de Truman à Bush*, Paris, Armand Colin, 1990.

Doc. 5 Les interventions américaines en Amérique latine.

La doctrine Monroe (1823) fait des États-Unis le protecteur des nations nées de la décolonisation de l'Empire espagnol.

Doc. 6 Des Afghans armés de missiles américains *Stinger* dans les années 1980.

Après l'invasion soviétique de l'Afghanistan en 1979, la doctrine Reagan pousse à armer ceux qui se font appeler les « Combattants de l'islam » (Moudjahiddin). Parmi eux, le Saoudien Oussama Ben Laden.

POUR COMPRENDRE

1. Étudier les documents

Doc. 1 et 3 Décrivez et expliquez la position des États-Unis face à la colonisation.

Doc. 2 et 4 En quoi la Guerre froide affecte-t-elle l'attitude des États-Unis face à la colonisation ?

Doc. 5 et 6 Comment les États-Unis interviennent-ils dans les pays du Tiers-Monde ? Expliquez leurs intentions.

2. Analyse de deux documents

BAC En analysant les documents 1 et 4 dans leur contexte historique, confrontez les avis des deux présidents américains et expliquez leurs différences.

3. Aide à la composition

BAC À l'aide de vos connaissances, vous rédigerez une problématique et un plan détaillé qui répondent à la question « Les États-Unis et les pays du Tiers-Monde pendant la Guerre froide ».

4. Depuis 1991, les États-Unis, seule grande puissance ?

2001-... Intervention militaire en Afghanistan

1991
Guerre du Golfe ;
dissolution de l'URSS

1993
Accords d'Oslo

1995
Accords de Dayton

2001
Attentats terroristes à New York et Washington

2003–2012
Intervention militaire en Irak

→ *Quel rôle nouveau les États-Unis jouent-ils dans les relations internationales après la Guerre froide ?*

A. L'éphémère moment unipolaire

• **La victoire contre le totalitarisme soviétique hisse les États-Unis au rang de seule superpuissance.** Elle ouvre une période d'optimisme. En 1989, le politologue américain Francis Fukuyama annonce la fin de l'Histoire c'est-à-dire la victoire finale du libéralisme sur toute autre idéologie.

• **En janvier 1991, les États-Unis, placés à la tête d'une coalition de 29 pays, interviennent sous le mandat de l'ONU pour libérer le Koweït** envahi en août 1990 par son voisin irakien. Cette première intervention américaine après la Guerre froide fonde le nouvel ordre mondial voulu par le président républicain George Bush. Il doit reposer sur la restauration de la place de l'ONU, sur le respect des droits de l'homme et des traités internationaux.

• **Sous la présidence du démocrate Bill Clinton, les États-Unis pratiquent l'***enlargement***,** multipliant les accords de libre-échange, dont l'ALENA, intégrant les nouvelles démocraties d'Europe centrale et orientale dans le camp occidental en élargissant l'OTAN à la Pologne, la République tchèque et la Hongrie en 1999. Ils s'impliquent dans le conflit yougoslave en imposant les accords de Dayton en 1995 **(doc. 2)** qui mettent fin à la guerre en Bosnie et appuient les négociations entre les Israéliens et l'OLP qui conduisent aux accords d'Oslo **(chap. 9)**.

B. Les attentats du 11 Septembre et la doctrine Bush

• **Le 11 septembre 2001, les États-Unis sont touchés en leur cœur par des attentats perpétrés par l'organisation terroriste islamiste Al-Qaïda.** Ces attentats mettent un terme aux espoirs d'un nouvel ordre mondial pacifié. Les États-Unis les interprètent comme une déclaration de guerre de nouveaux ennemis « totalitaires » unis dans « l'axe du mal ».

• **À l'automne 2001, les États-Unis interviennent en Afghanistan, base des Talibans proches d'Al-Qaïda** et renversent le régime islamiste. En 2003, à la tête d'une vaste coalition formée hors du cadre de l'ONU, l'Amérique s'attaque à l'Irak, accusé à tort de posséder des armes de destruction massive, et renverse le régime de Saddam Hussein **(p. 270)**.

• **Les États-Unis de George W. Bush privilégient l'unilatéralisme (doc. 1).** Le Congrès refuse de ratifier des traités qu'il juge menaçant pour la souveraineté du pays : le TICE (Traité d'interdiction des essais nucléaires), les statuts de la Cour pénale internationale et le protocole de Kyoto mis en place pour réguler les émissions de dioxyde de carbone. Ces décisions nourrissent l'**antiaméricanisme** notamment en Occident.

C. Crises et concurrences au XXIe siècle

• **Les États-Unis sont affaiblis par la crise économique qui les touche depuis 2007.** Elle renforce le poids de la dette, met en évidence leur fragilité financière et leur dépendance envers les capitaux étrangers, notamment chinois. Si le dollar demeure la monnaie internationale, il voit sa part dans les réserves de change tomber de 71,5 % à 61,4 % entre 2001 et 2010.

• **L'Amérique n'a plus la place qu'elle occupait pendant la Guerre froide.** En Asie, elle doit composer avec la Chine **(doc. 4)**. Elle est contestée jusque dans sa sphère d'influence traditionnelle, l'Amérique latine, où son impérialisme est dénoncé sans relâche par Cuba.

• **Les États-Unis entretiennent avec le monde des rapports moins déséquilibrés que par le passé.** Leur leadership, sous la présidence de Barack Obama, s'exerce beaucoup plus à l'intérieur des institutions du monde multipolaire comme le G20. Leur suprématie militaire et leur situation géostratégique privilégiée leur assurent toutefois un rôle de premier plan.

*C*itation

« *Aucun système de gouvernement ne peut ou ne devrait être imposé par un pays à un autre.* »

Barack H. Obama, président des États-Unis,
Le Caire, 4 juin 2009.

Biographie

**Bill Clinton
(né en 1946)**

Gouverneur démocrate de l'Arkansas (1978-1980 puis 1982-1992), Bill Clinton devient le 52e président des États-Unis en 1992. À ce poste qu'il occupe 8 ans, il remporte de nombreux succès diplomatiques, parvenant notamment à parrainer un accord entre Israéliens et Palestiniens en 1993 et à apaiser le conflit yougoslave avec les accords de Dayton. La fin de sa présidence est entachée par sa liaison avec une stagiaire de la Maison-Blanche. Il échappe alors de peu à une procédure de destitution (*Impeachment*).

Mots clés

Antiaméricanisme : Attitude de rejet du modèle américain.

***Enlargement* :** Doctrine énoncée par le président Clinton qui consiste à promouvoir dans le monde l'économie de marché, la démocratie et le respect des droits de l'homme.

Unilatéralisme : Attitude politique et militaire d'un État qui mène sa politique internationale en fonction de ses seuls intérêts, et sans concertation avec les alliés ou avec la communauté internationale.

1991 Opération « Tempête du désert » dans le Golfe persique pour chasser les troupes irakiennes hors du Koweït, occupé depuis août 1990. Une coalition internationale, dirigée par les États-Unis, et avec l'autorisation de l'ONU.

1993-1994 Opération « Restore Hope » en Somalie pour soutenir les opérations de maintien de l'ordre et de lutte contre la famine.

1995 Soutien aérien aux troupes de l'ONU et de l'OTAN en Bosnie-Herzégovine, qui précipite les négociations des accords de Dayton.

1998 Bombardement de sites liés à Al-Qaïda au Soudan et en Afghanistan après les attentats contre les ambassades américaines au Kenya et en Tanzanie.

1999 Bombardement de l'OTAN dans la guerre du Kosovo et intervention pour y installer un gouvernement contrôlé par la communauté internationale.

1999 Soutien aux forces de l'ONU lors de l'indépendance du Timor Oriental.

2001 Après les attentats du 11 septembre, proclamation de la doctrine Bush (*War on Terror*). Intervention en Afghanistan avec l'accord de l'ONU.

2003 Intervention militaire en Irak, à la tête d'une coalition, sans l'accord de l'ONU.

2004 Régulières interventions au Pakistan, en soutien à la lutte contre les Talibans à la frontière avec l'Afghanistan.

2004 Avec l'appui de la France, intervention militaire à Haïti.

2006 Bombardement de sites liés à Al-Qaïda en Somalie, avec l'accord du gouvernement.

Doc. **3** « Un vétéran de plus contre la guerre en Irak » (New York, 15 février 2003).

1. Que montre cette photographie du type de protestations contre la politique étrangère américaine ?

2. Quels éléments sont utilisés pour toucher les Américains ?

Doc. **2** Les États-Unis, acteurs de paix en Europe (1995).

Après trois années de guerre en ex-Yougoslavie, les États-Unis, la Russie, l'Allemagne, le Royaume-Uni et la France imposent aux représentants de la Croatie, de la Bosnie-Herzégovine et de la Serbie un accord de paix, négocié à Dayton (États-Unis) et signé à Paris le 14 décembre 1995.

1. Où sont négociés ces accords ? Où sont-ils signés ?

2. En quoi cette photographie montre-t-elle la politique d'*enlargement* du président Clinton ?

Doc. **4** La perte d'influence américaine en Asie.

[*Le président Barack Obama*] entame aujourd'hui sa première tournée dans une Asie où l'influence américaine se fait pâlissante. « On n'est plus du tout dans une Asie-Pacifique telle que les États-Unis l'imaginent traditionnellement : celle d'une Amérique dominatrice veillant affablement sur les nations en développement, où le Japon, allié perpétuel, est l'incontesté numéro 1 » résume Huang Jing, un universitaire de Singapour. En une poignée d'années, Pékin a supplanté Washington en devenant le premier partenaire commercial à la fois du Japon, de la Corée du Sud et des pays de l'ASEAN (Association des pays de l'Asie du Sud-Est) [...]. Bien que le Pentagone demeure l'arbitre suprême en Asie, où 100 000 GI's sont cantonnés, ces nouveaux rapports de force économiques ne sont pas sans conséquence dans la sphère militaire.

Obama s'en rendra compte au Japon, sa première étape, où le truculent Premier ministre Yukio Hatoyama tente de forger une alliance commerciale avec la Corée du Sud et la Chine – une alliance dont seraient exclus les États-Unis. À l'inverse du parti libéral-démocrate (PLD) qu'il a évincé, dont le comportement était obséquieusement pro-américain, le leader du Parti démocrate du Japon (PDJ) réclame une relation « d'égal à égal » avec la Maison Blanche. Premier chef de gouvernement japonais à dire clairement non aux États-Unis, Hatoyama souhaite remettre en cause un accord sur la base d'Okinawa, réviser le statut des GI cantonnés au Japon, ainsi que les accords secrets nippo-américains autorisant le stockage d'armes atomiques sur l'archipel.

Philippe Grangereau, « Obama ajuste sa stratégie asiatique », *Libération*, 13 novembre 2009, cité dans Rémi Scoccimarro, *Le Japon, renouveau d'une puissance*, La Documentation photographique n° 8076, juillet-août 2010.

1. Par quelle autre puissance les États-Unis sont-ils concurrencés en Asie ?

2. Quels changements connaissent aujourd'hui les relations entre les États-Unis et le Japon ? Pourquoi ?

Dossier 6 — Les États-Unis et le monde musulman depuis 1991

Depuis la fin de la Guerre froide, et surtout depuis le 11 septembre 2001, le monde musulman avec son importance stratégique, son poids démographique, sa richesse en pétrole, la présence de groupes terroristes influents et ses armes nucléaires potentielles, a pris une place très importante dans les priorités de la politique étrangère américaine. La lutte menée contre le terrorisme islamiste s'est accompagnée d'une dégradation des rapports entre les États-Unis et le monde musulman qui a parfois interprété l'activisme militaire américain comme une nouvelle croisade contre l'islam.

➜ *Comment le regard que les États-Unis et le monde musulman se portent l'un à l'autre évolue-t-il ?*

Dates clés

Les actions militaires américaines

1991 Première guerre du Golfe (libération du Koweït).

2001 Attentats d'Al-Qaïda aux États-Unis, guerre en Afghanistan (renversement du régime taliban).

2003 Deuxième guerre du Golfe (renversement du régime de Saddam Hussein).

2011 Bombardements franco-anglo-américain en Libye.

Doc. 1 Le choc des civilisations.

La thèse du politologue Samuel P. Huntington est abondamment commentée et critiquée dans les cercles du pouvoir américain.

Les dirigeants américains considèrent que les musulmans engagés dans cette quasi-guerre sont une minorité et que l'usage qu'ils font de la violence est rejeté par la grande majorité des musulmans modernistes. C'est peut-être vrai, mais on manque de preuves. On n'a guère vu de manifestations contre la violence exercée à l'égard de l'Occident dans les pays musulmans. Les gouvernements musulmans, même ceux qui vivent sous cloche parce qu'ils sont favorables à l'Occident et dépendent de lui, sont étonnamment réticents lorsqu'il s'agit de condamner les actes terroristes perpétrés contre l'Occident. […] Le problème central pour l'Occident n'est pas le fondamentalisme islamique. C'est l'islam, civilisation dont les représentants sont convaincus de la supériorité de leur culture et obsédés par l'infériorité de leur puissance. Le problème pour l'islam n'est pas la CIA ou le ministère américain de la Défense. C'est l'Occident, civilisation différente dont les représentants sont convaincus de l'universalité de leur culture et croient que leur puissance supérieure, bien que déclinante, leur confère le devoir d'étendre cette culture à travers le monde. Tels sont les ingrédients qui alimentent le conflit entre l'islam et l'Occident.

Samuel P. Huntington, *Le Choc des civilisations*, trad. J.-L. Fidel, G. Joublain, P. Jorland, J.-J. Pédussaud, © Samulel Huntington, 1996, Paris, Odile Jacob, 2007.

Doc. 2 L'attentat du World Trade Center à New York.

Le 11 septembre 2001, New York est touché par un attentat perpétré par l'organisation islamiste Al-Qaïda. Filmé en direct, cet attentat est perçu comme une déclaration de guerre par l'administration Bush.

Doc. 3 L'anti-américanisme en Iran.

Un jeune Iranien manifeste à Téhéran pour « la fin de la domination américaine ». Depuis la révolution de 1979, le régime islamiste iranien désigne les États-Unis comme le « grand Satan ». L'appui militaire aux monarchies pétrolières du Golfe persique et à Israël accentue l'antiaméricanisme du régime iranien et des partis qu'il soutient, notamment en Syrie, en Égypte et dans les Territoires palestiniens.

Biographie

George W. Bush (né en 1946)

Après une carrière dans l'industrie pétrolière familiale, G. W. Bush entre dans l'équipe électorale de son père, le républicain George Bush, élu président en 1988. Élu gouverneur du Texas en 1994, il devient à son tour président en 2000 et est réélu en 2004. Suite au 11 septembre 2001, il fait de la guerre contre le terrorisme sa priorité et engage son pays en Afghanistan en 2001 puis en Irak, en 2003.

Doc. 4 Les Américains à Bagdad.

Le 9 avril 2003, des *GI's* voilent la statue de Saddam Hussein d'un drapeau américain. Pour l'administration Bush, il s'agit, avec cette intervention armée, d'installer la démocratie en Irak et de la propager dans le reste de la région.

Doc. 6 Regard d'historien : les États-Unis et le printemps arabe (2011).

Le printemps arabe[1] bouleverse le paradigme dominant. Durant la période précédente, les États-Unis ont prétendu, en quelque sorte, hâter de l'extérieur le processus de modernisation du monde arabe, en particulier en se débarrassant de Saddam Hussein et en instaurant une démocratie en Irak qui aurait un effet bénéfique pour les pays de la région. Il s'agissait évidemment d'une erreur de calcul monumentale, comme les opposants à la guerre en Irak l'avaient prédit à l'époque, car la modernité ou la démocratie ne pouvaient être apportées de l'extérieur – et au contraire, les États-Unis allaient stimuler les défenses de la région contre ce type d'inoculation ou d'injection.

Nous assistons à un changement de paradigme [*c'est-à-dire de manière de comprendre un phénomène*] avec le « printemps arabe » qui réalise le rêve de George W. Bush, non grâce à la puissance américaine, mais grâce aux Arabes eux-mêmes, à la révolte notamment de la jeunesse arabe et à l'entrée dans une modernité politique qui jusqu'à présent paraissait lointaine et au sujet de laquelle les États-Unis étaient finalement ambigus. Ne soutenaient-ils pas des dirigeants comme Hosni Moubarak [*en Égypte*], et les autocrates d'Arabie saoudite, du Bahreïn et d'ailleurs ? Avec le « printemps arabe », les États-Unis sont de plus en plus en première ligne et vont devoir s'adapter aux changements en cours.

Justin Vaïsse, « Géopolitique des États-Unis, la fin de l'empire américain », *Diplomatie*, juin-juillet 2011.

1. Nom donné aux soulèvements populaires dans les pays arabes au printemps 2011 pour réclamer plus de démocratie.

Biographie

Barack Obama (né en 1961)

Ancien travailleur social à Chicago, devenu avocat à sa sortie de Harvard, membre du parti démocrate, Barack Obama est élu au Sénat des États-Unis en 2004. En 2008, il remporte les élections présidentielles devenant le premier Afro-américain à accéder à ce poste. Dans le domaine diplomatique, il rompt avec l'unilatéralisme de l'équipe Bush et entame le retrait des troupes américaines d'Irak et d'Afghanistan.

Doc. 5 Barack Obama s'adresse au monde musulman au Caire (2009).

Notre rencontre survient à un moment de grande tension entre les États-Unis et les musulmans du monde entier [...].

À Ankara, j'ai fait clairement savoir que l'Amérique n'est pas – et ne sera jamais – en guerre contre l'islam. (*Applaudissements*). En revanche, nous affronterons inlassablement les extrémistes violents qui font peser une menace grave sur notre sécurité. [...] Je sais – je sais qu'il y a eu une polémique, au cours des récentes années, au sujet de la promotion de la démocratie et qu'une grande partie de cette controverse est liée à la guerre en Irak. Par conséquent, permettez-moi de le dire clairement : aucun système de gouvernement ne peut ou ne devrait être imposé par un pays à un autre. Toutefois, cela ne diminue pas mon engagement à l'égard des gouvernements qui reflètent la volonté du peuple. [...]

Dans le domaine de l'éducation, nous allons élargir les programmes d'échange et augmenter les bourses, comme celle qui a permis à mon père de venir en Amérique, (*Applaudissements*) tout en encourageant davantage d'Américains à étudier dans des communautés musulmanes. [...] Dans le domaine du développement économique, nous créerons un nouveau corps de volontaires des milieux d'affaires qui formeront des partenariats avec des homologues de pays à majorité musulmane. [...] Dans le domaine des sciences et des technologies, nous établirons un nouveau fonds pour appuyer le développement technologique dans les pays à majorité musulmane et pour aider à concrétiser commercialement des idées pour qu'elles créent des emplois. [...]

Les habitants du monde peuvent cohabiter en paix. Nous savons que telle est la vision de Dieu. C'est maintenant notre tâche sur cette Terre. Je vous remercie et que la paix de Dieu soit avec vous. Je vous remercie. Je vous remercie. (*Applaudissements*).

Discours du président Barack Obama prononcé à l'université du Caire en Égypte, le 4 juin 2009.

POUR COMPRENDRE

1. Étudier les documents

Doc. 1 Quelle thèse est défendue par le politologue américain Samuel P. Huntington ?

Doc. 2 et 3 Comment l'anti-américanisme se manifeste-t-il dans le monde musulman ?

Doc. 4, 5 et 6 Quelle(s) politique(s) les États-Unis conduisent-ils à l'égard du monde musulman après la Guerre froide ?

2. Analyse de deux documents

BAC Présentez les documents 4 et 5 en les remettant dans leur contexte, montrez qu'ils illustrent deux aspects différents de la politique américaine menée envers le monde musulman depuis les années 2000 et expliquez cette différence.

3. Aide à la composition

BAC À l'aide de vos connaissances, vous rédigerez une problématique et un plan détaillé qui réponde au sujet : « L'évolution de la politique étrangère des États-Unis face au monde musulman depuis 1991 ».

Les États-Unis sont-ils un empire ?

>>> L'opinion d'un homme politique et d'un historien

Une hyperpuissance qui se sent vulnérable.

Les Américains en débattent d'ailleurs entre eux. Des revues s'interrogent gravement : « Est-ce que nous sommes un empire ou pas ? ». Évidemment, pour nombre d'Américains, l'idée semble affreuse puisqu'ils se sont construits contre les « abominables » régimes européens, contre le « despotisme », le « colonialisme » européen. L'idée que les États-Unis puissent être considérés aujourd'hui comme un empire ne leur plaît pas, et pourtant, au-delà des mots, c'est largement la vérité […].

Selon moi il n'y a pas identité entre hyperpuissance et empire. Hyperpuissance ne veut pas dire omnipotence, ni invulnérabilité, et ne contient pas forcément l'idée d'une tendance hégémonique. Il ne signifie pas : « empire constitué ». Sur certains plans l'hyperpuissance américaine n'est pas l'équivalent de ce qu'a été l'Empire romain à son apogée. Sur d'autres, elle l'est encore plus. Néanmoins le degré de pénétration et d'influence mondiale des États-Unis est impressionnant dans presque tous les domaines. Mais je ne crois pas que le peuple américain soit porteur d'un projet impérial. Ce qui caractérise les Américains, c'est l'obsession d'être en sécurité. L'idée de vulnérabilité leur est insupportable. Déjà, à l'époque de la dissuasion nucléaire, ils avaient beaucoup de mal à admettre l'idée de « vulnérabilité mutuelle ». Sans doute vous souvenez-vous qu'à la fin des années 1950, quand il a été confirmé que des missiles soviétiques pouvaient atteindre le territoire américain, il y a eu un mouvement d'achats d'abris antiatomiques individuels à mettre dans les jardins ! Les Américains soutiendront toujours un président américain qui décidera pour les protéger, quel que soit l'avis des autres pays, de projeter une sorte de GIGN n'importe où dans le monde pour nettoyer un nid de frelons. Cela ne veut pas dire qu'ils auront envie de rester dans ce pays à perpétuité ni d'organiser un empire au sens propre du terme.

Hubert Védrine, « Les États-Unis : hyperpuissance ou empire ? »,
Cités 4/2004 (n° 20).

Première puissance nucléaire en 1945, les États-Unis se livrent avec l'URSS à une concurrence militaire qui passe également par une course aux armements atomiques. La peur qui en découle est exploitée par le commerce, mais montre aussi le sentiment de vulnérabilité qui habite à l'époque la première puissance mondiale.

Hubert Védrine (né en 1947) a été conseiller diplomatique, porte-parole puis Secrétaire général de l'Élysée sous les présidences de François Mitterrand (1981-1995). Ministre des Affaires étrangères entre 1997 et 2002, il est à l'origine du terme d'hyperpuissance.

Contexte

Depuis 1945, les États-Unis ont tenu le premier rôle dans le système politique international tandis que leur économie constituait le centre de l'économie mondiale. Le débat sur l'empire américain n'est pas nouveau. Déjà en 1973, le politologue Raymond Aron s'interrogeait sur la nature du pouvoir exercé par les États-Unis définis comme une république impériale. Ce débat a été relancé dans les années 2000 suite à l'activisme militaire des États-Unis engagés en Afghanistan et en Irak.

Une hyperpuissance qui se sent vulnérable.

1. Pourquoi les Américains rejettent-ils le qualificatif d'empire ?

2. Quelles sont les différences entre un empire et une hyperpuissance selon Hubert Védrine ?

3. Selon l'auteur, les États-Unis sont-ils un empire ?

« Un empire qui n'ose pas dire son nom ».

« Les États-Unis sont-ils un empire ? ». La question peut paraître purement rhétorique. Comment voir d'un autre œil [...] « la seule nation qui police le monde à travers cinq commandements militaires ; qui maintient plus d'un million d'hommes et de femmes en armes sur quatre continents ; qui déploie des groupes de porte-avions en veille sur chaque océan ; qui garantit la survie de pays d'Israël à la Corée du Sud ; qui tient le volant du commerce et des échanges globaux et qui remplit le cœur et les esprits de toute la planète de ses rêves et désirs » ? Pourtant, aux États-Unis, elle suscite le plus souvent une réponse négative [...]. Les États-Unis, suggère l'historien [*britannique*] Niall Ferguson, sont « un empire qui n'ose pas dire son nom ».

La réticence traditionnelle des Américains à sacrifier leur propre bien-être à une politique étrangère qui n'est perçue au mieux que comme son auxiliaire ou, au pire, un mal nécessaire, apparaît [...] comme un obstacle à l'exercice de leur domination planétaire. [...]

L'on peut aussi pourtant se demander [...] si la pulsion impériale actuelle n'est pas avant tout le produit circonstanciel du sursaut patriotique que les attentats [*du 11 septembre 2001*] ont créé et de l'habileté avec laquelle [...] les dirigeants actuels l'ont capitalisé : en exploitant la détermination du pays à se protéger et à se venger pour pouvoir enfin utiliser à plein leur suprématie armée, en invoquant les menaces pesant sur sa sécurité pour justifier l'extension de leurs pouvoirs et de leur recours au secret, pour distraire son attention des scandales économiques et de la montée des inégalités, voire pour instiller dans une société à leurs yeux rongée par l'hédonisme et le laxisme un nouvel esprit plus martial et rigoriste.

Pierre Mélandri, « Les États-Unis, un empire qui n'ose pas dire son nom ? », *Cités* 4/2004 (n° 20).

Un avion transport de troupes et un hélicoptère américains dans le sud de l'Afghanistan, le 5 octobre 2010. La capacité d'intervention militaire rapide et lointaine est un signe de puissance.

Pierre Mélandri (né en 1946) est un historien français, aujourd'hui professeur à l'Institut d'Études politiques de Paris. Outre une biographie de Ronald Reagan, il a publié plusieurs livres sur la politique étrangère américaine.

« Un empire qui n'ose pas dire son nom ».

1. Pourquoi, selon l'auteur, peut-on qualifier les États-Unis d'empire ?

2. À quelle difficulté principale les États-Unis font-ils face dans l'exercice de ce pouvoir impérial ?

3. Selon l'auteur, la nature du pouvoir américain est-elle durablement impériale ?

Bilan

La nature du pouvoir exercé par les États-Unis sur le monde est-elle impériale ? Vous vous appuierez également sur votre cours pour répondre à cette question.

Les États-Unis et le monde depuis 1918

L'essentiel

→ *Comment l'influence des États-Unis évolue-t-elle dans les relations internationales depuis 1918 ?*

1. L'impossible isolationnisme (1918-1941)

• Les principes du président des États-Unis W. Wilson triomphent lors des règlements de paix de la Première Guerre mondiale.

• Pendant les années 1920, les États-Unis s'en remettent à leur nouveau pouvoir financier pour imposer leurs vues.

• Tentés par l'isolationnisme après la crise de 1929, les États-Unis entrent en guerre en 1941 à la suite de l'attaque japonaise sur Pearl Harbor.

2. La lutte contre les totalitarismes (1941-1991)

• Pendant la Seconde Guerre mondiale, unis à la Grande-Bretagne et à l'URSS, les États-Unis combattent l'Allemagne nazie et le Japon.

• Vainqueurs du conflit, les États-Unis imposent en 1945 un nouvel ordre politique et économique mondial. Pendant la Guerre froide, de 1947 à 1991, les États-Unis, leader du bloc occidental, combattent l'URSS et la Chine communiste.

3. La difficile construction d'un nouvel ordre mondial (depuis 1991)

• Après la fin de la Guerre froide, les États-Unis entendent promouvoir la démocratie et l'économie de marché dans le monde.

• Après le 11 septembre 2001, les États-Unis déclarent la « guerre au terrorisme ».

• À partir de 2008, les États-Unis renouent avec le multilatéralisme qui prend en compte l'émergence de nouvelles puissances.

Personnages

G. W Bush
(né en 1946)
❯ Bio p. 206

B. Clinton
(né en 1946)
❯ Bio p. 204

J. F. Kennedy
(1917-1963)
❯ Bio p. 213

B. Obama
(né en 1961)
❯ Bio p. 207

F. D. Roosevelt
(1882-1945)
❯ Bio p. 188

H. S. Truman
(1884-1972)
❯ Bio p. 192

T. W. Wilson
(1856-1924)
❯ Bio p. 191

Mots clés

• *Containment* • *Enlargement* • Guerre froide • Interventionnisme • Isolationnisme • Plan Marshall • Unilatéralisme

Synthèse

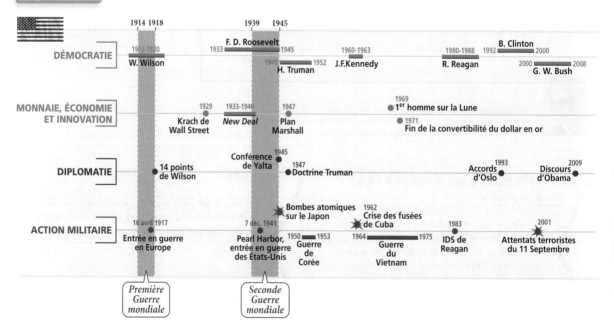

BAC Composition

Méthode > p. 10

Introduction	Explication des termes du sujet et du contexte, annonce de la problématique et du plan.
Développement	Argumentation organisée en paragraphes (un paragraphe = une idée + un exemple développé).
Conclusion	Réponse à la problématique et ouverture (une ou deux idées qui montrent l'intérêt du sujet traité).

Sujet 1

Conseils

Introduction : expliquez le modèle démocratique américain.
Développement : un plan chronologique est préférable.
Conclusion : attention à ne pas donner votre avis.

Lecture du sujet

Pays qui se définit comme un modèle démocratique et qui se pense investi d'une mission, celle de propager la démocratie dans le monde.

Il faut s'interroger sur les fondements idéologiques qui président à cette promotion, les moyens mis en œuvre mais aussi sur les limites (soutien à des dictatures).

Les États-Unis et la promotion de la démocratie dans le monde de 1918 à nos jours.

Des règlements de paix de la Première Guerre mondiale aux guerres d'Afghanistan et d'Irak.

Mots clés
- Containment
- Enlargement
- Guerre froide
- Interventionnisme
- Isolationnisme
- Plan Marshall
- Unilatéralisme

Personnages attendus
- T. W. Wilson
- F. D Roosevelt
- H. S. Truman
- J. F. Kennedy
- R. Reagan
- B. Clinton
- G. W. Bush

Chronologie

1918	14 points du président Wilson
1941	Charte de l'Atlantique
1945	Fondation de l'ONU
1947	Doctrine Truman
1950-1953	Guerre de Corée
1991	Guerre du Golfe
1999	Élargissement de l'OTAN aux ex-démocraties populaires d'Europe
2001	Renversement du régime taliban en Afghanistan
2003	Renversement du régime de Saddam Hussein en Irak

Sujet 2

Conseils

Introduction : pensez à expliquer les bornes chronologiques.
Développement : attention à toujours choisir des exemples qui ne concernent que l'action américaine.
Conclusion : attention à ne pas montrer que vous connaissez la suite…

Lecture du sujet

Première puissance mondiale.

Prendre le monde dans sa diversité : ne pas oublier le Tiers-Monde.

Les États-Unis et le monde de 1941 à 1991.

Il faut étudier les relations entre les États-Unis et le monde.

De l'entrée en guerre des États-Unis dans la Seconde Guerre mondiale à l'effondrement de l'URSS défaite par l'Amérique lors de la Guerre froide. Période qui correspond à la lutte menée par les États-Unis contre les totalitarismes

Mots clés
- Containment
- Guerre froide
- Interventionnisme
- Unilatéralisme

Personnages attendus
- F. D Roosevelt
- H. S. Truman
- J. F. Kennedy
- R. Reagan

Chronologie

1941	Loi prêt-bail, Charte de l'Atlantique
1945	Fondation de l'ONU
1947	Doctrine Truman
1949	Création de l'OTAN
1950-1953	Guerre de Corée
1962	Crise de Cuba
1964-1975	Guerre du Vietnam
1991	Dissolution de l'URSS

Introduction	Explication du sujet et du contexte, annonce de la problématique.	**Méthode**
Développement	Argumentation organisée en paragraphes qui structurent la réponse à la consigne.	**> p. 11**
Conclusion	Réponse à la problématique et ouverture (une ou deux idées qui montrent l'intérêt du sujet traité).	

Sujet Discours de George Marshall sur la reconstruction de l'Europe (5 juin 1947).

Consigne : Présentez le document en le remettant dans son contexte, exposez les objectifs de la politique américaine au lendemain de la Seconde Guerre mondiale, et montrez dans quelle mesure les États-Unis sont à l'origine de la construction européenne.

Il est logique que les États-Unis doivent faire tout ce qu'ils peuvent pour aider à rétablir la santé économique du monde, sans laquelle la stabilité politique et la paix assurée sont impossibles. Notre politique n'est dirigée contre aucun pays, aucune doctrine, mais contre la famine, la pauvreté, le désespoir et le chaos. Son but doit être la renaissance d'une économie active dans le monde, afin que soient créées les conditions politiques et sociales où de libres institutions puissent exister. Cette aide, j'en suis convaincu, ne doit pas être accordée chichement, chaque fois que surviennent les crises. Toute aide que le gouvernement pourra apporter à l'avenir devrait être un remède plutôt qu'un simple palliatif. Tout gouvernement qui veut aider à la tâche de la reprise économique jouira, j'en suis sûr, de la plus entière coopération de la part du gouvernement des États-Unis. Tout gouvernement qui intrigue pour empêcher la reprise économique des autres pays ne peut espérer recevoir notre aide. De plus, les gouvernements, les partis et les groupes politiques qui cherchent à perpétuer la misère humaine pour en tirer un profit sur le plan politique ou sur les autres plans se heurteront à l'opposition des États-Unis.

Il est déjà évident qu'avant même que le gouvernement des États-Unis puisse poursuivre plus loin ses efforts pour remédier à la situation et aider à remettre l'Europe sur le chemin de la guérison, un accord devra être réalisé par les pays de l'Europe sur leurs besoins actuels et ce que ces pays de l'Europe feront eux-mêmes pour rendre efficaces toutes les mesures que ce gouvernement pourrait prendre. Il ne serait ni bon ni utile que ce gouvernement entreprenne d'établir de son côté un programme destiné à remettre l'économie de l'Europe sur pied. C'est là l'affaire des Européens. L'initiative, à mon avis, doit venir de l'Europe. Le rôle de ce pays devrait consister à apporter une aide amicale à l'établissement d'un programme européen, et à aider ensuite à mettre en œuvre ce programme dans la mesure où il sera possible de le faire. [...]

Georges Marshall, secrétaire d'État des États-Unis, discours prononcé le 5 juin 1947 à l'université Harvard.

Répondre à la consigne

Conseil

Attention au contexte ! La Guerre froide est-elle commencée ?

En introduction, vous devez notamment...
• Préciser le contexte économique et politique : dans quelle situation se trouve l'Europe à cette époque ? Pourquoi une aide américaine est-elle nécessaire ?
• Énoncer une problématique claire.

Développement : une explication structurée en paragraphes
• Dressez la liste des arguments et expliquez-les par le contexte.
• Quels sont les « gouvernements [...] qui cherchent à perpétuer la misère » ? Pourquoi les États-Unis voient-ils dans la « misère » un ennemi ?
• Utilisez vos connaissances de cours pour évoquer les premières étapes de la construction européenne.

En conclusion, il faut par exemple...
• Répondre à la problématique.
• Montrer l'intérêt historique du document : dans quelle mesure les États-Unis s'imposent au lendemain de la guerre comme les pères de l'Europe ?
En quoi ce texte s'inscrit-il dans la politique étrangère américaine suivie au XXe siècle ?

BAC

Étude critique d'un document

Introduction	Explication du sujet et du contexte, annonce de la problématique.
Développement	Argumentation organisée en paragraphes qui structurent la réponse à la consigne.
Conclusion	Réponse à la problématique et ouverture (une ou deux idées qui montrent l'intérêt du sujet traité).

Méthode
> p. 11

Sujet Kennedy et le rôle des États-Unis dans le monde (20 janvier 1961).

Consigne : Présentez le document et son auteur, expliquez le rôle des États-Unis tel que le texte le présente, et montrez dans quelle mesure la politique américaine y a répondu à l'époque et dans les années qui suivent.

Que toute nation sache, qu'elle nous veuille du bien ou du mal, que nous paierons n'importe quel prix, que nous supporterons n'importe quel fardeau, que nous accepterons n'importe quelle épreuve, que nous soutiendrons n'importe quel ami et nous opposerons à n'importe quel ennemi pour assurer la survie et le succès de la liberté. Voilà à quoi nous nous engageons – et à encore bien davantage.

Envers nos vieux alliés dont nous partageons les origines culturelles et spirituelles, nous prenons l'engagement de nous conduire loyalement comme des amis fidèles. Unis, il y a peu de choses que nous ne puissions entreprendre en coopération. Divisés, il y a peu de choses que nous puissions faire [...].

Envers ces nouveaux États auxquels nous souhaitons la bienvenue parmi les nations libres, nous prenons l'engagement qu'une forme de domination coloniale ne sera pas éteinte simplement pour être remplacée par une tyrannie de fer encore plus dure.

Nous ne nous attendrons pas toujours à ce qu'ils soutiennent notre point de vue. Mais nous espérerons toujours qu'ils défendront fermement leur propre liberté [...].

Envers ces peuples qui, dans [...] les villages de la moitié du globe, luttent pour rompre les chaînes de la misère, nous prenons l'engagement que nous ferons tout ce nous pourrons pour les aider à s'aider eux-mêmes, aussi longtemps qu'il le faudra, non parce qu'il se peut que les communistes le fassent, ni parce que nous recherchons leurs votes, mais parce que c'est juste.

Finalement, à ces nations qui voudraient être nos adversaires, nous offrons non pas un engagement mais une requête : que les deux côtés commencent à nouveau la quête de la paix, avant que les sombres pouvoirs de destruction, déchaînés par la science, n'engouffrent toute l'humanité dans une autodestruction préparée ou accidentelle...

John F. Kennedy, discours d'investiture, 20 janvier 1961.

Répondre à la consigne

Conseil

Veillez à bien répondre dans l'ordre aux éléments de la consigne.

En introduction, vous devez notamment...
• Préciser le contexte. Où en est la Guerre froide ?
Où en est la décolonisation ?
• Préciser la nature du texte.
• Énoncer une problématique claire.

Développement : une explication structurée en paragraphes
• Dressez la liste des arguments et expliquez-les par le contexte.
• Expliquez les allusions de l'auteur : Qui sont les « nouveaux États » ? « nos vieux alliés » ? « les sombres pouvoirs de destruction » ?
• Utilisez vos connaissances de cours et des exemples précis (notamment pour le traitement de la dernière partie du sujet).

En conclusion, il faut par exemple...
• Répondre à la problématique.
• Montrer l'intérêt historique du document en portant un regard historique. L'objectif d'« assurer la survie et le succès de la liberté » est-il nouveau dans la politique américaine ?

Biographie

John Fitzgerald Kennedy (1917-1963)

Catholique, élu sénateur démocrate du Massachussetts en 1952, J. F. Kennedy est élu à la présidence en 1960. À ce poste, il approfondit les liens entre les États-Unis et l'Amérique latine en proposant en 1961 l'Alliance pour le progrès. En 1962, il parvient à faire reculer les Soviétiques lors de la crise de Cuba. Il meurt assassiné à Dallas le 22 novembre 1963 dans des circonstances qui demeurent mystérieuses.

BAC Étude critique de deux documents

Introduction	Explication du sujet et du contexte, annonce de la problématique.	**Méthode**
Développement	Argumentation organisée en paragraphes qui structurent la réponse à la consigne.	**› p. 11**
Conclusion	Réponse à la problématique et ouverture (une ou deux idées qui montrent l'intérêt du sujet traité).	

Sujet Deux réactions aux attentats du 11 septembre 2001.

Consigne : Présentez les documents dans leur contexte.
Montrez les justifications et les buts de la politique étrangère américaine depuis le 11 septembre 2001.
Exposez et expliquez les difficultés rencontrées par les États-Unis dans la mise en œuvre de leur politique.

Doc. **1** Le président George W. Bush au lendemain des attentats du 11 septembre 2001.

Les attaques délibérées et meurtrières qui ont été perpétrées, [*le 11 septembre 2001*], contre notre pays étaient plus que des actes de terrorisme, c'étaient des actes de guerre. Elles requièrent que notre pays s'unisse avec une détermination et une résolution sans faille. Ce sont la liberté et la démocratie qui ont été attaquées. Le peuple américain doit savoir que nous faisons face à un ennemi différent de tous ceux qui nous ont combattus. Il se cache dans l'ombre et n'a aucun respect pour la vie humaine. Il s'en prend aux innocents et à ceux qui ne se doutent de rien avant de prendre la fuite. Mais il ne parviendra pas à se cacher pour toujours [...]. Il pense que ses caches sont sûres, mais elles ne le resteront pas.
Cet ennemi n'a pas seulement attaqué notre peuple, mais tous les peuples épris de liberté à travers le monde. Les États-Unis utiliseront toutes les ressources à leur disposition pour le vaincre. Nous rallierons le monde derrière nous. Nous serons patients et déterminés. Cette bataille sera longue et nécessitera une résolution sans faille. Mais, n'ayez aucun doute, nous l'emporterons. L'Amérique continue à aller de l'avant et nous devons continuer de rester vigilants envers les menaces contre notre pays. Nous ne permettrons pas à l'ennemi de gagner cette guerre en nous forçant à changer notre manière de vivre ou en limitant nos libertés. Je veux remercier les membres du Congrès pour leur unité et leur soutien. L'Amérique est unie. Les pays épris de liberté sont à nos côtés. Ce sera un combat monumental du Bien contre le Mal. Mais le Bien l'emportera. Merci.

Discours du président George W. Bush le 12 septembre 2001
à la suite de la réunion de son Conseil de sécurité.

Doc. 2
Une manifestation de partisans des talibans à Peshawar (Pakistan) le 23 septembre 2001.

1. Lire le sujet et mobiliser ses connaissances

Conseil

Attention ! Vous n'êtes pas censé expliquer ce qui se déroule après les dates des documents, sauf si la consigne le demande.

De qui s'agit-il ?

- **Qui ?** Relisez dans le manuel la biographie du président G. W. Bush (p. 206). Quelle a été son action ?

Quel est le contexte ?

- **Quoi ?** Ces documents sont deux réactions différentes aux attentats du 11 septembre 2001. Que s'est-il passé ? Quelles ont été les réactions aux États-Unis ? en Europe ? dans le monde musulman ?

- **Quand ?** Il ne s'agit pas ici de cibler un événement en particulier qui aurait pu annoncer le 11 Septembre : faire de l'histoire n'est pas dresser un horoscope après les faits. Il s'agit ici de s'interroger sur l'état des relations entre les États-Unis et le terrorisme, notamment islamiste, avant le 11 Septembre. Que savez-vous d'Al-Qaïda ? De la lutte des talibans afghans contre l'URSS ?

- **Où ?** Devant qui s'exprime le président Bush ? Croyez-vous que le fait de brûler le drapeau américain aurait eu un impact s'il n'y avait pas eu de photographe présent ?

2. Confronter les documents à ses connaissances

Conseil

Pensez à opposer les documents.

Comment analyser les documents ?

- **Pourquoi ?** Il ne s'agit pas ici de s'interroger seulement sur les causes du 11 Septembre, mais sur les raisons avancées par le président Bush pour combattre « le Mal », et sur les raisons de la mauvaise réputation des États-Unis auprès des islamistes.

- **Avec quelles conséquences ?** Vous ne devez pas aller plus loin que l'année 2001, l'analyse d'un document doit s'appuyer sur son époque, même si vous savez ce qui s'est déroulé ensuite.

3. Répondre à la consigne

Conseil

Une problématique doit interroger la portée historique d'un événement.

En introduction, vous devez notamment...

- Présenter George W. Bush.
- Rappeler les événements du 11 septembre 2001
- Rappeler les arguments avancés par les États-Unis pour justifier leur intervention en Irak.
- Énoncer une problématique claire.

Développement : une explication structurée en paragraphes

- Respectez l'ordre des consignes et reprenez leur formulation dans votre réponse.
- Quelle cause est défendue par George W. Bush dans son discours ? Quelle est sa vision du monde ?
- Quel ennemi désigne-t-il ?
- Dans quelle mesure le document 2 témoigne-t-il d'une dégradation de l'image des États-Unis dans le monde ?
- Pourquoi l'attaque sur l'Irak en 2003 a-t-elle été mal acceptée par les opinions internationales ?

En conclusion, il faut par exemple...

- Répondre à la problématique.
- Expliquer en quoi la vision du monde de George W. Bush au lendemain du 11 Septembre s'inscrit dans celle de ses prédécesseurs.

chapitre 8

Les chemins de la puissance : la Chine et le monde depuis 1919

Le XXIᵉ siècle semble être promis à la Chine. Devenue la deuxième puissance économique mondiale, elle dispose d'atouts considérables pour imposer son influence, à commencer par le poids économique de ses 1,3 milliard d'habitants.

Pourtant, au début du XXᵉ siècle, la Chine était soumise à l'influence occidentale et japonaise. Les troubles de la République entre les deux guerres mondiales, la lutte contre l'envahisseur japonais dès 1931, amènent au pouvoir en 1949 le parti communiste de Mao Zedong.

En proposant une voie communiste qui se sépare rapidement de son allié soviétique, la Chine développe dans les années 1970 un modèle qui combine libéralisme économique et autoritarisme politique. Malgré un développement qui suscite fascination et crainte, les interrogations demeurent sur la volonté et la capacité chinoises à s'investir dans les relations internationales.

→ *Comment s'affirme la puissance chinoise depuis 1919 ?*

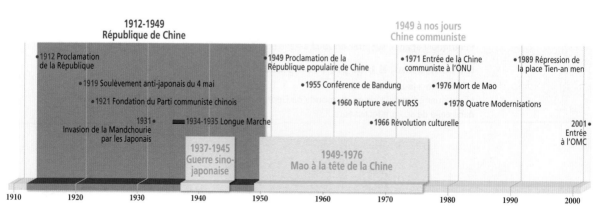

1912-1949
République de Chine

1949 à nos jours
Chine communiste

• 1912 Proclamation de la République

• 1919 Soulèvement anti-japonais du 4 mai

• 1921 Fondation du Parti communiste chinois

1931
Invasion de la Mandchourie par les Japonais

1934-1935 Longue Marche

1937-1945
Guerre sino-japonaise

• 1949 Proclamation de la République populaire de Chine

• 1955 Conférence de Bandung

• 1960 Rupture avec l'URSS

• 1966 Révolution culturelle

1949-1976
Mao à la tête de la Chine

• 1971 Entrée de la Chine communiste à l'ONU

• 1976 Mort de Mao

• 1978 Quatre Modernisations

• 1989 Répression de la place Tien-an men

2001 Entrée à l'OMC

1910   1920   1930   1940   1950   1960   1970   1980   1990   2000

Le portrait de Mao à Pékin, devant la place Tien an-men.

• Ce portrait est accroché à l'entrée sud de la Cité interdite, ou porte de la Paix Céleste, qui fait face à la place Tien an-men. En 1911 l'empereur Pu Yi y abdique, et le 4 mai 1919 y naît le mouvement nationaliste chinois. En 1949, Mao Zedong y proclame la République populaire de Chine et en 1989 une manifestation étudiante réclamant la libéralisation du régime communiste y est fortement réprimée.

La Chine aux XIXᵉ et XXᵉ siècles

Grande Muraille
Pékin
XINJIANG
Huang He
Nankin
Shanghai
Mer de Chine
TIBET
Lhassa
Chongqing
Yangtsé
TAIWAN
Canton
Hong Kong
0   500 km

« *Laissez donc la Chine dormir, car lorsque la Chine s'éveillera, le monde tremblera.* »

Expression attribuée à Napoléon Bonaparte, 1816.

Grande comme 19 fois la France, la Chine comprend au début du XXIᵉ siècle plus de 1,3 milliard d'habitants. En 1919, elle en comptait environ 400 millions.

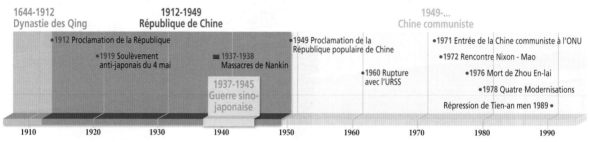

1644-1912 Dynastie des Qing	1912-1949 République de Chine	1949-... Chine communiste

- 1912 Proclamation de la République
- 1919 Soulèvement anti-japonais du 4 mai
- 1937-1938 Massacres de Nankin
- 1937-1945 Guerre sino-japonaise
- 1949 Proclamation de la République populaire de Chine
- 1960 Rupture avec l'URSS
- 1971 Entrée de la Chine communiste à l'ONU
- 1972 Rencontre Nixon - Mao
- 1976 Mort de Zhou En-lai
- 1978 Quatre Modernisations
- Répression de Tien-an men 1989

1910   1920   1930   1940   1950   1960   1970   1980   1990

1. L'Empire du Milieu et la Grande Muraille de Chine

6 500 km de murailles édifiées du IIIᵉ siècle av. J.-C. au XVIIᵉ siècle forment une ligne fortifiée théoriquement imperméable aux invasions mongoles. Repliée sur elle-même entre le XVIᵉ et le XIXᵉ siècle, la Chine s'appelle elle-même l'Empire du Milieu (du monde).

2. Au XIXᵉ siècle, l'Europe force la Chine à s'ouvrir au commerce

Au XIXᵉ siècle, la Grande-Bretagne, la Prusse, la Russie, la France et le Japon cherchent à maîtriser les mers et les circuits commerciaux en Asie. Après la première guerre de l'opium (1839-1842), ces pays signent avec la Chine les « traités inégaux » et s'emparent de la gestion de parties entières de villes et de ports chinois (les concessions), comme Shanghai. Hong Kong reste britannique jusqu'en 1997.

En 1972, le président américain Nixon en visite en Chine communiste.

Lithographie française de 1898.

3. 1937-1938, le massacre de Nankin

Le mémorial du massacre de Nankin présente la liste des noms de 300 000 victimes officielles des atrocités commises par l'armée japonaise entre décembre 1937 et février 1938. Les historiens estiment à environ 200 000 le nombre de civils tués à Nankin par les soldats japonais.

4. Depuis 1949, la Chine est communiste

Cette affiche de propagande des années 1960 montre la foule saluant Mao et brandissant un recueil de ses citations publié en 1964, appelé en Occident le *Petit Livre rouge*.

5. Depuis 1949, Taïwan, l'autre Chine

Après la fuite des nationalistes à Taïwan, le général Tchang Kaï-Chek s'adresse depuis Taipei à la population chinoise. Il annonce rester, depuis Taïwan, président de la République de Chine, et considère Mao Zedong comme un usurpateur. Derrière lui le drapeau de la République de Chine et le portrait de Sun Yat-Sen, fondateur de la République en 1912.

6. Depuis les années 1980, un pays communiste partiellement capitaliste

Depuis les années 1980, la Chine, nouvelle très grande puissance financière grâce à l'ouverture aux capitaux et aux entreprises occidentales et à une législation du travail presque inexistante, investit en Afrique et en Amérique latine, autant qu'elle le fait en Amérique du Nord et en Europe.

La Chine au XXe siècle

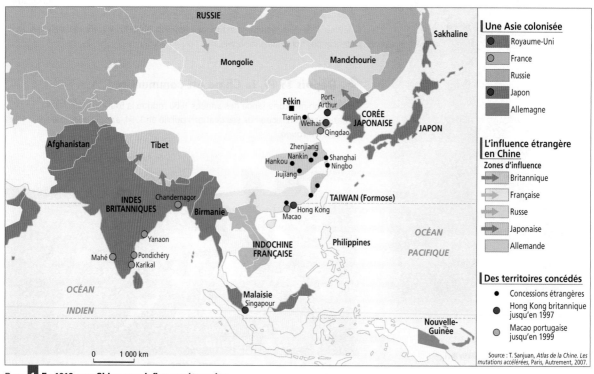

Doc. 1 En 1912, une Chine sous influence étrangère.

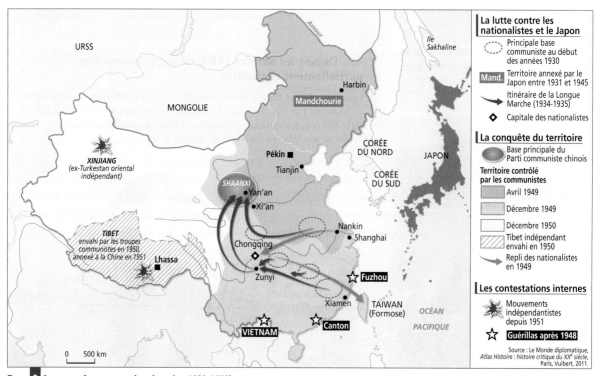

Doc. 2 La conquête communiste (années 1930-1950).

Un géant militaire...

- Effectifs de l'armée chinoise
- Une puissance nucléaire
- Principales bases navales chinoises

... au cœur des tensions régionales...

- Territoire revendiqué par Pékin
- Territoire revendiqué par l'Inde
- Territoire annexé par Pékin
- Zone maritime contestée par tous les États littoraux
- Pays allié
- Principaux alliés des États-Unis

... et confronté à des tensions internes malgré la croissance

- ◆ Zone économique spéciale
- **MACAO** Villes restées libérales après leur réintégration à la Chine
- ✺ Troubles séparatistes

RUSSIE

Ile Sakhaline

KAZAKHSTAN

MONGOLIE

CORÉE DU NORD

CORÉE DU SUD

JAPON

✺ **XINJIANG**

2,9 millions d'hommes

CHINE

Shanghai

✺ **TIBET**

PAKISTAN

NÉPAL

BHOUTAN

Xiamen

Shantou

Shenzen

Zhuhai

TAIWAN

OCÉAN

BANGLADESH

HONG KONG

MACAO

BIRMANIE

LAOS

Hainan

PACIFIQUE

INDE

Golfe du Bengale

PARACELS

PHILIPPINES

THAÏLANDE

CAMBODGE

VIETNAM

SRI LANKA

OCÉAN

INDIEN

M A L A I S I E

SPRATLEY

0   1 000 km

I N D O N É S I E

Doc. 3 Une puissance géopolitique au début du XXIᵉ siècle.

1. La Chine, du mouvement du 4 mai 1919 à la victoire de Mao (1919-1949)

1934-1935 *Longue Marche*   1937-1945 Guerre sino-japonaise

1912 Proclamation de la République   1919 Mouvement antijaponais du 4 mai   1931 Invasion japonaise en Mandchourie   1949 Prise du pouvoir par Mao

→ *Quelles sont les conséquences des divisions politiques chinoises ?*

A. Une République de Chine divisée (1912-1926)

• Après le renversement de l'empereur Pu Yi (1911) et la proclamation de la République par **Sun Yat-Sen** (1912), **la Chine cherche une stabilité politique** (doc. 1). Depuis 1844, les **traités inégaux** laissent une partie de la Chine littorale entre les mains des puissances coloniales, dont le Japon ; des quartiers de villes portuaires, comme Shanghai, sont des **concessions** étrangères.

• **Le 4 mai 1919, une révolte nationaliste éclate dans les principales villes chinoises** (doc. 4). Elle fait suite à la décision de la conférence de la paix de Versailles de transférer au Japon les droits que l'Allemagne détenait sur la province du Shandong (p. 220). Ce mouvement d'abord étudiant, avant d'être suivi par la bourgeoisie, marque le réveil du nationalisme chinois.

• **Dans les années 1920, la République reste faible. Le pays est aux mains de seigneurs de la guerre qui contrôlent une grande partie de la Chine du Nord.** Chef du gouvernement de Canton, Sun Yat-Sen allie ses forces nationalistes du **Guomindang**, au Parti communiste chinois (PCC), fondé en 1921 et dirigé par Mao Zedong, qui lui permet d'obtenir l'aide militaire et technique de l'URSS. La reconquête du territoire chinois par les nationalistes et les communistes fait émerger deux figures : le général Tchang Kaï-Chek, héritier de Sun Yat-Sen, et Mao Zedong.

B. La Chine entre guerre civile et guerre extérieure (1927-1945)

• **Mais le Guomindang entend assurer seul le gouvernement de la Chine.** En avril 1927, les communistes de Shanghai sont massacrés par la répression de grèves insurrectionnelles (doc. 3). En décembre, un coup d'État communiste, la « Commune de Canton », est écrasé. Les forces nationalistes du Guomindang progressent vers le nord et le gouvernement s'installe à Nankin en 1928.

• **L'unification du pays reste précaire.** Mao oriente la stratégie des communistes vers les campagnes et le prolétariat rural. En 1931, ils fondent dans le Jiangxi une République soviétique chinoise mais les attaques des forces nationalistes les contraignent à une errance de près de 12 000 km entre octobre 1934 et novembre 1935 vers le Shanxi, la **Longue Marche** (p. 220).

• **En 1931 le Japon envahit la Chine.** Dès 1932, la Mandchourie est contrôlée, et l'armée japonaise y installe un gouvernement fantoche dirigé par Pu Yi (1906-1967), le dernier empereur de Chine, déposé en 1911. En 1936, face aux échecs militaires, Tchang Kaï-Chek est contraint de s'allier à nouveau aux communistes pour s'opposer aux Japonais, mais cette nouvelle alliance n'empêche pas le massacre de Nankin (p. 224).

C. Vers une Chine communiste (1945-1949)

• **La guerre contre le Japon transforme le PCC en une force politique et militaire majeure** avec une armée de plus de 900 000 hommes, des milices deux fois plus nombreuses, et plus de 1,2 million d'adhérents (contre 40 000 en 1937). Il séduit par son nationalisme et les premières distributions de terres qui profitent aux petits paysans dans les zones qu'il contrôle.

• **En 1945, la Chine fait son entrée sur la scène internationale.** L'époque de la domination étrangère est terminée, et la Chine devient membre permanent du Conseil de sécurité de l'ONU, État vainqueur de la Seconde Guerre mondiale. Elle est représentée comme juge et victime au Tribunal de Tokyo (1946-1947) qui condamne les responsables de l'armée japonaise.

• **Communistes et nationalistes s'affrontent militairement entre 1946 et 1949.** En 1949, encerclés par les forces de Mao, les nationalistes de Tchang Kaï-Chek se réfugient sur l'île de Taïwan et y installent leur gouvernement. Le 1er octobre 1949 la naissance de la République de Chine est proclamée à Pékin (doc. 2). Chacun se considère comme le gouvernement chinois légitime.

Citation

« *Le territoire de la Chine peut être conquis, mais il ne saurait être vendu ! Le peuple chinois se fera massacrer plutôt que de se rendre. Notre pays est menacé d'anéantissement ! Frères, révoltez-vous !* »

Mot d'ordre des étudiants du mouvement du 4 mai 1919.

Biographie

Sun Yat-Sen (1866-1925)
Médecin de formation, nourri d'influence occidentale, opposé à la dynastie mandchoue, il fonde le Guomindang en 1905 et devient en 1911 président de la République chinoise. Écarté du pouvoir dès 1912, il revient en Chine en 1917 après un exil au Japon, pour réunifier le pays aux mains des seigneurs de la guerre. Affaibli par la maladie, il laisse de plus en plus de pouvoir au général Tchang Kaï-Chek qui lui succède à sa mort. Surnommé le « père de la République chinoise », son héritage est revendiqué en Chine communiste comme à Taïwan.

Mots clés

Concession : enclave territoriale d'une ville chinoise dans laquelle la population, les impôts, la justice, la police et l'armée sont gérées par un État étranger.

Guomindang : Parti nationaliste fondé en 1905 par Sun Yat-Sen qui prône l'indépendance de la Chine, la démocratie représentative et la séparation des pouvoirs.

Traités inégaux : Ensemble des traités signés dans la deuxième moitié du XIXe siècle qui accordent aux Occidentaux des zones d'influence en Chine.

SUN YAT SEN, PRÉSIDENT DE LA RÉPUBLIQUE CHINOISE
ÉDITIONS PIERRE LAFITTE & C¹ᵉ, 90, AVENUE DES CHAMPS-ÉLYSÉES, PARIS
Copyright by Pierre Lafitte et Cᵗ 1912

Doc. 1 Un journal français illustre la naissance de la République chinoise (1912). Henri Manuel, portrait de Sun Yat-Sen pour la couverture de *Je sais tout*, 15 février 1912.

1. Comment Sun Yat-Sen est-il mis en scène ?

Doc. 3 Des soldats britanniques défendent la concession de Shanghai (1927).

En 1927-1928, l'alliance militaire entre troupes nationalistes de Tchang Kaï-Chek et communistes de Mao Zedong permet de reprendre le contrôle du nord aux seigneurs de la guerre. Lorsque les concessions étrangères sont menacées par les ouvriers de Shanghai, les nationalistes rompent leur alliance avec Mao et massacrent les ouvriers.

1. Pourquoi les concessions sont-elles menacées ?

2. Quelles sont les conséquences politiques de l'échec de l'insurrection communiste à Shanghai ?

Doc. 2 Mao proclame la République populaire de Chine (1949).

Doc. 4 Mao juge le mouvement du 4 mai 1919.

Le mouvement du 4 mai est né à l'appel de la révolution mondiale, à l'appel de la révolution russe, à l'appel de Lénine. Il fait partie de la révolution prolétarienne mondiale à l'époque [...]. Le mouvement du 4 mai était, à l'origine, un mouvement révolutionnaire d'un front uni formé de trois éléments : intellectuels aux idées communistes, intellectuels révolutionnaires de la petite bourgeoisie et intellectuels de la bourgeoisie (ces derniers en formaient l'aile droite). Son point faible, c'est qu'il se limitait aux intellectuels, les ouvriers et les partisans n'y participaient pas. Mais lorsqu'il engendra le mouvement du 3 juin auquel prirent part non plus seulement les intellectuels mais les larges masses du prolétariat, de la petite bourgeoisie et de la bourgeoisie, il devint un mouvement révolutionnaire d'envergure nationale [...]. À partir du mouvement du 4 mai, bien que la bourgeoisie nationale fût restée dans les rangs de la révolution, la direction politique de la révolution démocratique bourgeoise en Chine n'appartenait plus à la bourgeoisie, mais au prolétariat. Ce dernier en raison de sa propre maturité et de l'influence de la révolution russe, était déjà devenu, et très rapidement, une force politique consciente et indépendante.

Mao Zedong, *La Démocratie nouvelle*, 1940, dans Jacques Guillermaz,
Histoire du parti communiste chinois, Payot, 1975.

1. Qui sont les manifestants du mouvement du 4 mai 1919 ?

2. Comment Mao fait-il du mouvement du 4 mai un prélude au mouvement communiste chinois ?

Dossier 1 — La Chine face au Japon (1919-1945)

Depuis le XIXᵉ siècle, la Chine est soumise aux convoitises des puissances occidentales et aux ambitions japonaises. Après l'invasion de la Mandchourie par le Japon en 1931, les échecs de l'armée légale dirigée par Tchang Kaï-Chek font de l'armée du Parti communiste chinois le symbole de l'opposition nationale au Japon. La victoire de 1945 et l'instauration du régime communiste en 1949 ouvrent une nouvelle ère pour la Chine face au Japon, laissant béantes les mémoires des crimes japonais en Chine.

➔ *Comment la Chine lutte-t-elle contre la menace japonaise ?*

Doc. 1 Le mouvement du 4 mai 1919, une manifestation nationaliste antijaponaise.

En avril et mai 1919 plus de 3 000 étudiants chinois manifestent à Pékin, place Tien an-men, contre la volonté des négociateurs du traité de Versailles d'octroyer au Japon la colonie allemande du Shandong (entre Pékin et Shanghai). Un Japonais est tué et les biens japonais sont pillés.

Doc. 2 Le plan japonais d'invasion de la Chine (1927).

En 1927, le Premier ministre, le général Tanaka (1862-1929) à propose à l'empereur Hiro-Hito un plan de conquête de la Chine.

Les restrictions qui nous ont été imposées par le traité des neuf puissances signé à la conférence de Washington ont réduit nos droits spéciaux et nos privilèges de Mandchourie et Mongolie dans des proportions telles qu'il ne nous reste aucune liberté. [...] À moins que ces obstacles disparaissent, notre existence nationale demeurera incertaine, et notre force nationale ne pourra croître. En outre, les richesses se trouvent concentrées dans le nord de la Mandchourie. Si nous n'avons pas les mains libres là-bas, il est évident que nous ne pourrons pas ponctionner les richesses de ce pays. [...] Il semble que la volonté divine ait souhaité que j'assiste votre Majesté dans l'ouverture d'une ère nouvelle en Extrême-Orient et dans le développement du nouvel empire continental.

Nora Pirovano-Wang, *L'Asie orientale de 1840 à nos jours*, Armand Colin, 2000.

Dates clés

1901 Échec de la révolte nationaliste des Boxers, abattue par une coalition militaire française, britannique, américaine, russe et japonaise.

1919 Le mouvement nationaliste du 4 mai conteste l'octroi au Japon, par le traité de Versailles, des concessions allemandes en Chine.

1922 Rejet des prétentions japonaises sur les anciennes colonies allemandes de Chine par la conférence de Washington.

1931 Le Japon envahit la Mandchourie.

1936-1945 Essais bactériologiques sur des civils chinois par l'Unité 731 de l'armée japonaise.

Juillet 1937 Début de la guerre sino-japonaise.

Décembre 1937-Février 1938 Massacre de Nankin.

1946-1947 La Chine nomme deux procureurs au tribunal de Tokyo chargé de juger les crimes japonais de la Seconde Guerre mondiale.

Doc. 3 Les massacres de Nankin (1937-1938).

Des prisonniers chinois sont utilisés comme cibles humaines lors d'entraînements à la baïonnette de soldats japonais commandés par le prince Asaka. Dans toute la ville, les soldats provoquent des incendies volontaires, violent près de 20 000 femmes, exécutent sommairement des civils de tous âges, abattus ou enterrés vivants, pendent des prisonniers de guerre au mépris des conventions de Genève. Près de 200 000 personnes sont tuées par l'armée japonaise entre décembre 1937 et fin 1938. L'intervention d'un homme d'affaires allemand, John Rabe, permet de sauver plusieurs dizaines de milliers d'habitants. Le prince Asaka, responsable du massacre de Nankin, n'est pas inquiété lors des procès de Tokyo (1946-1947) : la famille impériale est épargnée en vertu des accords de capitulation de 1945.

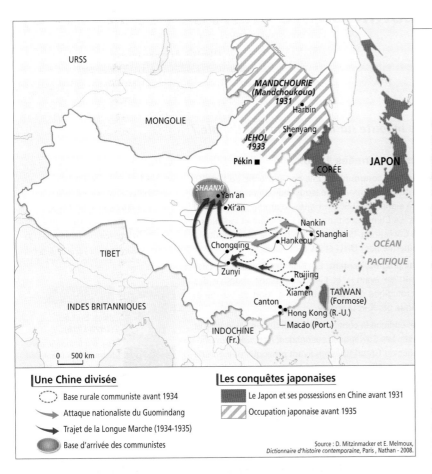

Doc. 4
La Chine et le Japon en 1935.

Une Chine divisée

- ⌒ Base rurale communiste avant 1934
- → Attaque nationaliste du Guomindang
- → Trajet de la Longue Marche (1934-1935)
- ◉ Base d'arrivée des communistes

Les conquêtes japonaises

- ▮ Le Japon et ses possessions en Chine avant 1931
- ▨ Occupation japonaise avant 1935

Source : D. Mitzinmacker et E. Melmoux,
Dictionnaire d'histoire contemporaine, Paris , Nathan - 2008.

Doc. 5 **Les crimes de l'Unité 731.**

Entre 1936 et 1945, près de Harbin (Mandchourie), l'Unité 731 de l'armée japonaise, commandée par le général Shiro Ishii, mène des expériences bactériologiques sur près de 10 000 prisonniers, majoritairement chinois.

Nous appelions ces prisonniers *maruta*, ce qui en japonais signifie « bûche, bille de bois ». Bien que chacun d'eux ait à son arrivée une carte d'identité avec ses nom et lieu de naissance, la raison de son arrestation et son âge, nous lui attribuions un simple numéro. Un *maruta*, un « morceau de bois », n'était plus que le numéro qu'il portait, une partie d'un matériau qui ne servait qu'aux expériences. On ne le considérait pas comme un être humain.

Témoignage d'un militaire japonais
recueilli par Peter Williams
et David Wallace,
*La Guerre bactériologique. Le secret
des expérimentations japonaises,*
Paris, Albin Michel, 1990.

Doc. 6 **La Chine, vainqueur de la Seconde Guerre mondiale.**

Le 2 septembre 1945, la cérémonie de capitulation du Japon se déroule sur un navire américain, le *Missouri*, face à Tokyo. La Chine se trouve parmi les États vainqueurs signataires de l'acte. Lorsqu'en 1946 se réunit à Tokyo le tribunal militaire pour l'Extrême-Orient, chargé de juger les criminels de guerre japonais, la Chine est représentée par un juge.

POUR COMPRENDRE

1. Étudier les documents

Doc. 1 Qui manifeste contre le traité de Versailles ? Au nom de quoi ?

Doc. 2 Que montre ce document des appétits japonais en Chine ?

Doc. 2, 3 et 4 Quelles sont les causes de l'invasion japonaise de la Chine ? Quel événement justifie cette invasion ?

Doc. 3 et 5 Quelles sont les conséquences des crimes de guerre japonais sur les populations civiles ?

Doc. 6 Comment la Chine est-elle considérée dans le concert des nations en 1945 ? Pourquoi ?

2. Analyse de deux documents

BAC À l'aide des documents 1 et 6, expliquez les causes de l'opposition entre la Chine et le Japon.

3. Aide à la composition

BAC À l'aide de vos connaissances, vous rédigerez un plan détaillé qui réponde au sujet : « La Chine face au Japon (1919-1945) ».

2. La voie communiste chinoise (1949-1976)

1966-1976 Révolution culturelle

1949 Proclamation
de la République populaire de Chine

1958
« Grand Bond en avant »

1971 La Chine communiste
à l'ONU

1972 Rencontre
Mao-Nixon à Pékin

1976 Mort
de Mao Zedong

➜ *Quelle est l'influence de la Chine maoïste sur la scène internationale ?*

A. L'autre pôle du monde communiste (années 1950)

• **Le 1ᵉʳ octobre 1949, la Chine entre dans le bloc communiste.** Elle se rapproche de l'URSS, seule grande puissance à la reconnaître. La situation économique (sous-industrialisation, faible production agricole, inflation) pousse Mao à signer en 1950 un traité « d'amitié, d'alliance et d'assistance mutuelle » avec les Soviétiques. La Chine reçoit une aide financière et technique. Cette alliance est renforcée par la guerre de Corée (juin 1950-juillet 1953) où la Chine soutient la Corée du Nord face à la Corée du Sud, soutenue par l'ONU et les États-Unis.

• **Les relations sino-soviétiques se dégradent progressivement.** En 1958, les Soviétiques critiquent la politique maoïste du « **Grand Bond en avant** » et l'industrialisation massive des campagnes. Mao dénonce le changement stratégique de l'URSS depuis la mort de Staline et l'adoption de la règle de la **coexistence pacifique** par Khrouchtchev.

• **En 1960, la rupture est consommée.** Mao revendique la continuité de la politique soviétique et veut faire de la Chine le leader du bloc socialiste. Les Soviétiques suspendent leur aide économique et rapatrient leurs experts, alors que l'échec du Grand Bond en avant provoque une grande famine (entre 15 et 20 millions de morts). Seule l'Albanie communiste rompt avec l'URSS et adopte la voie maoïste.

B. Un pays pauvre dans la Guerre froide (années 1960)

• **La Chine communiste est une puissance internationale faible.** La conférence de Bandung en 1955 marque son entrée sur la scène internationale (**doc. 1**). Elle se pose comme un leader du Tiers-Monde et apporte son soutien aux mouvements de décolonisation. La Chine se présente comme une troisième voie, ni soviétique ni américaine. Mais l'annexion officielle du Tibet (1959) provoque un conflit frontalier avec l'Inde et anéantit l'idée d'un bloc non-aligné. Puissance nucléaire depuis 1964, la Chine n'a pas les moyens financiers et militaires pour intervenir dans les conflits de la Guerre froide.

• **La Chine est affaiblie par la Révolution culturelle** (**doc. 2**). En 1966, Mao cherche à purger le parti de ceux qui contestent son pouvoir avec l'aide des jeunesses communistes, les Gardes rouges (**doc. 4**). Il lance une vaste politique de remise en cause des valeurs traditionnelles et d'humiliation des élites intellectuelles : la Révolution culturelle. Un recueil de citations de ses discours, traduit en Occident sous le nom de *Petit Livre rouge*, véhicule la révolution maoïste auprès d'une jeunesse occidentale qui s'écarte du modèle soviétique.

C. La sortie de l'isolement (années 1970)

• **En 1969, la Chine prend conscience de son isolement.** Désireux d'affaiblir l'URSS qui soutient le Vietnam dans la guerre, les États-Unis entament un dialogue avec les Chinois. Ce rapprochement se concrétise en 1971 par la tournée très médiatisée de sportifs américains en Chine. La division du bloc socialiste accélère les négociations pour mettre fin à la guerre du Vietnam (1973).

• **En octobre 1971, la République populaire de Chine fait son entrée à l'ONU** (**doc. 3**). Elle remplace Taïwan comme membre du Conseil de sécurité. Cette reconnaissance internationale se traduit par la visite en 1972 du président américain Nixon (**p. 236**), préalable à la reconnaissance officielle de la Chine communiste par les États-Unis en 1978.

• **La Chine n'est cependant pas une superpuissance.** Le bilan économique et humain de la Révolution culturelle ne le lui permet pas : 10 à 20 millions de morts, des élites intellectuelles persécutées, un pays désorganisé. Allié régional depuis 1975, le régime des **Khmers rouges** cambodgien est renversé en 1979 par le Vietnam allié de l'URSS. En 1976, après la mort de Mao Zedong et celle de Zhou En-Lai, la Chine cherche une autre voie.

Citation

« Mais il y a un pays voué à la vengeance et à la justice, un pays qui ne déposera pas les armes, qui ne déposera pas l'esprit avant l'affrontement planétaire. »

André Malraux à propos de la Chine,
Le Miroir des limbes, Gallimard, 1976.

Biographie

**Zhou En-Lai
(1898-1976)**

Issu d'une famille aisée, lettré, il passe par le Guomindang avant de devenir à partir de 1927 un des principaux dirigeants du Parti communiste, et un proche de Mao. Premier ministre à partir de 1949, responsable des affaires étrangères, il est un des grands acteurs de la conférence de Bandung (1955). Partisan d'une politique réaliste, il prend ses distances avec la Révolution culturelle et est l'initiateur de la modernisation de la Chine, que met en œuvre Deng Xiaoping après sa mort.

Mots clés

Coexistence pacifique : Doctrine de la politique extérieure soviétique qui consiste à entretenir des relations pacifiées avec le bloc de l'Ouest.

Grand Bond en avant : Politique de développement lancée en 1958 qui repose sur la mobilisation des masses rurales dans des « communes populaires ».

Révolution culturelle : Politique de reprise en main du Parti communiste par Mao, de 1966 au début des années 1970. Elle se traduit par une remise en cause de la culture traditionnelle, de la bureaucratie et des institutions publiques, et fait plus de 4 millions de morts.

@ http://www.tle.esl.histeleve.
magnac.fr
Fin 1949 : la prise de Shanghai par les communistes et la défense de Hong Kong par les Britanniques.

Doc. 1 Zhou En-Lai à la conférence de Bandung (1955).

En avril 1955, le Premier ministre et ministre des Affaires étrangères Zhou En-Lai est une des figures de la conférence des pays décolonisés ou en voie de décolonisation.

1. Quel intérêt a la Chine d'être présente à la conférence de Bandung ?

2. Quels éléments de l'histoire chinoise peuvent être considérés comme un modèle pour certains participants, comme le FLN algérien ?

Doc. 3 La première intervention de la Chine à l'ONU (1971).

Trois semaines avant cette intervention, la Chine communiste a pris la place de la Chine nationaliste (Taïwan) comme membre permanent du Conseil de sécurité de l'ONU.

La Chine est encore un pays économiquement arriéré et un pays en cours de développement à la fois. Comme la grande majorité des pays d'Asie, d'Afrique et d'Amérique latine, la Chine appartient au Tiers-Monde [...]. À aucun moment, ni maintenant, ni jamais, la Chine ne sera une superpuissance soumettant les autres à ses agressions, à son contrôle ou son harcèlement. [...] La Chine ne participera jamais aux prétendues conversations du désarmement entre les puissances nucléaires derrière le dos des puissances non nucléaires. La Chine ne produit des armes nucléaires que pour sa défense et pour briser le monopole nucléaire afin d'éliminer en définitive les armes nucléaires et la guerre nucléaire. [...] Il est de notre devoir naturel d'aider les peuples de divers pays dans leur lutte légitime : nous avons aidé certains pays amis à développer leurs économies nationales indépendamment. En apportant notre aide, nous respectons toujours strictement la souveraineté des pays bénéficiaires, nous ne posons pas de conditions et n'exigeons aucun privilège. Nous apportons à titre gratuit une aide militaire à des pays et à des peuples en lutte contre l'agression. Nous ne deviendrons jamais des marchands d'armes et de munitions. Cependant, du fait que l'économie de la Chine est encore relativement en retard, l'aide matérielle que nous apportons est très limitée : ce que nous pouvons surtout procurer, c'est le soutien politique et moral.

Chiao Kuan-Hua, vice-ministre des Affaires étrangères chinois, discours devant l'Assemblée générale de l'ONU, 15 novembre 1971.

1. Comment la Chine justifie-t-elle son soutien aux décolonisations et aux révolutions marxistes ?

2. Comment ce discours justifie-t-il la puissance nucléaire chinoise ?

Doc. 2 Mao, icône de la propagande chinoise et des maoïstes occidentaux.

Affiche de propagande du PCC, en pleine Révolution culturelle (1966-1976).

1. Comment Mao est-il représenté ?

2. En quoi ce document est-il en opposition avec la doctrine marxiste dont se réclame Mao ?

Doc. 4 Un intellectuel critique la propagande de la Révolution culturelle chinoise.

La Révolution culturelle qui n'a de révolutionnaire que le nom, de culturelle que le prétexte tactique initial, fut une lutte pour le pouvoir. À la faveur du désordre engendré par cette lutte, un courant de masse authentiquement révolutionnaire se développa spontanément à la base se traduisant par des mutineries militaires et par de vastes grèves ouvrières ; celles-ci, qui n'avaient pas été prévues au programme, furent impitoyablement écrasées. En Occident, certains commentateurs persistent à s'attacher littéralement à l'étiquette officielle et veulent prendre pour point de départ le concept de « révolution de la culture », voire même « révolution de la civilisation ». En regard d'un thème aussi exaltant pour la réflexion, toute tentative pour réduire le phénomène à cette dimension sordide et triviale d'une « lutte pour le pouvoir » sonne de façon blessante, voire diffamatoire, aux oreilles des maoïstes européens. Les maoïstes de Chine, eux, ne s'embarrassent pourtant plus de telles délicatesses. [...] Que Mao ait effectivement perdu le pouvoir a pu paraître à distance difficile à admettre pour des observateurs européens. C'est pourtant bien pour le récupérer qu'il déclencha cette lutte.

Simon Leys, *Les Habits neufs du président Mao*, Paris, Ivrea, 2009.

1. Quelles sont les raisons officielles de la Révolution culturelle ?

2. Quels sont les effets de ce mouvement ?

Fondateur du Parti communiste chinois (PCC) en 1921, Mao Zedong instaure en 1949 la République populaire de Chine qu'il va gouverner ou influencer jusqu'à sa mort, en 1976. Son rôle à la tête des troupes communistes chinoises pendant la Longue Marche et la Seconde Guerre mondiale font de lui un des symboles de la lutte contre l'impérialisme japonais. Après 1949, l'échec du Grand Bond en avant, la création des camps de travail, les *laogai*, et les conséquences de la Révolution culturelle révèlent Mao comme un dictateur brutal, adepte d'une intense propagande, efficace jusqu'en Occident.

→*Comment expliquer l'image ambiguë de Mao Zedong ?*

Dates clés

Mao et la Chine

1921 Fondation du PCC.

1934-1935 La Longue Marche.

1949 Prise du pouvoir et proclamation de la République populaire de Chine.

1958 Grand Bond en avant : plus de 50 millions de morts.

1960 Rupture avec l'URSS.

1966 Révolution culturelle : plus de 4 millions de morts.

1972 Rencontre Mao-Nixon.

Doc. 1 L'image de la Chine.

Couverture d'une revue de propagande destinée à l'étranger représentant une manifestation des Gardes rouges, la jeunesse mobilisée par Mao pour mener la « grande Révolution culturelle prolétarienne » lancée en 1966.

Doc. 2 Affiche de 1967 : les « cinq professeurs » (Marx, Engels, Lénine, Staline et Mao).

Doc. 3

La séduction de la jeunesse occidentale.

Lors des événements de mai 1968 en France, une partie de la jeunesse étudiante se revendique de la pensée de Mao, rejetant l'influence du PCF trop proche d'une URSS jugée stalinienne et bureaucratique.

Mao Zedong (1893-1976)

Instituteur, fils de paysans aisés, il est en 1921 un des fondateurs du Parti communiste chinois dont il prend progressivement le contrôle. Après la rupture avec le Guomindang à la fin des années 1920, il s'implante dans les zones rurales. La Longue Marche et la guerre contre le Japon accroissent sa popularité. Il proclame en 1949 la République populaire de Chine après la fuite des nationalistes à Taïwan, et conserve le pouvoir jusqu'en 1976. Les purges et l'échec du Grand bond en avant et de la Révolution culturelle n'empêchent pas le développement d'un fort culte de la personnalité, en Chine comme en Occident, autour du « Grand Timonier ».

Doc. 4 Le regard d'un ancien maoïste.

Ancien président de Médecins Sans Frontières, Rony Brauman revient sur l'attraction exercée sur des étudiants comme lui par le mouvement maoïste de la Gauche prolétarienne en mai 1968.

[Je suis devenu maoïste] à la fin de l'année 1968. [...] Je faisais partie de ces gens pour qui Mai 68 représentait une fenêtre qui s'était ouverte sur le monde ; et je n'avais pas envie de la refermer. [...] On voyait partout des foyers de violence révolutionnaire, et on puisait dans l'exemple de la Chine ce qui nous intéressait, principalement ce slogan de la Révolution culturelle : « Feu sur les états-majors ». [...] En 1970-1971, les maoïstes sont devenus de plus en plus fous. Ils sont passés de la révolte antiautoritaire à un discours paranoïaque, celui de la « Nouvelle résistance populaire » : la France était une nation ouvrière occupée par la bourgeoisie, comme elle l'avait été par les nazis ! Un petit groupe clandestin, armé, s'est mis en place. [...] Cette spirale de violence nous menait tout droit au terrorisme.

Interview de Rony Brauman au magazine *L'Histoire*,
« Les années 1960 », n° 182, novembre 1994.

Doc. 5 Une icône médiatique. Sérigraphie d'Andy Warhol, *Mao 5*, 1973, lors d'une exposition au Hamburger Banhof Museum, Berlin.

Doc. 6 Un historien dresse le bilan du Grand Bond en avant et de la Révolution culturelle.

En 1956-1957, dans les campagnes, le marasme est total ; des villes souffrent quant à elles des effets du modèle stalinien (une industrialisation peu adaptée à la situation chinoise) ; tandis que sur le plan politique, un vrai malaise s'exprime au sommet du parti. [...] Le pouvoir pose des objectifs économiques rapidement hors de portée : la production céréalière doit augmenter de 10 %, puis le mot d'ordre de la doubler ; le slogan devient finalement qu'en cinq ans la Chine rejoindra l'Angleterre et en dix ans les États-Unis. [...] Les coopératives sont remplacées par des communes populaires, une forme plus poussée de collectivisation sur une échelle beaucoup plus large. Celles-ci constituent un instrument de militarisation de la production. [...] Dès le courant de 1958, la disette s'étend, et parfois la famine. Des maladies comme l'hydropisie apparaissent, des épidémies se répandent. [...] On estime qu'au total entre 30 et 60 millions de personnes sont mortes des conséquences du Grand Bond en avant, entre 1958 et 1962, essentiellement dans les campagnes. [...]

Durant l'été 1966, les écoliers et étudiants deviennent les Gardes rouges. Encadrés par l'armée, ils sont lancés à l'assaut de tous les pouvoirs établis, brûlent des livres, humilient les intellectuels. Les hommes en place sont brutalisés, sont contraints à des autocritiques, se suicident. [...] Des familles entières sont emprisonnées. Les grandes villes sont paralysées par les grèves et les combats de rue. Les pouvoirs en place sont remplacés à partir de l'été 1967 par les comités révolutionnaires. [...] On estime que la Révolution culturelle a causé entre 1 et 4 millions de morts. Mais on évalue à 100 millions le nombre de ceux qui ont été estropiés, martyrisés, maltraités, humiliés. Cela veut dire un Chinois sur huit, c'est-à-dire un adulte sur deux. [...] À mon avis, on ne comprend pas la violence avec laquelle cette société s'est jetée, après 1978, dans un développement brutal et inégal si on ne tient pas compte du sentiment, largement partagé, que l'on a trop longtemps souffert, qu'il faut créer l'irréversible. Au fond, l'idée d'une sorte de deuxième Grand Bond pour que les horreurs du temps de Mao ne soient plus possibles.

Jean-Luc Domenach, « Les années Mao : révolution et tragédie »,
L'Histoire, n° 300, juillet-août 2005.

POUR COMPRENDRE

1. Étudier les documents

Doc. 1 et 2 Quels éléments de comparaison avec le communisme soviétique peut-on trouver sur ces affiches de propagande ? Pourquoi une telle volonté de filiation ?

Doc. 3, 4 et 5 Quels sont les effets de la propagande chinoise en Occident ? Avec quelles limites ?

Doc. 6 Quels sont les effets de la politique économique de Mao Zedong ?

2. Analyse de deux documents

BAC À l'aide des documents 1 et 6, expliquez la place que prennent le dirigisme et la propagande dans le fonctionnement du maoïsme.

3. Aide à la composition

BAC À l'aide de vos connaissances, vous rédigerez un plan détaillé qui réponde au sujet : « Le maoïsme en Chine et à l'étranger (1949-1976) ».

3. Depuis 1978, une grande puissance qui s'ouvre au monde

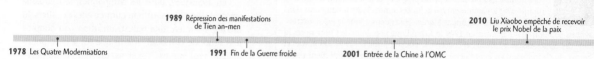

1989 Répression des manifestations de Tien an-men

2010 Liu Xiaobo empêché de recevoir le prix Nobel de la paix

1978 Les Quatre Modernisations

1991 Fin de la Guerre froide

2001 Entrée de la Chine à l'OMC

→ *Comment la puissance chinoise allie-t-elle communisme et capitalisme ?*

A. Une politique d'ouverture économique (années 1980 et 1990)

• **En 1976, à la mort de Mao et de Zhou En-Lai, la Chine amorce des réformes.** L'homme fort du PCC, Deng Xiaoping, lance en 1978 la politique des **Quatre Modernisations** (agriculture, industrie, recherche, défense) pour effacer les effets de la Révolution culturelle et le retard par rapport aux pays développés.

• **La Chine adopte le « socialisme de marché » et s'oriente vers une économie libérale.** Les terres sont décollectivisées et le secteur privé apparaît. En 1980, la création des **Zones économiques spéciales (ZES)*** (doc. 2) relance la croissance économique, en favorisant l'investissement de capitaux étrangers, souvent issus de la diaspora. La Chine devient un **pays-atelier***. En 1997, après la rétrocession de Hong Kong par le Royaume-Uni, Deng Xiaoping y justifie le maintien d'une démocratie libérale par l'expression « **un État, deux systèmes** ».

B. Une influence économique majeure (années 2000)

• **La Chine devient la deuxième puissance économique mondiale.** Son taux de croissance tourne autour de 10 % par an grâce à sa capacité à imiter les inventions des entreprises partenaires dans les ZES (doc. 3). Sa part dans le commerce mondial quintuple : en 2011, elle est le premier exportateur mondial et le deuxième importateur, ce qui lui permet de devenir le créancier du monde.

• **La croissance économique donne à la Chine une nouvelle place.** En 2001, elle fait son entrée à l'Organisation mondiale du commerce. Elle obtient en 2008 l'organisation des Jeux olympiques (Pékin) et en 2010 celle de l'Exposition universelle (Shanghai). Sa capacité à investir, par le biais des entreprises de la diaspora, en Afrique et en Amérique latine, lui permet d'y faire reculer l'influence américaine et européenne.

C. Les limites de l'ouverture chinoise au monde

• **La Chine est encore en retrait sur la scène mondiale.** Hors sa place au Conseil de sécurité de l'ONU, elle n'a pas la capacité de s'impliquer dans les crises géopolitiques internationales. Bien qu'elle dispose du deuxième budget militaire du monde, et malgré le succès des lancements spatiaux des **taïkonautes***, elle accuse encore un retard technologique important.

• **La Chine est vue en Asie comme une puissance menaçante.** Les conflits frontaliers avec le Vietnam et l'Inde, la revendication d'îles en mer de Chine (p. 221), le soutien à la Corée du Nord communiste et la méfiance réciproque avec le Japon, entretiennent cette situation. Cette image négative vise à être combattue par le nouveau plan quinquennal adopté par le PCC en octobre 2010, avec comme outil le doublement mondial du nombre d'ambassades culturelles (instituts Confucius).

• **La principale limite de la puissance chinoise est politique.** La Chine reste une dictature communiste, avec le PCC comme parti unique. La croissance chinoise profite d'abord aux dirigeants politiques et économiques du régime. La libéralisation du régime, « cinquième modernisation » demandée en 1989 par les étudiants de la place Tien an-men (doc. 1) est inexistante. Les pressions exercées par Pékin sur les États qui reçoivent la visite du dalaï-lama, chef des Tibétains en exil depuis l'annexion de 1959, le maintien en prison du dissident politique Liu Xiaobo, prix Nobel de la paix 2010, la censure d'Internet et l'emprisonnement d'internautes chinois militants, montrent l'absence de libertés politiques dans ce pays devenu en partie capitaliste.

*C*itation

« *Ce qui est à craindre, c'est de classer toute chose par la famille, la famille C. (comme capitalisme) ou la famille S. (comme socialisme). Mieux vaut comme critère de jugement, se demander ce qui est bénéfique ou non…* »

Deng Xiaoping, lors d'une réunion du Comité central, 1992.

Biographie

Deng Xiaoping (1904-1997)

Ancien compagnon de route de Mao depuis les années 1930, il occupe de hauts postes dans les années 1950. Écarté du pouvoir pendant la « révolution culturelle », il revient sur le devant de la scène dans le sillage de Zhou En-Lai. Pragmatique, modernisateur, « le petit timonier » réintègre en 1977 les instances dirigeantes, élimine ses rivaux et devient le véritable dirigeant de la Chine jusqu'à sa mort en 1997.

Mots clés

Quatre Modernisations : Politique menée à partir de 1978 pour rattraper le retard sur les pays développés en matière agricole, industrielle, scientifique et militaire.

Socialisme de marché : Expression de Deng Xiaoping pour définir le mariage du libéralisme économique et de l'absence de libéralisme politique.

Vocabulaire

* Pays-atelier
* Taïkonaute
* ZES
❯ lexique p. 380 à 383

http://www.tle.esl.histeleve.magnard.fr
Les manifestations de la place Tien an-men vues par la télévision française.

Doc. 1 La répression de la place Tien an-men (1989).

Le 5 juin 1989, les chars sont à Pékin pour mettre fin à un mouvement de contestation étudiant et ouvrier débuté en avril. Filmé par les caméras du monde entier, ce mouvement réunit jusqu'à un million de manifestants et appelle à la fin de la corruption du régime, à plus de libertés politiques et à la fin du parti unique. La répression fait des centaines de morts et des milliers de blessés, sans qu'on en connaisse le nombre exact. Sur cette image, un homme seul, désarmé, fait barrage à une colonne de blindés.

1. Quel est l'impact mondial d'une telle image pour la Chine ?

2. Que montre-t-elle de la force du mouvement favorable à la démocratie ?

Doc. 3 L'envol économique depuis 1978.

	1978	1990	2000	2006
Population (en milliard)	0,962	1,143	1,267	1,314
Produit Intérieur Brut (en dollars)	1 963,65	2 693,71	14 103,02	30 480,80
Balance commerciale (en dollars)	- 11,4	+ 87,4	+ 241,1	+ 1774,8
Investissements directs à l'étranger (en dollars)	Pas de données	34,87	407,15	694,68

Annuaire statistique de la Chine, 2007.

Doc. 2 Deng Xiaoping et les ZES.

À l'occasion de la troisième session du XIIe congrès du Parti communiste chinois, Deng Xiaoping explique le sens des réformes entreprises depuis 1978.

Le thème principal inscrit à son ordre du jour est précisément la réforme du système économique axée sur les villes. Cela signifie que la Chine s'engagera dans une réforme générale. La réforme dans les régions rurales a porté ses fruits au bout de trois ans ; celle dans les villes demandera au moins trois à cinq années avant de donner des résultats tangibles. L'expérience acquise dans les campagnes nous permet de penser que la réforme dans les villes pourra aussi aboutir. Sa complexité rend inévitable que des erreurs se produisent, mais cela n'affectera pas la situation générale. Nous avancerons avec prudence et tout phénomène défectueux sera promptement rectifié [...]. Nous avons la conviction que notre réforme dans les villes sera également un succès. La troisième session plénière du Comité central issu du XIIe congrès du Parti s'inscrira comme un événement très important. [...] Les zones économiques spéciales sont comme des fenêtres ouvertes sur le monde ; elles permettent de faire entrer chez nous les techniques, les modes de gestion et les connaissances d'autres pays, et aussi de faire connaître notre politique extérieure. Par le biais de ces zones, nous pouvons introduire des technologies, acquérir des connaissances et assimiler de nouvelles méthodes de gestion, la gestion étant aussi une forme du savoir. Certains des projets mis en œuvre peuvent n'être pas très rentables pour le moment, mais à envisager les choses à long terme, ils sont avantageux et fructueux.

Deng Xiaoping, *Les Questions fondamentales de la Chine aujourd'hui*, 1982, Éditions en langues étrangères.

1. Quel est l'intérêt des ZES pour le développement chinois ?

2. Ce discours est-il encore communiste ?

La diaspora, fondement de la puissance chinoise

Les Chinois expatriés forment une catégorie de population officiellement reconnue par le gouvernement, les Huaqiao. Depuis 1978, un Bureau des affaires des Chinois d'outre-mer est mis en place au sein du Parti. Forte d'environ 40 millions de personnes, l'émigration chinoise est ancienne mais s'est intensifiée au gré des crises du XXᵉ siècle. La diaspora est un support à la diffusion de la culture et de la langue. Ses investissements en Chine, massifs depuis l'ouverture économique de 1978, poussent l'État à favoriser cette émigration.

→ *Quelle est l'influence de la diaspora chinoise ?*

Doc. 1 **Une migration ancienne.**
Un Chinois vernit une ombrelle de soie dans un magasin parisien, vers 1930.

Doc. 2 **Chinatown à New York.**

Doc. 3 **Une famille chinoise en Indonésie.**

Dans ma famille, seule la mère de ma mère est née en Chine. Ce sont mes arrières-arrières-grands-parents paternels qui sont venus de Chine. Nous sommes donc en Indonésie depuis plusieurs générations. Mes parents possèdent une imprimerie à Djakarta. Ils font des calendriers, des cartons d'invitation, des brochures, etc. Mon père s'occupe du fonctionnement de la société tandis que ma mère est responsable du marketing. Mon frère aîné travaille également dans l'entreprise familiale [...]. Être Chinois c'est être bon en affaires. Les Chinois contrôlent entre 70 et 80 % du commerce en Indonésie. Ils ne peuvent participer au gouvernement ni s'occuper des affaires politiques. Tout ce qu'ils peuvent faire c'est du commerce [...]. Enfant, je ne me rendais pas compte que nous étions différents des autres ; nous vivions seulement dans le pays où nous étions nés. [...] Nous, les Chinois, nous vivons dans un meilleur environnement et nous recevons une meilleure éducation. [...] On me disait que les Chinois travaillaient plus dur que les Indonésiens et nous pensions qu'ils étaient très paresseux, ce qui expliquait le fossé entre nous. [...] Nous suivions les rites à la mémoire des ancêtres. Quand mon grand-père est mort, nous avons porté des vêtements blancs et nous avons respecté tout le rituel. Nous avons dû brûler toutes ses maisons et voitures en papier, et de l'argent, afin qu'il puisse les utiliser dans une prochaine vie. C'était très drôle. Mais c'était surtout une tradition chinoise. [...] Aujourd'hui, je suis chrétien et je ne suis plus ces traditions.

Wei Djao, « Good in business »
Being Chinese, Voices from the Diaspora,
Tucson, University of Arizona Press, 2003.

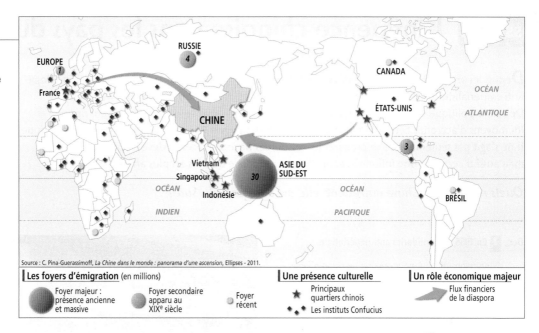

Doc. **4**
La diaspora chinoise dans le monde en 2011.

RUSSIE
EUROPE
France
CANADA
OCÉAN
ATLANTIQUE
ÉTATS-UNIS
CHINE
Vietnam
Singapour
ASIE DU
SUD-EST
Indonésie
OCÉAN
INDIEN
OCÉAN
PACIFIQUE
BRÉSIL

Source : C. Pina-Guerassimoff, *La Chine dans le monde : panorama d'une ascension*, Ellipses - 2011.

Les foyers d'émigration (en millions)
- Foyer majeur : présence ancienne et massive
- Foyer secondaire apparu au XIXe siècle
- Foyer récent

Une présence culturelle
- ★ Principaux quartiers chinois
- ✦ Les instituts Confucius

Un rôle économique majeur
- Flux financiers de la diaspora

Doc. **5** **Le regard d'un journaliste sur la diaspora.**

La Chine tiendrait-elle enfin son empire colonial ? En Asie du Sud-Est, sa diaspora a en tout cas acquis un poids économique sans précédent. Grâce à la puissance de ses actifs, elle contrôlerait 60 à 70 % des PIB indonésien, thaïlandais et malais, 68 % du chiffre d'affaires des 250 plus grandes sociétés des Philippines, et dégagerait des richesses supérieures de 15 % à celles produites en Chine même […] ! Au-delà de cette zone d'influence naturelle, qui concerne trois quarts des 30 millions de membres, l'émigration chinoise est évidemment plus minoritaire. […] Les origines migratoires sont différentes, et plus récentes, aux États-Unis et en Australie, qui comptent respectivement 3 millions et 570 000 ressortissants d'origine chinoise. Si la ruée vers l'or en Californie et en Nouvelle-Galles du Sud [*Australie*] a donné naissance à la diaspora, ce sont surtout les vagues venues de Hong Kong, de Taïwan et d'Indochine qui l'ont constituée, de 1950 à 1990. Comme en Europe, où la France représente la troisième terre d'accueil après l'ex-URSS et la Grande-Bretagne, avec 230 000 expatriés. […] Contrairement aux idées reçues, le gouvernement chinois ne freine pas cette émigration, car il profite des retours financiers […]. Les familles de la diaspora représenteraient 75 % des investissements étrangers en Chine. Avec 30 millions d'expatriés (+ 4 % par an), la Chine dispose de la plus grande diaspora du monde. Très riches, ces Chinois de l'extérieur constituent un atout majeur dans la mondialisation.

Gilles Tanguy, « La diaspora chinoise, une puissance financière » *L'Expansion*, 1er novembre 2003.

Doc. **6** **La question taïwanaise.**

Taïwan est un des pôles de la diaspora chinoise mais la population de l'île ne se reconnaît pas majoritairement comme telle.

Un premier exemple [*des erreurs de conceptions*] se trouve dans la réponse du président Clinton à une question posée à l'université de Pékin quand il a déclaré, « La politique des États-Unis n'est pas un obstacle à la réunification pacifique de la Chine et de Taïwan ». Le préfixe « ré » dans réunification suggère que Taïwan et sa population étaient d'une certaine façon unis avec la Chine auparavant. Bien que cette idée s'applique aux deux millions de membres du Guomindang qui sont venus de Chine en 1949, elle est fausse pour les six millions de personnes qui vivaient déjà sur l'île à ce moment-là et pour 84 % de la population actuelle qui ne se considèrent pas comme « chinois ». Le président Clinton parle comme si aucune population taïwanaise ne vivait à Taïwan. […] Des soutiens de la cause taïwanaise et des membres du Congrès et du Sénat bien intentionnés croient tout autant que le conflit sino-taïwanais est simplement un désaccord chinois et interne et non une question internationale.

Edward Wei, analyste politique au Centre pour les relations internationales taïwanaises, *The Washington Times*, 29 septembre 1998.

POUR COMPRENDRE

1. Étudier les documents

Doc. 1, 2 et 3 Quelle est la diffusion de la diaspora chinoise ? Quelles valeurs y sont véhiculées ?

Doc. 4 et 5 Quels sont les effets de la diaspora chinoise en Chine ?

Doc. 6 Quelle est l'influence de la diaspora chinoise à Taïwan ? Avec quelles conséquences politiques ?

2. Analyse de deux documents

BAC À l'aide des documents 5 et 6, expliquez les effets de la diaspora chinoise en Asie.

3. Aide à la composition

BAC À l'aide de vos connaissances, vous rédigerez un paragraphe qui réponde au sujet : « La diaspora, instrument de l'influence chinoise aux XXe et XXIe siècles ».

Depuis les années 1950, la Chine développe à destination des pays du Tiers-Monde une idéologie anti-impérialiste qui se double de la diffusion d'un modèle communiste concurrent de l'URSS. Depuis la politique des Quatre Modernisations (1978), son ouverture économique lui donne les moyens d'accroître cette influence à destination des pays d'Asie, d'Amérique du Sud et d'Afrique. Il ne s'agit pas seulement de se procurer les ressources nécessaires à son développement, mais aussi d'accroître une influence géopolitique mondiale de plus en plus affirmée.

➜ *Quels rapports la Chine entretient-elle avec les pays du Sud ?*

Doc. 1 En 1955, une solidarité anti-impérialiste.

Nous avons réussi à nous opposer au colonialisme, à sauvegarder la paix mondiale et à encourager la coopération politique, économique et culturelle parce que nous autres, peuples des pays d'Asie et d'Afrique, nous avons en commun le même sort et les mêmes aspirations. Pour la même raison, je désire déclarer une fois encore que le peuple chinois apporte toute sa sympathie et son appui à la lutte des peuples d'Algérie, du Maroc et de la Tunisie pour leur autodétermination et leur indépendance, à la lutte du peuple arabe de Palestine pour les droits humains, à la lutte du peuple indonésien pour le rétablissement de la souveraineté indonésienne sur l'ouest d'Irian [*Nouvelle-Guinée*], et à la juste lutte pour l'indépendance nationale et la liberté des peuples que livrent tous les peuples d'Asie et d'Afrique pour secouer le joug du colonialisme.

Zhou En-Lai, déclaration à la conférence de Bandung, 1955.

Doc. 2 Un magasin de vêtements à Alger (2006).

Premier investisseur étranger en Algérie, la Chine est de plus en plus présente et concurrence la France.

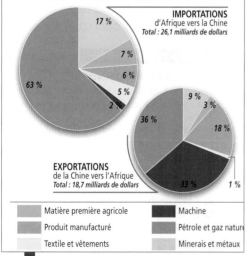

IMPORTATIONS
d'Afrique vers la Chine
Total : 26,1 milliards de dollars

17 %
7 %
6 %
5 %
2 %
63 %

9 %
3 %
18 %
36 %
33 %
1 %

EXPORTATIONS
de la Chine vers l'Afrique
Total : 18,7 milliards de dollars

- Matière première agricole
- Produit manufacturé
- Textile et vêtements
- Machine
- Pétrole et gaz naturel
- Minerais et métaux

Doc. 3 Les échanges commerciaux entre la Chine et l'Afrique en 2005.

Le volume des échanges sino-africains a été multiplié par 10 entre 2000 et 2009 ; l'Afrique dispose de 10 % des réserves pétrolières mondiales.

Doc. 4 La stratégie de développement.

Dans le domaine de l'énergie et des matières premières, les conquêtes chinoises à travers le monde continuent de donner le tournis. Elles s'opèrent par le rachat de branches de multinationales ou de concessions négociées directement auprès des gouvernements concernés. La diplomatie de l'énergie chinoise a ainsi mené, en novembre 2010, Xi Jinping, le dauphin désigné du président Hu Jintao, en visite officielle en Angola, au Botswana, et en Afrique du Sud. En Corée du Nord, plusieurs mines de charbon et de fer ont fait l'objet d'investissements chinois. [...] Après l'Afrique, l'Australie et l'Asie centrale, c'est en Amérique latine que se sont conclues les affaires les plus récentes. Le pétrolier Sinopec a aussi mené à bien son rachat de 40 % du capital de la filiale brésilienne de l'espagnol Repsol [...], le numéro deux chinois a aussi annoncé son intention d'acquérir les activités argentines de la US Occidental Petroleum Corp. [...] Les appétits de la Chine, encouragés par ses immenses réserves de change, répondent aux besoins extrapolés d'une économie dont la croissance a dépassé les 10 % en 2010 [...]. Le dispositif d'aide sous forme de prêts peut prévoir un remboursement en matières premières mais pas systématiquement : la Chine cherche à dispenser son *soft power*, à obtenir des débouchés pour ses produits et des marchés pour ses entreprises publiques.

Brice Pedroletti, « Les conquêtes chinoises s'étendent jusqu'en Amérique latine », *Le Monde, Bilan géostratégie*, 2011.

L'approvisionnement énergétique, un enjeu majeur pour la Chine.

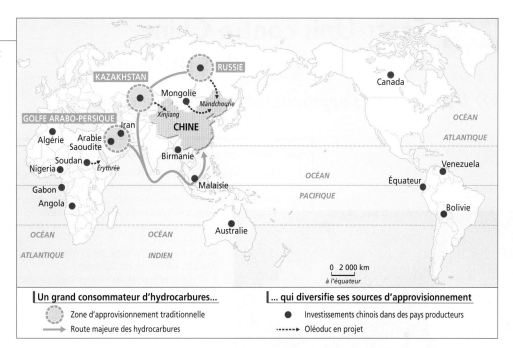

Un grand consommateur d'hydrocarbures...	... qui diversifie ses sources d'approvisionnement
Zone d'approvisionnement traditionnelle	Investissements chinois dans des pays producteurs
Route majeure des hydrocarbures	Oléoduc en projet

Doc. **6**

Les ressources énergétiques chinoises.

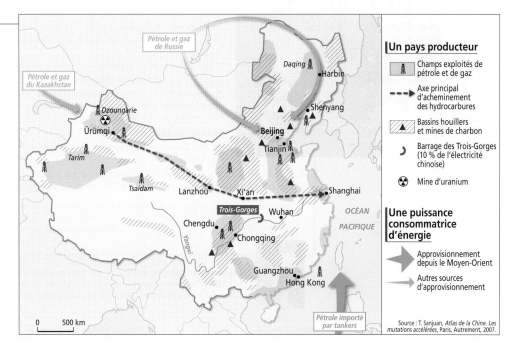

Un pays producteur

Champs exploités de pétrole et de gaz

Axe principal d'acheminement des hydrocarbures

Bassins houillers et mines de charbon

Barrage des Trois-Gorges (10 % de l'électricité chinoise)

Mine d'uranium

Une puissance consommatrice d'énergie

Approvisionnement depuis le Moyen-Orient

Autres sources d'approvisionnement

Source : T. Sanjuan, *Atlas de la Chine. Les mutations accélérées*, Paris, Autrement, 2007.

POUR COMPRENDRE

1. Étudier les documents

Doc. 1, 2 et 3 Comment ont évolué les relations économiques entre la Chine et l'Afrique ? Pourquoi ?

Doc. 5 et 6 Quelle importance les approvisionnements énergétiques prennent-ils pour la Chine ? Pour quelles raisons ?

Doc. 3 et 4 Par quels mécanismes la Chine étend-elle son influence dans les pays des Suds ? Avec quels effets ?

2. Analyse de deux documents

BAC À partir des documents 1 et 4, expliquez l'évolution des rapports entre la Chine et les pays du Sud.

3. Aide à la composition

BAC À l'aide de vos connaissances, vous rédigerez un paragraphe sur le sujet « L'évolution de l'influence chinoise dans les pays du Sud depuis 1978 ».

États-Unis contre Chine, le basculement des puissances ?

>>> *Deux experts s'opposent sur la puissance chinoise*

Une puissance en voie d'affirmation.

Nathalie Nougayrède : Êtes-vous d'accord avec l'idée selon laquelle le monde est désormais multipolaire […] ? En quoi cela est-il cohérent avec l'idée selon laquelle les États-Unis sont la seule puissance extérieure capable de peser sur les problèmes du Moyen-Orient ?

Zbigniew Brzezinski : Au Moyen-Orient, les Chinois n'ont de toute évidence aucun rôle à jouer car tout ce qui les intéresse pour l'instant c'est le pétrole […].

N. N. : Comment, à votre avis, l'Amérique peut-elle défendre ses intérêts dans un monde multipolaire ?

Z. B. : Le monde n'est pas multipolaire. Ce n'est pas un monde uniquement fait d'un Léviathan et de Lilliputiens. C'est un monde dans lequel existent des puissances régionales significatives, dont certaines pourraient un jour, même si cette perspective reste pour l'instant lointaine, devenir des puissances mondiales. Bien entendu, la Chine. […]

N. N. : Ce communiqué[1] signifie-t-il que la direction chinoise a compris qu'elle ne pouvait se permettre d'apparaître aussi agressive dans son environnement régional qu'elle l'a été en 2010 en suscitant des tensions avec le Japon ? Les Chinois ont-ils réalisé qu'ils se heurteraient aux Américains ?

Z. B. : Ce que vous dites est vrai, mais c'est également vrai de nous. Nous ne pouvons nous contenter de leur intimer de réévaluer le yuan, de respecter les droits de l'homme, d'instaurer la liberté d'expression, d'autoriser internet. Nous devons accepter la nécessité d'un compromis. C'est-à-dire comprendre que ni eux ni nous n'ont intérêt à entrer dans le conflit. […]

N. N. : La relation sino-américaine est-elle un élément structurant du XXIe siècle ?

Z. B. : Oui. Pour l'instant, il n'y a aucune raison de ne pas penser que la Chine va continuer à accroître sa puissance, même si elle est confrontée à des problèmes intérieurs.

1. Communiqué sino-américain lors de la visite du président Hu Jintao à Washington en janvier 2011.

Zbigniew Brzezinski, interrogé par Nathalie Nougayrède,
Le Monde, Bilan géostratégie, 2011.

**Nixon rencontre Mao
(21 février 1972).**

Un an après l'entrée de la Chine communiste au Conseil de sécurité de l'ONU, et en pleine guerre du Vietnam, les États-Unis se rapprochent de la Chine qui a coupé toute relation avec l'URSS depuis 1960.

Zbigniew Brzezinski, né en Pologne en 1928, est le conseiller à la sécurité nationale du président américain Jimmy Carter de 1977 à 1981. Très influent sur la scène américaine, il dirige le Centre d'études stratégiques et internationales et enseigne à l'université John Hopkins.

Contexte

La montée en puissance économique de la Chine depuis les années 1980 pose la question de sa puissance politique. Elle seule paraît aujourd'hui en mesure de contester l'unilatéralisme américain tel qu'il s'est établi depuis la disparition de l'URSS en 1991. Le débat est relancé par la contestation croissante de la politique américaine dans le monde et par la crise financière de 2008 qui ne remet pas en cause la puissance chinoise, désormais première détentrice de la dette américaine.

Une puissance en voie d'affirmation.

1. Quels sont les signes de l'affirmation de la Chine ?

2. Que pensez-vous de la position de Z. Brzezinski sur les rapports entre la Chine et le Moyen-Orient ?

3. En quoi la notion de compromis manifeste-t-elle la montée en puissance de la Chine ?

Une puissance encore limitée.

Martine Jacot, Nathalie Nougayrède : L'esprit d'ouverture de Barack Obama a été pris comme un signe de faiblesse des États-Unis [...]. Était-ce une erreur de calcul de la part de la Chine ?

Valérie Niquet : Certains éléments hyper-nationalistes de l'armée et du parti communiste ont un discours assez affolant d'autosatisfaction : « La Chine, devenue une grande puissance, fait ce qu'elle veut. » [...] Les militaires chinois estiment que les États-Unis, en crise économique et en guerre en Afghanistan, sont affaiblis, qu'ils n'ont plus la volonté d'agir. [...]

M. J., N. N. : Les pays d'Asie du Sud-Est n'étaient pas disposés à reconnaître un leadership de la Chine, contrairement à ce qu'espéraient ses stratèges [...].

V. N. : Pékin a cru pouvoir transformer l'essai économique en domination politique. Il est incontestable que la Chine tire la croissance asiatique. Mais aucun pays n'est prêt à accepter que la Chine devienne un leader incontesté. [...]

M. J., N. N. : La Chine a-t-elle les moyens d'entrer en rivalité avec les États-Unis ?

V. N. : Je ne le pense pas. La Chine n'est pas une puissance du même type que l'ex-URSS qui, durant la Guerre froide, pesait stratégiquement et militairement sur l'ensemble des équilibres mondiaux. La Chine a des intérêts croissants dans les secteurs des matières premières et de l'énergie aux quatre coins de la planète mais, au-delà de ses discours ambitieux, elle est très dépendante d'une stabilité maintenue aujourd'hui essentiellement par les États-Unis et le monde occidental. La Chine ne peut pas défendre seule les voies de communication maritime. [...]

M. J., N. N. : La Chine peut-elle se mesurer directement aux États-Unis à propos de Taïwan ?

V. N. : Elle en est très loin. Militairement, s'il y avait un conflit de type conventionnel avec les États-Unis, la Chine ne tiendrait pas une semaine.

Valérie Niquet, interrogée par Martine Jacot et Nathalie Nougayrède,
Le Monde, Bilan géostratégie, 2011.

L'affrontement sino-américain.
Caricature de Stephff,
Courrier international, 20 avril 2006.

L'aigle américain face au dragon chinois : bras de fer entre deux puissances majeures sur les questions des droits de l'homme, de Taïwan et de la Corée du Nord, lors de la visite du président Hu Jintao à Washington en 2006.

Valérie Niquet est responsable du département Asie de la Fondation pour la recherche stratégique (Paris). Spécialiste de la Chine contemporaine, elle est l'auteur de nombreux ouvrages dont *Chine-Japon : l'affrontement*, Perrin, 2006, ou encore *Les Fondements de la stratégie chinoise*, Economica, 1997.

Une puissance encore limitée.

1. Quels sont les éléments qui fondent le sentiment de puissance chez les autorités chinoises ?

2. En quoi peut-on parler de dépendance de la Chine vis-à-vis des États-Unis ?

3. Qu'est-ce qui limite la puissance chinoise ? Quelles nuances peut-on apporter au constat de l'auteur ?

Bilan

Peut-on parler d'un basculement dans le leadership mondial ? Vous vous appuierez également sur vos cours pour répondre à cette question.

La Chine et le monde depuis 1919

L'essentiel

➜ *Comment s'affirme la puissance chinoise depuis 1919 ?*

1. **La renaissance de la Chine (1919-1949).**
- En 1919, le réveil du nationalisme chinois lance la lutte pour l'unité et l'indépendance du pays face au Japon et aux nations occidentales.
- Des années 1920 aux années 1940, la Chine est en proie à une guerre civile entre les communistes de Mao Zedong et les forces nationalistes du Guomindang. La guerre civile se double d'une guerre contre le Japon.
- La victoire sur le Japon en 1945 profite aux communistes. La Chine devient en 1949 la deuxième grande puissance socialiste.

2. **La Chine acquiert une reconnaissance internationale (1949-1976).**
- À partir de 1949, la Chine se rapproche de l'URSS avant de revendiquer derrière Mao une ligne indépendante en 1960.
- La Chine se revendique leader d'une troisième voie et le maoïsme exerce une séduction internationale.
- Dans les années 1970, la Chine sort de son isolement diplomatique, entre à l'ONU et se rapproche des États-Unis.

3. **La Chine sur la voie de la puissance (depuis 1978).**
- La mort de Mao Zedong et l'accession au pouvoir de Deng Xiaoping inaugurent une nouvelle politique économique marquée par l'ouverture sur le monde.
- La Chine devient la deuxième puissance économique mondiale et étend son influence dans le monde entier, profitant notamment de sa diaspora.
- La Chine n'a pas aujourd'hui les moyens ou la volonté affichée d'exercer un véritable leadership mondial.

Mots clés

- Coexistence pacifique
- Concession
- Grand Bond en avant
- Guomindang
- Quatre Modernisations
- Révolution culturelle
- Socialisme de marché
- Traités inégaux
- ZES

Personnages

Zhou En-Lai
(1898-1976)
❱ Bio p. 226

Deng Xiaoping
(1904-1997)
❱ Bio p. 230

Sun Yat-Sen
(1866-1925)
❱ Bio p. 222

Mao Zedong
(1893-1976)
❱ Bio p. 229

Synthèse

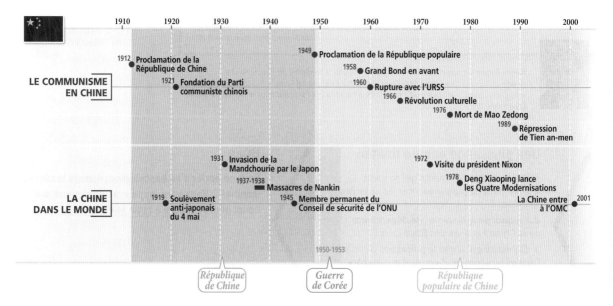

BAC Composition

Introduction	Explication des termes du sujet et du contexte, annonce de la problématique et du plan.	**Méthode**
Développement	Argumentation organisée en paragraphes (un paragraphe = une idée + un exemple développé).	**> p. 10**
Conclusion	Réponse à la problématique et ouverture (une ou deux idées qui montrent l'intérêt du sujet traité).	

Sujet 1

Conseils

Introduction: expliquez la borne chronologique : pourquoi pas 1912 ?
Développement: chaque partie doit mêler la place et le rôle de la Chine.
Conclusion: insistez sur les évolutions récentes de la puissance chinoise.

Lecture du sujet

Il faut définir les termes, voir quels domaines ils permettent d'aborder (économique, politique, culturel) et s'interroger sur leurs liens : en quoi sa place influe-t-elle sur son rôle ?

Sujet chronologique, depuis le soulèvement du 4 mai dans une Chine dépendante, à l'affirmation d'une puissance mondiale.

Place et rôle de la Chine dans le monde depuis 1919.

S'interroger sur le cadre géographique et le type de régime compte tenu de l'évolution chronologique.

Mots clés

- Concession
- Coexistence pacifique
- Socialisme de marché
- Suds
- Tiers-Monde
- Traités inégaux

Personnages attendus

- Sun Yat-Sen
- Mao Zedong
- Zhou En-Lai
- Deng Xiaoping

Chronologie

4 mai 1919 Soulèvement nationaliste
1945 Victoire sur le Japon
1949 Prise de pouvoir par les communistes
1971 Entrée à l'ONU
1978 Politique des Quatre Modernisations
2001 Entrée à l'OMC
2008 J.O. de Pékin

Sujet 2

Conseils

Introduction: expliquez l'importance de 1978 pour la puissance chinoise.
Développement: un plan chronologique est possible.
Conclusion: insistez sur la différence entre l'image et la réalité de la puissance chinoise.

Lecture du sujet

Pays qui a adopté un modèle de développement spécifique depuis 1949 et qui a modifié sa politique de développement à partir de 1978.

Quelles sont les caractéristiques d'une superpuissance ? Qu'est-ce qui la distingue d'une simple puissance économique ?

La Chine depuis 1978, une superpuissance ?

Sujet qui implique un bilan mais nécessite de s'interroger sur ce qui a permis d'en arriver là.

Mots clés

- Quatre Modernisations
- Pays-atelier
- Révolution culturelle
- Socialisme de marché

Personnages attendus

- Mao Zedong
- Deng Xiaoping

Chronologie

1949 Prise de pouvoir de Mao
1964 Possession de l'arme atomique
1978 Lancement de la politique des Quatre Modernisations
1989 Répression des mouvements pour la démocratisation
2001 Entrée à l'OMC
2010 Organisation de l'Exposition universelle à Shanghai
2010 Emprisonnement du prix Nobel de la paix, Liu Xiaobo
2011 Deuxième puissance économique mondiale

Introduction	Explication du sujet et du contexte, annonce de la problématique.	**Méthode**
Développement	Argumentation organisée en paragraphes qui structurent la réponse à la consigne.	**〉 p. 11**
Conclusion	Réponse à la problématique et ouverture (une ou deux idées qui montrent l'intérêt du sujet traité).	

Sujet Les trois mondes selon Deng Xiaoping (1974).

Consigne : Présentez le document et son auteur, analysez la vision du monde proposée par l'auteur et dégagez la mission que se donne la Chine.

Les deux superpuissances, les plus grands exploiteurs et oppresseurs internationaux de notre époque, constituent le foyer d'une nouvelle guerre mondiale. Tous deux disposent d'importantes quantités d'armes nucléaires. Elles se lancent dans une course effrénée aux armements, font stationner des troupes aux effectifs considérables hors de leurs frontières et établissent partout des bases militaires, menaçant ainsi l'indépendance et la sécurité de tous les autres pays. Elles ne cessent de soumettre les autres pays à la mainmise, à la subversion, à l'intervention et à l'agression. Toutes deux se livrent, sur le plan économique, à l'exploitation des autres nations, au pillage de leurs richesses et à la spoliation de leurs ressources. À propos des vexations infligées à autrui, la superpuissance qui arbore l'enseigne du socialisme se montre particulièrement perfide. Elle a envoyé des troupes occuper la Tchécoslovaquie[1], son alliée, et fomenté une guerre pour démembrer le Pakistan[2]. Elle ne tient pas sa parole et n'agit en aucun cas à la loyale. Cette superpuissance ne recherche que ses intérêts et, pour y parvenir, elle ne recule devant rien. [...]

La Chine est un pays socialiste et un pays en développement. La Chine appartient au Tiers-Monde. Suivant l'enseignement de Mao, le gouvernement et le peuple chinois aident tous les peuples et toutes les nations opprimées dans leur lutte pour gagner ou défendre leur indépendance nationale, pour développer leur économie nationale et résister au colonialisme, à l'impérialisme et aux désirs d'hégémonie. [...] La Chine n'est pas une superpuissance et jamais elle ne cherchera à en être une.

1. En 1968, Moscou intervient militairement en Tchécoslovaquie et écrase le « Printemps de Prague ».
2. Le Bangladesh se sépare du Pakistan en 1971.

Deng Xiaoping,
intervention devant l'Assemblée générale de l'ONU,
10 avril 1974.

Répondre à la consigne

Conseil

Attention à la date de ce discours ! Qui dirige la Chine à cette époque ?

En introduction, vous devez notamment...

• Préciser le contexte : quelle est alors la position de la Chine dans les relations internationales ? Son engagement pour le Tiers-Monde est-il nouveau ? Quelles sont ses relations avec les deux Grands ?
• Préciser la nature du texte : importance de l'auteur et quelle est la portée d'un discours dans ce lieu.
• Énoncer une problématique.

Développement : une explication structurée en paragraphes

• De quelles surpuissances Deng Xiaoping parle-t-il ?
• Quelles sont les raisons de l'opposition à l'URSS ? Depuis quand ?
• Précisez l'état des mouvements de décolonisations en 1974 : quelle place la Chine communiste compte-t-elle y prendre ?

En conclusion, il faut par exemple...

• Répondre à la problématique choisie.
• Dégager l'intérêt historique du document : constitue-t-il une rupture ou non ? Qu'en est-il de la mission chinoise ?

BAC Étude critique d'un document

Introduction	Explication du sujet et du contexte, annonce de la problématique.
Développement	Argumentation organisée en paragraphes qui structurent la réponse à la consigne.
Conclusion	Réponse à la problématique et ouverture (une ou deux idées qui montrent l'intérêt du sujet traité).

Méthode
› p. 11

Sujet · La rivalité sino-japonaise.

Consigne : Présentez le document, dégagez les racines du contentieux sino-japonais et expliquez les ambitions chinoises et leurs conséquences potentielles.

La nouvelle poussée de fièvre diplomatique sino-japonaise, née du pèlerinage du Premier ministre nippon Junichiro Koizumi au sanctuaire nationaliste du Yakusuni[1], illustre la rivalité de plus en plus vive entre les deux géants pour dominer l'Asie. Elle survient alors que les relations bilatérales étaient déjà au plus bas depuis la normalisation diplomatique (1972) entre Tokyo et Pékin, une crise récurrente qui se nourrit d'ambitions géopolitiques rivales, d'une course aux ressources énergétiques et de contentieux historiques régulièrement ravivés. [...]

Nombre d'experts craignent que la dernière querelle autour du Yakusuni rejaillisse sur l'ensemble des autres contentieux, notamment le très sensible dossier des gisements gaziers que se disputent âprement Pékin et Tokyo en mer de Chine. La zone contestée abriterait 200 milliards de mètres cubes de gaz naturel, une manne pour les deux pays, parmi les premiers importateurs mondiaux d'hydrocarbures : le Japon pour nourrir la deuxième économie mondiale, la Chine pour alimenter sa phénoménale croissance industrielle. [...]

Les relations n'ont cessé de se dégrader jusqu'à dégénérer parfois en violence, comme en avril lors de manifestations antijaponaises en Chine. La réédition d'un manuel scolaire d'histoire controversé[2] a officiellement mis le feu aux poudres, faisant descendre des millions de Chinois dans la rue, à l'appel indirect du régime communiste, pour fustiger le révisionnisme japonais. C'est en usant de ce même argument historique que Pékin s'est opposé avec succès à l'ambition de Tokyo d'obtenir un siège de membre permanent au Conseil de sécurité des Nations unies.

1. Sanctuaire en l'honneur des soldats morts pour la patrie, parmi lesquels 14 criminels de guerre condamnés au procès de Tokyo (1946-1947).
2. Ce manuel est accusé de minimiser les crimes de guerre japonais, notamment le massacre de Nankin de 1937.

Shingo Ito, *Agence France Presse*, 19 octobre 2005.

Répondre à la consigne

Conseil

Distinguez bien les querelles historiques et les enjeux économiques et géopolitiques.

En introduction, vous devez notamment...

• Préciser le contexte : quelle est la nature des relations officielles entre la Chine et le Japon ? Insistez sur les limites du tournant de 1972.
• Rappeler la puissance de l'armée chinoise et l'alliance américano-japonaise pour dégager les enjeux de la situation.
• Énoncer une problématique.

Développement : une explication structurée en paragraphes

• Expliquez les différents sujets de tension abordés dans le document : d'où viennent-ils ? Pourquoi une conciliation est-elle difficile ?
• Montrez l'impact international des tensions entre le Japon et la Chine, et la place prise par les États-Unis, protecteurs militaires du Japon depuis 1945.

En conclusion, il faut par exemple...

• Répondre à la problématique choisie.
• Insister sur l'évolution des ambitions mondiale de la Chine compte tenu de son développement économique depuis 1978.

Introduction	Explication du sujet et du contexte, annonce de la problématique.
Développement	Argumentation organisée en paragraphes qui structurent la réponse à la consigne.
Conclusion	Réponse à la problématique et ouverture (une ou deux idées qui montrent l'intérêt du sujet traité).

Méthode › p. 11

Sujet Droits de l'homme et droits politiques en Chine.

Consigne : Présentez les documents dans leur contexte, expliquez-en les origines, décrivez les difficultés que pose chacun d'eux au régime communiste chinois, et soulignez la portée de ces événements pour l'image de la puissance chinoise dans le monde.

Doc. 1 Discours de réception du prix Nobel de la paix 2010, Liu Xiaobo (10 novembre 2010).

Liu Xiaobo a passé près de six ans en prison, en camp de rééducation ou en résidence surveillée depuis 1989. De nouveau condamné à 11 ans de prison le 25 décembre 2009, il ne peut recevoir son prix.

L'année 1989 a constitué un important tournant dans ma vie. [...] Cette année-là, je suis rentré des États-Unis pour participer au mouvement. J'ai été emprisonné pour « propagande et incitation à des activités contre-révolutionnaires ». J'ai perdu par la même occasion ma chaire, à laquelle je tenais tant, et toute possibilité de publier et de m'exprimer publiquement en Chine. Juste pour avoir émis des opinions politiques différentes et pour avoir participé à ce mouvement démocratique pacifique, le professeur que j'étais a donc perdu sa chaire, l'auteur a perdu tout droit de s'exprimer et l'intellectuel public toute possibilité de discourir ouvertement, que ce soit à titre personnel ou en tant que citoyen d'une Chine ouverte au monde et aux réformes depuis trente ans, quelle tristesse ! [...] Il est communément admis que c'est la politique de réforme et d'ouverture qui a entraîné le développement du pays et l'évolution de notre société. [...] J'ai tiré de ces expériences personnelles la certitude que les progrès politiques en Chine ne vont pas s'arrêter. Je suis vraiment optimiste quant à l'arrivée d'une Chine libre dans l'avenir, car aucune force n'est capable de stopper l'aspiration humaine à la liberté. La Chine finira par devenir un État de droit plaçant les droits de l'homme au premier plan. J'espère que de tels progrès pourront se manifester dans le traitement de mon dossier.

Liu Xiaobo, Discours de réception du prix Nobel de la paix, lu en son absence par Liv Ullmann, 10 décembre 2010.

Doc. 2 L'occupation du Tibet.

Les troupes chinoises défilent devant le Potala, palais du dalaï-lama à Lhassa, capitale du Tibet, occupé depuis 1951, annexé en 1959. Le dirigeant tibétain en exil, le dalaï-lama Tenzin Gyatso, prône la non-violence contre la Chine. Il reçoit le prix Nobel de la paix en 1989, quelques mois après la répression de Tien an-men.

1. Lire le sujet et mobiliser ses connaissances

Conseil

*Attention !
Il ne s'agit pas
de raconter l'histoire
de la Chine.*

Qui s'exprime ?

• **À propos du doc. 1** : quelle est l'histoire de l'auteur ? Depuis quand est-il surveillé par la Chine ? Pourquoi ?

• **À propos du doc. 2** : que montre cette photographie ? Quel peut être l'objectif de la propagande chinoise en laissant un photographe occidental prendre de tels clichés ?

Quel est le contexte ?

• Pourquoi Liu Xiaobo ne peut-il pas recevoir lui-même son prix ?
Pourquoi un tel événement peut-il agacer la Chine ?

• Expliquez les raisons de l'invasion chinoise du Tibet : quel est le sort réservé à ses dirigeants ?

Comment expliquer la capacité de puissance chinoise ?

• À l'aide de votre cours, faites le point sur l'évolution de la puissance chinoise depuis 1945.
Quel rôle joue Deng Xiaoping en 1978 ? Et en 1989 ?

• Quelle est la situation internationale lorsque la Chine annexe le Tibet ?
Pourquoi n'y a-t-il pas eu de réactions internationales majeures ?

2. Confronter les documents à ses connaissances

Conseil

*Resituez
les événements
évoqués dans
leurs contextes.*

Que demande Liu Xiaobo à la Chine ?

• Quelles sont pour lui les conséquences de la répression de Tien an-men ? Pourquoi ?

• Quelles sont ses espérances vis-à-vis de la capacité chinoise à évoluer ?

Quelle place prend le Tibet dans l'image de la Chine ?

• Pourquoi le Tibet est-il un point majeur des tensions entre la Chine et le reste
du monde depuis 1959 ? Quel rôle joue le dalaï-lama dans ce maintien d'une image négative
de la Chine dans son rapport aux droits de l'homme ?

Que montrent ces documents de l'état des libertés politiques en Chine ?

• Pourquoi l'année 1989 est-elle un point commun de ces deux documents ?

• La situation a-t-elle évolué depuis, selon Liu Xiaobo ? Pourquoi ?

• Quels éléments font de la Chine une très grande puissance qu'aucun autre État
ne veut froisser par la question de son respect des droits de l'homme ?

3. Répondre à la consigne

Conseil

*Ne prenez jamais
parti dans une copie
d'histoire.*

En introduction, vous devez notamment...

• Rappeler les événements de 1989 et la situation internationale de la Chine à la fin des années 2000.

• Rappeler la date et les conditions de l'occupation du Tibet par la Chine.

Dans un développement structuré en paragraphes, il serait bon de...

• Distinguer ce que Liu Xiaobo reproche à la Chine et les évolutions positives qu'il voit.

• Expliquer dans quelle mesure le document 2 complète le document 1.

• Montrer en quoi le document 2 peut nier une partie de l'espoir de Liu Xiaobo.

• Insister sur l'impact des deux situations sur la perception internationale de la Chine.

En conclusion, il faut par exemple...

• Répondre à la problématique choisie au début de la réponse.

• Rappeler la portée des documents, notamment se demander en quoi on peut dire
que la Chine n'est pas une puissance globale face aux valeurs universelles des droits de l'homme.

chapitre 9

Proche et Moyen-Orient, un foyer de conflits depuis la fin de la Première Guerre mondiale

On appelle Moyen-Orient l'ensemble des pays compris entre la Méditerranée à l'ouest, la Turquie au nord, l'Iran à l'est et la péninsule arabique au sud. Le Proche-Orient est un élément de cet espace : Liban, Syrie, Jordanie, Israël et les territoires palestiniens. Dominé jusqu'en 1918 par l'Empire ottoman, cet espace est partagé en zones d'influences britannique et française en 1923. Dans le même temps, un nationalisme arabe se développe en réaction à l'immigration juive en Palestine, qu'encourage l'idéal sioniste d'un foyer national juif prôné par Theodor Herzl depuis la fin du XIXe siècle.

L'hostilité née de la création de l'État d'Israël en 1948 suscite l'affirmation d'idéologies qui prônent sa marginalisation ou sa destruction : le panarabisme et l'islamisme. Cependant, la présence occidentale, essentiellement américaine, donne une dimension internationale aux conflits du Moyen-Orient. Aux divisions religieuses et culturelles s'ajoutent les enjeux stratégiques, et notamment la question des ressources pétrolières, qui font de la région une des zones les plus instables du monde.

→ *Pourquoi le Moyen-Orient est-il un des principaux foyers de conflits dans le monde depuis 1918 ?*

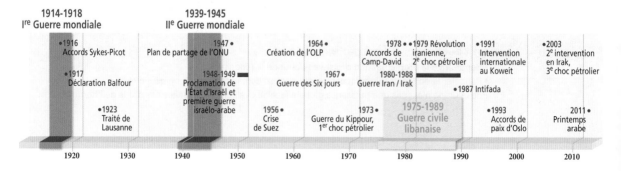

- **1914-1918** Ire Guerre mondiale
- **1939-1945** IIe Guerre mondiale
- •**1916** Accords Sykes-Picot
- •**1917** Déclaration Balfour
- •**1923** Traité de Lausanne
- **1947** • Plan de partage de l'ONU
- **1948-1949** ■ Proclamation de l'État d'Israël et première guerre israélo-arabe
- **1956** • Crise de Suez
- **1964** • Création de l'OLP
- **1967** • Guerre des Six jours
- **1973** • Guerre du Kippour, 1er choc pétrolier
- **1978** •• Accords de Camp-David
- •**1979** Révolution iranienne, 2e choc pétrolier
- **1980-1988** Guerre Iran / Irak
- **1975-1989** Guerre civile libanaise
- •**1987** Intifada
- •**1991** Intervention internationale au Koweit
- •**1993** Accords de paix d'Oslo
- •**2003** 2e intervention en Irak, 3e choc pétrolier
- **2011** • Printemps arabe

1920   1930   1940   1950   1960   1970   1980   1990   2000   2010

Les accords d'Oslo (1993).

• Le 13 septembre 1993, à Washington, le Premier ministre israélien Yitzhak Rabin et le dirigeant de l'Organisation de Libération de la Palestine Yasser Arafat scellent, sous les yeux du président américain Bill Clinton, les accords de paix négociés en secret à Oslo.

• La création de l'État d'Israël, inéluctable après la Shoah, provoque immédiatement une guerre avec les pays arabes.

• Plus de 700 000 Arabes palestiniens quittent le nouvel État d'Israël et se réfugient dans les pays voisins. Ils considèrent cet événement comme une catastrophe (Naqba).

• Les accords de paix de 1993 veulent créer les conditions de la paix entre Israël et ses voisins en mettant fin au terrorisme palestinien contre Israël.

L'Orient, un espace de tensions au XXe siècle

« *Vers l'Orient compliqué, je volais avec des idées simples. Je savais, qu'au milieu de facteurs enchevêtrés, une partie essentielle s'y jouait. Il fallait donc en être.* »

Charles de Gaulle, se rendant au Liban, protectorat français, en 1941,
Mémoires de guerre, t. 1, *L'Appel (1940-1942)*, Paris, 1954.

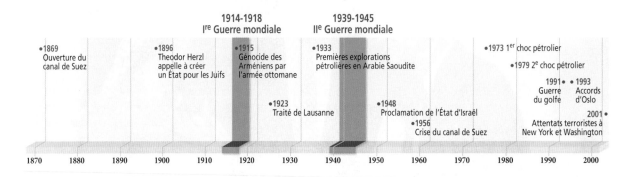

1. Jérusalem, ville sainte de trois religions

Troisième lieu saint de l'islam avec La Mecque et Médine, la mosquée Al-Aqsa est construite au sommet du dôme du Rocher (nom arabe) ou mont du Temple (nom juif), à l'endroit où le Coran situe l'ascension de Mahomet au ciel. Le mur des Lamentations est le seul vestige du dernier Temple de Jérusalem, détruit en 70 par l'armée romaine. À quelques centaines de mètres se trouve le Saint-Sépulcre, que les chrétiens vénèrent comme le lieu où Jésus de Nazareth a été enterré. > Chap. 1

2. Le sionisme veut créer un foyer national juif

En 1896, le premier congrès de l'Organisation sioniste réuni à Bâle se donne comme objectif la recherche d'un foyer national pour les Juifs. L'expression croissante d'un antisémitisme populaire et politique en Europe amène le journaliste autrichien Theodor Herzl à considérer la Palestine comme la « patrie historique inoubliable » des Juifs (*L'État des Juifs*, 1896). Le Yishouv – le peuplement juif – y est faible mais subsiste depuis l'expulsion des Juifs de Palestine par les Romains en 70. À partir des années 1920, les vagues d'immigration juive et des achats massifs de terres aux Palestiniens créent les conditions d'existence d'un État pour les Juifs.

En 1924, à Jérusalem, des femmes travaillent dans un champ de l'École sioniste d'agriculture.

3. 1915, le génocide des Arméniens

Gravure en Une du *Petit Journal*, 12 décembre 1915.
D'avril 1915 à juillet 1916, environ 1,2 million d'Arméniens vivants
sur le territoire turc de l'Empire ottoman sont déportés et massacrés
par l'armée, d'une manière organisée et systématique, sous le contrôle
des Jeunes-Turcs. Le principal organisateur du génocide, Talaat Pacha,
est tué en 1921 par un survivant.

4. Le pétrole et le gaz, nerfs de la croissance mondiale

Depuis la découverte de gisements en Arabie Saoudite, puis en Irak
et en Iran, la région est devenue le principal fournisseur de pétrole
et de gaz des pays occidentaux, participant ainsi à la croissance
économique et à la modernisation des pays du Nord.

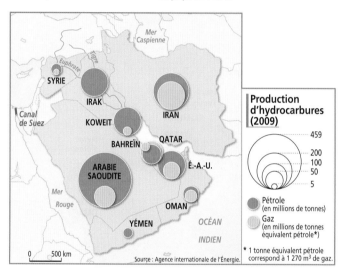

5. 2011, les révolutions arabes

**Prière collective pendant une manifestation
contre la dictature militaire, au Caire, fin janvier 2011.**
En décembre 2011, les Frères musulmans gagnent
les élections législatives en Égypte.
Après les manifestations populaires au Yémen,
en Tunisie, en Égypte et en Libye, les régimes
dictatoriaux aux mains des militaires depuis plusieurs
décennies sont renversés et des élections pluralistes
sont organisées. Bon nombre de revendications lient
sentiment national et volonté d'appliquer les principes
de l'islam dans les lois. Le mouvement se poursuit
en Syrie au début de l'année 2012.

Le Proche et le Moyen-Orient au XXᵉ siècle

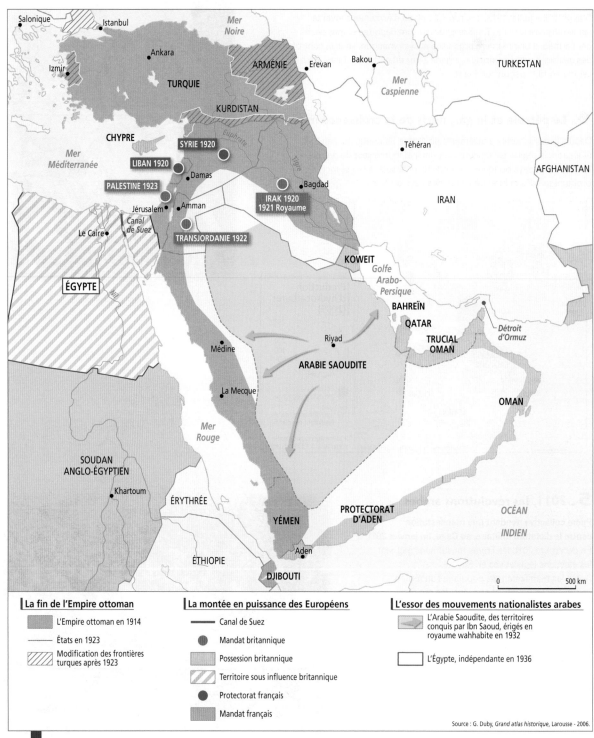

Salonique · Istanbul

Mer Noire

Ankara ·

ARMÉNIE

Erevan · Bakou

TURKESTAN

Izmir ·

TURQUIE

Mer Caspienne

KURDISTAN

CHYPRE

Euphrate

Téhéran ·

AFGHANISTAN

Mer Méditerranée

SYRIE 1920

LIBAN 1920

Damas ·

Tigre

Bagdad ·

IRAN

PALESTINE 1923

Jérusalem · Amman ·

IRAK 1920 1921 Royaume

Le Caire · Canal de Suez

TRANSJORDANIE 1922

ÉGYPTE

Nil

KOWEIT

Golfe Arabo-Persique

BAHREÏN

QATAR

TRUCIAL OMAN

Détroit d'Ormuz

Riyad ·

Médine ·

ARABIE SAOUDITE

OMAN

La Mecque ·

Mer Rouge

SOUDAN ANGLO-ÉGYPTIEN

Khartoum ·

ÉRYTHRÉE

PROTECTORAT D'ADEN

OCÉAN

INDIEN

YÉMEN

Aden ·

ÉTHIOPIE

DJIBOUTI

0   500 km

La fin de l'Empire ottoman

- L'Empire ottoman en 1914
- États en 1923
- Modification des frontières turques après 1923

La montée en puissance des Européens

- Canal de Suez
- Mandat britannique
- Possession britannique
- Territoire sous influence britannique
- Protectorat français
- Mandat français

L'essor des mouvements nationalistes arabes

- L'Arabie Saoudite, des territoires conquis par Ibn Saoud, érigés en royaume wahhabite en 1932
- L'Égypte, indépendante en 1936

Source : G. Duby, *Grand atlas historique*, Larousse - 2006.

Doc. 1 Le Proche et le Moyen-Orient entre les deux guerres mondiales.

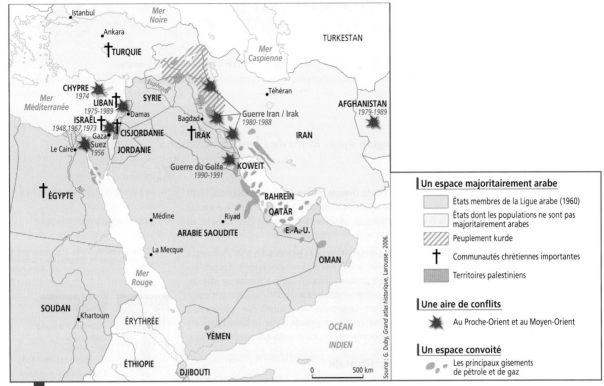

Doc. **2** Le Proche et le Moyen-Orient entre 1948 et 1991.

Légende de la carte Doc. 2 :

Un espace majoritairement arabe

- États membres de la Ligue arabe (1960)
- États dont les populations ne sont pas majoritairement arabes
- Peuplement kurde
- † Communautés chrétiennes importantes
- Territoires palestiniens

Une aire de conflits

- Au Proche-Orient et au Moyen-Orient

Un espace convoité

- Les principaux gisements de pétrole et de gaz

Source : G. Duby, Grand atlas historique, Larousse - 2006.

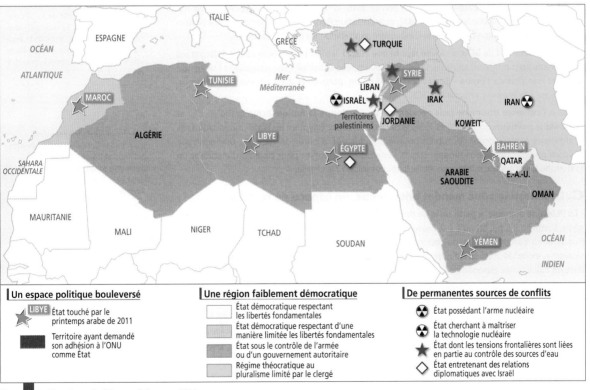

Doc. **3** Le Proche et le Moyen-Orient en 2011.

Légende de la carte Doc. 3 :

Un espace politique bouleversé

- LIBYE État touché par le printemps arabe de 2011
- Territoire ayant demandé son adhésion à l'ONU comme État

Une région faiblement démocratique

- État démocratique respectant les libertés fondamentales
- État démocratique respectant d'une manière limitée les libertés fondamentales
- État sous le contrôle de l'armée ou d'un gouvernement autoritaire
- Régime théocratique au pluralisme limité par le clergé

De permanentes sources de conflits

- État possédant l'arme nucléaire
- État cherchant à maîtriser la technologie nucléaire
- État dont les tensions frontalières sont liées en partie au contrôle des sources d'eau
- État entretenant des relations diplomatiques avec Israël

1. Proche et Moyen-Orient entre 1918 et 1947

1914-1918 Première Guerre mondiale   1924 Abolition du Califat   1939-1945 Seconde Guerre mondiale

1917 Déclaration Balfour | 1922 Mandats français et britannique | 1932 Fondation de l'Arabie Saoudite | 1947 Plan de partage de la Palestine par l'ONU
1920 Démantèlement de l'Empire ottoman

→ *Sur quels fondements se dessine la région après la fin de l'Empire ottoman ?*

A. L'implosion de l'Empire ottoman

• **En 1918, l'Empire ottoman fait partie des vaincus de la Grande guerre.** Le traité de Sèvres (1920) le démantèle (**doc. 1 p. 252**). En 1922, le général Mustafa Kemal reprend par les armes le contrôle du littoral de la mer Égée et fonde la République turque. Le traité de Lausanne (1923) abolit les décisions du traité de Sèvres, sauf pour la partie arabe de l'Empire ottoman.

• **Le Proche et le Moyen-Orient se retrouvent sous la domination de l'Occident.** En 1922, la Société des Nations divise la partie arabe de l'Empire ottoman : la Syrie et le Liban deviennent des protectorats français ; l'Irak, la Transjordanie et la Palestine passent sous contrôle britannique (**doc. 2**). Par ces **mandats***, ces puissances s'opposent aux nationalistes arabes, qu'ils soutenaient pourtant jusqu'en 1918 par l'intermédiaire de Thomas Lawrence, en jouant des différences confessionnelles : la France s'oppose ainsi à la création d'une grande Syrie indépendante en créant une Syrie divisée en groupes musulmans opposés, et un Liban majoritairement chrétien.

B. Les conséquences de l'influence occidentale

• **La découverte de gisements de pétrole accélère l'intérêt occidental pour la région.** L'Anglo-Persian Oil Company et l'Irak Oil Company, aux mains des Britanniques, exploitent le pétrole en Iran et en Irak (**p. 272**). Les Américains s'engagent dans une chasse aux concessions pétrolières en Arabie et dans le golfe Arabo-Persique. En février 1945, la rencontre entre le roi Abdulaziz Ibn Saoud, qui a fondé l'Arabie Saoudite en 1932, et le président Roosevelt scelle un accord de protection militaire du royaume par les États-Unis contre exploitation du pétrole saoudien.

• **Mustafa Kemal fait de la Turquie une république (1922).** Il abolit en 1924 le califat, laissant les musulmans sans dirigeant spirituel. Le **kémalisme** impose la laïcité, rend obligatoire l'usage du turc – et non plus de l'arabe – pour l'appel à la prière, accorde le droit de vote aux femmes, mais supprime le multipartisme en 1925.

• **Face à l'influence ottomane puis occidentale se développe le nationalisme arabe** (**doc. 3**) **et l'islamisme politique.** Entre 1919 et 1936, le parti nationaliste égyptien du Wafd unit musulmans et chrétiens coptes contre l'occupant britannique. Incarné à partir de 1928 par une confrérie égyptienne, les Frères musulmans (**doc. 1**), l'islamisme se donne pour objectif d'instaurer un État arabe qui s'appuie sur le respect de la loi coranique : la charia.

C. La Palestine sous mandat britannique, un espace de tensions

• **La Palestine accueille, à partir de la fin du XIXᵉ siècle, plusieurs vagues d'immigration juive** : les *alyas*. L'antisémitisme, stimulé par l'essor des nationalismes, se manifeste par des pogroms en Russie et en Europe de l'Est, où réside la majeure partie des Juifs d'Europe. Une idéologie, le **sionisme**, incite les Juifs à rejoindre la terre originelle du judaïsme et à organiser le travail de la terre en collectivités autonomes : les **kibboutz***.

• **En 1917, les Britanniques s'engagent, par la déclaration Balfour, à aider un foyer national juif en Palestine** (**p. 254**). Les pays arabes voient dans ce peuplement juif une enclave occidentale. En 1929, les Juifs d'Hébron sont massacrés par la population arabe. En 1936, la répression britannique contre une révolte arabe provoque l'émigration d'une partie des notables palestiniens.

• **La Seconde Guerre mondiale accélère l'immigration juive.** Après l'échec de deux plans de partage de la Palestine en 1937 et 1938, face aux difficultés britanniques, l'ONU adopte en 1947 un nouveau plan de partage de la Palestine en deux États distincts. Il est refusé par les Arabes de Palestine et les États arabes, dans un contexte de quasi guerre civile.

Citation

« *Le sionisme a pour but un foyer national légalement garanti et publiquement reconnu pour le peuple juif en Palestine.* »

Theodor Herzl, article 1ᵉʳ du programme du congrès de l'Organisation sioniste, Bâle, 1897.

Biographie

Thomas Edward Lawrence, dit Lawrence d'Arabie (1888-1935)

Archéologue britannique, il est chargé en 1916 par le Foreign Office d'obtenir le soutien des Arabes dans la lutte contre l'Empire ottoman. Il prend part à la révolte conduite par le chérif de la Mecque Hussein et son fils Faysal, qui cherchent à créer un État arabe de la Syrie au Yémen. Partisan du nationalisme arabe, il doit se résoudre à la politique des mandats.

Mots clés

Islamisme : Doctrine politique qui prend le Coran comme programme politique et prône à la fois l'unité du monde arabe sous une même autorité et la conformité des lois aux principes de l'islam.

Kémalisme : Doctrine politique qui veut transformer la Turquie en imposant la république, la laïcité, les droits des femmes, l'abandon des traditions, l'intervention de l'État dans l'économie, et le nationalisme.

Sionisme : Idéologie théorisée par Theodor Herzl dans les années 1890, qui vise à doter le peuple juif d'un État. Sion est le nom d'une des collines de Jérusalem.

Vocabulaire

* Kibboutz
* Mandat
❯ lexique p. 380 à 383

Cette profession de foi des membres de la confrérie est rédigée par son fondateur : l'Égyptien Hassan Al-Bannâ.

1. Je crois que tout est sous l'ordre de Dieu […]. Et je promets de réciter chaque jour pour moi-même une section du Coran, de m'en tenir à la Tradition authentique, d'étudier la vie du Prophète et l'histoire de ses compagnons.

2. Je crois que l'action droite, la vertu, la connaissance, sont parmi les piliers de l'islam. […] Je renforcerai les rites et la langue de l'islam et je travaillerai à répandre les sciences et les connaissances utiles dans toutes les classes de la nation.

3. Je crois que le musulman doit travailler, gagner sa vie, s'enrichir, et qu'une part de ses gains revient de droit au mendiant et au misérable. [Je] ferai progresser les produits de ma région, de mes coreligionnaires, de ma patrie, sans jamais pratiquer l'usure ou l'intérêt ni chercher le superflu au-delà de mes capacités.

4. […] Je ne ferai pas entrer mes fils dans une école qui ne préserverait pas leurs croyances, leurs bonnes mœurs. Je lui supprimerai tous les journaux, livres, publications qui nient les enseignements de l'islam, et pareillement les organisations, les groupes, les clubs de cette sorte.

5. Je crois que le musulman a le devoir de faire revivre l'islam par la renaissance de ses différents peuples, par le retour de sa législation propre, et que la bannière de l'islam doit couvrir le genre humain et que chaque musulman a pour mission d'éduquer le monde selon le principe de l'islam. Et je promets de combattre pour accomplir cette mission tant que je vivrai et de sacrifier pour cela tout ce que je possède.

6. Je crois que tous les musulmans ne forment qu'une seule nation unie par la foi islamique et que l'islam ordonne à ses fils de faire le bien de tous ; je m'engage à déployer mon effort pour renforcer le lien de fraternité entre tous les musulmans, et pour abolir l'indifférence et les divergences qui existent entre leurs communautés et leurs confréries.

7. Je crois que le secret du retard des musulmans réside dans leur éloignement de la religion, que la base de la réforme consistera à faire retour aux enseignements de l'islam et à ses jugements, que ceci est possible, […] et que la doctrine des Frères musulmans réalise cet objectif. Je m'engage à m'en tenir fermement à ces principes, à rester loyal envers quiconque travaille pour eux, et à demeurer un soldat à leur service, voire à mourir pour eux.

Cité par Olivier Carré et Gérard Michaud [pseudonyme de Michel Seurat], Les Frères musulmans (1928-1982), Paris, Gallimard/Julliard, 1983.

1. Quelle est la source de l'ordre politique, économique et social selon les Frères musulmans ?

2. Quelles sont les conséquences sociales et culturelles de cette vision de l'islam ?

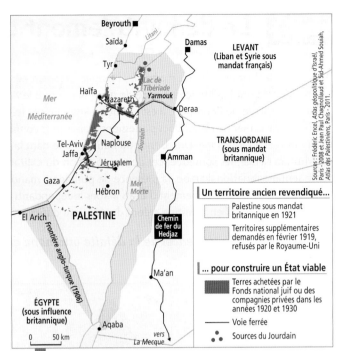

Doc. **2** Le foyer national juif selon l'Organisation sioniste.

Depuis la fin du XIXe siècle, des organisations juives américaines, britanniques et françaises participent à l'achat de terrains destinés aux migrants.

1. Que revendique l'Organisation sioniste ? Quelles oppositions rencontre-t-elle ?

2. Quels éléments montrent que l'Organisation sioniste cherche à construire un État ?

Doc. **3** En Irak, une définition du nationalisme arabe dans les années 1930.

S'inspirant principalement des théories germaniques de la nationalité, [le nationalisme arabe] affirme que la nation est avant tout un lien spirituel et moral. […] Le premier facteur d'unité des Arabes est la langue, moyen de compréhension entre les individus, véhicule de la mémoire et instrument de la pensée. Le second facteur est l'histoire. Les Arabes sont liés par une histoire nationale. Le troisième facteur est la religion, mais le lien religieux ne suffit pas à lui seul pour faire une nation. [Il] admet la coexistence dans le monde arabe entre christianisme et islam, chrétiens et musulmans parlant la même langue, revendiquant la même histoire et se réclamant de la même culture.

Fait capital dans l'histoire du nationalisme arabe, il démontre que, selon ce schéma national, le monde arabe s'étend du Golfe à l'Atlantique, intégrant ainsi dans sa définition identitaire les populations de l'Afrique du Nord. Du fait de l'existence de résistances locales, l'union du monde arabe doit être au besoin effectuée par la force. Ce rôle doit échoir à l'État arabe le mieux préparé, [en] faisant explicitement référence au rôle joué par la Prusse dans le processus de l'unité allemande. Ainsi naît l'idée durable et lourde de conséquences politiques d'un État leader ayant la charge de mener le monde arabe vers son unité.

Vincent Cloarec et Henry Laurens, Le Moyen-Orient au XXe siècle, Paris, A. Colin, 2000.

1. Jusqu'où s'étend le monde arabe ? Est-il seulement musulman ?

2. Quels sont les facteurs d'unité des Arabes ? Comment réaliser cette unité ?

Vaincu de la Première Guerre mondiale, l'Empire ottoman est un État multinational dont l'influence ne cesse de diminuer depuis le XIXe siècle. « Homme malade de l'Europe », il est réduit à l'Anatolie par les traités de Sèvres (1920) et de Lausanne (1923). Ses possessions arabes sont confiées par la SDN à la France et au Royaume-Uni. L'essor du nationalisme dans la nouvelle Turquie de Mustafa Kemal, les conséquences de son abolition du **califat** (1924) sur le sentiment national arabe, la présence de puissances mandataires qui empêchent le développement d'États arabes indépendants, et la croissance du foyer national juif en Palestine créent des tensions difficiles à apaiser.

➜ *Quelles sont les conséquences de la défaite ottomane en 1918 ?*

Dates clés

Une conséquence de la Grande Guerre

3 janvier 1916 Accords Sykes-Picot.

2 novembre 1917 Déclaration Balfour.

10 août 1920 Traité de Sèvres.

1922 La France reçoit mandat de la SDN sur le Liban et la Syrie ; le Royaume-Uni sur la Palestine, la Transjordanie et l'Irak.

24 juillet 1923 Traité de Lausanne.

29 octobre 1923 Proclamation de la République turque.

3 mars 1924 Abolition du califat.

Doc. 1

Des accords Sykes-Picot (1916) au démantèlement de l'Empire ottoman (1923).

Signés entre le Royaume-Uni et la France en janvier 1916, alors que l'Empire ottoman n'est pas encore vaincu, les accords Sykes-Picot prévoient le partage de ses territoires arabes. Le traité de Sèvres de 1920 confie les possessions arabes de l'empire ottoman à la France et à la Grande-Bretagne et prévoit la naissance d'un État kurde et arménien. Ce traité est annulé en 1923 par le traité de Lausanne qui consacre la puissance retrouvée de la Turquie : elle recouvre sa souveraineté sur les détroits et il n'est plus question ni d'un État kurde ni d'un État arménien.

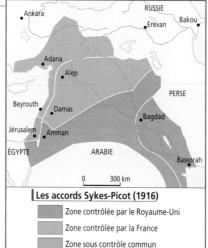

Les accords Sykes-Picot (1916)

Zone contrôlée par le Royaume-Uni

Zone contrôlée par la France

Zone sous contrôle commun

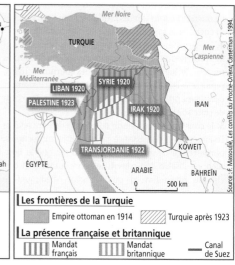

Source : F. Massoulié, *Les conflits du Proche-Orient*, Casterman, 1994.

Les frontières de la Turquie

Empire ottoman en 1914   Turquie après 1923

La présence française et britannique

Mandat français   Mandat britannique   Canal de Suez

Doc. 2

Entrée des troupes britanniques à Bagdad en mars 1917.

Par cette action militaire contre l'Empire ottoman, les Britanniques obligent la France à revoir les accords Sykes-Picot. En obtenant ainsi mandat sur l'Irak, le Royaume-Uni s'assure le contrôle du pétrole irakien.

Biographie

Mustafa Kemal Atatürk (1881-1938)

Chef du mouvement nationaliste Jeunes-Turcs, le général Mustafa Kemal dépose le sultan en 1922 et proclame en 1923 la République turque. Influencé par la Révolution française et les idées républicaines, il instaure la laïcité, impose l'alphabet latin, accorde le droit de vote aux femmes et déplace la capitale d'Istanbul à Ankara. Dirigeant autoritaire, il supprime le multipartisme en 1925. Considéré comme le père de l'indépendance turque, il prend en 1934 le surnom d'Atatürk (« Turc-Père »).

Mot clé

Califat : Territoire placé sous l'autorité d'un calife, qui est à la fois chef politique et chef spirituel comme successeur du Prophète.

Doc. 3 Un Congrès arabe proclame l'indépendance de la nation syrienne (7 mars 1920)

Au printemps 1919, la partie arabe de l'Empire ottoman est occupée par les Français et les Britanniques. Syrie, Liban, Transjordanie et Palestine sont considérés par le Congrès arabe syrien comme une seule nation, la Syrie.

Les Turcs ont finalement été vaincus. Ils ont évacué la Syrie. La cause des Alliés triomphait avec éclat. Les espérances des Arabes en général, et des Syriens en particulier, se réalisaient. [...] Nous donc, aujourd'hui, en notre qualité de représentants réels de la nation arabe dans toutes les parties de la Syrie [...] avons déclaré à l'unanimité l'indépendance de notre pays, la Syrie, dans ses limites naturelles, la Palestine y comprise. [...] Nous prendrons en considération tous les désirs patriotiques des Libanais, relatifs à l'administration de leur contrée, [...] à condition que le Liban se tiendra à l'écart de toute influence étrangère. Nous repoussons les prétentions sionistes de faire de la Palestine un foyer national pour les Juifs ou un lieu d'immigration pour eux. Nous avons choisi son Altesse Royale l'émir Faysal [...] comme roi constitutionnel de la Syrie [...], nous demandons aussi l'indépendance de l'Irak. Une union politique et économique existera entre ces deux territoires frères.

Cité dans **Henry Laurens**, *L'Orient arabe. Arabisme et islamisme de 1789 à 1945*, Paris, Armand Colin, 1993.

Doc. 5

Le fondateur du nationalisme arabe, Hussein, renversé par une conquête militaire (1924).

Le 3 avril 1924 le chérif de la Mecque Hussein est renversé par Ibn Saud, qui unifie ainsi à son profit la future Arabie Saoudite. Pour avoir lancé en 1916 un appel à la révolte arabe contre l'Empire ottoman, Hussein, chérif de la Mecque, c'est-à-dire gardien des lieux saints, est considéré comme le fondateur du nationalisme arabe. Son fils Faysal est ensuite roi de Syrie puis d'Irak, et son fils Abdallah roi de Jordanie.

Doc. 6 Mustafa Kemal justifie la naissance de la Turquie.

Les bases mêmes de l'Empire ottoman s'étaient affaissées. Son existence touchait à sa fin. Tous les territoires ottomans étaient morcelés. Il n'existait plus qu'un foyer abritant une poignée de Turcs. [...] Messieurs, dans cette situation, il n'y avait qu'une seule résolution à prendre, celle de créer un nouvel État turc, basé sur la souveraineté nationale, et jouissant d'une indépendance sans réserve, ni restriction aucune. [...] Accepter le protectorat d'une puissance étrangère, c'est s'avouer dénué de toutes les qualités que doit posséder une nation, c'est reconnaître sa faiblesse, son incapacité. Comment croire en effet que l'on puisse se donner un maître étranger, à moins d'être tombé à ce degré d'avilissement ? Or, le Turc a de l'amour-propre. Il est d'une grande et haute capacité. Pour une telle nation, mieux vaut périr que de vivre esclave. [...] Quand au califat, il ne pouvait plus être autre chose qu'un objet de risée aux yeux du monde civilisé et cultivé. [...] Je dirai que j'étais dans l'obligation de faire évoluer par degrés notre organisme social tout entier, selon la grande capacité de développement que je discernais dans l'âme et dans l'avenir de la nation, et que je portais moi-même dans ma conscience comme un secret national.

Mustafa Kemal, discours prononcé au premier congrès du Parti républicain du peuple, Ankara, octobre 1927.

Doc. 4 La charte du mandat français sur la Syrie et le Liban (24 juillet 1922).

Article 1er. Le Mandataire élaborera, dans un délai de trois ans [...] un statut organique pour la Syrie et le Liban. Ce statut sera préparé d'accord avec les autorités indigènes et [...] édictera les mesures propres à faciliter le développement de la Syrie et du Liban comme États indépendants. [...]
Art. 2. Le Mandataire pourra maintenir ses troupes dans lesdits territoires en vue de leur défense.
Art. 3. Les relations extérieures de la Syrie et du Liban [...] seront du ressort exclusif du Mandataire.
Art. 4. Le Mandataire garantit la Syrie et le Liban contre toute perte [...] de tout ou partie des territoires et contre l'établissement de tout contrôle d'une puissance étrangère. [...]
Art. 6 Le Mandataire instituera en Syrie et au Liban un système judiciaire assurant, tant aux indigènes qu'aux étrangers, la garantie complète de leurs droits. Le respect du statut personnel des diverses populations et de leurs intérêts religieux sera garanti. [...]
Art. 8 Le Mandataire garantira à toute personne la plus complète liberté de conscience, ainsi que le libre exercice de toutes les formes de culte compatibles avec l'ordre public et les bonnes mœurs. [...] Le Mandataire développera l'instruction publique donnée au moyen des langues indigènes en usage sur les territoires de Syrie et du Liban. Il ne sera porté aucune atteinte au droit des communautés de conserver leurs écoles [...] à condition de se conformer aux prescriptions générales sur l'instruction publique édictées par l'administration.

Gérard D. Khoury, *Une tutelle coloniale, le mandat français en Syrie et au Liban, Écrits politiques de Robert de Caix*, Paris, Belin, 2006.

POUR COMPRENDRE

1. Étudier les documents

Doc. 1 et 2 Quelles sont les conséquences de la Première Guerre mondiale pour l'Empire ottoman ?
Doc. 3, 4 et 5 Quelles sont les causes du nationalisme arabe ? Que demande le Congrès arabe syrien ? Quels sont les droits et les pouvoirs de la puissance mandataire ?
Doc. 6 Comment Mustafa Kemal justifie-t-il la proclamation de la République turque ? Que dit-il des protectorats ? Et de l'abolition du califat ?

2. Analyse de deux documents

BAC À l'aide des documents 3 et 6, montrez quelle place prend le nationalisme dans les États nés de la fin de l'Empire ottoman.

3. Aide à la composition

BAC À l'aide de vos connaissances, vous rédigerez une partie de composition qui réponde au sujet : « Les conséquences du démantèlement de l'Empire ottoman ».

Du foyer national juif à l'État d'Israël (1917-1948)

À la fin du XIXᵉ siècle, le journaliste autrichien Theodor Herzl développe une idéologie qui vise à doter le peuple juif d'un État : le sionisme. C'est par le travail communautaire dans les kibboutz que les pionniers juifs mettent en valeur ce qu'ils nomment ***Eretz Israël***, la terre d'Israël. Une minorité juive a toujours existé en Palestine. Dans les années 1920, le mandat britannique encourage l'immigration et le peuplement juif, le ***Yishouv***, puis la freine à la fin des années 1930. Après la Shoah, les Juifs installés en Palestine sont tiraillés entre l'idée de créer un État et celle de partager cet État avec les Arabes palestiniens.

➜ *Quelles difficultés les Juifs installés en Palestine avant la proclamation de l'État d'Israël rencontrent-ils ?*

Dates clés

Du territoire à l'État

2 novembre 1917 Déclaration Balfour.

Août 1929 Évacuation des Juifs d'Hébron après le massacre de près de 80 des leurs.

27 janvier 1945 Libération du camp d'Auschwitz par l'Armée rouge.

18 juillet 1947 L'*Exodus* est refoulé hors des eaux palestiniennes par les Britanniques.

Novembre 1947 Plan de partage de l'ONU, guerre civile entre Juifs et Arabes.

14 mai 1948 Proclamation de l'État d'Israël.

15 mai 1948-avril 1949 Première guerre israélo-arabe, et exode d'une partie des Arabes de Palestine (*Naqba*).

Doc. **1** La déclaration Balfour (1917).

Le secrétaire d'État aux Affaires étrangères britanniques, Arthur Balfour, s'adresse à un conseiller du président de l'Organisation sioniste.

J'ai le grand plaisir de vous adresser de la part du gouvernement de Sa Majesté, la déclaration suivante de sympathie pour les aspirations sionistes des Juifs, déclaration qui, soumise au cabinet, a été approuvée par lui :

Le gouvernement de Sa Majesté envisage favorablement l'établissement en Palestine d'un foyer national (*National Home*) pour le peuple juif, et emploiera tous ses efforts pour faciliter la réalisation de cet objectif, étant clairement entendu que rien ne sera fait qui pourrait porter préjudice aux droits civils et religieux des collectivités non juives de Palestine, ainsi qu'aux droits et au statut politique dont les Juifs pourraient jouir dans tout autre pays.

Je vous serais reconnaissant de porter cette déclaration à la connaissance de la Fédération sioniste.

Lettre de Sir Balfour à Lord Walter Rothschild,
Londres, le 2 novembre 1917.

Doc. **2** Le rapport démographique en Palestine.

Date	Population juive	En % de la population palestinienne
1882	24 000	4 %
1914	85 000	10 %
1922	84 000	10 %
1931	174 000	14 %
1935	443 000	24 %
1947	589 341	30 %
Mai 1948	650 341	33 %

François Massoulié, *Les Conflits du Proche-Orient*, Paris,
Casterman-Giunti, 1994.

Doc. **3** Les principales vagues d'immigration juive (*Alya*) en Palestine

Période	Nombre	Origine
1ʳᵉ Alya (1882-1903)	25 000	Russie
2ᵉ et 3ᵉ Alya (1904-1923)	70 000	Russie, Europe de l'Est
4ᵉ Alya (1924-1928)	80 000	Europe de l'Est, principalement Pologne
5ᵉ Alya (1932-1938)	217 000	Allemagne, Pologne
6ᵉ Alya (1939-1948)	153 000	Fuite d'Europe et rescapés de la Shoah

François Massoulié, *Les Conflits du Proche-Orient*, Paris, Casterman-Giunti, 1994.

Doc. **4** La doctrine de la muraille de fer.

Opposé à la ligne socialiste défendue par l'Organisation sioniste, le journaliste Zeev Jabotinsky fonde en 1927 le Mouvement sioniste révisionniste. Sa stratégie de la « muraille de fer » inspire la doctrine de la droite israélienne opposée à toute concession aux Palestiniens.

Mon intention n'est pas de dire qu'un accord quelconque avec les Arabes palestiniens est absolument hors de question. Tant que subsiste, dans l'esprit des Arabes, la moindre étincelle d'espoir qu'ils pourront un jour se défaire de nous, nulle belle parole, nulle promesse attirante n'amènera les Arabes à renoncer à cet espoir, précisément parce qu'ils ne sont pas une populace vile, mais une nation bien vivante. [...] Mon espérance et ma foi sont que nous leur accorderons des garanties satisfaisantes et que les deux peuples pourront vivre en bon voisinage. Toutefois, la seule voie qui puisse nous mener à un tel accord est celle de la « muraille de fer », c'est-à-dire l'existence d'une force, en Palestine, qui ne soit influencée d'aucune façon par les pressions des Arabes.

Zeev Jabotinsky, « La muraille de fer. Les Arabes et nous »,
Rassvyet, Berlin, 4 novembre 1923.

Mots clés

Eretz Israël : Nom donné, dans la tradition juive, à la terre d'Israël. Après 1967, extension maximale d'Israël voulue par les nationalistes.

Naqba : « Catastrophe », nom donné au départ volontaire ou forcé de 700 000 Arabes palestiniens dans l'année qui suit la proclamation de l'État d'Israël.

Yishouv : Nom donné au peuplement juif en Palestine.

Doc. 5 L'odyssée de l'*Exodus* (1947).

Le 11 juillet 1947, ce bateau panaméen appareille de Sète pour la Palestine avec 4 500 passagers, pour beaucoup rescapés de la Shoah. Repoussé par les Britanniques, le navire est militairement ramené à son lieu de départ, puis à Hambourg, dans des conditions très difficiles.

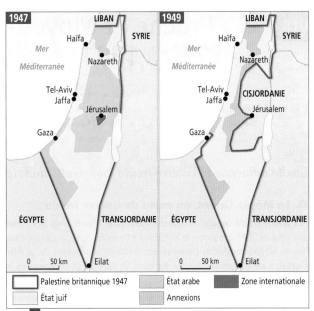

Doc. 6 Le plan de partage de l'ONU de 1947 et la première guerre israélo-arabe.

Légende :
- Palestine britannique 1947
- État juif
- État arabe
- Annexions
- Zone internationale

Doc. 7 La proclamation de l'État d'Israël (14 mai 1948).

Article 1er La terre d'Israël est le lieu où naquit le peuple juif. C'est là que s'est formée son identité spirituelle, religieuse et nationale. [...]

Art. 2 Contraint à l'exil, le peuple juif est resté fidèle à la terre d'Israël dans tous les pays où il s'est retrouvé dispersé [...].

Art. 3 Motivés par ce lien historique, les Juifs ont aspiré à chaque génération au retour de leur souveraineté sur leur ancienne patrie. Au cours de ces dernières décennies, ils sont revenus en masse. Ils ont mis en valeur les terres incultes, ont fait renaître leur langue, ont construit des villes et des villages [...] et se sont préparés à l'indépendance politique.

Art. 4 En 1897, le premier congrès sioniste [...] a proclamé le droit du peuple juif au renouveau national dans son propre pays. Ce droit a été reconnu par la déclaration Balfour du 2 novembre 1917 [...].

Art. 5 La Shoah qui s'est abattue tout récemment sur le peuple d'Israël [...] a montré à nouveau le besoin de résoudre le problème dû à l'absence de patrie et d'indépendance du peuple juif, par le rétablissement en terre d'Israël de l'État juif, qui ouvrirait ses portes à tous les Juifs et conférerait au peuple juif un statut d'égalité au sein de la communauté des nations. [...]

Art. 8 Le 29 novembre 1947, l'Assemblée générale des Nations unies a adopté une résolution recommandant la création d'un État juif en Palestine. [...] Cette reconnaissance par les Nations unies du droit du peuple juif à établir son État indépendant est irrévocable.

Art. 9 C'est le droit naturel du peuple juif de mener, comme le font toutes les autres nations, une existence indépendante dans son État souverain. En conséquence, [...] nous proclamons la création de l'État juif en Palestine, qui portera le nom d'Israël.

À Tel-Aviv, le 14 mai 1948, sous le portrait de Theodor Herzl, David Ben Gourion proclame l'État d'Israël.

Dès le lendemain, la Jordanie, la Syrie, l'Égypte, l'Irak et le Liban envoient des troupes en Palestine. Les États-Unis et l'URSS reconnaissent le nouvel État le 17 mai.

Biographie

David Ben Gourion (1886-1973)

Né en Pologne, parti en Palestine en 1906, il s'impose comme l'un des premiers leaders du mouvement sioniste. À la tête de l'Organisation sioniste mondiale en 1935, il mène les négociations en vue d'obtenir la création d'un État juif. Le 14 mai 1948, il proclame l'indépendance de l'État d'Israël dont il devient le Premier ministre et ministre de la Défense. En 1963, il se retire dans son kibboutz, incarnant le modèle du pionnier juif.

POUR COMPRENDRE

1. Étudier les documents

Doc. 1 et 5 Quel rôle les Britanniques jouent-ils face au mouvement sioniste ?

Doc. 2 et 3 Comment évolue le rapport démographique en Palestine ? Pourquoi ?

Doc. 4 Quelles sont les conséquences théoriques de la doctrine de la « muraille de fer » sur les relations entre Juifs et Arabes en Palestine ?

Doc. 6 et 7 Quelles sont les conséquences du plan de partage de l'ONU de 1947 ?

2. Analyse de deux documents

BAC À l'aide des documents 5 et 7, expliquez sur quels fondements l'État d'Israël proclame son existence en mai 1948.

3. Aide à la composition

BAC À l'aide de vos connaissances, vous rédigerez un paragraphe qui réponde au sujet : « Les origines de l'État d'Israël ».

2. Proche et Moyen-Orient de 1948 à 1991

1967 Guerre des Six Jours

1973 Guerre du Kippour

1980-1988 Guerre Iran-Irak

1956 Crise de Suez

1975 Début de la guerre civile au Liban

1979 Révolution iranienne

1978 Accords de Camp-David

1991 Intervention internationale en Irak

→ *Quelle influence la Guerre froide joue-t-elle dans les tensions régionales ?*

A. Le Moyen-Orient, un enjeu de Guerre froide

• **La Guerre froide débute au Moyen-Orient.** Pour contenir les Soviétiques, le Congrès américain vote en avril 1947 une aide à la Turquie et à l'Iran. En 1956, la nationalisation du canal de Suez par Nasser **(p. 260)** provoque l'intervention militaire victorieuse de la France, du Royaume-Uni et d'Israël, mais est condamnée par les deux Grands : l'Égypte conserve la gestion du canal.

• **Le Moyen-Orient entre dans la logique des blocs.** En 1953, le Premier ministre iranien Mossadegh est renversé par la CIA pour avoir nationalisé les compagnies pétrolières. Les régimes nationalistes arabes se rapprochent du camp soviétique **(doc. 1)**. L'Arabie Saoudite, la Jordanie et Israël bénéficient de l'alliance politique et militaire des États-Unis.

• **Le panarabisme constitue une tentative d'échapper au monde bipolaire.** Porté par une instance de négociation régionale, la Ligue arabe (fondée en 1945), puis par le leader égyptien Nasser, le panarabisme cherche à unir tous les peuples arabes en une seule nation. Les divisions l'emportent cependant, la logique de l'affrontement Est-Ouest prenant le dessus dès les années 1960.

B. Des guerres à répétition

• **De 1948 au début des années 1970, quatre guerres israélo-arabes se succèdent (p. 258).** Elles s'accompagnent de modifications de frontières et ont des conséquences qui dépassent la région, comme lorsque la guerre de 1973 provoque le premier choc pétrolier **(p. 358)**.

• **La fin des années 1970 fait naître un espoir de paix.** Le 17 septembre 1978, Israël et l'Égypte d'Anouar el-Sadate signent les accords de Camp-David qui servent de base au traité de paix entre les deux pays en 1979. Il s'agit du premier traité de paix signé entre un pays arabe et Israël. Accueilli avec enthousiasme en Occident, il est au contraire rejeté par les autres pays arabes qui accusent l'Égypte de trahison **(BAC p. 279)**.

• **Les espoirs de paix dans la région s'effacent devant la reprise des tensions.** En 1979, le régime pro-occidental du shah d'Iran est renversé par une révolution islamiste conduite par l'ayatollah Khomeiny **(p. 262)**. En 1980, le nouveau régime entre en guerre contre l'Irak. Le conflit se solde par un million de morts sans gain de part et d'autre **(doc. 4)**. En 1982, une cinquième guerre israélo-arabe éclate au Liban, plongé dans une guerre civile depuis 1975 **(p. 264)**.

C. L'affirmation du problème palestinien

• **Le problème palestinien naît au lendemain de la première guerre israélo-arabe de 1948** : 700 000 Arabes palestiniens s'enfuient ou sont expulsés des territoires sous souveraineté israélienne et se réfugient dans les pays arabes voisins où ils sont souvent mal accueillis.

• **À partir de 1967, le problème palestinien devient celui d'Israël.** Avec la conquête de la Cisjordanie et de Gaza, 1,5 million de Palestiniens se retrouvent sous la domination de l'État hébreu. Le nationalisme palestinien s'organise au sein de l'**OLP***, créée en 1964. En 1967, cette nouvelle organisation se réfugie en Jordanie. Après une tentative avortée d'y renverser le roi Hussein, et la répression féroce qui s'en suit (« Septembre noir »), l'OLP s'installe au Liban **(p. 259)**.

• **Une guerre s'engage entre Israël et les Palestiniens.** L'OLP privilégie la lutte armée et le terrorisme pour détruire Israël et fonder un État palestinien, comme lors des Jeux olympiques de Munich en 1972 **(doc. 2)**, et mène aussi des actions de guérilla depuis les pays arabes voisins, ce qui conduit Israël à envahir le Liban en 1982 **(p. 264)**. En 1987, une première **Intifada** éclate dans les territoires occupés par Israël.

Citation

« *Au moment où je vous rends visite, je vous demande : pourquoi ne nous tendons-nous pas les mains, dans la droiture, la confiance et la sincérité, pour faire tomber ensemble cette barrière ?* »

Anouar el-Sadate, devant le Parlement israélien, la Knesset, le 20 novembre 1977.

Biographie

Anouar el-Sadate (1918-1981)

Officier de l'armée égyptienne, compagnon de Nasser, il participe au renversement du roi Farouk en 1952. À la mort de Nasser, en 1970, il lui succède. En 1973, il engage son pays dans une guerre contre Israël. En se rendant en 1977 devant le Parlement israélien, il fait de l'Égypte le premier pays arabe à reconnaître l'existence d'Israël. En signant en 1978 les accords de Camp-David avec Israël, il ancre l'Égypte dans le camp occidental. Il est assassiné par des militaires proches des Frères musulmans en 1981, et remplacé par Hosni Moubarak.

Mots clés

Intifada : Soulèvement palestinien dans les territoires occupés par Israël.

Panarabisme : Mouvement politique qui vise à l'unité de tous les Arabes.

Vocabulaire

* OLP
) lexique p. 380 à 383

Après la crise de Suez (1956), l'Égypte s'est rapprochée de l'URSS. Avec l'Inde, elle est le pays le plus aidé par Moscou.

Le début de notre inébranlable amitié fut le refus ferme et obstiné des peuples arabes de permettre sur leur sol l'existence de bases menaçant l'Union soviétique et son gouvernement. […] Nous avons à rappeler les moments décisifs, dont nos peuples garderont toujours le souvenir, ainsi que le rôle inoubliable qu'y a joué l'Union soviétique avec : Premièrement, sa position aux côtés du peuple égyptien pour briser le monopole de l'armement. Les forces impérialistes avaient établi au milieu de la terre arabe une base hostile menaçant sa sécurité. Cette base hostile se changea en Israël, citadelle regorgeant d'armes. […] Deuxièmement, sa position aux côtés du peuple égyptien dans sa confrontation aux agressions des impérialistes qui voulaient envahir son ciel et ses côtes, lui arrachant son canal construit au prix de tant de sang égyptien, et le dépouiller de son droit. […] Quatrièmement, sa position aux côtés du peuple égyptien dans son effort héroïque d'édification économique de sa patrie, et son aide dans l'établissement de son industrie, dans la construction du haut barrage, symbole de cette édification et symbole de la liberté. […]

Nos efforts se sont rencontrés à la fois dans la lutte contre l'impérialisme sous toutes ses formes, dans le soutien aux luttes de libération en Asie et en Amérique latine, pour le désarmement, l'élimination des bases étrangères, […] la lutte contre la discrimination raciale, la possibilité de la coexistence pacifique entre les peuples. […]

Les peuples indépendants découvrent quotidiennement le néo-colonialisme. L'indépendance politique ne peut se faire sans indépendance économique et sans efforts consacrés au développement.

Gamal Abdel Nasser, discours prononcé à Alexandrie, le 9 mai 1964.

1. Quels événements sont à l'origine du rapprochement entre l'Égypte et l'URSS ?

2. Quels sont les avantages d'une telle coopération pour chacun des deux pays ?

Doc. **3** Les accords de Camp-David (1978).

Cinq ans après la guerre du Kippour, le président égyptien Anouar el-Sadate et le Premier ministre israélien Menahem Begin se saluent, encouragés par le président américain Jimmy Carter (au centre). En 1977, Sadate s'était adressé au Parlement israélien, la Knesset **(BAC p. 280)**. Pour la première fois, un pays arabe, l'Égypte, reconnaît l'État d'Israël.

1. En quoi s'agit-il d'un tournant pour la région, depuis 1948 ?

2. Quel rôle les États-Unis jouent-ils dans ces accords ? Pourquoi ?

Doc. **2** La prise en otage des athlètes israéliens lors des Jeux olympiques de Munich (1972).

Le 5 septembre 1972, un commando palestinien pénètre dans le village olympique et prend en otages des athlètes israéliens. Les événements sont filmés par les caméras du monde entier. Au total, neuf sportifs israéliens sont assassinés avant que les cinq terroristes ne soient tués par la police allemande.

1. Pourquoi les Palestiniens choisissent-ils d'agir lors des Jeux olympiques ?

2. Quels sont les effets d'un tel événement ?

Doc. **4** Saddam Hussein déclare la guerre à l'Iran (1980).

Ainsi, le statut juridique du Chatt al-Arab doit redevenir celui d'avant le 6 mars 1975, c'est-à-dire que, comme il l'a toujours été dans l'histoire, le Chatt al-Arab[1] doit être irakien et arabe de nom et de fait, et jouir de tous les droits qui découlent de la pleine souveraineté de l'Irak. […] Nous avons pris la décision historique de recouvrer notre pleine souveraineté sur nos territoires et nos eaux. Nous réagirons avec fermeté et sûreté aux tentatives de contrecarrer cette décision légitime. […]

Nous déclarons au monde et à la nation arabe que nous avons levé le masque que porte la clique au pouvoir en Iran. Cette clique a fallacieusement utilisé la religion pour assurer son expansion aux dépens de la souveraineté et des intérêts supérieurs de la nation arabe, pour provoquer des conflits et diviser les fils de la nation, sans se soucier des conditions difficiles que connaît la nation arabe ni la lutte que celle-ci mène contre les agresseurs sionistes et les forces impérialistes. La religion n'est qu'un voile pour dissimuler le racisme et la haine millénaire des Persans à l'égard des Arabes. Elle est brandie pour attiser le fanatisme et la haine et dresser les peuples de la région les uns contre les autres, servant ainsi consciemment ou non les plans mondiaux du sionisme.

Saddam Hussein, discours devant l'Assemblée nationale irakienne, le 17 septembre 1980.

1. Le Chatt al-Arab est le delta du Tigre et de l'Euphrate, riche notamment en pétrole et en raffinerie. Depuis les accords d'Alger de 1975, il marque la frontière entre les deux pays.

1. Quelles sont les causes du conflit d'après S. Hussein ?

2. Quels éléments montrent qu'il veut se présenter comme le chef de file du monde arabe ?

La question palestinienne se pose depuis la première guerre israélo-arabe
(1948-1949) et la fuite des Arabes de Palestine : la *Naqba* (« catastrophe »).
Refusant l'existence de l'État d'Israël, les États arabes voisins déclenchent
les guerres de 1967 et 1973. Leur défaite permet à Israël d'occuper
la Cisjordanie, Gaza et le plateau du Golan. Ces conflits répétés maintiennent
la présence de réfugiés palestiniens dans tout le Proche-Orient.
Après 1991, la fin du soutien de l'URSS encourage les Palestiniens
à des discussions de paix avec Israël.

➜ *Quelle influence les guerres israélo-arabes ont-elles
sur le Proche et le Moyen-Orient ?*

**Des soldats israéliens devant le Mur
des Lamentations, après la prise
de Jérusalem-Est le 9 juin 1967.**

| 1956 Crise de Suez | | 1967 Guerre des Six Jours, occupation de la Cisjordanie et de Gaza |

| 1948 Première guerre israélo-arabe, proclamation d'Israël et Naqba palestinienne | 1964 Charte de l'OLP | 1973 Guerre du Kippour, 1er choc pétrolier | 1982 Opération au Sud-Liban | 1993 Accords d'Oslo |

Doc. 1 Les guerres israélo-arabes.

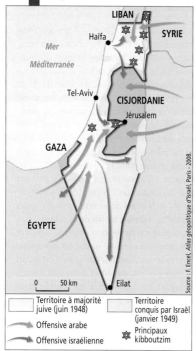

Source : F. Encel, *Atlas géopolitique d'Israël*, Paris - 2008.

Guerre de 1948-1949.

Les États arabes coalisés attaquent Israël,
inférieur en nombre, après la proclamation
de ce nouvel État (14 mai 1948).
750 000 Arabes chrétiens et musulmans
se réfugient au-delà des frontières d'Israël :
les Palestiniens.

Guerre des Six Jours (1967).

Équipée par les États-Unis et la France,
Israël a une armée moins nombreuse
que les armées arabes aidées par l'URSS.
Après la défaite d'une nouvelle coalition
arabe, la Cisjordanie (Jordanie), Gaza
(Égypte) et le Golan (Syrie) sont occupés
par Israël.

Guerre du Kippour (1973).

Surprise pendant une fête religieuse juive,
l'armée israélienne repousse difficilement
les armées arabes coalisées. Les États-Unis
créent un pont aérien pour aider Israël,
tandis que l'URSS appuie l'Égypte
et la Syrie.

Cette résolution sert de base aux négociations israélo-arabes après 1973.

Le Conseil de sécurité,

Exprimant l'inquiétude que continue de lui causer la grave situation au Moyen-Orient,

Soulignant l'inadmissibilité de l'acquisition des territoires par la guerre et la nécessité d'œuvrer pour une paix juste et durable [...],

1. Affirme que l'accomplissement des principes de la Charte exige l'instauration d'une paix juste et durable au Moyen-Orient qui devrait comprendre l'application des deux principes suivants :

a) Retrait des forces armées israéliennes des territoires occupés lors du récent conflit ;

b) Cessation de toutes assertions de belligérance ou de tous états de belligérance et respect et reconnaissance de la souveraineté, de l'intégrité territoriale et de l'indépendance politique de chaque État de la région et de leur droit de vivre en paix à l'intérieur de frontières sûres et reconnues, à l'abri de menaces ou d'actes de force ;

2. Affirme en outre la nécessité :

a) De garantir la liberté de circulation sur les voies d'eau internationales de la région ;

b) De réaliser un juste règlement de la question des réfugiés ;

c) De garantir l'inviolabilité territoriale et l'indépendance politique de chaque État de la région [...]

3. Prie le Secrétaire général de désigner un représentant spécial pour se rendre au Moyen-Orient [...] en vue de favoriser un accord.

Résolution de l'ONU, adoptée à l'unanimité le 22 novembre 1967.

Doc. 3 La charte nationale palestinienne (1968).

Après la guerre des Six Jours, le Congrès national palestinien modifie la charte de 1964 qui définit l'identité palestinienne et les objectifs de l'OLP.

Article 1er La Palestine est la patrie du peuple arabe palestinien. Elle constitue une partie de la grande patrie arabe, et le peuple palestinien fait partie intégrante de la nation arabe. [...]

Art. 4 La personnalité palestinienne constitue une caractéristique authentique, impérative et permanente ; elle est transmise de père en fils. L'occupation sioniste et la dispersion du peuple arabe palestinien, par suite des malheurs (*nakbâ*) qui l'ont frappé, ne lui font perdre ni sa personnalité, ni son appartenance palestinienne, et ne peuvent les effacer. [...]

Art. 6 Les Juifs qui résidaient habituellement en Palestine jusqu'au début de l'invasion sioniste seront considérés comme palestiniens. [...]

Art. 9 La lutte armée est la seule voie menant à la libération de la Palestine. [...]

Art. 15 La libération de la Palestine est, du point de vue arabe, un devoir national ayant pour objet de repousser l'agression sioniste et impérialiste contre la patrie arabe et visant à éliminer le sionisme de la Palestine. [...]

Art. 19 Le partage de la Palestine en 1947 et l'établissement de l'État d'Israël sont entièrement illégaux. [...]

Art. 20 La déclaration Balfour, le mandat et tout ce qui en découle sont nuls et non avenus. [...] Le judaïsme, qui est une religion céleste, ne saurait constituer une nationalité indépendante. [...]

Art. 22 Le sionisme est un mouvement politique organiquement lié à l'impérialisme mondial et opposé à tout mouvement de libération et à tout mouvement progressiste dans le monde. Il est raciste et fanatique par nature, agressif, expansionniste et colonial dans ses buts, et fasciste nazi dans ses moyens. Israël est l'instrument du mouvement sioniste et la base géographique et humaine de l'impérialisme mondial, stratégiquement placé au cœur même de la patrie arabe afin de combattre les espoirs de la nation arabe pour sa libération, son union et son développement.

Charte du Congrès national palestinien, Le Caire, 17 juillet 1968.

Doc. 4 Un camp de réfugiés palestiniens en Jordanie en 1969.

Déstabilisé par l'arrivée de plusieurs centaines de milliers de réfugiés en 1949 et en 1967, et craignant le renversement de la monarchie par les Palestiniens, le roi Abdallah de Jordanie lance en septembre 1970 une vaste opération militaire, avec le soutien des États-Unis, et se rapproche d'Israël. Ce « Septembre noir » contraint l'OLP à se réfugier au Liban, qu'il va contribuer à déstabiliser.

POUR COMPRENDRE

1. Étudier les documents

Doc. 1 Quelles sont les conséquences de la guerre de 1967 pour Israël ?

Doc. 1 et 2 Quel rôle l'ONU joue-t-elle ? Avec quels effets ?

Doc. 3 et 4 Où trouvent refuge les Palestiniens ? Quelles conséquences cela a-t-il ?

2. Analyse de deux documents

BAC À l'aide des documents 1 et 3, montrez la place que prend la guerre de 1967 dans la radicalisation des Palestiniens contre Israël.

3. Aide à la composition

BAC À l'aide de vos connaissances, vous rédigerez un plan détaillé qui réponde au sujet : « Les guerres israélo-arabes, des conflits de Guerre froide ? »

Le panarabisme, forgé au XIXᵉ siècle, est un idéal de retour à une puissance du monde arabe, puissance perdue face à l'Empire ottoman et aux Occidentaux. Nasser incarne ce mouvement après sa prise de pouvoir en Égypte et le lie au mouvement d'affirmation du Tiers-Monde. Le ciment du panarabisme est la lutte contre Israël autant que la recherche du développement économique. L'échec de la guerre des Six Jours fait perdre au panarabisme de l'influence, au profit de l'islamisme, qui reprend le thème de la lutte contre l'humiliation des peuples arabes.

➜ *Quel rôle Nasser joue-t-il dans la diffusion du panarabisme ?*

Dates clés

Un nationaliste arabe

1954 Prise du pouvoir par un coup d'État.

1955 Conférence de Bandung.

1956 Nationalisation du canal de Suez.

1958 Création d'une éphémère République Arabe Unie avec la Syrie.

1961 Conférence de Belgrade des pays non-alignés.

1964 Rapprochement avec l'URSS (doc. 1 p. 257).

1967 Guerre des Six Jours (p. 258).

1970 Inauguration du barrage d'Assouan, qui régule les crues du Nil.

Doc. 1 **Le programme de Nasser : la théorie des trois cercles (1953).**

L'ère de l'isolement est passée. Sont passés également les jours où les fils barbelés traçaient les frontières des États, les séparant et les isolant les uns des autres. Tout pays doit inévitablement s'intéresser à ce qui se passe au-delà de ses frontières pour découvrir les courants qui l'influencent, réaliser sa position dans le monde et établir ses moyens d'action, son domaine vital, le champ de son activité et son rôle positif dans le concert des nations.[...] Nous ne devons pas voir la carte du monde d'un regard indifférent. Il nous incombe de considérer notre position sur cette carte et le rôle qui lui est inhérent. Pouvons-nous ignorer la présence d'une zone arabe qui nous entoure, formant avec nous un tout compact et dont l'histoire et les intérêts sont intimement liés aux nôtres ? Pouvons-nous ignorer la présence d'un continent africain au sein duquel le destin nous a mis, ce même destin qui a voulu qu'une lutte épouvantable soit engagée pour l'avenir de ce continent, lutte dont nous subirons les répercussions bon gré mal gré ? Pouvons-nous ignorer la présence d'un monde musulman auquel nous sommes unis, par les attaches d'une religion mais aussi par l'histoire ? [...] Toutes ces vérités sont profondément enracinées dans notre vie, de sorte qu'il nous est impossible de les oublier.

Gamal Abdel Nasser, *La Philosophie de la révolution*, 1953.

Biographie

Gamal Abdel Nasser (1918-1970)

Ce militaire nationaliste égyptien rejoint en 1949 le mouvement clandestin des Officiers libres contre la présence anglaise, participe au renversement du roi Farouk (1952), et s'empare du pouvoir (1954). Le « raïs » s'affirme comme une des figures du Tiers-Monde lors des conférences des pays non-alignés à Bandung (1955) au Belgrade (1961). Opposé à la France, au Royaume-Uni et à Israël lorsqu'il nationalise le canal de Suez, il se rapproche de l'URSS. Très populaire dans un monde arabe qu'il rêve d'unifier, il échoue à créer une République Arabe Unie avec la Syrie (1958-1961). Son successeur, Anouar el-Sadate, met fin au panarabisme officiel de l'Égypte.

Doc. 3 **Le barrage d'Assouan (1959-1970).**

Avantages : Régulation des crues du Nil et maintien d'une constante production de coton, réservoir d'eau potable en cas de sécheresse, production de 50 % de l'électricité du pays dès 1967.

Financement : Un projet avec le Royaume-Uni s'arrête avec la crise de Suez. L'Égypte s'allie avec l'URSS qui finance un tiers de l'ouvrage.

Conséquences culturelles : L'UNESCO invente la notion de patrimoine mondial et finance le déplacement des temples de Nubie (Abou Simbel et Philae).

Doc. 2 **La nationalisation du canal de Suez (1956).**

Citoyens,

Aujourd'hui, nous avons l'occasion de poser les bases de la dignité et de la liberté et nous aviserons toujours à l'avenir de consolider ces bases et de les rendre encore plus fortes et plus solides. L'impérialisme a essayé par tous les moyens possibles de porter atteinte à notre nationalisme arabe. Il a essayé de nous disperser et de nous séparer et, pour cela, il a créé Israël, œuvre de l'impérialisme. [...] La pauvreté n'est pas une honte mais c'est l'exploitation des peuples qui l'est. Nous reprendrons tous nos droits, car tous ces fonds sont les nôtres et ce canal est la propriété de l'Égypte. [...] Nous déclarons que l'Égypte en entier est un seul front uni, et un bloc national inséparable. [...] En quatre ans, nous avons senti que nous sommes devenus plus forts et plus courageux, et comme nous avons pu détrôner le roi le 26 juillet [*1952*], le même jour nous nationalisons la Compagnie du canal de Suez. Nous réalisons ainsi une partie de nos aspirations et nous commençons la construction d'un pays sain et fort. Aucune souveraineté n'existera en Égypte à part celle du peuple d'Égypte, un seul peuple qui avance dans la voie de la construction et de l'industrialisation[1], et un bloc contre tout agresseur et contre les complots des impérialistes. Nous réaliserons, en outre, une grande partie de nos aspirations, et construirons effectivement ce pays, car il n'existe plus pour nous quelqu'un qui se mêle de nos affaires.

Gamal Abdel Nasser, discours prononcé le 25 juillet 1956 à Alexandrie.

1. Dès 1954 est annoncé la création du barrage d'Assouan, inauguré en 1970, qui doit permettre de réguler les crues du Nil et favoriser l'autosuffisance alimentaire et énergétique de l'Égypte.

Doc. **4** La crise de Suez (1956).

Un détachement britannique pénètre à Port-Saïd, la ville d'entrée du canal de Suez. Le 20 octobre 1956, la France et le Royaume-Uni, propriétaires de la Compagnie universelle du Canal de Suez, et Israël envoient des troupes s'emparer du canal. Cette victoire militaire devient un échec diplomatique quand l'URSS et les États-Unis exigent le retrait des troupes anglo-franco-israéliennes.

Doc. **5** À New York, un sommet des pays non-alignés (1960).

L'Indien Nehru, le Ghanéen N'Krumah, l'Égyptien Nasser, l'Indonésien Soekarno et le Yougoslave Tito se retrouvent lors d'une conférence sur le non-alignement organisée en marge de l'Assemblée générale de l'ONU, à l'invitation du président américain Eisenhower et du leader soviétique Khrouchtchev.

Doc. **6**

La lutte contre la colonisation.
Affiche de 1963.

Nasser et le président algérien Ben Bella célèbrent l'indépendance algérienne que l'Égypte a soutenue au nom de la lutte contre le colonialisme.

Doc. **7** Un arbitre des relations entre les États arabes au moment du Septembre noir (1970).

Le Libyen Mouammar Kadhafi, le dirigeant de l'OLP Yasser Arafat, Nasser et le roi Hussein de Jordanie négocient au Caire, fin septembre 1970, les conditions d'un arrêt des combats entre l'OLP et l'armée jordanienne. Présents dans ce pays depuis 1949, les Palestiniens ont tenté plusieurs coups d'État contre le roi Hussein, qui a répondu le 12 septembre 1970 par l'opération Septembre noir. Les combats entre l'OLP et l'armée jordanienne font plusieurs milliers de morts jusqu'à l'expulsion de Yasser Arafat au Liban en 1971.

POUR COMPRENDRE

1. Étudier les documents

Doc. 1. Quels sont les trois cercles d'influence de l'Égypte selon Nasser ?

Doc. 2, 3 et 4 Pourquoi nationaliser le canal de Suez ? Quels en sont les effets ?

Doc. 5 et 6 Comment la lutte de Nasser contre l'influence occidentale s'exprime-t-elle ? Au nom de quoi se fait-elle ?

Doc. 2, 6 et 7 De quelle manière le panarabisme de Nasser s'exprime-t-il ?

2. Analyse de deux documents

BAC À l'aide de vos connaissances, et en utilisant les documents 1 et 6, expliquez la place que prend le nationalisme arabe dans les projets de Nasser.

3. Aide à la composition

BAC À l'aide de vos connaissances, vous rédigerez un paragraphe qui réponde au sujet : « Nasser et le panarabisme ».

La révolution iranienne et l'islamisme politique

En janvier 1979, le régime pro-occidental de l'empereur d'Iran, le shah Reza Pahlavi, est renversé par une révolution islamique. Dirigé par l'**ayatollah** Khomeiny, le nouveau régime fait de l'islamisme la doctrine politique officielle de l'État. Les préceptes d'un islam chiite rigoriste organisent la vie politique, sociale et culturelle du pays. L'Iran entend incarner et soutenir le relèvement des pays musulmans face aux puissances occidentales, et s'affirme comme le fer de lance de la lutte contre Israël.

➜ *Quelle influence le régime iranien exerce-t-il sur le Moyen-Orient depuis 1979 ?*

Sunnisme et chiisme

L'islam est divisé en plusieurs confessions dont les plus importantes sont :

• **les sunnites**, qui appliquent la tradition, la Sunna, et se placent sous l'autorité des califes, successeurs du prophète Mahomet. Il n'y a pas de clergé. Plus de 80 % des musulmans sont sunnites ;

• **les chiites**, qui obéissent à la succession spirituelle d'Ali, neveu du prophète Mahomet, incarnée par le clergé. La quasi-totalité des Iraniens, la moitié des Irakiens et une partie des Libanais et des Syriens sont chiites.

Doc. 1 La prise de l'ambassade américaine de Téhéran (1979).

En novembre 1979, des étudiants islamistes s'emparent de l'ambassade des États-Unis à Téhéran. Ils réclament l'extradition du shah, en exil et soigné aux États-Unis ; 53 membres de l'ambassade sont retenus en otage pendant 15 mois.

Mots clés

Ayatollah : Membre le plus élevé du clergé chiite musulman.

Fatwa : Condamnation religieuse prononcée par une autorité musulmane.

Biographie

Rouhollah Khomeiny (1900-1989)

Après avoir étudié et enseigné la théologie à Qom (Iran), il devient un des principaux opposants au régime du shah. Arrêté en 1963, exilé en Irak, en Turquie puis en France, il lance en 1978 un appel à la révolution en Iran. En 1979, il est porté au pouvoir après le départ du shah. Guide suprême de la Révolution, il instaure un régime autoritaire, fondé sur une application rigoriste de l'islam chiite. Il conduit la guerre contre l'Irak (1980-1989) et soutient les mouvements islamistes au Moyen-Orient.

Doc. 2 Le programme de politique étrangère de Khomeiny.

Le désaveu des païens est le prélude à la lutte et à l'organisation des soldats de Dieu contre les forces de Satan. C'est l'un des principes fondamentaux du monothéisme. […] Notre slogan « Ni Est ni Ouest » est le slogan fondamental de la révolution islamique dans le monde des affamés et des opprimés. Il situe la véritable politique non alignée des pays islamiques et des pays qui accepteront l'islam comme seule école pour sauver l'humanité dans un proche avenir, avec l'aide de Dieu. Il n'y aura pas de déviation, même d'un iota, de cette politique. Les pays islamiques et le peuple musulman ne doivent dépendre ni de l'Ouest – de l'Amérique ou de l'Europe – ni de l'Est – de l'Union soviétique. Aujourd'hui, notre désaveu des païens est notre cri contre les injustices des oppresseurs et les pleurs d'une nation qui en a assez des agressions de l'Est et de l'Ouest. […] Une fois de plus, je souligne le danger de répandre la cellule maligne et cancérigène du sionisme dans les pays islamiques. J'annonce mon soutien sans limite, ainsi que celui de la nation et du gouvernement de l'Iran, à toutes les luttes islamiques des nations islamiques et de l'héroïque jeunesse musulmane pour la libération de Jérusalem. […] Avec confiance je dis que l'islam éliminera l'un après l'autre tous les grands obstacles à l'intérieur comme à l'extérieur de ses frontières et fera la conquête des principaux bastions dans le monde. […] Ou nous connaîtrons tous la liberté, ou nous connaîtrons une liberté plus grande encore, qui est le martyre.

Rouhollah Khomeiny, message aux pèlerins de La Mecque, 28 juillet 1987.

Doc. 3 **La *fatwa* de Khomeiny contre l'écrivain Salman Rushdie (1989).**

Dans Les Versets sataniques, *l'écrivain britannique Salman Rushdie met dans la bouche d'un personnage qui ressemble au prophète Mahomet des propos jugés blasphématoires par Khomeiny.*

Au nom de Dieu, dont nous venons et auquel nous reviendrons.

Je tiens à informer les courageux musulmans du monde entier que l'auteur du livre *Les Versets sataniques* qui a été écrit, édité et publié contre l'islam, le prophète et le Coran, ainsi que les éditeurs qui en connaissaient le sujet, sont condamnés à mort. Nous demandons aux musulmans courageux de les tuer immédiatement, où qu'ils se trouvent afin que nul ne puisse désormais profaner la sainteté de l'islam. Tout être tué dans cette voie sera considéré comme un martyr. Aussi quiconque se trouve en présence de l'auteur de ce livre mais n'a pas les moyens de le tuer lui-même, doit le livrer au peuple afin que celui-ci le punisse.

Je vous salue, que la grâce et la clémence de Dieu soient avec vous.

Rouhollah Khomeiny.

Doc. 5 **La continuité révolutionnaire de l'islamisme iranien.**

Après la mort de Khomeiny, le régime se libéralise partiellement dans les années 1990. En 2005, le retour au pouvoir d'islamistes partisans d'une ligne dure inquiète l'Occident.

On se croirait revenu des années en arrière, lorsque la contestation du droit d'Israël à l'existence était l'un des fondements idéologiques de la République islamique, voire une de ses raisons d'être, aux côtés de l'hostilité envers les États-Unis, de la répression des libertés et de l'oppression de la femme.

« Comme l'a dit l'imam Khomeiny, le père de la révolution islamique, Israël doit être rayé de la carte », a déclaré le 26 octobre, le président iranien, Mahmoud Ahmadinejad. « Quiconque reconnaît Israël brûlera au feu de la fureur de la *oumma* musulmane[1]. Quiconque reconnaît le régime sioniste admet la défaite et la reddition du monde musulman. [...] La lutte en Palestine est une guerre entre la *oumma* musulmane et le monde de l'arrogance : les États-Unis. [...] Il ne fait aucun doute que la nouvelle vague de lutte en Palestine[2] balaiera ce stigmate [*Israël*] de la face du monde musulman. » [...]

Cette diatribe associe Israël et les États-Unis, mais aussi tout pays musulman qui a déjà reconnu l'État juif ou qui aurait l'intention de le faire. Les États arabes sont visés, dont deux, la Jordanie et l'Égypte, ont déjà signé des traités de paix avec Israël, tandis que les autres se sont engagés à faire la paix avec l'État hébreu pour peu qu'il restitue tous les territoires arabes occupés, c'est-à-dire la Cisjordanie, Gaza, Jérusalem et le Golan syrien, et que les Palestiniens recouvrent leurs droits.

Mouna Naïm, « En voie de radicalisation, l'Iran veut "rayer" Israël de la carte », *Le Monde*, 28 octobre 2005.

1. L'oumma est la communauté des croyants.
2. La 2ᵉ Intifada, la « guerre des pierres » de la population contre l'armée israélienne et les colons, commence en 2000.

Doc. 4 **Une affiche de propagande du Hezbollah libanais.**

Les ayatollahs iraniens Rouhollah Khomeiny et son successeur Ali Khamenei face au portrait du chef du Hezbollah Hassan Nasrallah. Le Hezbollah contrôle une partie du territoire du Liban depuis sa création en 1982 pour répondre à l'intervention israélienne. Il est financé et armé par l'Iran.

Doc. 6 **Une puissance nucléaire ?**

Caricature de Patrick Chappatte, *The International Herald Tribune*, 4 octobre 2006.

Depuis les années 1970, l'Iran cherche à se doter d'un programme nucléaire civil. La première centrale est mise en service en 2010. Les tensions régionales, notamment avec Israël, s'appuient sur des doutes quant à l'existence d'un programme nucléaire à des fins militaires.

POUR COMPRENDRE

1. Étudier les documents

Doc. 1, 2 et 5 Quelle place les États-Unis prennent-ils dans l'idéologie islamiste ? Pourquoi ?

Doc. 2 et 5 Quels sont les fondements idéologiques du régime islamiste iranien ? Comment sont-ils justifiés ?

Doc. 3 et 4 De quels moyens l'Iran use-t-il pour accroître son influence sur les mouvements islamistes ?

Doc. 6 Pourquoi la perspective d'une bombe nucléaire iranienne inquiète-t-elle ?

2. Analyse de deux documents

BAC À l'aide des documents 2 et 4, expliquez le rôle que joue Khomeiny dans la diffusion de l'islamisme politique.

3. Aide à la composition

BAC À l'aide de vos connaissances, vous rédigerez un plan détaillé qui réponde au sujet : « Nationalisme et islamisme au Moyen-Orient (1918-1989) ».

Dossier **6** Le Liban, un pays sous tensions depuis les années 1970

Créé en 1920, le Liban est un État multiconfessionnel. À partir de 1970, des milliers de Palestiniens s'y réfugient et poursuivent la lutte contre Israël. Cette présence déstabilise l'équilibre entre les communautés et entraîne le déclenchement de la guerre civile en 1975. La Syrie, qui n'a pas abandonné le projet nationaliste d'une Grande Syrie, profite du conflit pour étendre son influence. L'Iran soutient une milice chiite, le Hezbollah, qui cherche à détruire Israël. Malgré les accords de paix de 1989, le Liban est un pays fragile sous constante influence extérieure.

➜ *En quoi le Liban incarne-t-il les tensions du Moyen-Orient ?*

Dates clés

Un pays sous influence

1970 Arrivée des réfugiés palestiniens après Septembre noir.

1975 Début de la guerre civile.

1976 Intervention militaire syrienne dans le nord.

1982 Intervention militaire israélienne dans le sud (juin). Assassinat du président Béchir Gemayel par la Syrie (septembre). Massacres des Palestiniens des camps de Sabra et Chatila.

1989 Fin officielle de la guerre civile.

2000 Retrait israélien du Sud-Liban.

2005 Assassinat de Rafiq Hariri, opposé à l'influence syrienne.

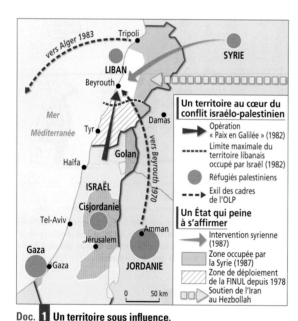

Doc. 1 Un territoire sous influence.

La Force Intérimaire des Nations Unies au Liban (FINUL).

1978 Un commando de l'OLP tue des civils dans le nord d'Israël. L'armée israélienne envahit le Sud-Liban. Résolutions 425 et 426 condamnant d'Israël. Déploiement de la FINUL au Sud-Liban, sous commandement français.

1982 Opération israélienne « Paix en Galilée », occupation du Sud-Liban. La FINUL se place en retrait des combats.

2000 Retrait des troupes israéliennes du Sud-Liban. La FINUL reprend position à la frontière.

2006 Le Hezbollah tire des roquettes sur le nord d'Israël depuis le Liban. Israël bombarde le Sud-Liban. Résolution 1701. Augmentation des effectifs de la FINUL ; une force maritime de l'ONU prend position face au Sud-Liban.

Source : Nations unies.

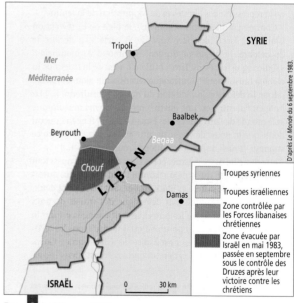

Doc. 3 Le Liban en 1983.

Après les interventions israéliennes et syriennes, le Liban est dans les faits morcelé sous le contrôle d'armées confessionnelles, parfois financées par l'un ou l'autre des États voisins.

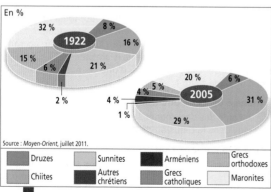

Doc. 2 Un pays divisé entre chrétiens et musulmans.

Doc. 4 Les accords de Taëf mettent fin à la guerre civile (1989).

Signés par les députés libanais sous l'égide des États-Unis, du Maroc, de l'Algérie et de l'Arabie Saoudite, ces accords créent des institutions confessionnelles.

Partie II. Souveraineté de l'État libanais sur l'ensemble de son territoire.
Compte tenu du fait de la nature des relations fraternelles qui lient le Liban à la Syrie, les forces syriennes aideront, qu'elles en soient remerciées, les forces légales libanaises à étendre l'autorité de l'État libanais dans un délai maximum de deux ans après la ratification du document d'Entente Nationale, l'élection du président de la République, la formation du gouvernement d'Entente nationale, et l'adoption des réformes politiques par la voie constitutionnelle. À la fin de cette période, les deux gouvernements, le gouvernement syrien et le gouvernement libanais d'Entente Nationale, décideront du redéploiement des troupes syriennes [...].

Partie IV. Les relations libano-syriennes.
Le Liban, arabe d'appartenance et d'identité, est lié par des relations fraternelles sincères avec tous les États arabes, et entretient avec la Syrie des relations particulières qui tirent leur force du voisinage, de l'histoire et des intérêts fraternels communs. Sur cette base se fondent la coordination et la collaboration entre les deux États, et des accords entre eux dans les différents domaines les consacreront de manière à assurer l'intérêt des deux pays frères dans le cadre de la souveraineté et de l'indépendance de chacun. [...]
La Syrie, soucieuse de la sécurité du Liban, de son indépendance et de son unité ainsi que l'entente de ses fils, ne permettra aucune action susceptible de menacer la sécurité du Liban, son indépendance et sa souveraineté.

Accords de Taëf, signés en Arabie Saoudite, le 22 octobre 1989.

Doc. 6 Les massacres de Sabra et Chatila (1982).

Du 14 au 17 septembre 1982, pour venger l'assassinat du président libanais Béchir Gemayel, une brigade des troupes phalangistes nationalistes chrétiennes massacrent entre 800 et 1 500 Palestiniens, majoritairement civils, dans les camps de Sabra et Chatila, à Beyrouth. L'armée israélienne, commandée par le général Ariel Sharon, occupe le Sud-Liban et la région proche de ces camps. Elle est accusée de ne pas avoir réagi face aux massacres.

Doc. 5 Un dirigeant chrétien en exil critique les accords de Taëf.

De 1982 à 1988, Amine Gemayel est président de la République libanaise où il succède à son frère assassiné. Membre d'une grande famille de chrétiens, il part en exil en 1988. De retour au pays, il est depuis 2000 un acteur majeur de la vie politique libanaise.

En imposant à notre pays la présence des Palestiniens en armes, en laissant s'instaurer un Fatah land[1] contraire à nos intérêts et à notre sécurité, on portait pour la première fois atteinte à l'intégrité et à la souveraineté du Liban. [...] Par la suite, aux invasions syriennes (1976) et israéliennes (1978 et 1982) se sont superposées les interférences d'autres puissances étrangères : les pasdarans[2] iraniens, les milices soutenues par l'Irak, etc. [...] Les accords dits « interlibanais », signés le 22 octobre 1989 à Taëf [...] institutionnalisent et pérennisent les occupations étrangères – l'armée israélienne, tirant argument de la présence de l'armée syrienne pour maintenir sa présence dans le sud du pays, au mépris des résolutions des Nations unies. [...] Les « liens fraternels » mis en place, censés répondre aux « vœux des peuples », prévoient le plus haut degré de coopération et de coordination, instaurant une confédération à vocation intégrative pouvant déboucher sur une union politique. [...] S'agissant de la sécurité, l'engagement de la Syrie à préserver l'unité, l'indépendance et le consensus au Liban lui confère un droit d'intervention permanent.

Amine Gemayel, « La dernière mort du Liban », *Le Monde*, 10 juillet 1991.

1. Le Fatah de Yasser Arafat est la principale composante de l'OLP.
2. Gardiens de la révolution, nom des milices combattantes du régime iranien qui aident le Hezbollah chiite.

POUR COMPRENDRE

1. Étudier les documents

Doc. 1, 2 et 3 À quels États les différentes confessions et partis étrangers sont-ils liés ?
Doc. 1, 3 Quel rôle Israël joue-t-il au Liban ?
Doc. 3, 4 et 5 Quel rôle la Syrie joue-t-elle au Liban ? dans quel objectif ?
Doc. 5 et 6 Quelles sont les conséquences des oppositions entre les différentes factions ?

2. Analyse de deux documents

BAC À l'aide des documents 1 et 4, expliquez pourquoi les accords de Taëf ménagent la Syrie.

3. Aide à la composition

BAC À l'aide de vos connaissances, vous rédigerez un plan détaillé qui réponde au sujet : « Le Liban, un pays soumis aux tensions régionales ».

3. Paix et guerre en Orient depuis 1991

→ *Comment expliquer que le Moyen-Orient soit au cœur des enjeux internationaux depuis 1991 ?*

A. Le cœur du nouvel ordre mondial après la Guerre froide

• **En août 1990, l'invasion du Koweït par l'Irak de Saddam Hussein déclenche l'intervention d'une coalition autorisée par l'ONU.** Conduite par les États-Unis, elle chasse l'armée irakienne du Koweït. Elle fonde un **nouvel ordre mondial** qui repose, selon le président George H. Bush, sur le **multilatéralisme** et le respect du droit international.

• **Les mouvements islamistes contestent la présence occidentale dans les lieux saints, en Arabie Saoudite, et le soutien apporté à Israël.** Ces mouvements se renforcent au Liban avec le **Hezbollah** chiite pro-iranien (doc. 4 p. 263) et à Gaza avec le **Hamas**, proche des Frères musulmans.

• **Le mouvement Al-Qaïda d'Oussama Ben Laden** appelle au **djihad** et lance une campagne d'attentats contre l'Occident, qui culmine le 11 septembre 2001 (p. 182). Si l'intervention en Afghanistan en 2001 se fait avec l'autorisation de l'ONU, l'invasion de l'Irak en 2003 marque le retour à un nouvel **unilatéralisme** des États-Unis, seule puissance qui détient les moyens d'agir dans une région stratégique pour les économies des pays du Nord.

B. Les enjeux stratégiques : pétrole, gaz, eau et nucléaire

• **Disposant de près des deux-tiers des ressources mondiales de pétrole et de gaz,** le golfe arabo-persique est une région stratégique. Dès 1945, les États-Unis se sont posés comme protecteurs de la monarchie saoudienne, premier producteur d'hydrocarbures. En annexant le Koweït en 1990, l'Irak cherchait à contrôler 20 % des réserves mondiales.

• **La question de l'eau est au cœur de conflits.** L'aridité naturelle et une croissance démographique importante jusqu'au début des années 2000 attisent les tensions. Aux dépens de la Syrie et de l'Irak, la Turquie construit des barrages en amont du Tigre et de l'Euphrate. La Cisjordanie et Gaza disposent de nappes phréatiques indispensables à l'économie israélienne (doc. 3).

• **La maîtrise de l'énergie nucléaire est un sujet de tensions.** Israël dispose, sans l'avouer officiellement, de l'arme nucléaire, obtenue avec l'aide française. L'Irak, soupçonné en 2003 d'en disposer, subit l'intervention des États-Unis. Le problème se pose aussi en Iran, accusé depuis 2002 de mettre au point l'arme nucléaire et de menacer la région par sa volonté, permanente depuis 1979 dans le discours, de détruire l'État d'Israël.

C. Régler le conflit israélo-palestinien ?

• **En septembre 1993, Palestiniens et Israéliens signent les accords d'Oslo** (p. 268). La charte de l'OLP est rendue caduque par Yasser Arafat. Une Autorité palestinienne est créée en préalable à la naissance d'un État. L'assassinat par un nationaliste en 1995 du Premier ministre israélien Yitzhak Rabin, signataire des accords, et la faiblesse de l'Autorité palestinienne, paralysent depuis lors le processus de paix.

• **Depuis 2000 et l'éclatement de la seconde intifada** (doc. 4), les implantations de colonies juives dans les territoires palestiniens se développent. En 2006, Israël intervient au Liban pour affaiblir le Hezbollah et en 2009 pour faire cesser les tirs de roquette depuis Gaza. En septembre 2011, la demande de reconnaissance d'un État palestinien à l'ONU se heurte à la protestation d'Israël et des États-Unis qui veulent le respect de la feuille de route conclue en 2003.

• **En 2011, à partir de la Tunisie, l'Afrique du Nord et le Moyen-Orient sont touchés par une vague de révoltes populaires, le « printemps arabe ».** Hosni Moubarak, successeur de Nasser en Égypte, est renversé après 30 ans de règne. Les élections de décembre 2011 sont un triomphe pour les Frères musulmans, seule entité politique de masse. L'ensemble de la région est recomposé.

Citation

« *Le règlement du conflit israélo-palestinien sur la base d'une solution à deux États n'est réalisable que si fin est mise à la violence et au terrorisme.* »

Feuille de route pour la paix, définie en 2003 par le Quartet (États-Unis, Union européenne, Russie, ONU).

Doc. 1 Le pétrole au Moyen-Orient en 2002.

	Réserves prouvées, en millions de barils	Part dans les exportations mondiales, en %
Arabie Saoudite	261 700	16,7
Émirats Arabes Unis	116 000	6,5
Irak	115 000	5,3
Koweït	96 500	3,3
Iran	96 000	6,7
Total Moyen-Orient	685 200	38,5
Total Monde	1 090 300	100

Alain Gresh, Dominique Vidal, *Les 100 clés du Proche-Orient*, Hachette, 2003.

Mots clés

Djihad : Combat que le musulman doit livrer contre lui-même. Par extension, combat que livrent les musulmans pour étendre l'islam.

Multilatéralisme : Attitude politique et militaire d'un groupe d'États puissants qui coopèrent afin de faire respecter le droit international.

Unilatéralisme : Attitude politique et militaire d'un État qui mène sa politique internationale en fonction de ses seuls intérêts et sans concertation avec des alliés ou avec la communauté internationale.

@ http://www.tle.esl.histeleve.magnard.fr
Les Accords d'Oslo et la poignée de mains entre Rabin et Arafat.

Doc. 2

Le dirigeant irakien Saddam Hussein représenté en Saladin.

Saladin a été au XIIᵉ siècle le dirigeant arabe qui a repris Jérusalem aux Croisés chrétiens. Cette image de propagande est diffusée pendant la guerre contre l'Iran (1980-1988) et pendant la guerre du Golfe (1991).

1. Comment Saddam Hussein est-il représenté ? Pourquoi figurer la mosquée Al-Aqsa de Jérusalem ?

2. Cette affiche est-elle favorable au nationalisme arabe ? Pourquoi ?

Doc. 3 Le contrôle de l'eau, un enjeu entre Israël et les territoires palestiniens.

Comment partager une ressource aussi rare entre Israël, créé en 1948, les Palestiniens et les États voisins ? Le partage inégal de l'eau est devenu la règle dans la région. Israël, qui doit faire face à une demande croissante, augmente ses pompages dans le lac de Tibériade[1], intègre 80 % des eaux de Cisjordanie dans son réseau national et surexploite la nappe côtière. Israël occupe 55 % du territoire de la région, mais absorbe 86 % des ressources en eau. Les deux tiers de la consommation d'Israël proviennent de l'extérieur des frontières de 1948. L'agriculture irriguée, essentiellement destinée à l'exportation (agrumes), absorbe, à elle seule, 62 % de l'eau consommée. Les Palestiniens doivent se contenter de la portion congrue. [...] La nappe de Gaza, surexploitée, offre trop souvent une eau impropre à la consommation humaine. La question de l'eau est cruciale pour le futur État. Les Palestiniens réclament 80 % des ressources de la Cisjordanie alors qu'ils n'ont accès qu'à 20 %. Accepter cette revendication priverait Israël de 20 % de ses ressources actuellement disponibles.

Georges Mutin, « De l'eau pour tous ? »,
La Documentation photographique n° 8014, Paris, 2000.

1. Lac situé au nord de l'État d'Israël dont la rive orientale a été annexée en 1967 aux dépens de la Syrie, comme le plateau du Golan, après la guerre des Six Jours.

1. Quel est le degré de dépendance de chacun des États ?

2. Quelle importance le contrôle du Golan revêt-il ?

Doc. 4 Quelle frontière entre Israël et la Cisjordanie ?

Au fond, la colonie israélienne de Pisgat Zeev ; à droite, le camp de réfugiés palestiniens de Shuafat, en février 2010.
Construit par Israël depuis 2002, le mur de séparation est une des réponses aux attentats en Israël depuis le début de la seconde intifada en 2000. Long de près de 730 km, ce mur ne suit pas le tracé de la Ligne verte qui fixe les frontières d'Israël reconnues par l'ONU depuis 1949, mais englobe des colonies juives de Cisjordanie. En 2003, un rapport de l'ONU reconnaît le droit à Israël de se défendre, mais accuse le mur de provoquer une annexion de fait d'une partie de la Cisjordanie.

1. Qui est séparé par le mur ? Pourquoi ?

2. Pourquoi les Palestiniens lui sont-ils hostiles ?

Les territoires palestiniens depuis les accords d'Oslo (1993)

À partir de 1987, les territoires occupés depuis la guerre des Six Jours – Cisjordanie et bande de Gaza – sont le lieu d'un affrontement violent et régulier entre l'armée israélienne, qui protège les colons juifs, et les Palestiniens : la première Intifada fait plus de 1 100 morts. L'Organisation de Libération de la Palestine (OLP) de Yasser Arafat, armée par l'URSS et ses alliés, est concurrencée depuis 1988 par le Hamas, un parti islamiste armé. La reconnaissance d'Israël par l'Égypte et la Jordanie, autant que la fin de la Guerre froide, amènent Israël et les Palestiniens à discuter des modalités d'une paix possible : c'est l'objet de négociations secrètes conclues à Oslo, signées à Washington en septembre 1993.

➜ *Quel est le sort des Palestiniens depuis la reconnaissance mutuelle de 1993 ?*

Dates clés

Une paix armée

1987-1993 Première Intifada.
1988 Charte du Hamas (**BAC p. 279**).
1993 Accords d'Oslo.
1995 Assassinat d'Yitzhak Rabin par un extrémiste juif.
1996 Yasser Arafat élu président de l'Autorité palestinienne.
2000 Début de la deuxième Intifada.
2002 Mur de séparation (**p. 267**)
2006 Après les élections législatives, le Fatah gouverne la Cisjordanie, le Hamas contrôle Gaza.
2009 Barack Obama, au Caire, appelle à la fin de la colonisation juive des territoires occupés et à une solution en deux États.

Doc. 1 Les accords d'Oslo (1993) (p. 245).

Le gouvernement de l'État d'Israël et [...] la « délégation palestinienne », représentant le peuple palestinien, sont convenus qu'il est temps de mettre fin à des décennies d'affrontement et de conflit, de reconnaître leurs droits légitimes et politiques mutuels, et de s'efforcer de vivre dans la coexistence pacifique, la dignité et la sécurité mutuelles, et de parvenir à un règlement de paix juste, durable et global ainsi qu'à une réconciliation historique par le biais du processus politique convenu.

Article 1er : but des négociations.
Les négociations israélo-palestiniennes [...] ont pour but notamment d'établir une autorité palestinienne intérimaire autonome. [...]

Article 3 : élections.
1. Afin que les Palestiniens de Cisjordanie et de la bande de Gaza puissent se gouverner eux-mêmes selon des principes démocratiques, des élections politiques générales, libres et directes seront organisées pour le Conseil [...] tandis que la police palestinienne assurera l'ordre public. [...]

Article 5 : période de transition et négociations sur le statut permanent.
1. La période de transition de cinq ans commencera avec le retrait de la bande de Gaza et de la région de Jéricho. [...]

Article 6 : transfert préparatoire des pouvoirs et responsabilités. [...]
2. Immédiatement après l'entrée en vigueur de la présente Déclaration de principes et le retrait de la bande de Gaza et de la région de Jéricho [...] la compétence sera transférée aux Palestiniens dans les domaines suivants : éducation et culture, santé, protection sociale, impôts directs et tourisme. La partie palestinienne commencera à constituer une force de police palestinienne.

Déclaration de principes sur les arrangements intérimaires d'autonomie, signée à Washington le 13 septembre 1993.

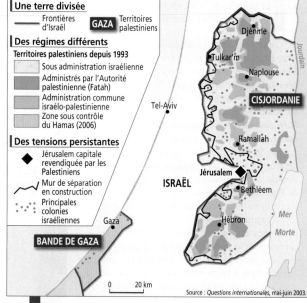

Une terre divisée

Frontières d'Israël	**GAZA** Territoires palestiniens

Des régimes différents
Territoires palestiniens depuis 1993
- Sous administration israélienne
- Administrés par l'Autorité palestinienne (Fatah)
- Administration commune israélo-palestinienne
- Zone sous contrôle du Hamas (2006)

Des tensions persistantes
- ◆ Jérusalem capitale revendiquée par les Palestiniens
- Mur de séparation en construction
- Principales colonies israéliennes

Djénine · Tulkar'm · Naplouse · CISJORDANIE · Tel-Aviv · Ramallah · Jérusalem · ISRAËL · Bethléem · Gaza · Hébron · Mer Morte · Jourdain · BANDE DE GAZA

0 — 20 km

Source : *Questions internationales*, mai-juin 2003.

Doc. 2 Une « peau de léopard ».

Biographie

Yitzhak Rabin (1922-1995)

Le général Rabin participe aux guerres de 1948 et 1967. Député du parti travailliste, il devient Premier ministre (1974-1977), participe à de nombreux gouvernements et soutient la politique répressive vis-à-vis de l'OLP. Premier ministre en 1992, il négocie les accords d'Oslo et accepte en 1993 de reconnaître l'OLP comme représentant de la Palestine. Il signe en 1994 un accord de paix avec la Jordanie, et reçoit le prix Nobel avec Yasser Arafat et Shimon Pérès (ministre israélien des Affaires étrangères lors des accords d'Oslo). Il est assassiné le 4 novembre 1995 par un nationaliste extrémiste israélien.

Yasser Arafat (1929-2004)

Né au Caire, Arafat est proche des thèses du nationalisme arabe de Nasser. En 1969, il prend la tête de l'OLP avec son parti, le Fatah, et combat Israël par le terrorisme. En 1974, l'ONU reconnaît l'OLP comme représentant des Palestiniens. En 1988, contre le Hamas, il reconnaît le droit à l'existence d'Israël. Signataire des accords d'Oslo en 1993, il reçoit avec Rabin le prix Nobel de la paix (1994). Élu en 1996 à la tête de l'Autorité palestinienne, il est confronté à la radicalisation de la population mécontente de sa politique.

Doc. 3 Le Hamas, un parti islamiste (BAC p. 279).

Après le retrait des colons et de l'armée israélienne en 2005, le Hamas gagne les élections législatives palestiniennes dans la bande de Gaza et la dirige de fait depuis 2007. Parti islamiste, proche des Frères musulmans, il utilise le terrorisme comme arme de lutte contre Israël dont il veut la disparition, et ne participe à aucune négociation internationale.

Doc. 5 Le rêve d'un État. Près de Ramallah, une manifestation favorable à la demande d'adhésion d'un État palestinien à l'ONU.

Le 23 septembre 2011, Mahmoud Abbas, président de l'Autorité palestinienne, a remis au secrétaire général de l'ONU Ban Ki Moon, la demande d'adhésion de l'État palestinien à l'ONU, où elle détient un statut d'observateur depuis 1989. Les États-Unis et Israël s'opposent à cette reconnaissance internationale au nom du respect des accords d'Oslo.

Doc. 4 La résolution 1322 de l'ONU face à l'enlisement du processus de paix (2000).

Le 28 septembre 2000, la visite d'Ariel Sharon, Premier ministre israélien, sur l'esplanade des mosquées à Jérusalem, est l'élément déclencheur d'une seconde intifada.

Le Conseil de sécurité,

1. Déplore l'acte de provocation commis le 28 septembre 2000 au Haram al-Charif [*l'esplanade des Mosquées*], à Jérusalem, de même que les violences qui y ont eu lieu par la suite ainsi que dans d'autres lieux saints, et dans d'autres secteurs sur l'ensemble des territoires occupés par Israël depuis 1967, et qui ont causé la mort de plus de 80 Palestiniens et fait de nombreuses autres victimes ;

2. Condamne les actes de violence, particulièrement le recours excessif à la force contre les Palestiniens, qui ont fait des blessés et causé des pertes humaines ;

3. Appelle Israël, la puissance occupante, à respecter scrupuleusement ses obligations et ses responsabilités juridiques en vertu de la Quatrième convention de Genève relative à la protection des personnes civiles en temps de guerre, du 12 août 1949 ;

4. Exige que les violences cessent immédiatement et que toutes les mesures nécessaires soient prises, pour faire en sorte que cessent les violences, que n'ait lieu aucun nouvel acte de provocation, et que s'opère un retour à la normale. [...]

6. Appelle à la reprise immédiate des négociations du processus de paix proche-oriental sur la base agréée afin de parvenir rapidement à un règlement définitif entre les parties israélienne et palestinienne.

Résolution 1322 du Conseil de sécurité des Nations unies,
7 octobre 2000.

POUR COMPRENDRE

1. Étudier les documents

Doc. 1 et 2 Quels sont les objectifs des accords d'Oslo ? Sont-ils réalisés ?

Doc. 2 et 3 Comment la situation des territoires palestiniens se radicalise-t-elle ?

Doc. 4 et 5 Quel rôle Israël joue-t-il dans l'enlisement du processus de paix, selon l'ONU ?

2. Analyse de deux documents

BAC À l'aide des documents 2 et 4, montrez le rôle que joue la poursuite de la colonisation de la Cisjordanie dans l'enlisement du processus de paix.

3. Aide à la composition

BAC À l'aide de vos connaissances, vous rédigerez un plan détaillé qui réponde au sujet : « Les territoires palestiniens, un enjeu régional et mondial depuis 1948 ».

Dirigé depuis 1979 par Saddam Hussein, l'Irak connaît trois guerres jusqu'au renversement de son dirigeant en 2003 : une guerre contre l'Iran (1980-1988), une intervention internationale après l'invasion du Koweït (1991) et une intervention américaine en 2003 quand Saddam Hussein est soupçonné de développer des armes de « destruction massive ». Les enjeux internationaux liés au pétrole et les tensions intercommunautaires fragilisent cet État qui peine à trouver un équilibre politique.

➔ *Quels facteurs de tension font de l'Irak une puissance déstabilisatrice pour le Moyen-Orient depuis 1979 ?*

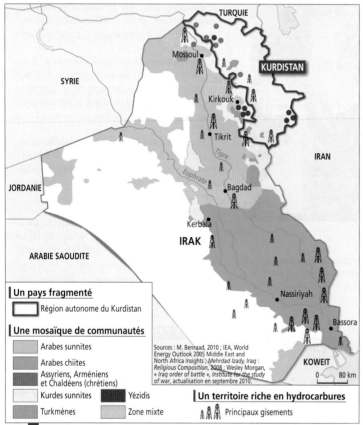

Un pays fragmenté
☐ Région autonome du Kurdistan

Une mosaïque de communautés
◻ Arabes sunnites
◻ Arabes chiites
◻ Assyriens, Arméniens et Chaldéens (chrétiens)
◻ Kurdes sunnites ◼ Yézidis
◻ Turkmènes ◻ Zone mixte

Sources : M. Benraad, 2010 ; IEA, World Energy Outlook 2005 Middle East and North Africa Insights ; *Mehrdad Izady, Iraq : Religious Composition*, 2008 ; Wesley Morgan, « *Iraq order of battle* », *Institute for the study of war*, actualisation en septembre 2010.

0   80 km

Un territoire riche en hydrocarbures
⚒ Principaux gisements

Doc. **1** **Un État riche, peuplé et divisé.**

Biographie

Saddam Hussein (1937-2006)
Sunnite, membre du parti Baas, de tendance laïque et socialiste, il vit en exil de 1959 à 1963 après l'échec d'un complot politique. Il revient après la révolution et gravit les marches du pouvoir avant de devenir président en 1979. Il mène une politique nationaliste et expansionniste - guerre contre l'Iran, 1980-1988, invasion du Koweït, août 1990 - qui lui vaut une condamnation internationale. Il est renversé en 2003, capturé par les troupes américaines avant d'être jugé par un tribunal irakien à partir de 2005. Il est pendu le 30 décembre 2006.

Dates clés

Un pays en guerre
1980-1988 Guerre Iran-Irak, un million de morts dans chaque camp.
1988 Gazages de masse des Kurdes d'Irak.
1990-1991 Invasion du Koweït et retrait après l'intervention d'une coalition internationale.
2003 Intervention militaire américano-britannique, renversement du régime de Saddam Hussein.
2005-2006 Procès et exécution de Saddam Hussein.
2011 Retrait des troupes américaines.

Doc. **2** **Le massacre des Kurdes d'Irak (1988).**

En 1988, Saddam Hussein ordonne l'élimination des Kurdes d'Irak, et organise le massacre de plusieurs dizaines de milliers de civils, comme les 5 000 habitants d'Halajba (Kurdistan) bombardés au gaz. Il est inculpé en 2005 pour « crime contre l'humanité et génocide », et exécuté.

Doc. 3 La guerre Iran-Irak (1980-1988).

De septembre 1980 à août 1988, l'Irak est en guerre contre l'Iran de Khomeiny. Elle fait un million de morts.

Doc. 5 Un attentat contre une église de Bagdad (2004).

En août 2004, une série d'attentats vise les églises en Irak. Les tensions inter-communautaires, entretenues par le régime de Saddam Hussein, s'exposent au grand jour. Les 600 000 chrétiens d'Irak vivent sous la menace d'attentats isla-mistes qui ont fait plusieurs centaines de morts depuis 2004.

Doc. 4 Un ancien président américain justifie l'intervention internationale contre l'Irak (1991).

Le 17 janvier 1991, les forces de l'ONU interviennent, sous la direction des États-Unis, pour libérer le Koweït envahi en août 1990 par l'armée irakienne.

En réalité, nous nous trouvons dans le golfe persi-que pour deux raisons principales et deux seules. Tout d'abord les ambitions illimitées de Saddam Hussein pour dominer l'une des régions stratégiques les plus importantes du monde. [...] Sans notre intervention, un hors-la-loi international contrôlerait désormais plus de 40 % des ressources pétrolières mondiales. [...]

Mais il y a une autre raison, infiniment plus impor-tante, à long terme, qui nous pousse à contrer l'invasion de l'Irak : nous ne pouvons être sûrs, comme beaucoup le croient, que nous entrons dans une ère nouvelle d'après-Guerre froide où l'agression militaire n'aura plus cours en tant qu'instrument de politique nationale. Nous sommes assurés, en revanche, que si Hussein tire le moindre profit de son action au Koweït, d'autres envahisseurs potentiels dans le monde seront tentés, comme lui, d'engager des guerres contre leurs voisins.

Richard Nixon, article du *New York Times*, repris dans *Libération*, le 14 janvier 1991.

Doc. 6 Le procès de Saddam Hussein (2006).

Capturé en décembre 2003, Saddam Hussein est jugé à par-tir d'octobre 2005 pour génocide, crimes de guerre et crimes contre l'humanité. Trois de ses avocats sont assassinés. L'exé-cution de la sentence de condamnation à mort, le 30 décembre 2006, à la fin de ce premier procès, empêche qu'il soit jugé pour les trois autres procès prévus.

POUR COMPRENDRE

1. Étudier les documents

Doc. 1 et 5 Quelles sont les confessions présentes en Irak ? Avec quelles difficultés pour les chrétiens ?

Doc. 2 et 3 Quels ennemis Saddam Hussein combat-il ? Jusqu'où va ce combat ?

Doc. 4 et 6 Comment l'intervention internationale en 1991 est-elle justifiée ? avec quels effets en 2003 ?

2. Analyse de deux documents

BAC À l'aide des documents 3 et 4, montrez le rôle déstabili-sant de l'Irak sous Saddam Hussein pour la région.

3. Aide à la composition

BAC À l'aide de vos connaissances, vous rédigerez un para-graphe qui réponde au sujet : « L'Irak dans les relations inter-nationales depuis 1979 ».

Le Moyen-Orient est depuis les années 1960 la plus importante zone mondiale de production d'hydrocarbures (carte p. 247). Après 1918, l'essor industriel occidental pousse en particulier le Royaume-Uni et les États-Unis à s'assurer le contrôle des lieux de production et des routes d'acheminement. Après 1945, l'essor des nationalismes arabe et iranien remet en cause la mainmise occidentale sur ce marché. Guerres et révolutions déstabilisent les circuits du pétrole et poussent les pays occidentaux à s'engager, parfois militairement, pour préserver la régularité des approvisionnements nécessaires à leurs économies.

➜ *Quel rôle le contrôle des hydrocarbures joue-t-il dans les relations entre les États au Moyen-Orient ?*

Doc. 1 Les Sept Sœurs, un cartel du pétrole.

De 1928 à 1971, ce cartel de compagnies privées contrôle jusqu'à 90 % du pétrole mondial. Les gouvernements des États d'origine de ces compagnies facilitent leurs relations avec les États pétroliers.

Cinq compagnies américaines
– Standard Oil of New Jersey (devenue Exxon, puis Exxon Mobil)
– Standard Oil of California (devenue Chevron)
– Texaco (absorbée par Chevron)
– Standard Oil of New York (devenue Mobil, puis Exxon Mobil)
– Gulf Oil Corporation (absorbée par Chevron)

Deux compagnies européennes
– Anglo-Persian Oil Company (britannique, devenue British Petroleum)
– Royal Dutch Shell (anglo-néerlandaise)

Biographie

Calouste Gulbenkian (1869-1965)
Diplomate et financier d'origine arménienne, il sert d'intermédiaire à l'Empire ottoman lors de la constitution de la Turkish Petroleum Company (TPC) en 1912. Il en achète 5 % des parts et touche 5 % des bénéfices. En 1927, « Monsieur 5 % » est le partenaire du Royaume-Uni dans la création de l'Irak Petroleum Company. Il devient l'un des hommes les plus riches du monde. En négociant avec le gouvernement soviétique, à court d'argent, l'achat d'un grand nombre d'œuvres d'art, il devient un des plus grands collectionneurs d'art du monde.

Mots clés

Cartel : Entente des principales entreprises d'un secteur économique pour gérer la production et s'assurer la constance des prix.

OPEP : Organisation des pays exportateurs de pétrole, créée en 1960 pour affaiblir l'influence des compagnies pétrolières occidentales et fixer les quotas de production – donc les prix – du pétrole et du gaz.

Doc. 2 Qui possède et exploite le pétrole ?

L'emprise des compagnies privées
1909 Fondation de l'Anglo-Persian Oil Company (APOC) pour exploiter le pétrole iranien.
1927 Fondation de l'Irak Petroleum Company (IPC) par l'APOC, la Shell, la Standard Oil, la Compagnie française des pétroles, et l'entrepreneur arménien Calouste Gulbenkian. Elle reçoit les concessions perdues par l'Allemagne en Irak en 1918.
1928 Constitution d'un cartel de compagnies pétrolières au Moyen-Orient, qui décident ensemble de la production, des prix du pétrole, et des redevances à payer aux États.
1944 Fondation de l'Arabian American Oil Company (Aramco).
1946 Fondation de la Kuwait Oil Company (KOC).

L'intervention des États
1953 Échec de la nationalisation de l'APOC par l'État iranien.
1960 Création de l'**OPEP** par l'Iran, l'Irak, l'Arabie Saoudite, le Koweït et le Venezuela.
1971 Nationalisation de l'IPC par l'État irakien, fin du cartel des Sept Sœurs.
1973 Guerre de Kippour, premier choc pétrolier.
1975 Nationalisation de la KOC par l'État koweïtien.
1976 Nationalisation de l'Aramco par l'Arabie Saoudite.
1979 Révolution islamiste, nationalisation des compagnies pétrolières en Iran. Deuxième choc pétrolier.
1991 Intervention occidentale au Koweït.
2003 Intervention américaine en Irak, troisième choc pétrolier.

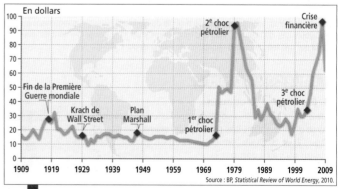

Doc. 3 L'évolution du prix du baril de pétrole depuis 1909 (en dollars).

Doc. **4** **L'influence croissante des États-Unis (1945).**

Le 14 février 1945 au Caire, le président américain F. D. Roosevelt rencontre Abdelaziz Ibn Saoud, le roi d'un pays fondé en 1932, l'Arabie Saoudite. D'immenses gisements d'hydrocarbures viennent d'y être découverts. Les États-Unis sont producteurs de pétrole depuis 1861, mais la fin de la guerre et l'industrialisation de l'économie les obligent à diversifier leur approvisionnement. En échange d'une protection militaire sur le sol saoudien, les États-Unis obtiennent la garantie d'une livraison permanente en pétrole et en gaz.

Doc. **5** **Mossadegh nationalise le pétrole iranien (1951).**

En octobre 1951, à Téhéran, le Premier ministre du shah d'Iran, le nationaliste Mohammad Mossadegh, s'adresse à la foule. Depuis les années 1930 les nationalistes, en Iran et dans les pays arabes, contestent l'emprise des compagnies pétrolières occidentales. La nationalisation de l'Anglo-Iranian Oil Company, nouveau nom de l'Anglo-Persian Oil Company, une compagnie privée fondée en 1909, devait permettre au pays de récupérer les bénéfices du pétrole. Il est renversé en août 1953 par le shah, aidé par la CIA.

Doc. **6** **Après la guerre du Kippour (1973), un conseiller de l'OPEP défend l'arme pétrolière.**

En 1973, plus de 40 % du pétrole mondial est extrait au Moyen-Orient. Le prix du baril passe de 3 à 12 dollars.

Le 16 octobre 1973, les ministres du Pétrole des six pays du Golfe membres de l'OPEP, réunis au Koweït, décidaient, pour la première fois dans l'histoire de leurs pays, que les prix du pétrole seraient désormais fixés unilatéralement par les pays exportateurs, et non plus par les compagnies concessionnaires [...]. Le lendemain 17 octobre, les ministres arabes du Pétrole décidaient pour la première fois également, à l'issue d'une réunion tenue à Koweït, l'utilisation du pétrole comme une arme politique dans le conflit israélo-palestinien. [...] Les mesures d'embargo et de réduction de la production, prises après la guerre d'octobre [Kippour] en ont ajouté un autre non moins important. Il s'agit de l'aggravation du problème de la sécurité des ravitaillements avec pour conséquence la volonté de plus en plus manifestée par le Japon et les pays d'Europe occidentale de se rapprocher des pays fournisseurs. [...] En fait, le mot « arme » pétrolière prête à confusion dans la mesure où il est conçu exclusivement en termes d'embargo ou de réduction des importations. [Le pétrole est] pour eux une monnaie d'échange qu'ils peuvent utiliser dans leurs rapports avec les autres nations pour acheter des biens de consommation, pour s'industrialiser, pour se faire des amis et pour améliorer le niveau de vie des peuples de la région.

Nicolas Sarkis, *Le Pétrole à l'heure arabe*, présentation par Éric Laurent, Paris, Stock, 1975.

Doc. **7** **Les puits de pétrole en feu pendant la guerre du Golfe (1991).**

En envahissant le Koweït en août 1990, le président irakien Saddam Hussein veut contrôler les ressources du Koweït et élargir son accès à la mer. Une coalition internationale, menée par les États-Unis avec l'autorisation de l'ONU, rejette les troupes irakiennes du Koweït.

POUR COMPRENDRE

1. Étudier les documents

Doc. 1, 2 et 4 Pourquoi avoir constitué un cartel ? Par qui le pétrole irakien, iranien et d'Arabie Saoudite sont-ils exploités ? Quelle influence les gouvernements britannique et américain y jouent-ils ?

Doc. 2, 5 et 6 Quelles étapes ont permis aux États producteurs de reprendre le contrôle de leurs ressources en hydrocarbures ?

Doc. 3, 6 et 7 Quand le prix du pétrole augmente-t-il fortement ? Pourquoi ? Comment les États réagissent-ils ?

2. Analyse de deux documents

BAC À l'aide de la chronologie (doc. 2) et du document 4, montrez le rôle que jouent les États-Unis dans le contrôle des ressources pétrolières et gazières au Moyen-Orient.

3. Aide à la composition

BAC À l'aide de vos connaissances, vous rédigerez un plan détaillé qui réponde au sujet : « Le contrôle du pétrole et du gaz, un enjeu majeur pour les États du Moyen-Orient au XXᵉ siècle ».

Comment écrire l'histoire du Proche-Orient ?

>>> Les méthodes de travail de deux historiens

Le 13 novembre 1974, Yasser Arafat s'adresse à l'Assemblée générale de l'ONU, réunie à Genève, au nom du peuple palestinien. Par sa vie en partie clandestine, Yasser Arafat n'a laissé que peu d'archives. Les discours et les traités officiels sont une des rares sources de l'historien.

Le problème des sources.

Tout étudiant travaillant sur le conflit israélo-arabe est confronté à ce problème de la grande dissymétrie des sources disponibles. Dans le monde arabe, il n'y a pas d'archives nationales comparables à celles que l'on trouve en Occident, où les documents sont systématiquement préservés et accessibles selon les règles d'accès établies. Israël, de son côté, a adopté le modèle britannique, qui rend les documents officiels accessibles au bout de trente ans. Ce modèle, appliqué très libéralement, doit être mis au crédit d'Israël, car il permet d'écrire une histoire critique. [...]

De fait, on m'a fait le reproche en Israël de m'être beaucoup appuyé sur les documents israéliens alors que je n'avais pas accès aux documents arabes. Si j'avais eu connaissance des sources arabes, sans doute aurais-je dessiné une image bien plus sombre des politiques arabes. Ma réponse a été de dire qu'un historien ne peut écrire que sur la base des documents ou des sources qui sont ouvertes à lui, pas sur des sources qui lui sont cachées ou inaccessibles. [...] Il faut faire de son mieux avec ce qu'on peut consulter. Mieux vaut allumer une bougie que maudire l'obscurité. Mais bien que les Arabes n'aient pas d'archives ouvertes, ou qu'ils ne les ouvrent que de manière privilégiée à des suppôts du régime, nous avons une vaste gamme de sources de première main comme les autobiographies de responsables politiques et militaires qui, au total, forme une somme assez substantielle d'informations que les historiens peuvent utiliser.

Avi Shlaim, *Le Conflit et l'historien*, entretien avec Henry Laurens, *Esprit*, novembre 2010.

Avi Shlaim (né en 1945) est historien à Oxford et auteur de nombreux ouvrages sur l'histoire de l'État d'Israël dont *Le Mur de fer. Israël et le monde arabe* (2008). Il est l'un des représentants de « la nouvelle histoire » israélienne qui a remis en cause la vision héroïque de l'histoire d'Israël jusque-là admise.

Contexte

Écrire l'histoire du Moyen-Orient reste problématique. Le sujet est sensible et le souci scientifique se heurte souvent à l'engagement politique.

L'historiographie est actuellement renouvelée en Israël mais l'absence de véritables sources arabes pose problème. La difficulté est celle de toute histoire immédiate, les tensions demeurent et l'histoire peut être instrumentalisée.

Le problème des sources.

1. Quel problème les sources posent-elles sur le conflit israélo-arabe ?

2. En quoi cela influe-t-il sur l'écriture de l'histoire du Moyen-Orient ?

3. Comment l'historien peut-il contourner ce problème ?

Une histoire passionnelle.

En ce qui concerne la méthode, je m'emploie constamment à élargir le sujet pour être moins soumis aux pressions internes, aux souffrances et aux passions que recèle ce conflit. C'est dans cette logique que j'ai choisi de parler de « la Question de la Palestine », plutôt que de l'histoire de la Palestine ou de l'histoire du conflit israélo-arabe. Cet élargissement me permet de bien intégrer à la fois la multiplicité des acteurs – locaux, régionaux, internationaux... –, mais aussi les enjeux territoriaux, qui constituent l'un des aspects majeurs de cette question. En effet, ces enjeux, qui, de prime abord, pourraient paraître négligeables – après tout, la Palestine et Israël représentent en superficie l'équivalent de deux départements français –, sont en réalité centraux sur le plan international, à tel point qu'il faut se rendre sur la pelouse de la Maison Blanche pour envisager les perspectives d'accord.

On ne peut négliger bien sûr, les victimes et les souffrances liées à ce conflit. Mais on peut penser que ce qui se passe ailleurs en Afrique, au Kivu et au Darfour, n'est pas moins grave. Ces conflits ne font pourtant pas naître, d'un point de vue géopolitique, des interactions aussi fortes que la question de la Palestine. Choisir l'expression la plus englobante me permet à la fois d'atténuer les dimensions passionnelles, en mettant en lumière la multiplicité des acteurs, et de montrer comment l'objet interagit à un niveau international, ce qui n'est pas le cas dans d'autres drames contemporains où le nombre de victimes est bien plus élevé.

Henry Laurens, *Le Conflit et l'historien,* entretien avec Avi Shlaim, *Esprit*, novembre 2010.

Militants islamistes brûlant le drapeau d'Israël à Gaza en décembre 1993. La force du ressentiment rend difficile une lecture objective des faits.

Henry Laurens (né en 1954) est professeur au Collège de France et a publié de nombreux ouvrages sur le Proche-Orient notamment une histoire de la Palestine sur deux siècles intitulée *La Question de Palestine* (Fayard, 2002 et 2007).

Une histoire passionnelle.

1. Quelle est l'originalité du conflit israélo-arabe par rapport aux autres conflits contemporains ?

2. À quelle difficulté principale les historiens font-ils face ?

3. Comment Henry Laurens procède-t-il ?

Bilan

À quels problèmes est confronté l'historien dans son travail sur le conflit israélo-arabe ? Comment parvient-il à les résoudre ?

Proche et Moyen-Orient, un foyer de conflits depuis la Première Guerre mondiale

L'essentiel

→ *Pourquoi le Moyen-Orient est-il un des principaux foyers de conflits dans le monde depuis 1918 ?*

1. Les conséquences de la Première Guerre mondiale (1918-1948).
- La fin de l'Empire ottoman redessine les frontières et crée le nationalisme arabe.
- L'influence occidentale, par les mandats ou le pétrole, développe l'islamisme.
- Le sionisme développe en Palestine une immigration juive.

2. Un espace majeur de conflits pendant la Guerre froide (1948-1991).
- Le Moyen-Orient est au cœur de la Guerre froide. Le panarabisme s'affirme avec Nasser pour refuser la logique des blocs.
- Après la proclamation d'Israël, les guerres israélo-arabes se multiplient. D'autres conflits traversent le Moyen-Orient (Irak, Iran, Liban).
- La question palestinienne devient un des enjeux majeurs du Moyen-Orient

3. Depuis 1991, maintien de l'instabilité régionale.
- La fin de la Guerre froide laisse espérer un « nouvel ordre mondial » qui doit passer par la paix au Moyen-Orient.
- Les enjeux énergétiques liés au pétrole, à l'eau et au nucléaire font de la région une zone stratégique à l'équilibre fragile.
- Les accords de paix entre les différents acteurs des conflits ne sont pas respectés.

Mots clés

- Cartel • Djihad • *Eretz Israël* • Kémalisme • Kibboutz • Intifada • Islamisme
- Multilatéralisme • *Naqba* • OLP • OPEP • Panarabisme • Sionisme

Personnages

Y. Arafat
(1929-2004)
》 Bio p. 269

D. Ben Gourion
(1886-1973)
》 Bio p. 255

S. Hussein
(1937-2006)
》 Bio p. 270

M. Kemal
(1881-1938)
》 Bio p. 252

R. Khomeiny
(1900-1989)
》 Bio p. 262

G. A. Nasser
(1918-1970)
》 Bio p. 260

Y. Rabin
(1922-1995)
》 Bio p. 268

A. el-Sadate
(1918-1981)
》 Bio p. 256

Synthèse

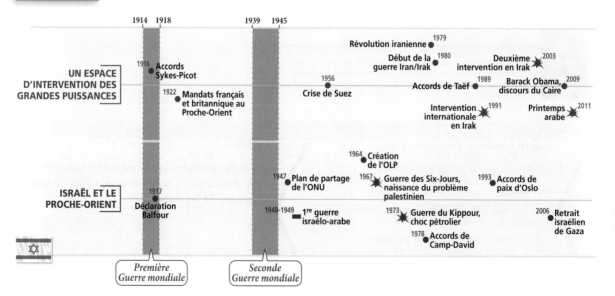

UN ESPACE D'INTERVENTION DES GRANDES PUISSANCES
- 1916 Accords Sykes-Picot
- 1922 Mandats français et britannique au Proche-Orient
- 1956 Crise de Suez
- 1979 Révolution iranienne
- 1980 Début de la guerre Iran/Irak
- 1989 Accords de Taëf
- 1991 Intervention internationale en Irak
- 2003 Deuxième intervention en Irak
- 2009 Barack Obama, discours du Caire
- 2011 Printemps arabe

ISRAËL ET LE PROCHE-ORIENT
- 1917 Déclaration Balfour
- 1947 Plan de partage de l'ONU
- 1948-1949 1re guerre israélo-arabe
- 1964 Création de l'OLP
- 1967 Guerre des Six-Jours, naissance du problème palestinien
- 1973 Guerre du Kippour, choc pétrolier
- 1978 Accords de Camp-David
- 1993 Accords de paix d'Oslo
- 2006 Retrait israélien de Gaza

1914 1918 — Première Guerre mondiale
1939 1945 — Seconde Guerre mondiale

BAC Composition

Introduction	Explication des termes du sujet et du contexte, annonce de la problématique et du plan.
Développement	Argumentation organisée en paragraphes (un paragraphe = une idée + un exemple développé).
Conclusion	Réponse à la problématique et ouverture (une ou deux idées qui montrent l'intérêt du sujet traité).

Méthode ⟩ p. 10

Sujet 1

Conseils

Introduction : expliquez précisément les termes du sujet.
Développement : choisissez bien les césures en cas de plan chronologique.
Conclusion : insistez sur la dimension mondiale du conflit.

Lecture du sujet

Un conflit n'est pas qu'un affrontement, mais aussi des tensions (avant et après le conflit) et des tentatives de paix.

Le problème palestinien est au cœur des conflits depuis cette date.

Le conflit israélo-arabe depuis 1948.

Attention aux deux volets des conflits : le conflit entre Israël et les pays arabes voisins, et entre Israël et les Palestiniens.

Mots clés
- *Eretz Israël*
- *Intifada*
- *Islamisme*
- *Naqba*
- OLP
- OPEP
- Panarabisme
- Sionisme

Personnages attendus
- Y. Arafat
- D. Ben Gourion
- G. A. Nasser
- Y. Rabin
- A. el-Sadate

Chronologie

1948	Proclamation de l'État d'Israël, première guerre israélo-arabe	**1973**	Guerre du Kippour
		1978	Accords de Camp-David
1956	Crise de Suez	**1982**	Intervention militaire au Liban
1967	Guerre des Six Jours	**1987**	Première Intifada
		2000	Deuxième Intifada

Sujet 2

Conseils

Introduction : définissez précisément les enjeux dont il est question.
Développement : organisez vos sous-parties par enjeux, et vos parties chronologiquement.
Conclusion : insistez sur les enjeux les plus importants à la fin de la période.

Lecture du sujet

Délimitez spatialement la région (Méditerranée, Turquie, Iran, péninsule arabique).

Le Moyen-Orient, une région au cœur d'enjeux stratégiques depuis 1918

Distinguer les enjeux proprement régionaux comme l'eau ou les frontières, et d'autres plus internationaux comme le pétrole et le nucléaire.

Mots clés
- Califat
- Cartel
- Djihad
- Islamisme
- Multilatéralisme
- *Naqba*
- OLP
- OPEP
- Panarabisme
- Sionisme

Personnages attendus
- Y. Arafat
- D. Ben Gourion
- S. Hussein
- T. E. Lawrence
- G. Abdel Nasser

Chronologie

1916	Accords Sykes-Picot	**1979**	Révolution iranienne et deuxième choc pétrolier
1945	Rencontre entre Ibn Saoud et Roosevelt	**1980-1988**	Guerre Iran-Irak
1956	Crise de Suez	**1991**	Intervention internationale au Koweït
1960	Fondation de l'OPEP	**2003**	Intervention des États-Unis et leurs alliés en Irak
1973	Guerre du Kippour et premier choc pétrolier		

BAC Étude critique d'un document

Introduction	Explication du sujet et du contexte, annonce de la problématique.
Développement	Argumentation organisée en paragraphes qui structurent la réponse à la consigne.
Conclusion	Réponse à la problématique et ouverture (une ou deux idées qui montrent l'intérêt du sujet traité).

Méthode
〉 p. 11

Sujet Le président G. W. Bush juge les conséquences de l'intervention américaine en Irak (2003).

Consigne : Présentez le document et son auteur. Soulignez les motivations américaines et les répercussions attendues de l'établissement de la démocratie en Irak.
Expliquez les conséquences que le président G. W. Bush attend pour le monde arabe et Israël.
Montrez les limites de cette vision du Moyen-Orient.

Le régime de Saddam Hussein cultivait des relations avec le terrorisme, alors qu'il se dotait d'armes de destruction massive. Il s'est servi de ses armes pour commettre des tueries et a refusé d'en rendre compte lorsque le monde l'a exigé. [...] Notre coalition internationale en Irak assume ses responsabilités. Nous sommes en train d'effectuer des descentes ciblées contre des terroristes et des partisans de l'ancien régime. [...]
Le succès de l'Irak libre sera observé et pris en compte dans toute la région. Des millions de gens constateront que la liberté, l'égalité et le progrès matériel sont possibles au cœur du Moyen-Orient. Les dirigeants de la région auront la preuve flagrante que des institutions libres et des sociétés ouvertes constituent la seule voie à long terme vers le succès national et la dignité. En outre, un Moyen-Orient transformé profiterait au monde entier en sapant les idéologies qui exportent la violence vers d'autres pays.

En tant que dictature, l'Irak était à même de déstabiliser le Proche-Orient. [...] En tant que démocratie, l'Irak sera à même de servir d'inspiration au Proche-Orient. La multiplication des institutions libres en Irak constitue un exemple que d'autres, y compris le peuple palestinien, seraient bien avisés de suivre. La cause palestinienne est trahie par des dirigeants qui se raccrochent au pouvoir en alimentant de vieilles haines et en détruisant le beau travail accompli par d'autres. Le peuple palestinien mérite d'avoir son propre État [...]. Israël doit faire en sorte que les conditions qui permettent la création d'un État palestinien pacifique soient mises en place. Les pays arabes doivent couper les fonds et tout autre appui aux organisations terroristes. L'Amérique travaillera avec tous les pays de la région qui prennent des mesures audacieuses pour le bien de la paix.

George W. Bush, discours devant l'Assemblée générale de l'ONU, le 23 septembre 2003.

Répondre à la consigne

Conseil

Prêtez attention au contexte : un document est aussi important pour ce qu'il ne dit pas.

En introduction, vous devez notamment...

• Présenter le contexte et l'auteur. N'oubliez pas de dire quelques mots des origines de l'intervention occidentale en Irak et de la doctrine Bush.
• Préciser le destinataire du texte : qu'est-ce que l'Assemblée générale des Nations unies ? Qu'y fait le président Bush ? Quelle place les États-Unis ont-ils dans cette instance ?
• Énoncer une problématique.

Développement : une explication structurée en paragraphes

• Analyser le sujet et répondre dans l'ordre des consignes en construisant de petits paragraphes.
• Expliquer les allusions de l'auteur : que sont les « armes de destruction massive » et « les idéologies qui exportent la violence vers d'autres pays » ?
• Utiliser vos connaissances de cours et des exemples précis, notamment pour le traitement de la dernière partie du sujet.

En conclusion, il faut par exemple...

• Répondre à la problématique.
• Montrer l'intérêt du document en portant un regard historique :
dans quelle mesure la politique américaine au Proche-Orient s'inspire-t-elle de la lutte menée par les États-Unis contre le communisme pendant la Guerre froide ?

BAC — Étude critique d'un document

Introduction	Explication du sujet et du contexte, annonce de la problématique.
Développement	Argumentation organisée en paragraphes qui structurent la réponse à la consigne.
Conclusion	Réponse à la problématique et ouverture (une ou deux idées qui montrent l'intérêt du sujet traité).

Méthode › p. 11

Sujet — La Charte du mouvement islamiste Hamas (août 1988).

Consigne : Présentez le document dans le contexte du Proche-Orient des années 1980. Expliquez en quoi ce texte est islamiste. Montrez comment ce texte considère la Palestine, juge la légitimité de l'État d'Israël, et les solutions de paix proposées depuis les années 1970. Soulignez la portée des idées de ce document, et l'évolution de la place du Hamas dans les territoires palestiniens depuis 1988.

Voici le pacte du Mouvement de la résistance islamique. [...] Notre combat avec les Juifs est une entreprise grande et dangereuse qui requiert tous les efforts sincères et constitue une étape [...] jusqu'à l'écrasement des ennemis et la victoire de Dieu. [...]

Article 7 Le Mouvement de la résistance islamique est l'un des épisodes du djihad mené contre l'invasion sioniste. [...]

Art. 11 Le Mouvement de la résistance islamique considère que la terre de Palestine est une terre islamique waqf[1] pour toutes les générations de musulmans jusqu'au jour de la résurrection. Il est illicite d'y renoncer en tout ou en partie, de s'en séparer en tout ou en partie : aucun État arabe n'en a le droit, [...] aucune organisation n'en a le droit [...].

Art. 12 Le patriotisme, du point de vue du Mouvement de la résistance islamique, est un article de la profession de foi religieuse. Il n'y a rien de plus fort et de plus profond dans le patriotisme que le djihad qui, lorsque l'ennemi foule du pied la terre des musulmans, incombe à tout musulman et musulmane en tant qu'obli-

gation religieuse individuelle ; la femme n'a pas besoin de la permission de son mari pour aller combattre, ni l'esclave celle de son maître. [...]

Art. 13 Les initiatives, les prétendues solutions de paix et les conférences internationales préconisées pour régler la question palestinienne vont à l'encontre de la profession de foi du Mouvement de la résistance islamique. Renoncer à quelque partie de la Palestine que ce soit, c'est renoncer à une partie de la religion. [...] Il n'y aura de solution à la cause palestinienne que par le djihad. Quant aux initiatives, propositions et autres conférences internationales, ce ne sont que perte de temps et activités futiles.

Art. 14 La Palestine est une terre islamique [...] et c'est le troisième Lieu Saint.

Traduit et cité par J.-F. Legrain,
Les Voix du soulèvement palestinien 1987-1988,
Le Caire, CEDEJ, Égypte/Soudan, 1991.

1. Qui ne peut être retiré, inaliénable.

Répondre à la consigne

Conseil

Prêtez attention aux termes utilisés qui peuvent avoir un sens différent selon l'origine du document.

En introduction, vous devez notamment...

- Préciser la nature exacte du document et l'organisation qui en est l'auteur.
- Expliquer le contexte : quel mouvement a commencé en 1987 dans les territoires palestiniens ? quelle position l'OLP prend-elle vis-à-vis de l'État d'Israël depuis quelques années ?
- Rappeler l'échec de la lutte panarabe et les conditions de l'essor de l'islamisme.
- Énoncer une problématique.

Développement : une explication structurée en paragraphes

- Analyser le sujet et répondre dans l'ordre des consignes en construisant de petits paragraphes.
- Énoncer les principes et moyens de l'islamisme politique.
- Expliquer la place de Jérusalem dans ce document et dans la réalité politique.
- Mettre en valeur le caractère international de l'appel à la lutte.
- Faire ressortir les impasses d'une solution pacifique dans ce contexte.

En conclusion, il faut par exemple...

- Répondre à la problématique.
- Insister sur le poids du Hamas dans les territoires palestiniens aujourd'hui, notamment à Gaza.

BAC Étude critique de deux documents

Introduction	Explication du sujet et du contexte, annonce de la problématique.
Développement	Argumentation organisée en paragraphes qui structurent la réponse à la consigne.
Conclusion	Réponse à la problématique et ouverture (une ou deux idées qui montrent l'intérêt du sujet traité).

Méthode
› p. 11

Sujet Un chef d'État arabe tend la main vers Israël, Anouar el-Sadate.

Consigne : Présentez les documents dans leur contexte. Exposez les propositions du président Sadate.
Soulignez les conditions qu'il avance pour les réaliser. Montrez les obstacles rencontrés par Sadate,
et expliquez la portée de ses propositions entre 1977 et 1981 puis après 1981.

Doc. 1 Le président égyptien Anouar el-Sadate devant le Parlement d'Israël, la Knesset (1977).

Qu'est-ce que la paix pour Israël ? Vivre dans la région avec ses voisins arabes en sûreté et en sécurité. À cela, je dis oui. Vivre à l'intérieur de ses frontières, à l'abri de toute agression. À cela, je dis oui. Obtenir toutes sortes de garanties qui sauvegarderaient ces deux points. À cette demande, je dis oui.

Il y a de la terre arabe qu'Israël a occupée et qu'il continue à occuper par la force des armes. Nous insistons sur un retrait complet de ce territoire arabe, y compris Jérusalem arabe, Jérusalem où je suis venu comme dans une cité de paix, la cité qui a été et qui sera toujours l'incarnation vivante de la coexistence entre les fidèles des trois religions. [...] Jérusalem doit être une ville libre, ouverte à tous les fidèles. Plus important que cela, la ville ne doit pas être coupée de ceux qui s'y sont rendus pendant des siècles. [...] Le retrait total de la terre occupée après 1967 est élémentaire, non négociable. [...] En toute honnêteté, je vous dis que la paix ne peut être obtenue sans les Palestiniens. Ce serait une grossière erreur, dont les conséquences seraient imprévisibles, que de détourner nos yeux du problème ou de le laisser de côté. [...]

Imaginez avec moi un accord de paix conclu à Genève que nous annoncerions dans la joie à un monde affamé de paix. Un tel accord serait fondé sur les points suivants. Premièrement, la fin de l'occupation par Israël des terres arabes saisies en 1967. Deuxièmement la réalisation des droits fondamentaux du peuple palestinien et de son droit à l'autodétermination, y compris le droit à l'établissement de son propre État. Troisièmement, le droit pour tous les pays de la région de vivre en paix à l'intérieur de frontières sûres et garanties du fait de mesures concertées sauvegardant les frontières internationales, en plus d'autres garanties internationales appropriées. Quatrièmement, tous les pays de la région s'engagent à aménager les relations entre eux, en accord avec les objectifs et les principes de la Charte des Nations unies, particulièrement en ce qui concerne le non-recours à la force et le règlement de leurs conflits par des moyens pacifiques.

Anouar el-Sadate, discours prononcé à la Knesset,
le 20 novembre 1977.

Doc. 2
Anouar el-Sadate tombe sous les coups des islamistes.

Le 6 octobre 1981, au Caire, Sadate préside la parade anniversaire de la guerre du Kippour et de ce que les pays arabes appellent la « victoire d'octobre », c'est-à-dire le sentiment de victoire arabe lors des premiers jours, quand Israël était désorganisé un jour de fête religieuse. Un commando du Djihad islamique – un groupe armé proche des Frères musulmans – mitraille la tribune présidentielle et assassine le président égyptien.

1. Lire le sujet et mobiliser ses connaissances

Conseil

*Raisonnez aussi
à l'échelle mondiale :
un homme ou
un événement ne sont
jamais isolés.*

Qui s'exprime et où ?

• **Doc. 1** : à l'aide de votre cours, retrouvez qui est Sadate, à qui il a succédé en 1970 et l'idéologie du régime qu'il préside. Repérez ce qu'est la Knesset et où elle siège ; quelle est la caractéristique politique d'Israël par rapport à ses voisins arabes à l'époque ?
• **Doc. 2** : quand et pourquoi Sadate a-t-il été assassiné ?

Quel est le contexte au Proche-Orient et dans le reste du monde?

• À l'aide de votre cours, expliquez la situation du Proche et du Moyen-Orient : les conséquences de la guerre du Kippour, la guerre civile libanaise, etc.
• Demandez-vous comment la Guerre froide influence la région : qui est soutenu par les États-Unis ? et par l'URSS ? pourquoi ?

Comment Sadate propose-t-il de rendre la paix possible ?

• Repérez dans le doc. 1 les conditions indispensables à des négociations.
• Pourquoi Sadate insiste-t-il sur 1967 ? Quel rôle l'ONU joue-t-il ?

2. Confronter les documents à ses connaissances

Conseil

*Attention à bien définir
les termes utilisés
dans les documents.*

La question de l'existence d'Israël et la question palestinienne

• Soulignez ce que pense Sadate de l'existence d'Israël, est-ce le cas de tous les chefs d'État ou groupes politiques et religieux ? et de l'OLP ? Repérez quelle place prend Jérusalem dans ce discours. Pourquoi ? Que reproche Sadate à Israël ? Pourquoi ?
• Repérez ce que dit Sadate des Palestiniens et de la Palestine, et comment il justifie la nécessité d'une discussion directe entre Israël et les représentants palestiniens. En 1977, que représente l'OLP auprès d'Israël, de l'ONU ou des grandes puissances ?

La portée du discours de Sadate

• À l'aide de votre cours, expliquez les conséquences de ce discours sur les relations entre Israël et l'Égypte, sur la place des États-Unis dans le processus de paix et sur celle de l'Égypte.

L'influence des mouvements islamistes au Proche et au Moyen-Orient

• À l'aide de votre cours, repérez les origines de l'islamisme politique, et quels sont ces mouvements au Proche et au Moyen-Orient à l'époque des documents.
• Montrez quelle place prennent les Frères musulmans en Égypte et quelle est leur idéologie. Repérez d'autres mouvements qui professent des idées semblables.

3. Répondre à la consigne

Conseil

*Votre explication
doit être la plus
structurée possible.*

En introduction, vous devez notamment...

• Préciser la nature des documents, leur point commun, et confronter leurs dates.
• Préciser le contexte : conflits israélo-arabes, conséquences de la guerre de 1973.
• Présentez Anouar el-Sadate et celui à qui il succède en 1970.

Dans un développement structuré en paragraphes, il serait bon de...

• Analyser le sujet et répondre dans l'ordre des consignes en construisant de petits paragraphes.
• Commenter les passages soulignés en expliquant les allusions de l'auteur : quelles « terres arabes » sont occupées par Israël ? Que signifie l'allusion à « l'après 1967 » ?
• Expliquer pourquoi la question palestinienne est brûlante au Proche-Orient depuis 1967.
• Expliquer en quoi le doc. 2 montre l'influence des opposants au rapprochement avec Israël, et les raisons de cette opposition.

En conclusion, il faut par exemple...

• Répondre à la problématique choisie au début de la réponse.
• Montrez l'intérêt du document en portant un regard historique : en quoi la proposition d'Anouar el-Sadate représente-t-elle un tournant majeur ?

IV

Les échelles de gouvernement dans le monde de la fin de la Seconde Guerre mondiale à nos jours

Depuis la fin de la Seconde Guerre mondiale, la plus grande circulation des hommes, des marchandises et des informations aboutit à une coopération plus étroite des gouvernements dans les décisions politiques, économiques et militaires. La fin de la Guerre froide et l'influence croissante des pays des Suds accélèrent, au début du XXIe siècle, la nécessité de prises de décisions à plusieurs États.

Dans le même temps, la construction d'une Europe politique et le poids de plus en plus important des institutions internationales dans les décisions économiques et financières semblent remettre en question la place de l'État-nation comme seule autorité pour le gouvernement des peuples.

Depuis 2010, le mouvement mondial de contestation des politiques d'austérité s'est baptisé « les indignés ». Après New York, et avant Paris et Londres, plusieurs dizaines de milliers de manifestants occupent plusieurs jours la Puerta del Sol, à Madrid, en mai 2011, alors que se préparent des élections régionales et municipales.

Gouverner la France depuis 1946

La construction de l'État en France est le fruit d'une longue histoire commencée sous l'Ancien Régime et dont est issue l'organisation actuelle de l'administration. Sur le plan politique, l'État est constitué des pouvoirs publics (exécutif, législatif et judiciaire) et des administrations dont ils disposent pour gouverner la nation et contrôler le territoire.

Héritière d'un État centralisé et jacobin, la France de la seconde moitié du XXe siècle donne aux pouvoirs publics un rôle qui s'élargit avec la mise en œuvre d'un État-providence. Sous leur contrôle, une administration répond, à différentes échelles, aux besoins d'une population croissante et qui s'est développée, malgré les crises économiques.

En 1882, l'historien Ernest Renan définissait la nation comme une communauté politique liée à un État et à un territoire donnés, fondée sur la conscience de caractéristiques communes et sur la volonté de vivre ensemble. Aujourd'hui, l'influence de la construction européenne et de la mondialisation des échanges se traduit par l'érosion des pouvoirs de l'État et oblige à penser autrement les modes de gouvernement.

➔ *Comment gouverner une France en pleine transformation après la Seconde Guerre mondiale ?*

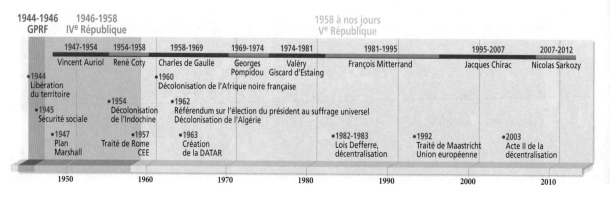

J'ai 7 ans

laissez-moi grandir

LEFOR OPENO

Affiche de l'UDR gaulliste en faveur de la réélection de Charles de Gaulle à la présidence de la Vᵉ République, 1965.

• Redevenue une République en 1944, la France se dote en 1946 d'une Constitution qui repose en grande partie sur le pouvoir du Parlement. Parvenu au pouvoir en 1958, Charles de Gaulle installe une Constitution qui fait du président de la République la « clé de voûte » des institu-tions. La décision, prise par référendum en 1962, de l'élire au suffrage universel direct, fait des élections présidentielles le moment le plus important de la vie électorale française.

Les héritages historiques du territoire français

« *Il est deux catégories de Français qui ne comprendront jamais l'histoire de France :* *ceux qui refusent de vibrer au souvenir du sacre de Reims ; ceux qui lisent sans émotion* *le récit de la fête de la Fédération.* »

Marc Bloch, *L'Étrange défaite – Témoignage écrit en 1940*, Paris, Gallimard, 1947.

1939-1945 - IIe Guerre mondiale

1914-1918 - Ire Guerre mondiale

- **1539** Ordonnance de Villers-Cotterêts
- **1604** Conquête définitive de la Guyane
- **1635** Conquête de la Guadeloupe et de la Martinique
- **1642** Conquête de La Réunion
- **1659** Annexion de l'Artois et du Roussillon
- **1668** Annexion de Lille
- **1766** Annexion de la Lorraine
- **1768** Annexion de la Corse
- **1781** Annexion de Strasbourg
- **1791** Annexion du Comtat Venaissin
- **1842** Protectorat français sur Tahiti
- **1853** Conquête de la Nouvelle-Calédonie
- **1860** Annexion de la Savoie et de Nice
- **1947** Dernières modifications de frontières dans les Alpes

1600   1700   1800   1900

1. Depuis le XIIIe siècle, l'administration est organisée au service de l'État

Pour affaiblir la noblesse féodale, le roi Philippe IV le Bel réorganise au XIVe siècle le fonctionnement du royaume. Il fait percevoir l'impôt par des hommes liés à lui seul, crée une Cour des comptes chargée des finances du royaume, et s'entoure de clercs pour le conseiller dans l'administration de l'État. En 1539, François Ier fait du français la langue de l'administration et de la justice. En 1665, un contrôleur général des Finances prend la haute main sur l'économie. À la veille de la Révolution, une grande partie de l'administration française est en place.

2. La Révolution, le Consulat et les « masses de granite »

En 1790, le royaume de France est divisé en départements qui remplacent les multiples subdivisions administratives d'Ancien Régime (généralités, gouvernements, intendances…), les poids et mesures sont unifiés (1790-1795). Sous le Consulat, Napoléon Bonaparte crée le Conseil d'État (1799), la Banque de France (1800), les lycées (1802), puis unifie la monnaie (franc germinal, 1802) et regroupe les lois en un Code civil (1804) : ce sont les « masses de granite ».

3. « La plus grande France » de 1931, un Empire constitué à partir du XVIIe siècle

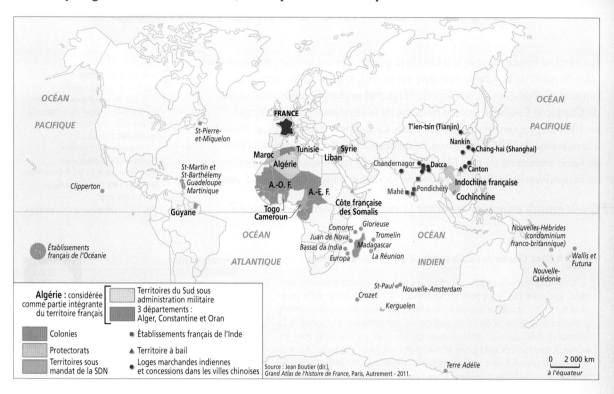

Source : Jean Boutier (dir.),
Grand Atlas de l'histoire de France, Paris, Autrement - 2011.

Algérie : considérée comme partie intégrante du territoire français

- Colonies
- Protectorats
- Territoires sous mandat de la SDN
- Territoires du Sud sous administration militaire
- 3 départements : Alger, Constantine et Oran
- ■ Établissements français de l'Inde
- ▲ Territoire à bail
- • Loges marchandes indiennes et concessions dans les villes chinoises

4. Paris, centre du réseau ferré à la fin du XIXe siècle

Source : Jean Boutier (dir.),
Grand Atlas de l'histoire de France, Paris, Autrement - 2011.

Ouverture des principales lignes
- 1827 (ouverture de la 1re ligne)
- 1830-1840
- 1840-1850
- 1850-1900
- Territoires acquis après 1860
- Territoires perdus après 1871

5. Un dense réseau d'universités et d'écoles forme les cadres de l'administration

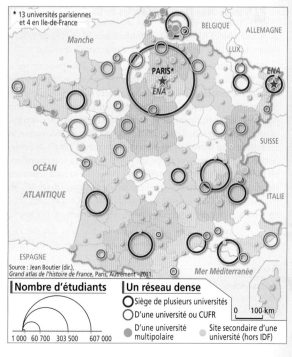

* 13 universités parisiennes et 4 en Île-de-France

Source : Jean Boutier (dir.),
Grand atlas de l'histoire de France, Paris, Autrement - 2011.

Nombre d'étudiants
1 000 · 60 700 · 303 500 · 607 000

Un réseau dense
- ○ Siège de plusieurs universités
- ○ D'une université ou CUFR
- • D'une université multipolaire
- • Site secondaire d'une université (hors IDF)

Dossier **1** Reconstruire la France après la Seconde Guerre mondiale

En 1945, la France sort très affaiblie de la guerre. L'économie est peu productive (plus du quart de la richesse nationale est perdu), la population appauvrie (un tiers des Français sont mal logés) : l'État doit se réorganiser. Sur instruction de Charles de Gaulle, le Conseil National de la Résistance (CNR) propose en 1944 un programme de reconstruction. La reconstruction politique aboutit à la naissance de la IVᵉ République. La reconstruction économique bénéficie de l'aide américaine du plan Marshall en 1947. La reconstruction sociale s'appuie sur les syndicats et un **État-providence** fondé sur la nouvelle **Sécurité sociale**.

➜ *Quels grands principes inspirent la reconstruction de la France ?*

Dates clés

Une nouvelle France
Août 1944 Rétablissement de la légalité républicaine en France.
Octobre 1945 Création de la Sécurité sociale.
Janvier 1946 Création d'un commissariat au Plan.
27 octobre 1946 Promulgation de la Constitution de la IVᵉ République.
Printemps 1948 Premiers crédits du plan Marshall.
1949 Fin du rationnement alimentaire

Doc. 1 À Alger, Charles de Gaulle appelle à une démocratie sociale.

C'est la démocratie, renouvelée dans ses organes et surtout dans sa pratique, que notre peuple appelle de ses vœux [...]. Mais la démocratie française devra être une démocratie sociale, c'est-à-dire assurant organiquement à chacun le droit de la liberté de son travail, garantissant la dignité et la sécurité de tous, dans un système économique tracé en vue de la mise en valeur des ressources nationales et non point au profit d'intérêts particuliers, où les grandes sources de la richesse commune appartiendront à la nation, où la direction et le contrôle de l'État s'exerceront avec le concours régulier de ceux qui travaillent et de ceux qui entreprennent.

Charles de Gaulle, discours devant l'Assemblée consultative, Alger, 18 mars 1944, *Discours et messages*, vol. 1, Paris, Plon, 1970.

Doc. 2 Note de Jean Monnet à Charles de Gaulle (4 décembre 1945).

En janvier 1946, Charles de Gaulle confie à Jean Monnet la direction du nouveau Commissariat au Plan chargé de la reconstruction du territoire.

Modernisation et reconstruction doivent être poursuivies simultanément. [...] Il faudra une volonté ferme des pouvoirs publics et un effort considérable d'information pour faire comprendre à la nation que le mal essentiel dont souffre l'économie française est le caractère archaïque d'une grande partie de notre équipement et de nos méthodes de production. [...] Il est nécessaire d'aller vite. Sinon, nous risquons de voir l'économie française se cristalliser à un niveau de médiocrité contraire à l'intérêt de l'ensemble de la nation. [...] Puisque l'exécution du plan exigera la collaboration de tous, il est indispensable que tous les éléments vitaux de la nation participent à son élaboration. C'est pour cela que la méthode de travail proposée associe dans chaque secteur l'administration responsable, les experts les plus qualifiés, les représentants des syndicats professionnels (ouvriers, cadres, patrons).

Charles de Gaulle, *Mémoires de guerre*, t. 3, *Le Salut, 1944-1946*, Paris, Plon, 1970.

Biographie

Jean Monnet (1888-1979)
Négociant en cognac, anglophone, il est à 32 ans secrétaire général adjoint de la Société des Nations. Organisateur du *Victory Program* américain pendant la Seconde Guerre mondiale, il devient en France commissaire général au Plan de 1946 à 1952 : il est ainsi le principal organisateur de la reconstruction du pays. Inspirateur de la CECA (1950) et de la CEE (1957), il est un des fondateurs de la construction européenne.

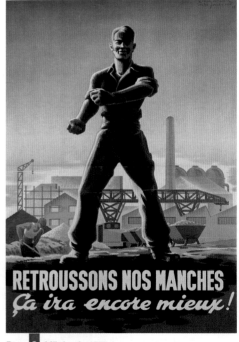

RETROUSSONS NOS MANCHES
Ça ira encore mieux !

Doc. 3 Affiche de 1945.

Mots clés

État-providence : Régulation par l'État des inégalités par prélèvement et redistribution des richesses auprès de la population.

Sécurité sociale : Système de protection sociale fondé sur la solidarité nationale. Employeurs et salariés cotisent pour couvrir la plupart des risques (maladie, accident, chômage, vieillesse, maternité).

Doc. 4 La création de la Sécurité sociale (1945).

Issue du programme du Conseil National de la Résistance (1944), la Sécurité sociale adopte un projet de couverture des risques de maladie, accident, invalidité, vieillesse et maternité. Une caisse de prestations familiales aide financièrement les familles nombreuses.

Doc. 6
Le plan Marshall (1947-1952).
Voir p. 192.

Doc. 5 Le discours de Bayeux (16 juin 1946).

Alors qu'il ne dirige plus le gouvernement depuis janvier 1946, Ch. de Gaulle présente ses idées institutionnelles. En mai, un référendum rejette un projet inspiré des institutions de la IIIᵉ République. En octobre, les nouvelles institutions de la IVᵉ République sont adoptées par 53 % des votants.

Il est clair et il est entendu que le vote définitif des lois et des budgets revient à une Assemblée élue au suffrage universel et direct. Mais le premier mouvement d'une telle Assemblée ne comporte pas nécessairement une clairvoyance et une sérénité entières. Il faut donc attribuer à une deuxième Assemblée, élue et composée d'une autre manière, la fonction d'examiner publiquement ce que la première a pris en considération, de formuler des amendements, de proposer des projets. [...] Du Parlement, composé de deux Chambres et exerçant le pouvoir législatif, il va de soi que le pouvoir exécutif ne saurait procéder, sous peine d'aboutir à cette confusion des pouvoirs dans laquelle le Gouvernement ne serait bientôt plus rien qu'un assemblage de délégations. [...]
C'est donc du chef de l'État, placé au-dessus des partis, [...] que doit procéder le pouvoir exécutif. [...] À lui la mission de nommer les ministres et, d'abord, bien entendu, le Premier, qui devra diriger la politique et le travail du gouvernement. Au chef de l'État la fonction de promulguer les lois et de prendre les décrets, car c'est envers l'État tout entier que ceux-ci et celles-là engagent les citoyens. À lui la tâche de présider les Conseils du gouvernement et d'y exercer cette influence de la continuité dont une nation ne se passe pas. À lui l'attribution de servir d'arbitre au-dessus des contingences politiques, soit normalement par le conseil, soit, dans les moments de grave confusion, en invitant le pays à faire connaître par des élections sa décision souveraine. À lui, s'il devait arriver que la patrie fût en péril, le devoir d'être le garant de l'indépendance nationale et des traités conclus par la France.

Charles de Gaulle, *Mémoires de guerre*, t. 3,
Le Salut, 1944-1946, Paris, Plon, 1970.

POUR COMPRENDRE

1. Étudier les documents

Doc. 1 et 2 Sur quels éléments se fonde la démocratie sociale proposée par Ch. de Gaulle ? et la reconstruction vue par Jean Monnet ?

Doc. 2, 3 et 6 Quels éléments permettent la reconstruction économique du pays ? Avec quels effets ?

Doc. 4 Quels sont les objectifs de la Sécurité sociale ? À quels besoins répond-elle ? Quels risques couvre-t-elle ?

Doc. 1 et 5 Sur quels fondements Ch. de Gaulle veut-il reconstruire la République ?

2. Analyse de deux documents

BAC À l'aide des documents 1 et 5, vous expliquerez quelle place prend Ch. de Gaulle dans la France libérée.

3. Aide à la composition

BAC À l'aide de vos connaissances, vous rédigerez un plan détaillé qui réponde au sujet : « La reconstruction politique, économique et sociale de la France (1944-1947) ».

1. La France de la IVᵉ République, 1946-1958

1944-1946 GPRF

1958 Référendum sur la Vᵉ République

1945 ENA, Sécurité sociale | **1946** Union française, Statut de la fonction publique | **1954** Fin de la guerre d'Indochine, début de la guerre d'Algérie | **1957** Traités de Rome (CEE)

→ *Comment gouverner face aux tensions intérieures et extérieures ?*

A. Rétablir la République

• **En 1944-1945, le gouvernement provisoire (GPRF) met en place les conditions de la reconstruction.** Droit de vote des femmes (1945), Sécurité sociale (p. 292), Statut unique de la fonction publique, sont des ruptures majeures avec les régimes politiques précédents. En créant l'ENA (p. 294), le GPRF dote l'État d'une école de formation de ses cadres. La **planification**, encadrée par un commissariat au Plan (1946), permet à la France de retrouver, au milieu des années 1950, son niveau économique de la fin des années 1930.

• **En 1945, le personnel politique est renouvelé par la Résistance.** Édouard Herriot redevient maire de Lyon, Jacques Chaban-Delmas devient maire de Bordeaux, Gaston Defferre de Marseille. Germaine Poinso-Chapuis devient la première femme ministre de plein exercice, en 1947.

• **Adoptée en 1946 par référendum, la IVᵉ République est un régime parlementaire instable.** Nommés par un président de la République aux pouvoirs limités, les présidents du Conseil sont investis par une Assemblée nationale qui évolue au fil de coalitions fragiles depuis la fin du **Tripartisme** en 1947, et la mise en place de la **Troisième force**. L'instabilité ministérielle est fréquente : entre 1946 et 1958, 23 gouvernements dirigent le pays.

B. Gérer la reconstruction et l'essor économique des Trente Glorieuses

• **La reconstruction matérielle s'organise sous la direction de l'État.** La reconstruction urbaine, comme celle du Havre (doc. 2) permet de multiplier les Habitats à Loyers Modérés (H.L.M.), financés par l'État, et de loger une population qui vit le baby-boom. En 1948, l'acceptation du plan Marshall permet de moderniser l'agriculture, l'industrie et d'ancrer la France dans le bloc de l'Ouest.

• **Les conditions de vie des Français s'améliorent lentement.** La pauvreté inquiète les gouvernants qui craignent l'influence du Parti communiste. Le rationnement, mis en place en 1941, se poursuit jusqu'en 1949. L'inflation tombe de 48 % en 1946 à 12 % en 1953, la pression fiscale reste forte. En 1956, l'octroi d'une 3ᵉ semaine de congés payés permet à certains salariés de profiter des premières stations balnéaires construites sur le littoral méditerranéen (p. 298).

C. Un régime de plus en plus critiqué

• **La contestation politique monte dans les années 1950.** Le Parti communiste (PCF) et le parti gaulliste (RPF) s'opposent à l'action gouvernementale. De 1953 à 1958, un mouvement politique minoritaire se fait entendre, le **poujadisme**, qui remet en cause la légitimité des hommes politiques à gouverner. Pourtant l'instabilité ministérielle n'empêche pas la continuité de l'action de l'État. Les mêmes hommes politiques se maintiennent d'un gouvernement à l'autre : François Mitterrand, par exemple, est onze fois ministre entre 1947 et 1958. Le personnel administratif reste stable, ce qui garantit la continuité des projets. Jean Monnet, par exemple, reste commissaire au Plan de 1946 à 1952 (p. 288).

• **Le nouveau régime politique est confronté au défi colonial.** En 1946, est créée l'Union française (p. 304), qui accorde des droits aux populations de l'Empire colonial afin de faire reculer les mouvements indépendantistes nés pendant la Seconde Guerre mondiale dans tout l'Empire français. La participation de la plupart des colonies aux combats de la France libre accélère cette volonté d'indépendance.

• **La guerre d'Indochine (1946-1954) et les débuts de la guerre d'Algérie en 1954 montrent le déclin de l'influence française.** En septembre 1958, l'opinion publique métropolitaine, de plus en plus hostile au conflit, accepte par référendum le changement de constitution proposé par Charles de Gaulle.

Citation

« *La forme du gouvernement de la France est et demeure la République. En droit, celle-ci n'a pas cessé d'exister.* »

Ordonnance du 9 août 1944, signée par Charles de Gaulle, président du GPRF.

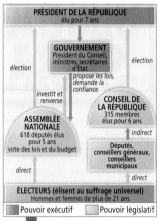

Doc. 1 Les institutions de la IVᵉ République.

1. En quoi s'agit-il d'une République parlementaire ?

Mots clés

Poujadisme : Mouvement politique mené par Pierre Poujade, qui associe petits commerçants et artisans puis anciens de Vichy et colonialistes.

Tripartisme : Alliance de gouvernement menée entre 1945 et 1947 par le PCF, la SFIO et le MRP. Elle éclate avec le début de la Guerre froide.

Troisième force : Alliance de gouvernement entre tous les partis politiques, sauf le PCF et les gaullistes, entre 1947 et 1951.

@ http://www.tle.esl.histeleve.magnard.fr

Les conséquences matérielles de la guerre présentées à la télévision en 1945.

Doc. 2 **Reconstruire les villes.**

Le centre-ville du Havre, reconstruit entre 1946 et 1954 par l'architecte Auguste Perret, est classé au Patrimoine mondial de l'Unesco en 2005. Plan en damier, béton armé, homogénéité du style sont imités dans une partie des villes reconstruites après 1945.

1. Quels matériaux sont utilisés ?

2. À quelles urgences répond une telle réalisation ?

Doc. 4 **Pierre Mendès-France : « Gouverner, c'est choisir ».**

Mendès-France vient d'être nommé président du Conseil par le président de la République Vincent Auriol. Il demande ici l'investiture aux députés, qui la lui refuseront.

La cause fondamentale des maux qui accablent le pays, c'est la multiplicité et le poids des tâches qu'il entend assumer à la fois : reconstruction, modernisation et équipement, développement des pays d'outre-mer, amélioration du niveau de vie et réformes sociales, exportations, guerre en Indochine, grande et puissante armée en Europe, etc.
Or, l'événement a confirmé ce que la réflexion permettait de prévoir : on ne peut pas tout faire à la fois. Gouverner, c'est choisir, si difficiles que soient les choix. [...] Chacun reconnaît qu'il est devenu impérieux d'alléger le fardeau que nous impose la continuation de la guerre d'Indochine. [...] Compte tenu de l'évolution générale des événements d'Asie, le président du Conseil leur soumettra un plan précis en vue de résoudre ce douloureux conflit. [...] Certains préconisent l'augmentation du crédit. Il existe des secteurs dans lesquels elle est souhaitable et même nécessaire. Mais il ne doit pas en résulter un accroissement du volume global de la demande. [...] La rigueur financière est donc la condition de l'expansion économique. Elle l'est aussi bien d'une politique sociale efficace. [...] Pensons à cette jeunesse anxieuse dont le destin est le véritable enjeu de nos débats, à ce pays inquiet qui nous observe et qui nous juge. Travaillons ensemble à lui rendre la foi, les forces, la vigueur qui assureront son redressement et sa rénovation.

Pierre Mendès-France, discours à l'Assemblée nationale, 3 juin 1953.

1. Quelles réformes Pierre Mendès-France propose-t-il ? Pourquoi ?

Doc. 3 **À Alger, la « journée des tomates » de Guy Mollet (1956).**

Le 6 février 1956, le président du Conseil Guy Mollet se rend à Alger, en proie aux attentats FLN. Il est conspué par plus de 20 000 Pieds-noirs hostiles à toute idée d'indépendance, qui jettent fruits et légumes sur sa voiture. Les émeutes durent plusieurs jours. Guy Mollet fait passer le service militaire de 18 à 27 mois, et double le contingent en Algérie.

1. Dans quel contexte vit alors l'Algérie ?

2. En quoi la visite de Guy Mollet aggrave-t-elle la situation ?

Doc. 5 **Quel bilan pour la IVe République ?**

La France, répétons-le, est le seul grand pays à recevoir de plein fouet tous les chocs majeurs de l'après-guerre : ruines, crise monétaire, séquelles de guerre civile, difficultés sociales et surtout Guerre froide et décolonisation. À chaque étape, les vertus de l'ardeur transforment ces contraintes en impératifs : c'est déjà beaucoup. Ainsi, à petit pas, souvent dans l'équivoque, se construisent une planification originale, un embryon d'État-providence, un cadre politique qui ne bafoue pas trop en métropole la démocratie, une vie sociale qui néglige un peu moins les travailleurs. À tâtons, pour le meilleur et pour le pire, des hommes ont pu infléchir le cours des choses : [*le dirigeant communiste*] Thorez, [*le président de la République*] Auriol, [*le commissaire au Plan*] Monnet, [*le père de la CECA*] Schuman, [*le père de la CED*] Pleven, tant d'autres, obscurs, manches retroussées. [...]
Ce pays porté au-delà de lui-même par sa victoire de 1945 n'est pourtant plus capable d'assumer un destin qui se joue désormais en dehors de l'Hexagone : dure vérité, difficile à entendre à temps. Marshall, Jdanov et Hô Chi Minh, chacun à leur façon, dépossèdent ses gouvernements qui se contentent dès lors d'enregistrer l'inévitable. Dans leur incapacité à prendre acte lucidement des bouleversements de l'équilibre outre-mer et dans le monde, ces dirigeants rejoignent ce peuple qui a refusé depuis 1945 de se juger lui-même mais lorgne déjà vers les douceurs de l'expansion.

Jean-Pierre Rioux, *La France de la Quatrième République*, t. 1, *L'Ardeur et la nécessité, 1944-1952*, Paris, Le Seuil, 1980.

1. Quel bilan l'auteur dresse-t-il de la IVe République ?

2. Quelles sont les limites de ce bilan ?

Dossier 2 — Gérer l'État-providence depuis 1946

Depuis la création en 1945 du système de Sécurité sociale, l'État-providence cherche à garantir une protection à tous les Français. Une administration est créée par le juriste Pierre Laroque. Son financement est garanti par l'État et sa gestion cogérée par le patronat et les syndicats. Son but est de permettre à tous l'accès aux soins, à la maternité et à la retraite, et de favoriser la politique familiale. Depuis les chocs pétroliers qui marquent la fin des Trente Glorieuses dans les années 1970 et la hausse du chômage de masse, la protection sociale est confrontée à de lourds déficits financiers.

→ *Comment la mise en place de la Sécurité sociale transforme-t-elle la vie quotidienne des Français ?*

La Sécurité sociale

Depuis 1945, la Sécurité sociale est organisée en quatre branches :
• Branche maladie : maladie, maternité, invalidité, décès ;
• Branche accidents du travail et maladies professionnelles ;
• Branche vieillesse et veuvage (retraite) ;
• Branche famille (handicap, logement, allocations familiales).

Son financement est assuré par les cotisations des salariés et du patronat et, depuis 1990, par une taxe générale, la Contribution Sociale Généralisée (CSG).

Doc. 1

L'héritage des sociétés de secours mutuels.

Affiche, Jules Chéret, 1890.

Cette affiche annonce la tenue d'une fête dont les bénéfices sont versés à une caisse commune de solidarité. En cas de disparition en mer d'un marin, la Société de secours prend en partie en charge l'éducation des orphelins.

FÊTE DE CHARITÉ
donnée au Palais du Trocadéro le 14 Juin 1890
au bénéfice de la
SOCIÉTÉ DE SECOURS AUX FAMILLES DES MARINS NAUFRAGÉS
87, Rue de Richelieu FONDATEUR M. ALFRED DE COURCY

Doc. 2 L'État-providence en France.

1928 Premier système d'assurances sociales en France.
1944 Le Conseil National de la Résistance propose dans son programme un « plan complet de sécurité sociale visant à assurer, à tous les citoyens, des moyens d'existence dans tous les cas où ils sont incapables de se les procurer par le travail ».
1945 Ordonnance créant la Sécurité sociale.
1947 Extension de la Sécurité sociale aux fonctionnaires.
1948 Création de trois régimes d'assurance vieillesse des professions non salariées non agricoles (artisans, professions industrielles et commerciales, professions libérales).
1952 Régime d'assurance vieillesse obligatoire pour les exploitants agricoles.
1978 Extension de la totalité des prestations familiales à l'ensemble des résidents présents sur le territoire français.
1988 Revenu Minimum d'Insertion (RMI) par Michel Rocard.
1990 Contribution Sociale Généralisée (CSG), taxe sur l'ensemble des revenus.
1997 Carte Vitale.
1999 Couverture Maladie Universelle (CMU).
2009 Revenu de Solidarité Active (RSA, remplace le RMI).
2010 Âge légal de départ à la retraite de 60 à 62 ans.

Doc. 3 La création de la Sécurité sociale (1945).

Article premier. Il est institué une organisation de la sécurité sociale destinée à garantir les travailleurs et leurs familles contre les risques de toute nature susceptibles de réduire ou de supprimer leur capacité de gain, à couvrir les charges de maternité et les charges de famille qu'ils supportent.

L'organisation de la sécurité sociale assure dès à présent le service des prestations prévues par les législations concernant les assurances sociales, l'allocation aux vieux travailleurs salariés, les accidents du travail et maladies professionnelles et les allocations familiales et de salaire unique aux catégories de travailleurs protégés par chacune de ces législations dans le cadre des prescriptions fixées par celles-ci et sous réserve des dispositions de la présente ordonnance.

Des ordonnances ultérieures procéderont à l'harmonisation desdites législations et pourront étendre le champ d'application de l'organisation de la sécurité sociale à des catégories nouvelles de bénéficiaires et à des risques ou prestations non prévus par les textes en vigueur.

Art. 2. L'organisation technique et financière de la sécurité sociale comprend :
Des caisses primaires de sécurité sociale ;
Des caisses régionales de sécurité sociale ;
Des caisses régionales d'assurance vieillesse des travailleurs salariés ;
Une caisse nationale de sécurité sociale ;
Des organismes spéciaux à certaines branches d'activité ou entreprises ;
Des organismes propres à la gestion des prestations familiales.

Ordonnance du 4 octobre 1945 signée par le ministre du Travail et de la Sécurité sociale, Alexandre Parodi.

10. La Nation assure à l'individu et à la famille les conditions nécessaires à leur développement.
11. Elle garantit à tous, notamment à l'enfant, à la mère et aux vieux travailleurs, la protection de la santé, la sécurité matérielle, le repos et les loisirs. Tout être humain qui, en raison de son âge, de son état physique ou mental, de la situation économique, se trouve dans l'incapacité de travailler a le droit d'obtenir de la collectivité des moyens convenables d'existence.
12. La Nation proclame la solidarité et l'égalité de tous les Français devant les charges qui résultent des calamités nationales.

Préambule de la Constitution du 27 octobre 1946.

Biographie

Pierre Laroque (1907-1997)
Auditeur au Conseil d'État, il participe à l'action de la France libre. Créateur du premier plan de protection sociale en 1944, il est directeur général de la Sécurité sociale et met en place les ordonnances de 1945-1946 qu'il contribue à écrire. Président de la Caisse nationale de Sécurité sociale entre 1953 et 1967, il met en garde contre les problèmes de vieillissement de la population. Professeur à l'Institut d'Études Politiques de Paris et à l'ENA, il forme des générations de spécialistes de l'administration sociale.

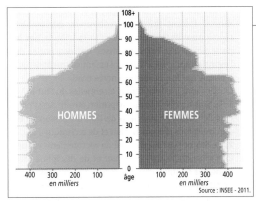

Doc. **6**
La pyramide des âges de la France en 2011.

Source : INSEE - 2011.

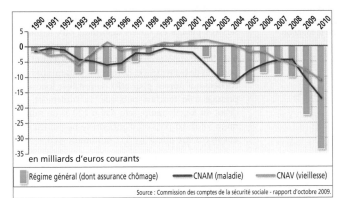

Régime général (dont assurance chômage) — CNAM (maladie) — CNAV (vieillesse)

Source : Commission des comptes de la sécurité sociale - rapport d'octobre 2009.

Doc. **7** **Le déficit de la Sécurité sociale.**
Depuis 1976, la Sécurité sociale voit son endettement s'accentuer jusqu'à devenir permanent au début des années 1990. Le déficit de la Caisse Nationale d'Assurance Maladie (CNAM) est rejoint par celui de l'Assurance Vieillesse (CNAV).

Doc. **5** **Pierre Laroque et la prise en charge du vieillissement dans les années 1960.**

La notion de politique vieillesse est apparue avec les travaux de la commission de prospective réunie à l'initiative de Michel Debré et présidée par Pierre Laroque. Ces travaux ont fait l'objet d'un rapport publié en 1962. Les conclusions de ce rapport, en même temps qu'elles instituaient la notion de personnes âgées en lieu et place de la vieillesse sur le seul critère de l'âge légal de départ à la retraite (65 ans à l'époque), mettaient en avant trois priorités essentielles destinées à retarder les effets d'un mauvais vieillissement :
– Consolider un véritable droit à pension permettant de sortir les vieillards de la misère dans laquelle vivaient nombre d'entre eux.
– Prévenir les effets désastreux de la retraite couperet en favorisant le maintien en poste des travailleurs vieillissants par une adaptation des conditions de travail.
– Favoriser le maintien à domicile et la participation à la vie sociale des personnes âgées par une politique d'amélioration de l'habitat des personnes âgées. [...]
Les demandes à l'égard des services professionnalisés se sont de ce fait progressivement modifiées, les institutions et services professionnels sont désormais sollicités pour répondre aux besoins de personnes de plus en plus âgées désireuses de demeurer le plus longtemps possible à leur domicile personnel en sollicitant le moins possible leur entourage [...]. Il s'agissait de dispenser des soins et d'offrir des services professionnalisés à des personnes qui entendaient conserver leur autonomie soit directement soit par l'intermédiation de leur famille, notamment parce qu'elles en financent la plus grande part sur leurs deniers.

Observatoire des retraites, Lettre n° 15,
« Face à l'octoboom, quels accompagnements ? », 2007.

POUR COMPRENDRE

1. Étudier les documents
Doc. 1 et 3 Que modifie l'ordonnance de 1945 dans les conditions de prise en charge des risques ?
Doc. 2, 3 et 4 Pour quelles raisons la Sécurité sociale est-elle créée en 1945 ?
Doc. 2 et 7 Quel rôle l'État joue-t-il dans le financement de la Sécurité sociale ? et dans sa gestion ?
Doc. 5, 6 et 7 Quelles difficultés l'État-Providence rencontre-t-il depuis les années 1960 ? Pourquoi ?

2. Analyse de deux documents
BAC À l'aide des documents 2 et 6, vous montrerez comment l'État lutte contre les déficits de la Sécurité sociale.

3. Aide à la composition
BAC À l'aide de vos connaissances, vous rédigerez un plan détaillé qui réponde au sujet : « Origines, organisation et limites de l'État-Providence en France depuis 1945 ».

En 1945, l'administration est épurée et réorganisée. Les attributs traditionnels de l'État sont la défense, les affaires étrangères, les finances, les grands travaux et, depuis le XIXᵉ siècle, l'éducation. L'administration est centralisée, représentée par les préfets dans les départements, héritage du **jacobinisme** révolutionnaire et de la centralisation napoléonienne. Après 1945, la santé, le logement, le travail, certaines entreprises s'ajoutent au pouvoir grandissant de l'État dans la vie quotidienne. Ce centralisme est aujourd'hui contesté par les décisions prises à l'échelle européenne et à l'échelle régionale.

➜ *Comment l'administration s'adapte-t-elle aux transformations de la société ?*

Dates clés

L'évolution de la fonction publique

1945 Création de l'ENA.

1946 Statut de la fonction publique.

1959 Modification du Statut de 1946.

1982 Loi-cadre Deferre sur la régionalisation.

1986 Statut général des fonctionnaires de l'État et des collectivités territoriales.

Doc. 1 La création de l'ENA (1945).

Art. 5 Il est créé une École nationale d'administration chargée de la formation des fonctionnaires qui se destinent au Conseil d'État, à la Cour des comptes, aux carrières diplomatiques ou préfectorales, à l'Inspection générale des finances, au corps des administrateurs civils, ainsi qu'à certains autres corps ou services déterminés par décret pris après avis du Conseil d'État et contresigné du ministre intéressé et du ministre de l'Économie et des Finances. Les femmes ont accès à l'École nationale d'administration, sous réserve des règles spéciales d'admission à certains emplois.

Ordonnance du 9 octobre 1945, signée du président du GPRF, Charles de Gaulle, et du ministre de l'Éducation nationale, René Capitant.

Doc. 3 Maurice Thorez présente le statut des fonctionnaires (1946).

Secrétaire général du PCF, vice-président du Conseil, il met en place le premier Statut de la fonction publique.

L'Assemblée nationale adopta le Statut à l'unanimité, faisant litière des calomnies des feuilles réactionnaires, reprises, hélas ! à la tribune par le porte-parole du Parti socialiste, qui osa parler de l'esprit « totalitaire » d'une loi essentiellement démocratique qui fait honneur à notre pays.
Quelles sont les dispositions essentielles du Statut ?
1. Le Statut prévoit la participation étroite des syndicats de fonctionnaires à la gestion du personnel et aux questions d'organisation et de technique […].
2. Le Statut pose en matière de recrutement, et surtout en matière d'avancement et de discipline, des principes relativement nouveaux. […] Le dossier du fonctionnaire ne doit contenir aucune indication se rapportant à ses opinions politiques, philosophiques ou religieuses. […]
5. Le Statut proclame l'égalité des sexes ; l'accès des services publics est ouvert désormais aux femmes dans les mêmes conditions que pour les hommes.
6. Le Statut apporte aux fonctionnaires les garanties positives de traitement et de retraite, les garanties de carrière qui auront pour effet de restituer tout son prestige à la fonction publique. Le traitement de début du fonctionnaire sera fixé à 120 % du minimum vital. La pension d'ancienneté ne pourra en aucun cas être inférieure à ce minimum vital.

Maurice Thorez, Commentaire portant sur la loi du 19 octobre 1946, Centre de Diffusion du Livre de la Presse, 1946.

en %

Doc. 2
Les effectifs de la fonction publique.

Fonction publique d'État (ministères, directions centrales, préfectures, Éducation nationale) **50 %**

20 %

30 %

Fonction publique hospitalière (hôpitaux publics, CHU, services médico-sociaux)

Fonction publique territoriale (régions, départements, communautés de communes, communes, ville de Paris)

Source : INSEE - 2008.

En 1939, l'État compte environ 200 000 fonctionnaires. En 2008, il y a 2,1 millions de fonctionnaires d'État et 3,1 millions d'agents de la fonction publique.

Biographie

Michel Debré (1912-1996)

Docteur en droit, auditeur au Conseil d'État, il entre dans la Résistance en 1943. En reprenant une idée du socialiste Jean Zay émise en 1936, il crée en 1945 l'École Nationale d'Administration. En 1958, il dirige la rédaction de la Constitution de la Vᵉ République. Premier ministre de 1959 à 1962, il démissionne en opposition à l'indépendance algérienne. Successivement ministre de l'Économie, des Affaires étrangères, de la Défense, il défend, après la présidence de Charles de Gaulle, les idées gaullistes.

Mot clé

Jacobinisme : Doctrine politique, dont le nom est né sous la Révolution française, qui considère que le pouvoir doit être organisé et exécuté par une administration centralisée.

Doc. **4**

En 1980, la promotion Voltaire de l'ENA.

L'ENA forme les fonctionnaires de la haute fonction publique, futurs ambassadeurs, conseillers à la Cour des comptes ou au Conseil d'État, directeurs d'administrations, mais aussi futurs chefs d'entreprises, journalistes, banquiers... De gauche à droite : les futurs politiques Ségolène Royal, François Hollande, Michel Sapin, Renaud Donnedieu de Vabres, le haut fonctionnaire Jean-Pierre Jouyet et Dominique de Villepin (au fond).

Doc. **5** **Le Premier ministre Jacques Chaban-Delmas condamne le poids de l'administration (1969).**

Tentaculaire et en même temps inefficace : voilà, nous le savons tous, ce qu'est en passe de devenir l'État, et cela en dépit de l'existence d'un corps de fonctionnaires, très généralement compétents et parfois remarquables. Tentaculaire, car, par l'extension indéfinie de ses responsabilités, il a peu à peu mis en tutelle la société française tout entière. [...] Le renouveau de la France après la Libération, s'il a mobilisé les énergies, a aussi consolidé une vieille tradition colbertiste et jacobine, faisant de l'État une nouvelle providence. Il n'est presque aucune profession, il n'est aucune catégorie sociale qui n'ait, depuis vingt-cinq ans, réclamé ou exigé de lui protection, subventions, détaxation ou réglementation.

Mais, si l'État ainsi sollicité a constamment étendu son emprise, son efficacité ne s'est pas accrue car souvent les modalités de ses interventions ne lui permettent pas d'atteindre ses buts. Est-il besoin de citer des exemples ? Nos collectivités locales étouffent sous le poids de la tutelle. Nos entreprises publiques, passées sous la coupe des bureaux des ministères, ont perdu la maîtrise de leurs décisions essentielles : investissements, prix, salaires. Les entreprises privées elles-mêmes sont accablées par une réglementation proliférante. Le résultat de tout cela ? C'est d'abord le gonflement des masses budgétaires. C'est ensuite, pour les partenaires de l'État, un encouragement à la passivité et à l'irresponsabilité. Et si encore toutes nos interventions, qu'il s'agisse de prélèvements fiscaux ou des subventions publiques, atteignaient leur but ! Mais il s'en faut de beaucoup. Notre système fiscal est ressenti comme étant à bien des égards affecté par l'inégalité et faussé par la fraude.

Jacques Chaban-Delmas, « La Nouvelle société », discours à l'Assemblée nationale, 16 septembre 1969.

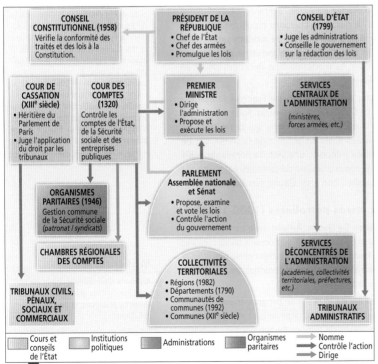

Doc. **6** **Institutions et organisation de l'État sous la Vᵉ République.**

POUR COMPRENDRE

1. Étudier les documents

Doc. 1 Pourquoi créer en 1945 une telle école ? Que montre-t-elle de l'organisation de l'État ?

Doc. 2 et 3 Pourquoi donner un statut à la fonction publique ? Que montrent ses effectifs du centralisme français ?

Doc. 2 et 6 Quels secteurs professionnels sont encadrés par l'État ? Pourquoi ?

Doc. 6 D'où viennent les élus ? De quand datent les grandes cours de l'État ?

Doc. 4 et 5 Quelles critiques sont lancées contre la fonction publique ? Pourquoi ?

2. Analyse de deux documents

BAC À l'aide des documents 3 et 5, vous expliquerez le rôle que joue l'administration, son fonctionnement et les critiques qu'elle reçoit.

3. Aide à la composition

BAC À l'aide de vos connaissances, vous rédigerez un plan détaillé qui réponde au sujet : « L'administration française depuis 1945 : organisation, missions et limites ».

2. La Vᵉ République de 1958 à 1981

1959 Charles de Gaulle président

1962 Référendum sur l'élection du président au suffrage universel

1958 Ch. de Gaulle

1969 G. Pompidou

1974 V. Giscard d'Estaing

1981 F. Mitterrand

1960 Décolonisation de l'Afrique noire

1963 DATAR

1968 Grèves de mai

1973 1ᵉʳ choc pétrolier

1979 2ᵉ choc pétrolier

1962 Indépendance de l'Algérie

→ *Comment les idées gaulliennes influencent-elles l'action politique ?*

A. Le rôle majeur du président de la République

• **En 1958, Charles de Gaulle met en place la Constitution de la Vᵉ république.** Le chef de l'État dispose de pouvoirs accrus : il peut dissoudre l'Assemblée nationale, consulter le peuple par **référendum** et suspendre les libertés publiques (article 16). Élu par le parlement en 1958, il fait accepter par référendum le principe de l'élection du président au suffrage universel (1962).

• **Le président est la « clé de voûte » des institutions.** L'usage régulier des référendums, la pratique des médias, les fréquentes visites de terrain, permettent de faire du président une figure familière et active de la vie publique. Le mode de scrutin des députés, uninominal à deux tours, écarte les petits partis du Parlement et crée une **bipolarisation** de la vie politique inconnue jusque-là. La stabilité gouvernementale est assurée. Sous sa présidence (1958-1969), Charles de Gaulle n'aura que trois Premiers ministres, dont son successeur Georges Pompidou (1962-1968), qui devient président en 1969.

B. Indépendance, modernisation et remise en cause du pouvoir (1958-1969)

• **En 1958, la France est un Empire colonial contesté.** En 1960, les pays d'Afrique noire française parviennent à l'indépendance par référendum. En 1962, après l'indépendance de l'Algérie, la France n'est plus une puissance coloniale.

• **L'action politique de Charles de Gaulle met en avant l'indépendance française.** L'obtention de la bombe nucléaire en 1960 permet à de Gaulle d'écarter en partie la France de l'influence américaine, tout en restant dans le bloc de l'Ouest. Le retrait de la France du commandement intégré de l'OTAN, en 1966, confirme cette volonté. **Il poursuit l'œuvre de modernisation de la IVᵉ République.** La création de la DATAR en 1963 (p. 298), l'essor d'une industrie pétrolière et aéronautique, la multiplication de plans autoroutiers, la modernisation de l'agriculture en partie grâce à la PAC (p. 300), contribuent à l'enrichissement du pays.

• **Mais cette politique est contestée.** En 1964, le futur président socialiste François Mitterrand publie une critique virulente des institutions dans *Le Coup d'État permanent*. Face aux grèves étudiantes et ouvrières de Mai 68 (chapitre 5), et malgré les discussions qui permettent au Premier ministre G. Pompidou de négocier avec les syndicats les accords de Grenelle, Ch. de Gaulle dissout l'Assemblée nationale. Le parti gaulliste remporte une victoire écrasante, mais en 1969, un référendum sur la réforme du Sénat et la régionalisation du territoire est rejeté par la gauche et une partie de la droite. Face à la victoire du « non », de Gaulle démissionne.

C. Les héritiers de De Gaulle face aux crises pétrolières (1969-1981)

• **Georges Pompidou (1969-1974) se place en héritier de De Gaulle.** Artisan de la modernisation du territoire comme Premier ministre, il reprend les grandes orientations de son prédécesseur, poursuivant ainsi la modernisation de l'économie française. Face au premier choc pétrolier, il met en place une industrie nucléaire nationale contrôlée par l'État et construit les premières centrales nucléaires. Son décès laisse les gaullistes orphelins.

• **Le démocrate-chrétien Valéry Giscard d'Estaing est élu en 1974** sur un programme de rupture qui s'appuie sur la jeunesse. Il abaisse la majorité de 21 à 18 ans, dépénalise l'avortement en 1975 par la loi Veil, mais ne parvient pas, malgré les plans de rigueur de son premier ministre Raymond Barre, à réguler un chômage croissant depuis le second choc pétrolier (1979). Confronté à plusieurs scandales qui ternissent son image, et à un bilan en demi-teinte, il est battu par le socialiste François Mitterrand aux élections de 1981.

Citation

« *Toute ma vie, je me suis fait une certaine idée de la France. [...] Bref, à mon sens, la France ne peut être la France sans la grandeur.* »

Charles de Gaulle, *Mémoires de guerre*. t.1, *L'Appel, 1940-1942*. Paris, Plon, 1954.

Biographie

Charles de Gaulle (1890-1970)

Chef de la France libre (1940-1944), président de la République française entre 1958 et 1969, Charles de Gaulle est partisan d'une France indépendante et puissante. Il s'oppose à la IVᵉ République qu'il considère prisonnière des partis politiques. De retour à la tête du gouvernement en 1958, il fonde la Vᵉ République qui fait du président, élu pour la première fois au suffrage universel en 1965, la « clé de voûte » des institutions. Il accompagne la décolonisation de l'Afrique noire française, met fin à la guerre d'Algérie, et dote la France d'une industrie forte et de l'arme nucléaire.

Mots clés

Bipolarisation : Division de la vie politique en deux grands ensembles de partis politiques, la gauche et la droite.

Référendum : Consultation directe des citoyens sous forme d'une question à laquelle ils sont appelés à répondre par oui ou par non.

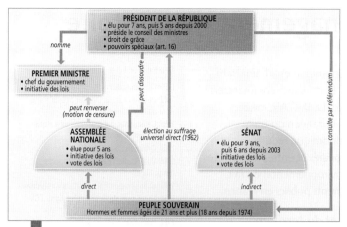

PRÉSIDENT DE LA RÉPUBLIQUE
• élu pour 7 ans, puis 5 ans depuis 2000
• préside le conseil des ministres
• droit de grâce
• pouvoirs spéciaux (art. 16)

nomme

PREMIER MINISTRE
• chef du gouvernement
• initiative des lois

peut dissoudre

peut renverser
(motion de censure)

ASSEMBLÉE
NATIONALE
• élue pour 5 ans
• initiative des lois
• vote des lois

élection au suffrage
universel direct (1962)

SÉNAT
• élu pour 9 ans,
puis 6 ans depuis 2003
• initiative des lois
• vote des lois

consulte par référendum

direct

indirect

PEUPLE SOUVERAIN
Hommes et femmes âgés de 21 ans et plus (18 ans depuis 1974)

Doc. 1 **Les institutions de la Vᵉ République.**

1. Quel rôle le président de la République joue-t-il ?

2. Quels éléments font de lui la « clé de voûte » des institutions ?

Doc. 3

De Gaulle visite le champ gazier de Lacq (1959).

À ses côtés le ministre de l'Industrie Jean-Marcel Jeanneney (nœud papillon) et le président de la Société nationale des Pétroles d'Aquitaine, futur Elf Aquitaine, André Blanchard, à droite du général.

1. Pourquoi exploiter le pétrole et le gaz en France ?

2. Que montre cette photo du rôle de l'État dans l'industrialisation du territoire ?

Doc. 4 **Les référendums sous la Vᵉ République.**

Date	Sujet	Taux d'approbation	Taux d'abstention
8 janvier 1961	Autodétermination en Algérie	75 %	26,2 %
8 avril 1962	Accords d'Évian	90,8%	24,7%
28 octobre 1962	Élection du président de la République au suffrage universel direct	62,2 %	23,3 %
27 avril 1969	Régionalisation et réforme du Sénat	47,6%	19,7%
23 avril 1972	Élargissement de la CEE au Royaume-Uni, à l'Irlande et au Danemark	68,7 %	39,7 %
6 novembre 1988	Nouveau statut de la Nouvelle-Calédonie	80 %	63,1 %
20 septembre 1992	Adoption du traité de Maastricht qui transforme la CEE en Union européenne	51,04 %	30,3 %
24 septembre 2000	Réduction du mandat présidentiel de 7 à 5 ans	73,2 %	69,8 %
29 mai 2005	Traité constitutionnel européen	45,3 %	30,6 %

1. Quels types de sujets sont soumis à référendum ?

2. Quel intérêt les présidents ont-ils à éviter de passer par le Parlement ?

Doc. 2 **De Gaulle expose la doctrine de défense nucléaire française (1959).**

En 1945, de Gaulle a créé le Commissariat à l'éner-gie atomique. Le 13 février 1960, la première bombe atomique française est testée à Reggane, dans le Sahara algérien.

Il faut que la défense de la France soit française. C'est une nécessité qui n'a pas toujours été très familière au cours de ces dernières années. Je le sais. Il est indispensable qu'elle le redevienne. […] Natu-rellement, la défense française serait, le cas échéant, conjuguée avec celle d'autres pays. Cela est dans la nature des choses. Mais il est indispensable qu'elle nous soit propre, que la France se défende par elle-même, pour elle-même, et à sa façon. […]

La conséquence, c'est qu'il faut, évidemment, que nous sachions nous pourvoir, au cours des prochai-nes années, d'une force capable d'agir pour notre compte, de ce qu'on est convenu d'appeler une « force de frappe » susceptible de se déployer à tout moment et n'importe où. Il va de soi qu'à la base de cette force sera un armement atomique – que nous la fabriquions ou que nous l'achetions – mais qui doit nous appartenir. Et puisqu'on peut détruire la France, éventuellement, à partir de n'importe quel point du monde, il faut que notre force soit faite pour agir où que ce soit sur cette terre.

Charles de Gaulle, allocution du 3 novembre 1959, *Discours et messages*, vol. 3, Paris, Plon, 1970..

1. Comment Ch. de Gaulle justifie-t-il la maîtrise française de la bombe atomique ?

Doc. 5 **Le départ des troupes de l'OTAN stationnées en France (1967).**

Après l'annonce du retrait de la France du commande-ment intégré de l'OTAN en 1966, les troupes de l'Alliance quittent le territoire, comme ici à Saint-Germain-en-Laye le 14 mars 1967. Le siège européen de l'OTAN est transféré de Paris à Bruxelles. La France reste membre de l'OTAN.

1. Pourquoi de Gaulle veut-il que les troupes de l'OTAN quittent le territoire ?

2. Quelle force militaire que possède la France permet à de Gaulle d'imposer une telle décision ?

En 1945, Paris concentre l'essentiel du pouvoir économique et administratif. L'essor économique des Trente Glorieuses donne à l'État les moyens financiers de répondre aux besoins d'une population croissante. La **DATAR**, créée en 1963, aménage tunnels, autoroutes, littoral méditerranéen ou trains à grande vitesse. Depuis les années 1970, la crise économique réduit les ambitions de l'État qui associe collectivités territoriales et entreprises privées dans le financement des aménagements. Le souci environnemental en fait, depuis les années 1980, le contrôleur des aménagements publics en France.

➜ *Quel rôle l'État joue-t-il dans l'aménagement du territoire français ?*

Dates clés

L'État aménageur

1947 Jean-François Gravier publie *Paris et le désert français*.

1955 L'installation d'entreprises à Paris est soumise à autorisation.

1963 Création de la DATAR.

1964 Valorisation de huit métropoles d'équilibre.

1967 Création des Parcs naturels régionaux.

1981 Ouverture de la première ligne TGV (Paris-Lyon).

1982 Loi-cadre Deferre sur la régionalisation.

1985-1986 Loi Montagne et loi Littoral.

Doc. 1 Paris et le « désert » français.

On a perdu l'habitude, depuis Haussmann, de crier au scandale chaque fois que Paris accroît les frais généraux de la nation, tant il a fini par paraître naturel que la capitale fasse la loi. Paris est devenu aux yeux des Français une sorte de vedette de cinéma que chacun espère voir un jour « en chair et en os » et dont toutes les fantaisies sont d'avance pardonnées. Qu'on dépense des dizaines de milliards pour y construire des maisons, pour y amener de l'eau potable ou pour en faire un port de mer, cela paraît tout naturel à l'« indigène du Quercy dont le village tombe en ruines et qui va chaque jour remplir ses deux seaux à la fontaine.

Jean-François Gravier, *Paris et le désert français*, Paris, Flammarion, 1972.

Doc. 2 Paul Delouvrier imagine les « villes nouvelles ».

« Pourquoi des villes nouvelles ? » dites-vous, et surtout « pourquoi des villes d'une taille aussi effrayante, aussi inhumaine ? Pourquoi ajouter dans l'Île-de-France, à l'agglomération parisienne, déjà trop vaste, cinq ou six agglomérations nouvelles, chacune de la dimension de l'agglomération lyonnaise ou marseillaise ? » […] La notion même de ville nouvelle commence maintenant à être plus aisément acceptée. Elle résulte de l'analyse des inconvénients bien connus de la vie en banlieue, et singulièrement dans la banlieue parisienne. En schématisant, celle-ci a poussé sous deux formes : entre les deux guerres, les lotissements ; depuis la Libération les grands ensembles. Les deux mots n'évoquent pas des images riantes, et la querelle dépasse de loin celle des tenants de la maison individuelle et des partisans de l'habitat collectif.

Imaginons ensemble un instant de raison, ou plutôt de déraison, ce que donnerait l'agglomération parisienne grandie jusqu'à 14 millions d'habitants et étendant sur les axes d'urbanisation choisis un système ou l'autre. […] Que faire pour remédier à ce mal évident pour casser le long ruban des pavillons ou des grands ensembles, pour rompre avec l'ennui de l'éloignement et les ennuis des transports ? Dites-le moi, que faire ? Sinon de tenter de réussir des centres urbains intermédiaires entre le petit centre de quartier et le cœur de Paris.

Paul Delouvrier, conférence du 6 février 1966, au théâtre des Ambassadeurs.

Doc. 3 La Grande Motte, réalisation de la DATAR.

Créée en 1963, la DATAR donne immédiatement mission à un haut fonctionnaire, Pierre Racine, d'organiser le littoral méditerranéen. Le grand ensemble balnéaire de La Grande Motte est construit entre 1966 et 1975 pour détourner les vacanciers français des stations espagnoles.

Biographie

Paul Delouvrier (1914-1995)

L'un des hauts fonctionnaires les plus importants de la IVe et de la Ve République. Dans les années 1950, il participe à l'élaboration du plan et à la mise en œuvre du traité de Rome, qui crée la Communauté européenne. Dans les années 1960, il est délégué général au district de la région de Paris, puis préfet de la région parisienne. Il devient ainsi responsable de l'aménagement de la région et notamment, de la création des cinq villes nouvelles. Dans les années 1970, comme président d'EDF, il développe les programmes nucléaires dans toute la France.

Mot clé

DATAR : Créée en 1963 pour coordonner la construction des grandes infrastructures, la Direction à l'Aménagement du Territoire et l'Action Régionale coordonne le travail des différentes administrations de l'État. Devenue en 2005 Délégation Interministérielle à l'Aménagement et à la Compétitivité des Territoires (DIACT), elle est redevenue DATAR en 2009 comme Délégation interministérielle à l'Aménagement du Territoire et à l'Attractivité Régionale.

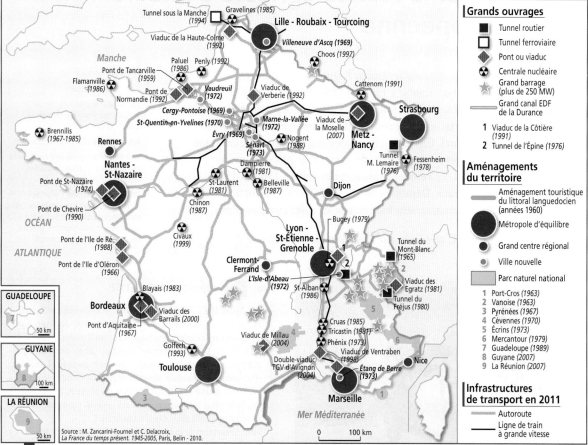

Doc. 4 Les grands aménagements du territoire français.

Doc. 5 Le viaduc de Millau, une prouesse technique au service de l'aménagement.

Dessiné par l'architecte Norman Foster pour la compagnie française Eiffage, le viaduc de Millau a coûté 400 millions d'euros, entièrement à la charge de l'entreprise concessionnaire. En échange, elle exploite et reçoit les bénéfices du péage du viaduc jusqu'en 2079.

La construction du viaduc a déjà joué un rôle moteur dans l'activité économique de Millau. Et son exploitation créera des emplois, notamment avec le péage et le siège de la société gestionnaire de l'ouvrage, auxquels il faut ajouter le renforcement des services de gendarmerie et de douane. Mais il y a surtout l'engouement exceptionnel qu'a engendré le viaduc, puisque 500 000 visiteurs se sont déjà succédés sur le site au fur et à mesure de sa construction. [...]

Le viaduc de Millau est aussi un atout pour l'aménagement de notre territoire. Il permettra de franchir la vallée du Tarn en quelques minutes au lieu des 3 heures qui étaient parfois nécessaires. L'ouverture de cette voie, la plus directe entre Paris et la Méditerranée, soulagera aussi l'axe rhodanien. Le viaduc s'inscrit ainsi dans une politique constante de désenclavement du Massif central, une politique constante et nécessaire, une politique qui s'est concrétisée par la construction de l'A-89 et de l'A-75 Clermont-Ferrand-Béziers. [...] Au-delà du désenclavement du Massif central, la nation investit dans ses infrastructures et renforce ainsi l'un de ses atouts essentiels pour l'avenir. Car la qualité et la densité de nos liaisons routières et ferroviaires contribuent à faire de la France l'un des premiers pays d'accueil pour les investissements étrangers.

Jacques Chirac, discours prononcé lors de l'inauguration du viaduc de Millau, le 14 décembre 2004.

POUR COMPRENDRE

1. Étudier les documents

Doc. 1 Quelle critique J.-F. Gravier fait-il des déséquilibres du territoire ?

Doc. 2 et 3 Quels instruments sont créés par l'État pour aménager le territoire ?

Doc. 4 Quels grands aménagements sont réalisés ? Quels territoires sont privilégiés ? Pourquoi ?

Doc. 4 et 5 Pourquoi avoir construit ce viaduc ? Quel rôle l'État y a-t-il joué ?

2. Analyse de deux documents

BAC À l'aide des documents 3 et 5, vous expliquerez le rôle de l'État dans l'aménagement du territoire depuis les années 1960.

3. Aide à la composition

BAC À l'aide de vos connaissances, vous rédigerez un plan détaillé qui réponde au sujet : « Organisation, réalisations et limites de l'État dans l'aménagement du territoire ».

En 1945, un tiers des Français travaillent pour l'agriculture, l'élevage
et la pêche. Cette proportion tombe à 15 % en 1968 et à 4 % en 2006.
Le baby-boom, l'industrialisation (les tracteurs), l'essor de la population urbaine,
l'accélération des transports, la mondialisation du commerce ont transformé
les conditions du travail rural. Créée en 1962, la Politique Agricole Commune
(**PAC**) permet d'augmenter la production, de garantir les prix et d'assurer
un revenu aux agriculteurs. Le **remembrement** des années 1960 et 1970
transforme les paysages ruraux. Depuis les années 1980, la surproduction
et la préservation de l'environnement font baisser les aides européennes.

➜ *Quelle influence la PAC a-t-elle sur l'agriculture française ?*

Dates clés

L'action européenne

1962 Marché commun
et Politique Agricole Commune
(PAC).

Années 1960 et 1970 Remembrement.

1983-1984 Résorption des excédents
par la mise en place de quotas
laitiers.

1992, 1999, 2003 et 2008 Réformes
de la PAC : baisse des **prix garantis**,
mise sous conditions des aides
agricoles (modernisation, qualité,
respect de l'environnement).

Doc. **1** **Une agriculture modernisée par le plan Marshall (1947).**

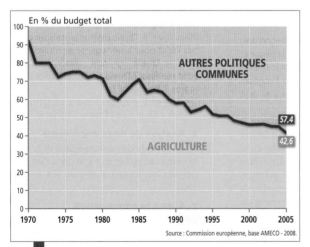

En % du budget total

**AUTRES POLITIQUES
COMMUNES**

57,4

42,6

AGRICULTURE

Source : Commission européenne, base AMECO - 2008.

Doc. **3** **Le poids de la PAC dans le budget européen depuis 1970.**
Le budget de l'UE est d'environ 1,2 % du PIB des États membres. Par comparaison, le budget de la France, en 2010, représente 18 % du PIB français.

Doc. **2** **Les objectifs de la PAC (1962).**

Après 1945, les pays européens se trouvent confrontés à
la nécessité de développer leur production agricole, pour
assurer leur sécurité alimentaire et rétablir leur balance des
paiements. [...] L'agriculture occupait alors une forte proportion de la population active européenne et la réalisation
d'un marché commun agricole était jugée une étape indispensable à une meilleure division du travail, à une baisse
des prix pour les consommateurs et à un transfert des ressources au profit du secteur industriel. [...]
Pour l'essentiel, le marché commun agricole était fondé sur
trois principes : l'unicité du marché, la préférence communautaire, la solidarité financière. À travers eux, c'est la
cohésion interne et l'intégration de l'Europe agricole au sein
de la Communauté qui étaient réalisées. La politique agricole commune apparaît alors comme le véritable acte fondateur du Marché Commun.
La PAC créée en 1962 reposait sur des mécanismes (prix
d'intervention, prix de seuil pour les importations, restitu-
tions à l'exportation et prélèvements à l'importation) qui
garantissaient une préférence communautaire et permettaient une présence sur les marchés tiers. Elle offrait aux
producteurs une garantie d'achat quelle que soit leur production.

Jacques Loyat et Yves Petit, *La Politique agricole commune (PAC)*
Une politique en mutation, Paris, La Documentation française, 2008.

Mots clés

PAC : Politique Agricole Commune des pays de la CEE, prolongée
par l'Union européenne en 1993, pour garantir une production agricole
qui permette d'atteindre l'autosuffisance et entretenir les territoires.

Prix garantis : Si les prix du marché se situent au-dessous des prix
garantis, l'Europe verse la différence aux agriculteurs. À partir de 1992,
l'Europe décide de baisser les prix garantis.

Remembrement : Réorganisation de la propriété rurale
par regroupement de petites parcelles agricoles, afin d'accélérer
la mécanisation et d'augmenter la productivité des exploitations.

Doc. 4 Le fondateur de la PAC explique son impopularité.

J'ai été, quant à moi, productiviste [...] hier. Ce qui se passe, aujourd'hui, m'inspire plus d'inquiétude que d'espoir. À vouloir forcer la terre, nous prenons, en effet, le risque de la voir se dérober. À vouloir mondialiser le marché, nous faisons fi du besoin que tous les peuples ont de vivre à leur manière du travail de leurs terres. À industrialiser le travail agricole, nous chassons des paysans dont les villes et les usines ne savent plus que faire. [...] La PAC est devenue impopulaire chez ceux-là mêmes qu'elle a mission de soutenir. Ils s'y accrochent comme à une bouée, parce qu'elle distribue des subsides. Elle est aussi impopulaire chez les citadins qui, confrontés au chômage, ne comprennent pas que les agriculteurs reçoivent une attention qu'ils n'ont pas, eux-mêmes, connue. Elle l'est chez les agriculteurs des futurs pays membres de l'Union, aux États-Unis, dans le tiers-monde. Elle est une cible privilégiée des institutions internationales.

Elle ne satisfait personne. Aux yeux des économistes, elle a perdu toute légitimité puisque l'Europe peut s'approvisionner à meilleur compte sur le marché mondial. Ceux qui ont mandat de l'administrer préparent en catimini un nouveau remaniement qui conduit à son extinction. Créée au lendemain de la guerre, alors que le rationnement restait un souvenir vivant, elle s'est polarisée sur la production ; elle n'est pas adaptée à une époque où sécurité, qualité alimentaire et environnement préoccupent l'opinion plus que la subsistance. Rien ne peut la réhabiliter. Elle doit être réinventée.

Edgard Pisani, *Un vieil homme et la terre*, Paris, Le Seuil, 2004.

Doc. 6 La première réforme de la PAC (1992).

À la fin des années 1980, l'accroissement de la production agricole dans certains secteurs agricoles fut à l'origine de graves difficultés économiques, budgétaires et environnementales. Les stocks européens, fort coûteux pour le budget communautaire, ne pouvaient plus absorber les excédents de production qui ne trouvaient pas de débouchés sur des marchés mondiaux saturés. [...] Ainsi, l'objectif productiviste de l'article 33 du traité (« La politique agricole commune a pour but d'accroître la productivité de l'agriculture ») a été largement dépassé tandis que l'objectif de relèvement du niveau de vie agricole, présent dans le même article du traité, restait d'actualité. Au début des années 1990, de nombreuses exploitations agricoles disparaissaient et les équilibres environnementaux et territoriaux de nombreuses régions agricoles étaient menacés.

Dans ce contexte, la réforme de la PAC de 1992 se distinguait des adaptations précédentes de la politique par l'ampleur et la diversité des contraintes (internes et externes) auxquelles elle devait faire face (crise agro-budgétaire, désertification, exode rural, problèmes environnementaux, négociations internationales au sein de l'OMC). De plus, son approche globale des problèmes était remarquable. Ainsi la recherche de la maîtrise de la production fut à l'origine de l'abandon partiel des principes édictés en 1962 dans le secteur agricole : des prix agricoles élevés soutenus par des mécanismes d'intervention automatiques dans certains secteurs sont remplacés par des aides directes dans certains secteurs.

Valérie Adam, « La réforme de la politique agricole commune », dans *La PAC en mouvement. Évolution et perspectives de la Politique Agricole Commune*, Paris, L'Harmattan, 2010.

Doc. 5 Manifestation à Paris contre la baisse des prix garantis, en octobre 2009.

Les syndicats agricoles se répartissent en plusieurs groupes dont la Fédération Nationale des Syndicats d'Exploitants Agricoles (FNSEA), créée en 1950, longtemps productiviste et proche du pouvoir politique, et la Confédération paysanne, née en 1987, proche des mouvements écologistes et partisan d'une agriculture durable. Un troisième groupe, la Coordination rurale, est née en 1992 en réaction à la première réforme de la PAC.

Biographie

Edgard Pisani (né en 1918)

Résistant, plus jeune sous-préfet de la Libération, gaulliste de gauche, il est ministre de l'Agriculture (1959-1966), de l'Équipement puis du Logement (1966-1967). Il représente la France à la Commission de Bruxelles entre 1981 et 1983. Inventeur de la Politique Agricole Commune en 1962, il développe le productivisme à l'échelle européenne. Depuis les années 1980, il appelle à une réforme des institutions agricoles et à une réflexion sur l'usage des ressources à l'échelle mondiale.

POUR COMPRENDRE

1. Étudier les documents

Doc. 1 et 2 Comment l'agriculture fonctionne-t-elle aux lendemains de la Seconde Guerre mondiale ? Que veut modifier la PAC ?

Doc. 3 et 6 Quelle place la PAC prend-elle dans le budget européen ? Dans quel sens est-elle modifiée à partir de 1992 ?

Doc. 4 et 5 Quelles critiques sont apportées à la PAC ? Pourquoi ?

2. Analyse de deux documents

BAC À l'aide des documents 3 et 6, vous expliquerez la place prise par la PAC dans la modernisation de l'agriculture française.

3. Aide à la composition

BAC À l'aide de vos connaissances, vous rédigerez un paragraphe qui réponde au sujet : « Les difficultés de l'agriculture française depuis 1945 ».

1981 Abolition de la peine de mort	1992 Traité de Maastricht	2000 L'Euro remplace le Franc
1981 F. Mitterrand	1995 J. Chirac	2007 N. Sarkozy
1982 Décentralisation 1986 Première cohabitation	1993 2ᵉ cohabitation 1997 3ᵉ cohabitation	2002 J.-M. Le Pen au 2ᵉ tour des présidentielles

→ *Comment gouverner face aux crises politiques, économiques et sociales ?*

A. L'arrivée de la gauche au pouvoir

• **En 1981, l'élection du socialiste François Mitterrand provoque la première alternance.** Opposant majeur des institutions, F. Mitterrand met en place une politique de nationalisations, crée l'impôt sur les grandes fortunes, abolit la peine de mort, et intègre quatre ministres communistes au gouvernement de Pierre Mauroy.

• **En 1982, l'État accorde aux collectivités territoriales une forte autonomie de gestion.** La loi Defferre de **décentralisation (p. 308)** donne aux régions une marge importante d'action sur leur territoire. En contrepartie, la capacité d'action de l'État semble diminuer. Le retour de l'inflation provoque en 1983 une plus grande rigueur budgétaire, mais le gouvernement Fabius échoue à maîtriser un chômage grandissant et la multiplication des délocalisations industrielles.

• **En 1986, la victoire de la droite aux élections législatives ne remet que partiellement au cause ces réformes.** Elle fait naître la première **cohabitation** au cœur de l'exécutif. Si elle donne, dans les sommets européens, l'image d'un exécutif à deux têtes, la droite ne modifie rien à la politique européenne française, qui poursuit l'œuvre de coopération franco-allemande et pousse à plus d'intégration économique.

B. Le temps des défiances (1988-2002)

• **Après sa victoire en 1988, la gauche ne renationalise pas** les entreprises privatisées en 1986, mais ouvre des entreprises publiques, comme Air France, aux capitaux privés. La multiplication des scandales politico-financiers autour du Parti socialiste fait perdre à la gauche les élections législatives de 1993 et aboutit à une deuxième cohabitation. En 1997, le président gaulliste Jacques Chirac, élu en 1995, dissout l'Assemblée nationale, ce qui provoque une troisième cohabitation (1997-2002). Pour lutter contre le risque de cohabitation, un référendum en 2000 réduit à 5 ans la durée du mandat présidentiel.

• **La création de l'Union européenne semble enlever à l'État une partie de son pouvoir de décision.** Après l'adoption par référendum du traité de Maastricht en 1993 (doc. 3), plus de 80 % des décisions qui s'appliquent à la France sont d'abord décidées en concertation avec tous les États membres et en application des traités.

• **Les mouvements contestataires profitent des scandales politiques et de la confusion des pouvoirs.** L'accès du Front national de Jean-Marie Le Pen au 2ᵉ tour des élections présidentielles de 2002 montre la défiance d'une partie de l'opinion publique envers des partis de gouvernements qui ont alterné au pouvoir depuis les années 1970 sans parvenir à juguler le chômage, et la séduction d'un discours sécuritaire.

C. Une opinion publique confrontée aux effets des crises (depuis 2002)

• **L'opinion publique s'écarte en partie des relais traditionnels des pouvoirs publics.** Syndicats et partis n'ont jamais eu aussi peu de militants depuis les années 1950, et le développement de l'Internet permet une expression de l'opinion publique hors des médias traditionnels.

• **La montée de l'abstention et la contestation des pouvoirs publics se poursuivent.** De 24,9 % en 1981, l'abstention aux élections législatives monte à 40 % en 2007. Une partie s'abstient et accuse la mondialisation, une autre partie accuse l'immigration, d'être responsables des délocalisations industrielles et du chômage.

• **En 2005, un référendum sur le traité constitutionnel européen** (chap. 11), soutenu par les partis de gouvernement et la majorité de la presse, aboutit à la victoire du « Non ». La construction européenne est mise à mal par les difficultés des gouvernements à répondre aux effets de la crise financière (2008) et par les dettes souveraines (2011).

C itation

« *Il existe dans notre pays une solide permanence du bonapartisme, où se rencontrent la vocation de la grandeur nationale, tradition monarchique, et la passion de l'unité nationale, tradition jacobine.* »

François Mitterrand,
Le Coup d'État permanent,
Paris, Plon, 1964.

Biographie

François Mitterrand (1916-1996)

Plusieurs fois ministre sous la IVᵉ République, il s'oppose fortement à Charles de Gaulle en 1958 et condamne la Vᵉ République dans *Le Coup d'État permanent* (1964). Devenu secrétaire général du Parti socialiste, il met en place l'union de la gauche avec les radicaux et les communistes et devient président de la République en 1981. S'il échoue à combattre le chômage, il maintient la France dans une politique européenne volontariste. Il fait évoluer la pratique des institutions en acceptant, en 1986 et en 1993, l'existence d'une cohabitation au sein de l'exécutif.

Mots clés

Alternance : Changement de majorité politique à la suite d'une élection présidentielle ou législative.

Cohabitation : Coexistence d'un président et d'une majorité parlementaire de bords politiques opposés. En conséquence, l'exécutif est partagé entre un président et un gouvernement qui s'opposent.

Décentralisation : Mécanisme par lequel l'État donne à des collectivités (région, département, commune), sur leur territoire, les moyens légaux et financiers de gouverner à sa place.

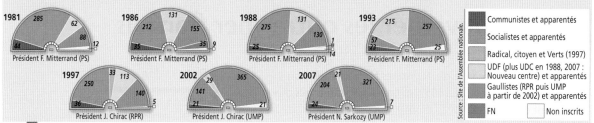

	1981	285	62		1986	131		1988	131		1993	215	257			Communistes et apparentés

1981 285 62 88 44 12
Président F. Mitterrand (PS)

1986 131 212 155 35 35 9
Président F. Mitterrand (PS)

1988 131 275 130 1 25 14
Président F. Mitterrand (PS)

1993 215 257 57 23 25
Président F. Mitterrand (PS)

1997 33 113 250 140 36 5
Président J. Chirac (RPR)

2002 29 365 141 21 21
Président J. Chirac (UMP)

2007 21 204 321 24 7
Président N. Sarkozy (UMP)

Source : Site de l'Assemblée nationale.

- ◼ Communistes et apparentés
- ◼ Socialistes et apparentés
- ◻ Radical, citoyen et Verts (1997)
- ◻ UDF (plus UDC en 1988, 2007 : Nouveau centre) et apparentés
- ◼ Gaullistes (RPR puis UMP à partir de 2002) et apparentés
- ◼ FN ☐ Non inscrits

Doc. 1 L'Assemblée nationale et les alternances politiques depuis 1981.

1. Comment se manifeste l'équilibre politique voulu par la constitution de 1958 ?

2. Comment se manifeste la défiance des électeurs face aux gouvernants ?

Doc. 2 François Mitterrand et la cohabitation (1986).

Les Français avaient déjà choisi en 1981 l'alternance politique. Ils viennent en majorité de marquer à nouveau, mais en sens contraire, leur volonté de changement. Dépassons l'événement que chacun jugera selon ses convictions. Réussir l'alternance aujourd'hui comme hier, demain comme aujourd'hui, donnera à notre pays l'équilibre dont il a besoin pour répondre, dans le temps et, je l'espère, à temps, aux aspirations des forces sociales qui le composent. Mon devoir était d'assurer la continuité de l'État et le fonctionnement régulier des institutions. Je l'ai fait sans retard [...]. Le Premier ministre nommé et le gouvernement mis en place sont désormais en mesure de mener leur action.

Mais nos institutions sont à l'épreuve des faits. Depuis 1958 et jusqu'à ce jour, le Président de la République a pu remplir sa mission en s'appuyant sur une majorité et un gouvernement qui se réclamaient des mêmes options que lui. Tout autre, nul ne l'ignore, est la situation issue des dernières élections législatives.

Pour la première fois la majorité parlementaire relève de tendances politiques différentes de celles qui s'étaient rassemblées lors de l'élection présidentielle, ce que la composition du gouvernement exprime, comme il se doit.

François Mitterrand, message du président de la République lu au Parlement, le 8 avril 1986.

1. Quelle situation politique nouvelle justifie un tel message ?

2. Comment François Mitterrand explique-t-il son approbation de la cohabitation ?

Doc. 3 Philippe Seguin contre le traité de Maastricht (1992).

Philippe Seguin, député gaulliste, s'oppose au traité de Maastricht.

L'Europe qu'on nous propose n'est ni libre, ni juste, ni efficace. Elle enterre la conception de la souveraineté nationale et les grands principes issus de la Révolution : 1992 est littéralement l'anti-1789. [...] Dans cette affaire éminemment politique, le véritable et le seul débat oppose donc, d'un côté ceux qui tiennent la nation pour une simple modalité d'organisation sociale désormais dépassée dans une course à la mondialisation qu'ils appellent de leurs vœux et, de l'autre ceux qui s'en font une tout autre idée.

La nation, pour ces derniers, est quelque chose qui possède une dimension affective et spirituelle. C'est le résultat d'un accomplissement, le produit d'une mystérieuse métamorphose par laquelle un peuple devient davantage qu'une communauté solidaire, presque un corps et une âme. [...]

Derrière la question de savoir quelle Europe nous voulons, se pose donc fatalement la question cruciale de savoir quelle France nous voulons. [...]

L'avenir de la France ne dépend pas seulement du succès de l'Europe, mais passe certainement par le redressement de la France. [...]

Monsieur le Président, mesdames, messieurs les ministres, mes chers collègues [...], oui, nous voulons l'Europe, mais debout, parce que c'est debout qu'on écrit l'histoire !

Philippe Seguin, discours à l'Assemblée nationale, 5 mai 1992.

1. Quelle définition Philippe Séguin se fait-il de l'idée de nation ?

2. Pourquoi s'oppose-t-il au traité de Maastricht ?

Doc. 4 L'extrême-droite au 2e tour des élections présidentielles de 2002.

À la surprise générale, le dirigeant du Front national, Jean-Marie Le Pen, arrive deuxième au premier tour des élections présidentielles, le 21 avril 2002. La gauche appelle à voter pour la droite parlementaire : au 2e tour, Jacques Chirac est réélu président avec 82,2 % des voix.

L'outre-mer est l'ensemble des territoires français situés hors du continent européen. En 1945, ces terres aux statuts très divers constituent encore un Empire colonial, qui prend le nom d'**Union française** en 1946. Les territoires restés français après les décolonisations sont les Départements d'Outre-Mer (**DOM**) et Territoires d'Outre-Mer (**TOM**), renommés en 2003 Départements et Régions d'Outre-Mer – Collectivités d'Outre-Mer (**DROM-COM**). Inégalement autonomes dans leur gestion, ils sont fortement dépendants de la métropole. La mémoire de l'esclavage ou des inégalités économiques et sociales y entretient des relations parfois troublées avec la métropole.

➜ *Comment la France maintient-elle son influence outre-mer ?*

Dates clés

Une puissance ultramarine

1946 Création de l'Union française.

1954-1962 Indépendances de l'Indochine, du Maroc et de la Tunisie, de l'Afrique noire française et de l'Algérie.

1967 Émeutes en Guadeloupe.

1988 Prise d'otages d'Ouvéa en Nouvelle-Calédonie.

2003 Réforme constitutionnelle renforçant l'autonomie des Collectivités d'Outre-Mer (COM).

Mot clé

Union française : Les territoires d'outre-mer de 1946 à 1958. Les populations d'outre-mer gagnent de nouveaux droits, mais restent sous la domination de la métropole. La colonisation n'est pas vraiment abolie.

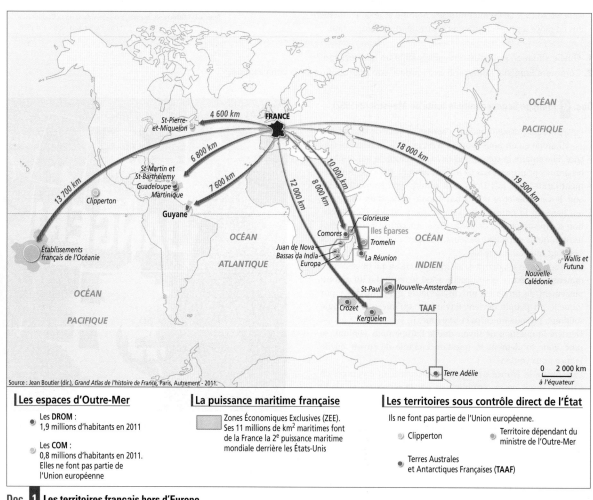

Source : Jean Boutier (dir.), *Grand Atlas de l'histoire de France*, Paris, Autrement - 2011.

Les espaces d'Outre-Mer

- Les **DROM** : 1,9 millions d'habitants en 2011
- Les **COM** : 0,8 millions d'habitants en 2011. Elles ne font pas partie de l'Union européenne

La puissance maritime française

- Zones Économiques Exclusives (ZEE). Ses 11 millions de km² maritimes font de la France la 2ᵉ puissance maritime mondiale derrière les États-Unis

Les territoires sous contrôle direct de l'État

Ils ne font pas partie de l'Union européenne.

- Clipperton
- Terres Australes et Antarctiques Françaises (**TAAF**)
- Territoire dépendant du ministre de l'Outre-Mer

Doc. 1 Les territoires français hors d'Europe.

Tournant à l'émeute, les manifestations de mai 1967 contestent la cherté de la vie et la faiblesse des salaires par rapport à la métropole. La répression fait, selon les sources, entre 8 et 200 morts.

Dès 1967, le bilan officiel de sept morts, après les émeutes de Pointe-à-Pitre des 26 et 27 mai, a été contesté. Lors du procès des indépendantistes, en 1968, à la Cour de sûreté de l'État, leur défense, et notamment Me Henri Leclerc, souligne que le nombre de morts est beaucoup plus important que celui annoncé par le préfet Pierre Bolotte. […] Les archives sensibles de l'armée sont couvertes par la confidentialité pendant cinquante ans, sauf dérogation. Les registres des décès consignent huit morts dues aux émeutes. […] Qui a autorisé le préfet Bolotte à faire ouvrir le feu ? Le ministre de l'Intérieur Christian Fouchet ? Le général Billotte, ministre des DOM-TOM ? […] Beaucoup d'archives ont disparu. Les archives de l'hôpital Ricou, qui pourraient être si précieuses, ont été détruites par le cyclone Hugo, en 1989. Celles du préfet Bolotte, en revanche […] montrent un préfet très

À Pointe-à-Pitre, une fresque commémore la répression des manifestations du 26 au 28 mai 1967.

politique, qui reçoit des instructions précises du gouvernement. Ainsi cette note ultraconfidentielle du 2 mai 1966 qu'on lui recommande de détruire : « En Guadeloupe, votre politique doit tendre d'une part à dresser l'un contre l'autre le communisme et l'autonomisme et, d'autre part, à séparer les socialistes en deux formations, le parti socialiste gaulliste et le parti socialiste classique ; les tenants du premier bénéficiant de votre appui, les autres étant livrés à leur impuissance. »

Béatrice Gurrey, « Quarante ans de silence et toujours pas de bilan authentifié », *Le Monde*, 27 mai 2009.

Doc. **3** **Les Antilles et la Réunion face à la mémoire de l'esclavage.**

Nous sommes là pour dire que si l'Afrique s'enlise dans le non-développement, c'est aussi parce que des générations de ses fils et de ses filles lui ont été arrachées ; que si la Martinique et la Guadeloupe sont dépendantes de l'économie du sucre, dépendantes de marchés protégés, si la Guyane a tant de difficultés à maîtriser ses richesses naturelles, si La Réunion est forcée de commercer si loin de ses voisins, c'est le résultat direct de l'exclusif colonial ; que si la répartition des terres est aussi inéquitable, c'est la conséquence reproduite du régime d'habitation.

Nous sommes là pour dire que la traite et l'esclavage furent et sont un crime contre l'humanité ; que les [autorités] juridiques ou ecclésiastiques qui les ont autorisés, organisés percutent la morale universelle ; qu'il est juste d'énoncer que c'est dans nos idéaux de justice, de fraternité, de solidarité, que nous puisons les raisons de dire que ce crime doit être qualifié.

Christiane Taubira, discours à l'Assemblée nationale lors de la discussion de la loi faisant de la traite et de l'esclavage un crime contre l'humanité, le 18 février 1999.

Doc. **4** **Le poids économique de l'héritage colonial en outre-mer.**

Parmi les héritages les plus sensibles d'une colonisation qui s'est développée pour l'essentiel aux XVIIIᵉ et XIXᵉ siècles, on doit retenir la valorisation du secteur primaire, tout entière réalisée dans le cadre de la plantation, du grand domaine, de la concession minière, foncière, forestière. […]
Un autre héritage est la structure économique et sociale des territoires et leur extrême dépendance vis-à-vis de la métropole. La faiblesse du secteur industriel (20 % des actifs à la Réunion et en Nouvelle-Calédonie, 15 % aux Antilles), concentré autour de quelques pôles d'activités alimentaires, de construction, de transformation de matières premières locales, renvoie à l'étroitesse des marchés de consommation et de main-d'œuvre, à une structure de PME fragiles. […] Le secteur agricole est encore essentiel (15 à 27 % des actifs, 7 % seulement à la Réunion), le secteur tertiaire est gonflé par les emplois publics et de services aux particuliers. […]
Les taux de chômage sont de l'ordre de 25 à 30 % des actifs. Ceci rend vital le maintien, par les transferts sociaux notamment, d'un niveau de vie qui avait beaucoup augmenté dans les années 1970. Cette croissance ne doit cependant pas masquer l'importance des écarts sociaux, entre d'un côté un salaire minimum plus bas qu'en métropole, un nombre record de « RMIstes », des conditions de logement encore souvent médiocres, et de l'autre côté, une classe moyenne métisse en essor, et surtout une société blanche très aisée, composée des héritiers de la société coloniale (les « Békés » petits et grands [*Antilles*], les « Caldoches » [*Nouvelle-Calédonie*]).

Philippe Piercy, *La France. Le fait régional*, Paris, Hachette Supérieur, coll. « Carré Géographie », 2009.

POUR COMPRENDRE

1. Étudier les documents

Doc. 1 Où sont situés ces territoires ultramarins ? Quelles sont leurs catégories ? Pourquoi la France les conserve-t-elle ?
Doc. 2 Qui joue un rôle dans ces manifestations ? Pourquoi l'État les réprime-t-il ? Quel souvenir en est conservé ?
Doc. 3 et 4 Quel rôle la mémoire de l'esclavage joue-t-elle ? Comment expliquer les différences économiques entre la métropole et les outre-mer ?

2. Analyse de deux documents

BAC À l'aide des documents 1 et 4, vous expliquerez comment l'État maintient son influence dans les territoires d'outre-mer.

3. Aide à la composition

BAC À l'aide de vos connaissances, vous rédigerez un paragraphe qui réponde au sujet : « Organisation et limites du gouvernement des espaces français d'outre-mer ».

Concentrées à Paris, les réalisations architecturales des présidents de la Ve République leur permettent d'inscrire leur pouvoir sur la création culturelle dans le paysage urbain. Le chef de l'État se place ainsi dans la continuité des rois bâtisseurs. C'est pourquoi ces monuments sont souvent critiqués par ceux qui dénoncent une « dérive monarchique ». Hors de Gaulle, chaque président de la Ve République a voulu imprimer sa marque dans la pierre.

➜ *Quelles sont les significations politiques des réalisations présidentielles ?*

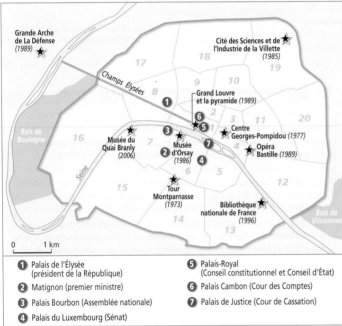

Doc. 1 Des grands travaux parisiens.

① Palais de l'Élysée
(président de la République)

② Matignon (premier ministre)

③ Palais Bourbon (Assemblée nationale)

④ Palais du Luxembourg (Sénat)

⑤ Palais-Royal
(Conseil constitutionnel et Conseil d'État)

⑥ Palais Cambon (Cour des Comptes)

⑦ Palais de Justice (Cour de Cassation)

Doc. 3 Le Centre Georges-Pompidou (1977).
Inauguré en 1977, le centre national d'art et de culture Georges-Pompidou est spécialisé dans la mise en valeur de l'art moderne et contemporain.

Biographie

André Malraux (1901-1976)

Écrivain, intellectuel engagé aux côtés des Républicains dans la guerre d'Espagne, résistant auprès de la France libre, il dirige entre 1959 et 1969 le nouveau ministère des Affaires culturelles. Il crée les Maisons des Arts et de la Culture, installe les Directions régionales des Affaires culturelles, développe les prêts aux musées étrangers, invente le système des avances sur recettes pour financer le cinéma, sauve le château de Versailles de l'abandon et classe une partie de Paris au Patrimoine pour éviter sa bétonisation (loi Malraux de 1962).

Doc. 2 Pompidou et le lien entre art et politique.

Nous avons un ministère des Affaires culturelles, et il est normal que je suive son action, comme celle des autres. Mais pour moi c'est tout autre chose, l'art n'est pas une catégorie administrative. Il est le cadre de vie, ou devrait l'être. Je laisse de côté volontairement ce qu'il peut exprimer ou signifier pour ne garder que le plaisir qu'il donne. [...]
Quant à parler de ligne politique, il n'y a, croyez-le, aucune arrière-pensée de cet ordre dans mon esprit, au sens où l'on entend couramment le mot « politique ». Je ne cherche pas à créer un style « majoritaire » ! Mais c'est vrai, la France se transforme, la modernisation, le développement dans tous les domaines sont éclatants. Pourquoi n'y aurait-il pas un lien avec les arts ? Toutes les grandes époques artistiques sont des époques de prospérité économique et souvent de puissance politique : voyez l'Athènes de Périclès, la Rome des empereurs ou de la Renaissance, la Venise des doges, la Florence des Médicis, sans parler de la France de saint Louis, de François Ier, de Louis XIV, du XVIIIe siècle, même du second Empire. Alors, pourquoi pas notre siècle ? La grandeur ne se divise pas ou, en tout cas, ne se divise que passagèrement.

Georges Pompidou, « Déclarations sur l'art et l'architecture », *Le Monde*, 17 octobre 1972.

Doc. **4**

François Mitterrand devant la pyramide du Louvre (1989).

Le déménagement du ministère de Finances libère un espace important pour les collections de l'État. Les travaux d'agrandissement du musée sont l'occasion de fouilles archéologiques (p. 31). La pyramide de l'architecte Leoh Ming Pei est le symbole de ce nouveau Louvre, devenu le plus grand musée d'Europe.

Doc. **6** **Jacques Chirac et le musée du quai Branly.**

Jacques Chirac l'avait juré : il ne serait pas, comme ses prédécesseurs, abonné aux grands travaux. Pas question d'inscrire son nom dans le béton pour passer à la postérité. Et pourtant, il inaugure mardi 20 juin le musée du quai Branly. [...] Il aura seulement fallu dix ans de gestation. Et 232 millions d'euros. [...] Mais la colère des hommes des musées n'a d'égale que celle des ethnologues. Les premiers, dépossédés du Pavillon des Sessions, attribué aux arts graphiques du Louvre, indignés de la cohabitation annoncée entre La Joconde ou la Vénus de Milo et des « fétiches nègres », accumulent sourdement les obstacles devant Jacques Kerchache, chargé de sélectionner 150 sculptures « primitives ». Les ethnologues multiplient les déclarations hostiles. [*Lorsqu'il devient Premier ministre en 1997*] Lionel Jospin n'entend pas troubler une cohabitation épineuse en allant provoquer l'Élysée sur un terrain qu'il sait sensible. [...] En avril 2000, Jacques Chirac inaugure les salles du Pavillon des Sessions, sobrement aménagées par Jean-Michel Wilmotte. Le directeur du Louvre, Pierre Rosenberg, est à ses côtés, la mine sombre.

Emmanuel de Roux, « Quai Branly. Batailles pour un musée », *Le Monde*, 21 juin 2006.

Le 13 avril 2000, le président Jacques Chirac et le ministre de l'Éducation nationale Jack Lang, face à une céramique Chupicuaro (Mexique), symbole du nouveau musée.

Doc. **5** **La nouvelle Bibliothèque nationale de France.**

Le directeur de la Bibliothèque nationale, l'historien Jean Favier, face au chantier de la très grande bibliothèque voulue par François Mitterrand, à Paris. Inauguré par Jacques Chirac en 1996, ce bâtiment surmonté de quatre tours en forme de livres ouverts a pris le nom de François Mitterrand.

POUR COMPRENDRE

1. Étudier les documents

Doc. 1 Pourquoi une telle concentration de réalisations présidentielles à Paris ? Quels domaines touchent-ils ?

Doc. 2 et 3 Quel est l'objectif culturel majeur de Georges Pompidou ? En quoi est-ce dans la continuité de l'œuvre conduite par André Malraux sous Charles de Gaulle ?

Doc. 4 et 5 Quels bâtiments sont voulus par François Mitterrand ? pourquoi ? avec quels effets ?

Doc. 6 À quelles difficultés se heurtent les projets de Jacques Chirac ? Comment ont-elles été surmontées ?

2. Analyse de deux documents

BAC À l'aide des documents 2 et 4, vous expliquerez quel rôle jouent les intentions politiques dans les réalisations présidentielles.

3. Aide à la composition

BAC À l'aide de vos connaissances, vous rédigerez un paragraphe qui réponde au sujet : « Gouverner par la pierre en France depuis 1958 ».

Pour ou contre la décentralisation ?

>>> Le 27 juillet 1981, deux hommes politiques s'opposent

L'hémicycle du conseil régional d'Île-de-France.

Créées en 1982, les régions, comme les départements, se dotent d'une assemblée élue au suffrage universel direct. Le préfet, représentant de l'État, contrôle la régularité des décisions prises par la collectivité territoriale. En 2011, 70 % des investissements publics effectués en France viennent des collectivités, 30 % directement de l'État.

Pour la loi de décentralisation.

Dans tous les pays démocratiques, il a été fait droit au besoin de concertation, d'association, de participation au travail, qui prépare les décisions concernant les citoyens dans tous les domaines : politique, administratif, culturel, dans l'entreprise, le temps libre, la vie associative. Partout, un nouveau droit a été reconnu. Partout, pour y parvenir, la décentralisation est devenue la règle de vie ; partout, sauf en France. [...] Les responsables politiques qui tenaient les leviers de commande ont maintenu en tutelle les Français et leurs élus locaux, départementaux et régionaux, les traitant comme des mineurs soumis aux décisions d'une classe politique et d'une administration de plus en plus centralisée, de plus en plus technocratique. Ce type de centralisation, qui se voulait éclairée et qui était en réalité dominatrice, a engendré une administration et une réglementation étatiques, tatillonnes, bureaucratiques, un dirigisme étouffant pour les élus et pour les entreprises. [...]

Les Français ont, à deux reprises, au mois de mai et au mois de juin, manifesté clairement leur confiance à François Mitterrand par l'élection à la présidence de la République et par la majorité qui siège aujourd'hui sur ces bancs. Le gouvernement, constitué par François Mitterrand, avec Pierre Mauroy comme Premier ministre, a confiance dans les Français, dans leur capacité de choisir leurs élus, des élus majeurs, responsables, des élus libres d'agir, sans tous ces contrôles a priori, sans que leurs décisions ne soient remises en cause, retardées, déformées par des fonctionnaires ou des ministres lointains, qui connaissent mal leurs problèmes et que rien n'habilite à décider à la place des élus locaux, départementaux ou régionaux.

Il est enfin temps de donner aux élus des collectivités territoriales la liberté et la responsabilité auxquelles ils ont droit. [...] C'est bien servir la France, c'est renforcer la démocratie que de permettre aux élus de décider sur place des solutions à apporter aux problèmes qu'ils connaissent mieux que quiconque [...]. Le projet de loi, présenté par le gouvernement, a pour objet de transférer le pouvoir aux élus, aux représentants des collectivités territoriales, désignés par leurs concitoyens.

Gaston Defferre, ministre de l'Intérieur, à l'Assemblée nationale, 27 juillet 1981.

Gaston Defferre (1910-1986) maire de Marseille de 1953 à sa mort, donne son nom à la loi de 1956 qui permet la décolonisation de l'Afrique noire, et à la loi de 1982 qui organise la régionalisation et la décentralisation.

Contexte

Gaston Defferre, ministre de l'Intérieur, présente le projet de loi de décentralisation à l'Assemblée nationale, le 27 juillet 1981. Cette loi fait partie des engagements électoraux de François Mitterrand en 1981, qui souhaite rompre avec des siècles de centralisation, en donnant plus de pouvoirs aux collectivités territoriales. L'opposition de droite y voit une menace pour l'unité républicaine.

Pour la loi de décentralisation.

1. Quels sont les défauts de l'organisation du territoire français, d'après l'auteur ?

2. En quoi la décentralisation consiste-t-elle ?

3. Que dit ce document des difficultés causées par l'administration ?

Contre la loi de la décentralisation.

Il y a, en effet, mes chers collègues, une différence profonde entre une décentralisation conforme à la Constitution de la République et une décentralisation du type de celle que nous présente le gouvernement. Une décentralisation conforme à la Constitution maintient le principe de la supériorité de l'État sur les collectivités territoriales – communes, départements, régions – qui se situent à l'intérieur de l'État. Ces dernières sont des sections administratives de la nation alors que l'État est la nation. [...] Or, le projet – et l'incompatibilité avec la Constitution me paraît flagrante – permet à une section du peuple de s'attribuer l'exercice de la souveraineté. [...]

Dans la conception qui est la vôtre, mais qui n'est plus celle de la Constitution, l'État, d'une part, les collectivités de l'autre, sont des collaborateurs à égalité de droits. Il y a entre eux non seulement une répartition des compétences mais aussi une égalité de légitimité sans hiérarchie, sinon l'appel à l'ordre judiciaire – tribunal administratif, cour régionale des comptes, c'est-à-dire finalement Conseil d'État et Cour des comptes. [...]

La Constitution de 1958 est une Constitution souple. Elle permet des lectures diverses, et il est bon qu'il en soit ainsi. Elle n'est en aucune façon une constitution qui a été faite pour un homme : l'expérience l'a montré et le montre encore aujourd'hui ; c'est la Constitution de la nation française. Mais si elle est souple, elle est aussi très claire. Elle est inspirée d'une certaine idée de

l'État républicain, c'est-à-dire de l'État, expression de la République, une et indivisible. [...] Ou il faut ouvertement modifier la Constitution, ou il faut – et ce sera ma conclusion – tout en affirmant une volonté délibérée de décentralisation, notamment municipale et départementale, maintenir au président de la République, au Parlement, au gouvernement, en charge de l'État, les moyens juridiques d'être ce qu'ils sont : l'expression active, quotidienne, permanente de l'unité nationale et de la légitimité de la République.

Michel Debré, député gaulliste d'opposition,
intervention à l'Assemblée nationale le 27 juillet 1981.

Michel Debré (1912-1996) préfet à la Libération, Premier ministre de Ch. de Gaulle entre 1958 et 1962, il est le père de la Constitution de la Vᵉ République. Biographie p. 294.

Le 22 mars 1969, le préfet de police de Paris, Maurice Grimaud, est décoré par le président Charles de Gaulle.

Préfet de police en mai 1968, son action a permis de limiter le nombre de victimes des manifestations étudiantes et ouvrières. Depuis leur création par Napoléon en 1800, les préfets sont les représentants de l'État dans les départements et les régions, ou pour des missions particulières. Depuis 1945, ils sont en grande partie formés à l'ENA.

> ## Contre la loi de décentralisation.
>
> **1.** Quelles entités administratives Michel Debré distingue-t-il ?
>
> **2.** Au nom de quels principes dénonce-t-il le projet de loi de décentralisation ?
>
> **3.** Pourquoi affirme-t-il que la constitution n'a pas été « faite pour un homme » ?

> ## Bilan
>
> **En vous aidant de vos connaissances, expliquez la mutation que représente la loi de décentralisation pour le mode de gouvernement de la population française.**

Gouverner la France depuis 1946

L'essentiel

➔ *Comment gouverner une France en pleine transformation après la Seconde Guerre mondiale ?*

1. L'œuvre ambiguë de la IVe République (1946-1958)

• La nouvelle République réorganise l'État : ENA, Statut de la fonction publique, Plan, réunissent les conditions de la reconstruction accélérée par le plan Marshall.

• Malgré l'Union française, et malgré l'instabilité parlementaire, les gouvernements affrontent la décolonisation de l'Indochine et de l'Afrique du Nord française.

• L'essor économique porté par le baby-boom permet un haut niveau de production qui fait de la France une grande puissance économique.

2. De la modernisation gaullienne aux crises des années 1970 (1958-1981)

• La nouvelle constitution donne une prééminence au président, qui oriente la politique de modernisation.

• Après la fin des guerres coloniales, la France se tourne vers la construction européenne et par la maîtrise de l'atome veut jouer un rôle dans les relations internationales.

• Mais le ralentissement économique et les chocs pétroliers de 1973 et 1979 arrêtent la croissance et provoquent un chômage de masse.

3. La France face aux crises (depuis 1981)

• L'alternance de 1981 ne permet pas de résorber le chômage de masse ni la désindustrialisation.

• La construction européenne se dote d'un espace protecteur de l'agriculture et de l'industrie, mais qui se réforme dans la douleur.

• Les difficultés économiques moins fortes des années 1990 et 2000 n'empêchent pas le maintien d'une défiance de l'opinion vis-à-vis de ceux qui les gouvernent, élus comme hauts fonctionnaires.

Personnages

M. Debré
(1912-1996)
❱ Bio p. 294

P. Delouvrier
(1914-1995)
❱ Bio p. 298

Ch. de Gaulle
(1890-1970)
❱ Bio p. 296

P. Laroque
(1907-1997)
❱ Bio p. 293

A. Malraux
(1901-1976)
❱ Bio p. 306

F. Mitterrand
(1916-1996)
❱ Bio p. 302

J. Monnet
(1888-1979)
❱ Bio p. 288

E. Pisani
(né en 1918)
❱ Bio p. 301

Mots clés

• Alternance • Bipolarisation • Cohabitation • DATAR • Décentralisation • État-providence • Jacobinisme • PAC • Poujadisme • Prix garantis • Sécurité sociale • Tripartisme • Troisième force • Union française

Synthèse

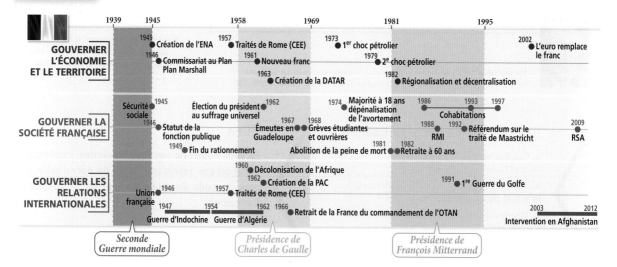

BAC Composition

Sujet 1

Conseils

Introduction : présentez ceux qui agissent (élus, non élus, etc.).
Développement : on peut commencer par un tableau de la France en 1945-1946.
Conclusion : pensez à exposer les limites du sujet, perceptibles à la fin des années 1960.

Lecture du sujet

Qui gouverne ? Élus, administration... Contexte de la décolonisation et de la Guerre froide.

Notion postérieure à l'époque, mais qui décrit l'économie, la société, la culture, et la vie politique.

Gouverner la France pendant les Trente Glorieuses (1946-1973).

Avant 1962, la France n'est pas seulement la métropole et l'outre-mer.

Mots clés

- Bipolarisation
- DATAR
- État-providence
- Jacobinisme
- PAC
- Poujadisme
- Sécurité sociale
- Tripartisme
- Troisième force
- Union française

Personnages attendus

- Ch. de Gaulle
- M. Debré
- P. Delouvrier
- P. Laroque
- J. Monnet

Chronologie

1945 Création de l'ENA	**1962** Élection du président au suffrage universel
1945 Sécurité sociale	**1962** Décolonisation de l'Algérie
1946 Union française	**1962** Création de la PAC
1946 Commissariat au Plan	**1963** Création de la DATAR
1946 Statut de la fonction publique	**1968** Grèves étudiantes et ouvrières
1947 Plan Marshall	
1957 Traités de Rome (CEE)	

Sujet 2

Conseils

Introduction : rappelez la nature et le déroulement des crises.
Développement : un plan chronologique semble plus facile que thématique.
Conclusion : rappelez que l'État n'est pas le seul détenteur des solutions de résolution des crises.

Lecture du sujet

Terme difficile : il s'applique aux élus, à l'administration, aux choix des entreprises, etc.

Gouverner en France face aux crises (depuis 1973).

Il n'y a pas que les chocs pétroliers, mais aussi des chocs sociaux et politiques.

Mots clés

- Alternance
- Bipolarisation
- Cohabitation
- Décentralisation
- État-providence

Personnages attendus

- F. Mitterrand
- E. Pisani

Chronologie

1973 1er choc pétrolier	**1992** Référendum sur le traité de Maastricht
1979 2e choc pétrolier	**1993** 2e cohabitation
1982 Retraite à 60 ans	**1997** 3e cohabitation
1982 Régionalisation et décentralisation	**2000** L'Euro remplace le Franc
1986 Première cohabitation	**2002** Le Front national au 2e tour des élections présidentielles
1988 RMI	**2009** RSA

BAC Étude critique d'un document

		Méthode
Introduction	Explication du sujet et du contexte, annonce de la problématique.	› p. 11
Développement	Argumentation organisée en paragraphes qui structurent la réponse à la consigne.	
Conclusion	Réponse à la problématique et ouverture (une ou deux idées qui montrent l'intérêt du sujet traité).	

Sujet De Gaulle présente la Constitution soumise à référendum (1958).

Consigne : Après avoir présenté le document et son auteur dans leur contexte, exposez la définition de la République que donne Charles de Gaulle, critiquez la manière dont il présente l'état de la France en 1958, expliquez la nature des institutions proposées, et les limites perceptibles dans ce discours comme parmi les critiques qui se font jour à l'époque.

[Au] long des siècles, l'Ancien Régime avait réalisé l'unité et maintenu l'intégrité de la France. [...] C'est alors qu'au milieu du drame national et de la guerre étrangère apparut la république. Elle était la souveraineté du peuple, l'appel de la liberté, l'espérance de la justice. [...] Mais quand le 18 juin commença le combat pour la libération de la France, il fut aussitôt proclamé que la république à refaire serait une république nouvelle. La résistance toute entière ne cessa pas de l'affirmer. [...] On sait, on ne sait que trop, qu'une fois le péril passé, tout fut livré et confondu à la discrétion des partis. On sait, on ne sait que trop quelles en furent les conséquences. [...]

Il y a là des faits qui dominent notre vie nationale et qui par conséquent doivent commander nos institutions. La nécessité de rénover l'agriculture et l'industrie françaises, de procurer les moyens de vivre, de travailler, de s'instruire, de se loger à notre population rajeunie. D'associer les travailleurs à la marche des entreprises nous pousse dans les affaires publiques à être dynamiques et expéditifs. Le devoir d'assurer, de rétablir la paix en Algérie, ensuite celui de la mettre en valeur, enfin celui de fixer son statut et sa place dans notre ensemble, nous impose des efforts difficiles et prolongés. [...] Qu'il existe au-dessus des querelles politiques, qu'il existe un arbitre national élu par les citoyens [...] qui soit chargé d'assurer le fonctionnement régulier des institutions, qui ait le droit de recourir au jugement du peuple souverain, et qui réponde en cas d'extrême péril de l'indépendance, de l'intégrité, de l'honneur de la France et du salut de la république. Qu'il existe un gouvernement qui soit fait pour gouverner, à qui on en laisse le temps et la possibilité, qui ne se détourne pas [et] par rien d'autre de sa tâche, et qui ainsi mérite l'adhésion du pays. Qu'il existe un parlement destiné à représenter la volonté politique de la Nation, à voter des lois, à contrôler l'exécutif mais sans sortir de son rôle. [...] Qu'un conseil social et économique désigné par les organisations professionnelles et syndicales du pays et de l'outre-mer, en dehors de la politique, fournisse ses avis au gouvernement et au parlement. Qu'un comité constitutionnel soit qualifié pour vérifier que les lois votées sont conformes à la constitution, que les élections, toutes les élections aient lieu régulièrement, que l'autorité judiciaire soit assurée d'indépendance et puisse ainsi rester la garante des libertés de chacun. [...] Voilà, Françaises, Français, de quoi s'inspire, en quoi consiste la Constitution, qui le 28 septembre sera soumise à vos suffrages.

Charles de Gaulle, discours prononcé le 4 septembre 1958, place de la République, à Paris, *Discours et messages*, vol. 3, Paris, Plon, 1970..

Répondre à la consigne

Conseil

Critiquer un document signifie remettre dans le contexte et exposer ce qui s'y accorde ou s'y oppose sans jamais prendre parti.

En introduction, vous devez notamment...
- Replacer ce document dans son contexte : l'appel des généraux, l'investiture, et les problèmes que pose le principe du référendum.
- Rappeler qui est Charles de Gaulle et quelle est son image, parfois ambiguë, dans la France de 1958.
- Énoncer une problématique.

Développement : une explication structurée en paragraphes
- Reprenez ses critiques de la IVᵉ République : quelles étaient ses faiblesses et ses forces ? Qu'en conserve de Gaulle ? À quelle occasion avait-il déjà exposé de telles institutions nouvelles ?
- Comparez les institutions qu'il propose à celles de la IVᵉ République.
- Critiquez le document. Comment dramatise-t-il les enjeux ? Avec quels effets ?

En conclusion, il faut par exemple...
- Répondre à la problématique choisie au début de la réponse.
- Montrer l'intérêt du document : l'idée que Charles de Gaulle se fait de la France et de la place que le président de la République doit tenir dans son gouvernement.

Introduction	Explication du sujet et du contexte, annonce de la problématique.	Méthode
Développement	Argumentation organisée en paragraphes qui structurent la réponse à la consigne.	> p. 11
Conclusion	Réponse à la problématique et ouverture (une ou deux idées qui montrent l'intérêt du sujet traité).	

Sujet — Derniers vœux de François Mitterrand aux Français (1994).

Consigne : En présentant le document et son auteur dans leur contexte, critiquez le tableau présenté de la France en 1994, expliquez les avertissements énoncés par François Mitterrand, et exposez les forces et les limites d'un tel exercice médiatique.

Mes chers compatriotes, [la] France s'est toujours placée au premier rang des forces de la paix. Sur le plan national où s'accroît le nombre des Français sans abri, victimes du chômage, de la pauvreté, de l'exclusion. C'est un discours, me direz-vous, que tout le monde tient aujourd'hui. Je constate seulement que les efforts accomplis par les uns et les autres n'ont pas guéri le mal. [...] Car la croissance n'est pas une fin en soi. Elle doit être l'instrument d'une répartition plus équitable des richesses créées par tous et pour tous. [...] Mais on n'y parviendra que si employeurs et salariés parlent entre eux, que s'ils engagent le dialogue, que si le gouvernement les y encourage, que si tous se décident à négocier ensemble des choses de leur vie. [...]

Mes chers compatriotes, c'est la dernière fois que je m'adresse à vous pour des vœux de nouvelle année en ma qualité de président de la République. Aussi je me permettrai deux recommandations. La première : ne dissociez jamais la liberté et l'égalité. Ce sont les idéaux difficiles à atteindre, mais qui sont à la base de toute démocratie. La seconde : ne séparez jamais la grandeur de la France de la construction de l'Europe. C'est notre nouvelle dimension, et notre ambition pour le siècle prochain. [...]

Mes chers compatriotes, je n'apprendrai rien à personne en rappelant que dans quatre mois aura lieu l'élection présidentielle. C'est un rendez-vous important que la France se donne à elle-même. Je souhaite vivement que ce soit l'occasion d'un vrai, d'un grand débat et sur tous les sujets, y compris les règles morales de notre vie publique et le rôle et les limites des divers pouvoirs. Les problèmes que nous connaissons ne disparaîtront pas pour autant. Mais la France y trouvera un nouvel élan. L'an prochain, ce sera mon successeur qui vous exprimera ses vœux. Là où je serai, je l'écouterai le cœur plein de reconnaissance pour le peuple français qui m'aura si longtemps confié son destin et plein d'espoir en vous.

Je crois aux forces de l'esprit et je ne vous quitterai pas. Je forme ce soir des vœux pour vous tous en m'adressant d'abord à ceux qui souffrent, à ceux qui sont seuls, à ceux qui sont loin de chez eux. Bonne année, mes chers compatriotes. Bonne année et longue vie.

Vive la République, Vive la France.

François Mitterrand, allocution télévisée à l'occasion des vœux aux Français, 31 décembre 1994.

Répondre à la consigne

Conseil

Attention au contexte du document : à quelques mois d'élections, quelle est la portée d'un tel discours ?

En introduction, vous devez notamment...

- Replacer ce document dans son contexte : qui est l'auteur ? Quelles sont et ont été ses fonctions ? Quelle est la situation politique ? celle du gouvernement ?
- Dresser la liste des trois thèmes présentés par l'auteur et annoncer que vous les interrogerez.
- Énoncer une problématique qui montre que vous interrogez les forces et les faiblesses de ce discours.

Développement : une explication structurée en paragraphes

- En vous aidant de trois ou quatre citations, reprenez et critiquez le tableau politique, économique, social et international de la France en 1994.
- Quel rôle François Mitterrand se donne-t-il ? Que pense-t-il du rôle que les hommes politiques peuvent jouer face aux crises ? Comment comprendre les avertissements qu'il formule ?
- Pourquoi ce document a-t-il pu toucher les téléspectateurs ?

En conclusion, il faut par exemple...

- Répondre à la problématique choisie au début de la réponse en insistant sur le caractère complexe du personnage et de l'action de l'homme politique.
- Montrer l'intérêt du document, notamment par le rappel des valeurs républicaines.

BAC Étude critique de deux documents

Introduction	Explication du sujet et du contexte, annonce de la problématique.
Développement	Argumentation organisée en paragraphes qui structurent la réponse à la consigne.
Conclusion	Réponse à la problématique et ouverture (une ou deux idées qui montrent l'intérêt du sujet traité).

Méthode
> p. 11

Sujet Le référendum, un outil politique ?

Consigne : Après avoir énoncé le contexte de chaque document, présentez la manière dont les enjeux de politique intérieure française sont dramatisés, expliquez-en les raisons en montrant la fonction et les usages des référendums sous la Ve République, et exposez les avantages et les limites d'un tel exercice de démocratie directe.

Doc. 1 **Le référendum de 1972 sur l'adhésion du Danemark, de l'Irlande et du Royaume-Uni à la CEE.**

Demain, va s'ouvrir officiellement la campagne du référendum. Je voudrais ce soir, rapidement, simplement, vous parler de la construction européenne, de ses conséquences pour notre pays, vous dire pourquoi je vous consulte directement et pourquoi il faut que le « Oui » recueille une imposante majorité. [...]
En vérité, notre prospérité, notre niveau de vie dépendent étroitement de la Communauté économique qui s'est créée et qui va s'élargir si vous le voulez. C'est un marché de près de 300 millions de consommateurs qui s'ouvrira à notre agriculture, à notre industrie, à notre commerce. C'est l'ensemble où l'expansion est la plus visible dans le monde, Japon mis à part, où le niveau de vie est le plus élevé dans le monde, Amérique du Nord mise à part [...]. Quinze fois moins peuplés que la Chine, 10 fois moins que l'Inde, 5 fois moins que l'Union soviétique, 4 fois moins que les États-Unis, 2 fois moins que le Japon, le Brésil, l'Indonésie, moins peuplés que le Bangladesh qui, hier encore, n'existait pas, comment pourrions-nous préserver à long terme la place que nous a rendue dans le monde le général de Gaulle par son prestige personnel et que nous avons su à ce jour maintenir ? [...]
J'aurais pu faire ratifier le traité d'adhésion par le Parlement. C'eût été alors un traité comme un autre, parmi d'autres. Approuvé par chacune et chacun de vous, il prendra une autre dimension, une autre signification, et vos représentants une autre autorité, à commencer, vous le comprenez, par moi-même. Quand, à la Conférence au sommet qui se réunira à Paris cet automne, tout le monde saura que le peuple français m'a donné mandat solennel de parler en son nom, qui peut douter que l'audience de la France en soit accrue ? Mais pour cela, il faut que le « Oui » soit massif.
Certains vous engagent à voter « Non », prisonniers de leur doctrine, de leur volonté obstinée d'établir en France un système totalitaire. Il en est d'autres qui n'hésitent pas à vous conseiller l'abstention. Est-ce qu'ils n'auraient pas d'avis sur l'Europe ? Ou bien est-ce qu'ils auraient peur de reconnaître qu'un gouvernement dont ils ne font pas partie réalise ce qu'ils prétendent avoir toujours souhaité ? [...]
La question qui vous est posée est claire et nette chacun peut le reconnaître. Parce que vous voulez une France forte, prospère et libre, et que son destin ne peut s'accomplir que dans une Europe puissante et maîtresse d'elle-même, vous répondrez en masse à mon appel, dimanche 23 avril, vous irez aux urnes remplir votre devoir de citoyens, vous direz « Oui », « Oui » à l'avenir de vos enfants, « Oui » à la France, « Oui » à l'Europe.

Georges Pompidou, allocution télévisée du 11 avril 1972.

Doc. 2 **En 2005, des affiches placardées à l'occasion du référendum sur le traité constitutionnel européen.**
Soutenu par l'essentiel des grands partis et de la presse, le « Oui » n'obtient que 45,3 % des 69 % de votants.

Pour vous aider

Article 11 de la Constitution (1958).
• Le Président de la République, sur proposition du Gouvernement pendant la durée des sessions ou sur proposition conjointe des deux assemblées, publiées au Journal officiel, peut soumettre au référendum tout projet de loi portant sur l'organisation des pouvoirs publics, comportant approbation d'un accord de la Communauté ou tendant à autoriser la ratification d'un traité qui, sans être contraire à la Constitution, aurait des incidences sur le fonctionnement des institutions.

Le même article, modifié en 1995.
• Le Président de la République, sur proposition du Gouvernement pendant la durée des sessions ou sur proposition conjointe des deux assemblées, publiées au Journal officiel, peut soumettre au référendum tout projet de loi portant sur l'organisation des pouvoirs publics, sur des réformes relatives à la politique économique ou sociale de la Nation et aux services publics qui y concourent, ou tendant à autoriser la ratification d'un traité qui, sans être contraire à la Constitution, aurait des incidences sur le fonctionnement des institutions.

1. Lire le sujet et mobiliser ses connaissances

Conseil

Rappelez ce qu'est un référendum et ce qu'en dit la Constitution.

Quels sont ces référendums ?
- **À propos du doc. 1** : qui est l'auteur ? pourquoi s'adresse-t-il aux Français ? quels sont les effets d'un tel exercice ?
- **À propos du doc. 2** : qui provoque le référendum de 2005 ? pourquoi ? que montre la photographie de l'unité de l'opposition parlementaire ?

Le contexte européen
- À l'aide de votre cours, expliquez la situation politique de la France au début des années 1970.
- Comment la CEE s'est-elle construite ? Pourquoi un référendum ?

Les partisans et les opposants
- Pourquoi le référendum est-il inscrit dans la Constitution de 1958 ? Quels en sont les avantages pour Georges Pompidou ?
- Qui s'oppose, dès 1958, au principe du référendum ? Quels sont, pour eux, ses inconvénients ?

2. Confronter les documents à ses connaissances

Conseil

Prêtez attention au contexte intérieur français.

Qu'est-ce qu'un référendum ?
- À l'aide de votre cours, rappelez ce qui autorise le président à organiser un référendum. Pourquoi la gauche y a-t-elle longtemps été hostile ?

Quels ont été les référendums sous la Vᵉ République ?
- Quels autres référendums ont été organisés avant 1972 ? Avec quels effets ?
- Les référendums organisés depuis 1972 ont-ils eu le même succès ? Pourquoi ?

Les conséquences des référendums
- Quelle position a gagné le référendum de 1972 ? et de 2005 ?
- Quels ont été les effets de ces résultats sur les partis politiques ? Pensez aux divisions de la gauche en 2005.

3. Répondre à la consigne

Conseil

Ne citez jamais plusieurs fois le même passage d'un document dans votre argumentation.

En introduction, vous devez notamment...
- Replacer les deux documents dans leur contexte : la légitimation gaulliste pour G. Pompidou, la méfiance vis-à-vis des partis de gouvernement en 2005.
- Expliquer le principe du référendum et pour quel usage il est destiné.
- Énoncer une problématique qui montre que le référendum est une arme à double tranchant.

Dans un développement structuré en paragraphes, il serait bon de...
- Reprendre les grands référendums de la Vᵉ République et d'expliquer les intentions des présidents qui les ont provoqués, et leurs conséquences politiques.
- Montrer les limites politiques de tels exercices : comment les enjeux sont-ils dramatisés dans chacun des documents ?

En conclusion, il faut par exemple...
- Répondre à la problématique choisie au début de la réponse.
- Montrer qu'un tel exercice de démocratie directe, même s'il porte sur une question de politique étrangère, dépend fortement de la vie politique intérieure.

Le projet d'une Europe politique depuis 1948

L'idée d'une unité politique de l'Europe n'est pas neuve. Au lendemain de la Seconde Guerre mondiale, quelques États comme la France et l'Allemagne choisissent de créer entre eux une coopération économique. Face à l'urgence de la reconstruction économique et à la nécessité d'empêcher une nouvelle guerre sur le continent, deux projets s'affrontent. Le premier propose aux États et aux gouvernements qui le souhaitent de coopérer, ponctuellement, pour unir leurs productions économiques. Le second, plus ambitieux, espère en la création d'un État fédéral en Europe, comme des « États-Unis d'Europe ».

Du congrès de La Haye (1948) au traité de Lisbonne (2007), le projet d'union économique européenne est bien avancé : union de 6 à 27 membres, monnaie unique, libre circulation des biens et des personnes. En revanche, le projet politique est plus ambigu : l'Union européenne n'est pas un État fédéral, mais les structures d'un État (lois, parlement, gouvernement, monnaie) existent.

➔ *Quelles formes le rapprochement entre les États européens prend-il depuis 1948 ?*

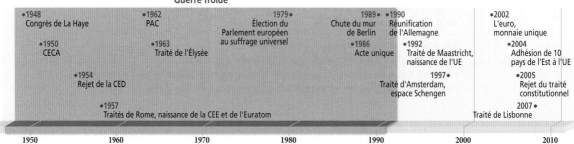

**1947-1991
Guerre froide**

- •1948 Congrès de La Haye
- •1950 CECA
- •1954 Rejet de la CED
- •1957 Traités de Rome, naissance de la CEE et de l'Euratom
- •1962 PAC
- •1963 Traité de l'Élysée
- 1979• Élection du Parlement européen au suffrage universel
- 1989• Chute du mur de Berlin
- •1986 Acte unique
- •1990 Réunification de l'Allemagne
- •1992 Traité de Maastricht, naissance de l'UE
- 1997• Traité d'Amsterdam, espace Schengen
- •2002 L'euro, monnaie unique
- •2004 Adhésion de 10 pays de l'Est à l'UE
- •2005 Rejet du traité constitutionnel
- 2007 • Traité de Lisbonne

1950   1960   1970   1980   1990   2000   2010

les états.unis d'EUROPE

vous éviteront L'ÉCRASEMENT

Affiche de Delage pour le Comité d'action pour les États-Unis d'Europe (1960).

• En 1960, la Guerre froide scinde l'Europe en deux blocs. L'Allemagne est divisée en deux pays et Berlin en deux parties. L'idée européenne, née de la volonté d'éviter un nouveau conflit mondial, organisée pour répartir l'argent du plan Marshall, stimulée par la mise en commun des productions économiques et des échanges, se poursuit avec l'alliance américaine jusqu'à la fin de la Guerre froide.

• Le Comité d'action pour les États-Unis d'Europe fondé par Jean Monnet, poursuit une intense propagande en faveur d'une fédération européenne sur le modèle américain. S'opposent à cette idée d'abord les États, qui rechignent à abandonner une part de souveraineté, ensuite les jacobins et les souverainistes, qui refusent d'accorder à une entité non élue un pouvoir sur les peuples.

Comment unir les Européens ?

« Un jour viendra où vous France, vous Russie, vous Italie, vous Angleterre, vous Allemagne, vous toutes, nations du continent, sans perdre vos qualités distinctes et votre glorieuse individualité, vous vous fondrez étroitement dans une unité supérieure, et vous constituerez la fraternité européenne »

Victor Hugo, discours d'ouverture du congrès de la Paix, Paris, 21 août 1849.

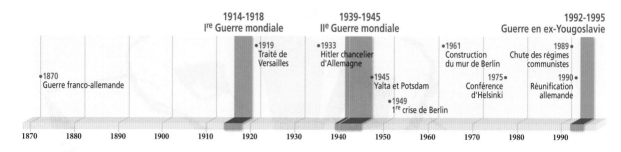

1914-1918
Ire Guerre mondiale

1939-1945
IIe Guerre mondiale

1992-1995
Guerre en ex-Yougoslavie

• 1870
Guerre franco-allemande

• 1919
Traité de
Versailles

• 1933
Hitler chancelier
d'Allemagne

• 1945
Yalta et Potsdam

• 1949
1re crise de Berlin

• 1961
Construction
du mur de Berlin

• 1975
Conférence
d'Helsinki

• 1989
Chute des régimes
communistes

• 1990
Réunification
allemande

1870 1880 1890 1900 1910 1920 1930 1940 1950 1960 1970 1980 1990

Reine Europe,
Lythographie tirée
de la *Cosmographie
universelle* de
Sebastian Münster,
Bâle, 1588.

1. Une caricature de l'Europe monarchique

Jusqu'au XVIIIe siècle, chaque Européen se définit comme le sujet d'un monarque. Avec l'essor des nationalités et des nationalismes, et sur le modèle donné par la Révolution française puis propagé par l'Empire napoléonien, chaque citoyen se définit comme membre d'une nation (un peuple) et/ou d'un pays (un État).

Caricature de Derso
et Kelen, *Le Rire*,
26 septembre 1931.

2. L'idéal pacifique de la Société des Nations

En 1925, Aristide Briand pour la France, et Gustav Stresemann pour l'Allemagne, signent à Locarno un accord de reconnaissance des frontières de leurs pays. En 1926, ils reçoivent le prix Nobel de la paix et militent pour plus de politiques communes aux États européens.

3. En France occupée, Hitler appelle à l'union de l'Europe nazie contre l'URSS (1940-1944)

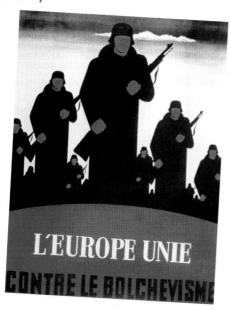

4. Berlin, symbole de l'Europe désunie pendant la Guerre froide (1948-1989)

Le 9 novembre 1989, des soldats est-allemands tentent d'empêcher les Berlinois de monter sur le mur. Quelques heures après, le mur tombe. Le 3 octobre 1990, l'Allemagne est réunifiée.

5. Srebrenica, un massacre de masse au cœur de l'Europe (1995)

Le 11 juillet 1995, le chef des Serbes de Bosnie, Ratko Mladic, fait exécuter plus de 7 000 Musulmans, hommes, femmes et enfants bosniaques de Srebrenica. Le 15 juillet 1995, à quelques kilomètres de là, des Casques bleus de l'ONU interviennent pour protéger les civils réfugiés dans le camp de Tuzla. En 2011, Mladic est arrêté en Serbie et traduit devant le Tribunal Pénal International pour l'ex-Yougoslavie.

6. Le Parlement européen de Bruxelles, symbole de l'unité politique de l'Europe

Créé en 1957 par le traité de Rome, il réunit depuis 1978 des députés élus au suffrage universel. Ils représentent l'ensemble de l'Union et non leur État d'origine, et sont regroupés par partis politiques européens.

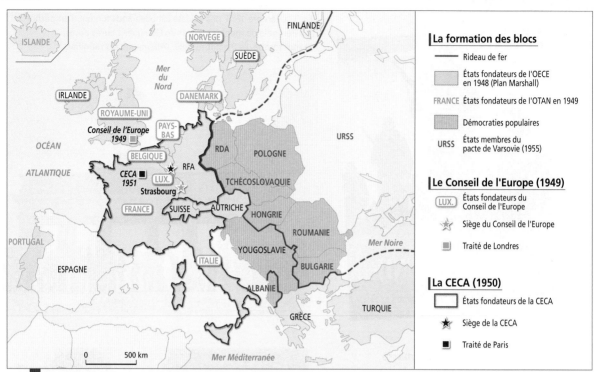

La formation des blocs

— Rideau de fer

  États fondateurs de l'OECE
  en 1948 (Plan Marshall)

FRANCE États fondateurs de l'OTAN en 1949

  Démocraties populaires

URSS États membres du
  pacte de Varsovie (1955)

Le Conseil de l'Europe (1949)

LUX. États fondateurs du
  Conseil de l'Europe

☆ Siège du Conseil de l'Europe

▪ Traité de Londres

La CECA (1950)

  États fondateurs de la CECA

★ Siège de la CECA

▪ Traité de Paris

Doc. **1** L'Europe de 1948 à 1957.

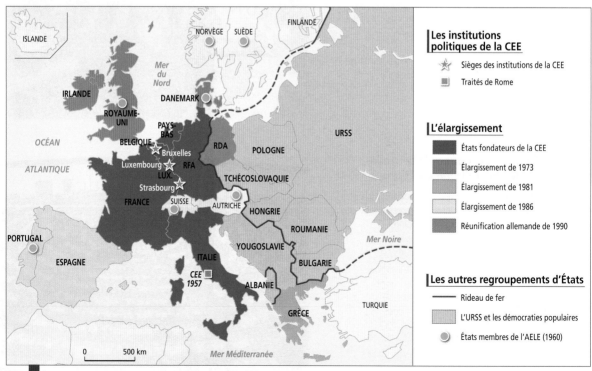

Les institutions politiques de la CEE

☆ Sièges des institutions de la CEE

▪ Traités de Rome

L'élargissement

■ États fondateurs de la CEE

■ Élargissement de 1973

■ Élargissement de 1981

  Élargissement de 1986

■ Réunification allemande de 1990

Les autres regroupements d'États

— Rideau de fer

  L'URSS et les démocraties populaires

● États membres de l'AELE (1960)

Doc. **2** La construction européenne de 1957 à 1991.

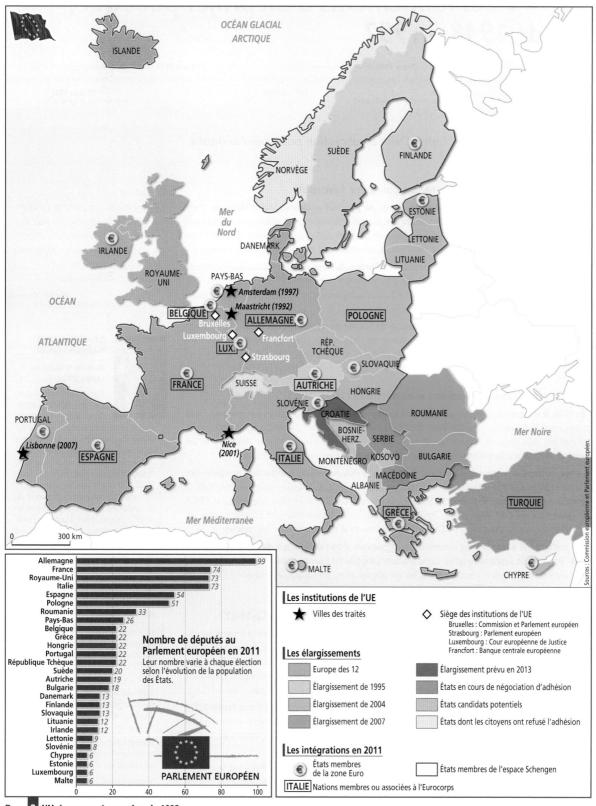

Les institutions de l'UE

★ Villes des traités

◇ Siège des institutions de l'UE
Bruxelles : Commission et Parlement européen
Strasbourg : Parlement européen
Luxembourg : Cour européenne de Justice
Francfort : Banque centrale européenne

Les élargissements

Europe des 12

Élargissement de 1995

Élargissement de 2004

Élargissement de 2007

Élargissement prévu en 2013

États en cours de négociation d'adhésion

États candidats potentiels

États dont les citoyens ont refusé l'adhésion

Les intégrations en 2011

€ États membres de la zone Euro

États membres de l'espace Schengen

ITALIE Nations membres ou associées à l'Eurocorps

Nombre de députés au Parlement européen en 2011
Leur nombre varie à chaque élection selon l'évolution de la population des États.

PARLEMENT EUROPÉEN

Allemagne	99
France	74
Royaume-Uni	73
Italie	73
Espagne	54
Pologne	51
Roumanie	33
Pays-Bas	26
Belgique	22
Grèce	22
Hongrie	22
Portugal	22
République Tchèque	22
Suède	20
Autriche	19
Bulgarie	18
Danemark	13
Finlande	13
Slovaquie	13
Lituanie	12
Irlande	12
Lettonie	9
Slovénie	8
Chypre	6
Estonie	6
Luxembourg	6
Malte	6

Sources : Commission européenne et Parlement européen.

Doc. **3** **L'Union européenne depuis 1992.**

1. Les fondements d'un projet politique, de 1948 à 1957

7-10 mai 1948 Conférence de La Haye   **9 mai 1950** Déclaration Schuman (CECA)   **1-3 juin 1955** Conférence de Messine

17 mars 1948 Traité de Bruxelles (UEO)   **5 mai 1949** Traité de Londres (Conseil de l'Europe)   **27 mai 1952** Traité de Bonn (CED)   **19 mars 1957** Traités de Rome (CEE et Euratom)

➔ *Comment les premières étapes d'une construction politique commune se mettent-elles en place ?*

A. Au lendemain de la guerre, un contexte favorable

• **L'idée d'une Europe politique unie comme gage de paix est ancienne.** Victor Hugo en 1849, Aristide Briand après la Grande Guerre, échouent à créer des institutions placées au-dessus des États. En 1945, la volonté d'imposer une paix durable pour empêcher une nouvelle guerre relance cette utopie. En 1946 à Zürich, W. Churchill y voit la condition à la survie culturelle de l'Europe.

• **L'initiative est prise par les dirigeants des États d'Europe de l'Ouest.** Souvent sociaux-démocrates ou démocrates-chrétiens, ils sont attachés au caractère représentatif des institutions. Des mouvements destinés à promouvoir la paix et l'unité européenne, comme le Mouvement européen, préparent les opinions publiques.

• **La Guerre froide convainc les nations d'Europe de l'Ouest de se rassembler.** Alors que l'Europe de l'Est passe, entre 1947 et 1948, sous le contrôle de l'URSS, l'Europe de l'Ouest s'oriente vers l'**atlantisme** et l'alliance américaine. La mise en place du plan Marshall (1948) puis la création de l'OTAN, en pleine crise de Berlin, créent un bloc politique libéral en Europe de l'Ouest.

B. Les premières institutions européennes (1948-1951)

• **En 1948, le congrès de La Haye (p. 324) réunit les partisans d'une coopération européenne.** Sans choisir entre **fédéralisme** et association d'État, ils proposent la création du Conseil de l'Europe, qui naît en 1949. Celui-ci siège à Strasbourg et combat politiquement pour la démocratie, les droits de l'homme et la paix sur le continent, mais n'a pas de pouvoir sur les États.

• **La reconstruction économique favorise l'émergence des premières institutions européennes (doc. 4).** L'Organisation Européenne de Coopération Économique (OECE) supervise dès 1948 la répartition de l'aide Marshall (doc. 2). En 1950, la déclaration Schuman (doc. 1) propose la CECA qui rassemble en 1951 Allemagne, Belgique, France, Italie, Luxembourg et Pays-Bas dans un marché commun du charbon et de l'acier, fondements de la reconstruction industrielle.

• **Les institutions européennes détiennent leur pouvoir d'une délégation de souveraineté des États : on parle de supranationalité.** Cette situation, inédite en Europe, oblige à la coopération et à la négociation. Chaque décision est prise en accord avec un Conseil des chefs d'État et de gouvernement où chaque État membre dispose d'un droit de veto.

C. Une construction difficile en pleine Guerre froide (1952-1957)

• **En 1953, le projet de Communauté Européenne de Défense (CED) est rejeté par la France (doc. 3).** Communistes et gaullistes refusent un abandon de la souveraineté militaire, les premiers sur ordre de Moscou, les autres au nom de la **souveraineté** nationale. La CED est le premier projet politique et non économique de la construction européenne. Dès lors les projets politiques sont freinés au profit d'un approfondissement des relations économiques entre États.

• **En 1957, les traités de Rome et la naissance de la Communauté Économique Européenne (CEE) relancent l'intégration européenne.** Dorénavant, c'est l'ensemble des échanges économiques qui font l'objet d'un partenariat entre les Six. En obligeant les États à décider ensemble, la CEE les force à un abandon partiel de souveraineté.

• **L'idéal fédéraliste d'une unité politique européenne, stimulé à La Haye (1948), est écarté** au profit d'une politique pragmatique de coopération économique entre les États. Mais les institutions nées de la CECA puis de la CEE habituent les États à une délégation de souveraineté : ces constructions économiques ont donc des conséquences politiques.

*C*itation

《 *Les canons ont cessé de cracher la mitraille et le combat a pris fin, mais les dangers n'ont pas disparu. Si nous voulons créer les États-Unis d'Europe, […] il nous faut commencer maintenant.* 》

Winston Churchill, discours à Zürich, 19 septembre 1946.

Biographie

Robert Schuman (1886-1963)

Démocrate-chrétien, membre du MRP (centre-droit), il est une grande figure de la vie politique sous la IVe République. Ministre des Affaires étrangères en 1950, il propose à l'Allemagne la création de la Communauté Européenne du Charbon et de l'Acier (CECA) et crée le premier moteur de la construction européenne. Président du Mouvement européen, il devient en 1958 le président de l'Assemblée parlementaire européenne, futur Parlement européen.

Mots clés

Atlantisme : Alliance militaire et de coopération économique et politique entre les États-Unis et l'Europe de l'Ouest dans le contexte de la Guerre froide.

Fédéralisme : Système politique dans lequel des États délèguent à une autorité supérieure le pouvoir de décider des lois.

Souveraineté : Droit exclusif que possèdent les États à gouverner un peuple sur un territoire.

Supranationalité : Échelle de décision qui se situe au-dessus des États et qui s'impose à eux.

Doc. 1 La déclaration Schuman (1950).

Le 9 mai 1950, dans le salon de l'Horloge du ministère français des Affaires étrangères, le ministre Robert Schuman propose la création de la CECA, une idée de Jean Monnet.

La paix mondiale ne saurait être sauvegardée sans des efforts créateurs à la mesure des dangers qui la menacent. La contribution qu'une Europe organisée et vivante peut apporter à la civilisation est indispensable au maintien des relations pacifiques. En se faisant depuis plus de vingt ans le champion d'une Europe unie, la France a toujours eu pour objet essentiel de servir la paix. L'Europe n'a pas été faite, nous avons eu la guerre.

L'Europe ne se fera pas d'un coup, ni dans une construction d'ensemble : elle se fera par des réalisations concrètes, créant d'abord une solidarité de fait. Le rassemblement des nations européennes exige que l'opposition séculaire de la France et de l'Allemagne soit éliminée : l'action entreprise doit toucher au premier chef la France et l'Allemagne.

Dans ce but, le gouvernement français propose de porter immédiatement l'action sur un point limité, mais décisif : le gouvernement français propose de placer l'ensemble de la production franco-allemande du charbon et d'acier sous une Haute Autorité commune, dans une organisation ouverte à la participation des autres pays d'Europe. [...]

Ainsi sera réalisée simplement et rapidement la fusion d'intérêts indispensable à l'établissement d'une communauté économique et introduit le ferment d'une communauté plus large et plus profonde entre des pays longtemps opposés par des divisions sanglantes.

Robert Schuman, déclaration à Paris, 9 mai 1950.

1. Que propose ce document ?

2. Pourquoi est-il considéré comme historique ?

Doc. 2

Le plan Marshall pousse à la coopération européenne.

« Tous nos drapeaux sur le même mât », affiche de 1950.

1. Quels États participent au plan Marshall ?

2. Pourquoi exprimer une telle solidarité ?

Doc. 3

Une affiche du PCF contre la CED (1954).

Communistes et gaullistes s'opposent au projet, adopté à Bonn et à Paris, de placer sous un même commandement les armées des États de l'OTAN en Europe, y compris l'armée allemande.

1. Pourquoi rejeter la CED ?

2. Avec quels arguments ?

Doc. 4 Les premières institutions européennes.

Institutions	Origine	Objectif	Organisation	Portée
OECE (1948-1961)	Gérer l'argent du plan Marshall (1948).	Reconstruire matériellement et économiquement l'Europe après la Seconde Guerre mondiale.	• Conseil de l'OECE représentant tous les États membres.	Inscription des États membres dans le bloc de l'Ouest.
Conseil de l'Europe (depuis 1949)	Congrès de La Haye (mai 1948).	Veiller au développement de la démocratie et au respect des droits de l'homme sur le continent européen.	• Comité des ministres des Affaires étrangères des États membres. • Assemblée parlementaire. • Cour européenne des droits de l'homme.	Ses décisions n'ont pas l'obligation d'être adoptées par les États membres, mais le Conseil est devenu le garant symbolique du respect du droit en Europe.
CECA (1951-1992)	Déclaration Schuman (9 mai 1950), inspirée par Jean Monnet.	Mise en commun des productions et de la vente du charbon et de l'acier.	• Haute Autorité. • Assemblée parlementaire dont les membres sont nommés par les parlements nationaux.	Allemagne, Belgique, France, Luxembourg, Italie, Pays-Bas partagent leur souveraineté nationale sur un cas concret.
CEE (1957-1992)	Traités de Rome (CEE et Euratom)	Création d'un Marché commun. Coordination d'une recherche nucléaire commune.	• Commission européenne sous l'autorité du Conseil européen des chefs d'État et de gouvernement (Bruxelles). • Parlement européen (Bruxelles et Strasbourg). • Cour de justice (Luxembourg).	Les six États de la CECA, puis élargissements progressifs jusqu'à 12 États en 1992. Mise en pratique de la codécision et du partage de souveraineté.

1. Quels éléments font de ces organisations des institutions politiques, et pas seulement à but économique ?

Du 7 au 10 mai 1948, la petite ville néerlandaise de La Haye accueille plus de 750 représentants de la société civile et d'élus venus de toute l'Europe ; 250 journalistes et plus de 10 000 spectateurs écoutent les discours qui appellent pour les uns à une plus grande coopération européenne, pour les autres à un État européen. Trois ans après la fin de la Seconde Guerre mondiale, et alors que l'Europe de l'Est tombe sous l'influence soviétique, ces militants de l'Europe initient la première étape symbolique de la construction européenne.

➜ *En quoi le congrès de La Haye est-il un moment fondateur de la construction européenne ?*

> **Dates clés**
>
> **Un contexte favorable à la coopération**
> **1945** Création de l'ONU.
> **1946** Churchill, discours de Zürich.
> **1947** Doctrine Truman, plan Marshall.
> **1948** Coup de Prague (février).
> **1948-1949** 1re crise de Berlin.
> **1949** Création du Conseil de l'Europe.
> **1950** Convention européenne des droits de l'homme.

Doc. 1 Winston Churchill ouvre le congrès.

Depuis que j'ai abordé ce sujet à Zurich en 1946 et depuis que le mouvement britannique de l'Europe unie a été lancé en janvier 1947, notre cause a été portée par les événements bien au-delà de nos espérances. [...] La grande République des États-Unis a [créé] le plan Marshall. [...]

Ce congrès a réuni les personnalités dirigeantes dans le domaine de la pensée et dans celui de l'action ; représentant tous les pays libres de l'Europe. [...] Nous n'échapperons aux périls qui s'annoncent qu'en oubliant les haines du passé, en laissant s'apaiser les rancœurs nationales et l'esprit de revanche, en faisant disparaître progressivement les frontières nationales et les barrières qui aggravent et cristallisent nos divisions [...]. Au centre de notre mouvement est une charte des droits de l'homme, sauvegardés par la liberté et soutenus par la loi. [...]

L'aide mutuelle dans le domaine économique et une organisation commune de défense militaire, doivent inévitablement être accompagnés pas à pas d'un programme parallèle d'union politique plus étroite. D'aucuns prétendent qu'il en résultera un sacrifice de la souveraineté nationale. Je préfère, pour ma part, voir l'acceptation progressive par toutes les nations en cause de cette souveraineté plus large qui seule pourra protéger leurs diverses coutumes distinctives, leurs caractéristiques et leurs traditions nationales qui, toutes, disparaîtraient sous un système totalitaire, fut-il nazi, fasciste ou communiste.

Winston Churchill, discours d'ouverture du congrès de La Haye, 7 mai 1948.

> **Biographie**
>
> **Winston Churchill (1874-1965)**
>
> Homme politique britannique, Premier ministre du Royaume-Uni de 1940 à 1945, il organise la défense du pays contre l'Allemagne nazie, aide les mouvements de résistance, notamment française, et renforce l'alliance avec les États-Unis par la Charte de l'Atlantique. Anticommuniste, il dénonce le rideau de fer lors d'un discours à Fulton (États-Unis) en mars 1946, pousse à l'unité européenne à Zürich (septembre 1946) et au congrès de La Haye (mai 1948). Il reçoit en 1953 le prix Nobel de littérature.

Doc. 2 Une caricature des hésitations britanniques.

Dans le *Daily Mail* du 3 mai 1948, Leslie Illingworth moque les débats qui déchirent les travaillistes sur l'utilité d'envoyer des députés de leur parti au congrès de La Haye.

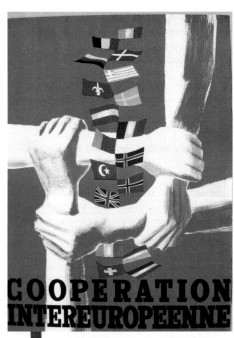

Doc. 3 La coopération intergouvernementale.

Affiche de 1949 en faveur du plan de reconstruction commun instauré par le plan Marshall.

Doc. 4 Les déclarations du congrès (10 mai 1948).

Déclaration politique.

Le congrès [...],

Déclare que l'heure est venue pour les nations de l'Europe de transférer certains de leurs droits souverains pour les exercer désormais en commun, en vue de coordonner et de développer leurs ressources. [...]

Considère que l'Union ou la Fédération, dont le but sera d'assurer la sécurité des peuples qui la composeront, devra être indépendante à l'égard de toute puissance et ne constituer une menace contre aucune nation.

Déclaration économique et sociale.

Le congrès [...] :

Invite instamment tous les gouvernements intéressés à annoncer aussitôt leur volonté de s'engager dans la voie de l'union économique [par] des dispositions tendant à [...] réduire et, dans tous les cas où cela est possible, abolir finalement les tarifs douaniers entre les États participants, [...] préparer ainsi la libre convertibilité des monnaies et le rétablissement progressif de la liberté du commerce entre les pays de l'Europe, [...] promouvoir d'une part un programme concerté du développement des ressources agricoles et de l'équipement nécessaire à cet effet, pour assurer à l'Europe le niveau d'alimentation le plus élevé possible [...].

Considère que, [...] l'Union européenne devra par la suite assurer dans toute son étendue : la libre circulation des capitaux, l'unification monétaire, l'assainissement concerté des politiques budgétaires et du crédit, l'Union douanière complète, comportant l'abolition de toutes les barrières opposées à la circulation des marchandises entre les pays de l'Union et l'application aux pays tiers de tarifs suffisamment modérés pour ne pas entraver les courants normaux et le développement du commerce mondial, l'harmonisation des législations sociales.

Déclaration culturelle.

Le Congrès [...],

Considérant que cette unité profonde [*de l'Europe*], au sein même de nos diversités nationales, doctrinales et religieuses, est celle d'un commun héritage de civilisation chrétienne, de valeurs spirituelles et culturelles, et d'un commun attachement aux droits fondamentaux de l'homme, notamment à la liberté de pensée et d'expression [...] ;

Considère que la défense des droits de l'homme est l'axe même de nos efforts vers une Europe unie; qu'une Charte des droits de l'homme est insuffisante et qu'il faut lui conférer un caractère juridiquement obligatoire, en l'appuyant sur une convention conclue entre les États membres de l'Union Européenne.

Doc. 5 Le message aux Européens.

Cette proclamation finale est rédigée par le fédéraliste suisse Denis de Rougemont.

L'Europe est menacée, l'Europe est divisée, et la plus grave menace vient de ses divisions. Appauvrie, encombrée de barrières qui empêchent ses biens de circuler, mais qui ne sauraient plus la protéger, notre Europe désunie marche à sa fin. [...] Entre ce grand péril et cette grande espérance, la vocation de l'Europe se définit clairement. Elle est d'unir ses peuples selon leur vrai génie, qui est celui de la diversité et dans les conditions du XXe siècle, qui sont celles de la communauté, afin d'ouvrir au monde la voie qu'il cherche, la voie des libertés organisées. Elle est de ranimer ses pouvoirs d'invention, pour la défense et pour l'illustration des droits et des devoirs de la personne humaine, dont, malgré toutes ses infidélités, l'Europe demeure aux yeux du monde le grand témoin.

[...]

Soit donc notoire à tous que Nous, Européens, rassemblés pour donner une voix à tous les peuples de ce continent, déclarons solennellement notre commune volonté dans les cinq articles suivants, qui résument la résolution adoptée par notre congrès :

1. Nous voulons une Europe unie, rendue dans toute son étendue à la libre circulation des hommes, des idées et des biens.

2. Nous voulons une Charte des droits de l'homme, garantissant les libertés de pensée, de réunion et d'expansion, ainsi que le libre exercice d'une opposition politique.

3. Nous voulons une Cour de justice capable d'appliquer les sanctions nécessaires.

4. Nous voulons une Assemblée européenne, où soient représentées les forces vives de toutes nos nations.

5. Et nous prenons de bonne foi l'engagement d'appuyer de tous nos efforts, dans nos foyers et en public, dans nos partis, dans nos églises, dans nos milieux professionnels et syndicaux, les hommes et les gouvernements qui travaillent à cette œuvre de salut public, suprême chance de la paix et gage d'un grand avenir pour cette génération et celles qui la suivront.

Déclaration finale du congrès de La Haye, 10 mai 1948.

POUR COMPRENDRE

1. Étudier les documents

Doc. 1 et 3 Pour quelles raisons la construction européenne est-elle lancée ?

Doc. 1 et 2 Qui participe au congrès ? Avec quelles difficultés ?

Doc. 4 Quels sont les objectifs de l'Union ? Comment le fédéralisme du Congrès se manifeste-t-il ?

Doc. 5 Pourquoi cette déclaration finale est-elle considérée à l'époque comme historique ?

2. Analyse de deux documents

BAC À l'aide des documents 3 et 4, vous expliquerez les objectifs, les moyens et les limites de la construction économique européenne prévue au congrès.

3. Aide à la composition

BAC À l'aide de vos connaissances, vous rédigerez un paragraphe qui réponde au sujet : « Le congrès de La Haye (1948), acte fondateur de la construction européenne. »

On appelle pères fondateurs les hommes politiques, ou hauts fonctionnaires comme Jean Monnet (Bio p. 288), de toutes les nations de l'ouest de l'Europe, qui ont mis en place les premières coopérations économiques et politiques entre des États à peine sortis de la Seconde Guerre mondiale. Nés à la fin du XIXᵉ siècle, convaincus que la paix et l'unité politique ne peuvent se mettre en place sans une étroite coopération économique, ils relancent l'idée d'États-Unis d'Europe alors que le continent est appauvri par les guerres et sous l'influence des deux Grands.

➜ *Quelle est l'action des pères fondateurs de la construction européenne ?*

Dates clés

Une action majeure
1946 Churchill, discours de Zürich.
1947 Plan Marshall.
1948 Congrès de La Haye.
1949 Création du Conseil de l'Europe.
1950 Déclaration Schuman.
1952 Traité de Bonn (CED).
1955 Conférence de Messine.
1957 Traités de Rome.

Doc. 1 Jean Monnet s'interroge sur la nature de la nouvelle Europe.

Les institutions créées par le plan Schuman [*CECA*] et le plan Pleven [*CED*] ouvriront une brèche dans la citadelle de la souveraineté nationale qui barre la route à l'unité de l'Europe [...]. Depuis mille ans, la souveraineté nationale s'est manifestée en Europe par le développement du nationalisme, et par de vaines et sanglantes tentatives d'hégémonie d'un pays sur les autres. Dans le système des accords internationaux, les intérêts nationaux restent souverains, les gouverne-ments retiennent tous leurs pouvoirs, les décisions ne peuvent être prises qu'à l'una-nimité. Finalement, les Européens restent divisés entre eux.

Dans ce cadre, la coopération s'arrête quand les intérêts nationaux divergent et la guerre demeure leur ultime recours. L'établissement d'institutions et de règles communes assurant la fusion des souve-rainetés nationales, unira les Européens sous une autorité commune et éliminera les causes fondamentales des conflits. [...]

La Grande-Bretagne, en raison surtout de sa position particulière comme centre du Commonwealth, n'a pas jugé pouvoir apporter sa pleine participation lorsque le plan Schuman, puis l'armée européenne ont été proposés. Nous comprenons ses raisons. Nous serons toujours heureux de l'accueillir parmi nous.

Jean Monnet, président de la CECA, devant le National Press Club, Washington, 30 avril 1952.

EUROPE UNIE GAGE DE PAIX

PAIX ET LIBERTÉ

Doc. 2 Affiche de propagande pro-américaine (1951).

Doc. 3 Alcide de Gasperi lance l'Italie dans la construction européenne.

En choisissant de participer à la construction européenne, l'Italie [*diri-gée par le démocrate-chrétien Alcide de Gasperi*] poursuivait trois objectifs. En premier lieu, c'était un moyen de retrouver une légitimité et un rôle sur le plan international après les effets désastreux du nationalisme fasciste. Le pays, [...] voyait dans la coopération européenne le cadre approprié pour éviter le risque d'être relégué à l'arrière-plan dans le nouveau système des relations entre les États. Deuxièmement, on espérait que l'intégration éco-nomique favoriserait une modernisation des structures productives du pays et contribuerait à la solution de ses problèmes traditionnels, tels que le retard du Mezzogiorno et la surabondance de main-d'œuvre. Enfin, on estimait que, grâce à ces répercussions positives sur la vitalité du système économique, l'ancrage européen permettrait de consolider les institutions de la République démocratique qui venait de naître. [...]

Pays d'émigration, l'Italie espérait en effet favoriser, avec la naissance de la CECA, l'ouverture des marchés du travail de la part de ses parte-naires. [...] L'insistance italienne sur la nécessité de bâtir une Europe politique sur des bases supranationales répondait elle aussi, par certains aspects, aux exigences du pays. On estimait qu'un cadre politique supranational était plus propice à la défense des intérêts nationaux ita-liens qu'un contexte intergouvernemental, où les pays les plus forts auraient une marge d'action plus vaste.

Sandro Guerrieri, « L'Italie et la construction européenne : de la naissance de la CECA au traité de Maastricht (1950-1992) », *Parlement[s], Revue d'histoire politique*, HS n° 3, 2007.

Le président du Conseil italien Alcide de Gasperi, le chancelier allemand Konrad Adenauer et le ministre français des Affaires étrangères Robert Schuman se retrouvent en janvier 1951 au Conseil de l'Europe.

Doc. 6 Un journaliste constate la relance européenne après l'échec de la CED.

La réunion d'experts qui commence aujourd'hui à Bruxelles est un maillon d'une chaîne déjà longue : démission de M. Jean Monnet de la présidence de la Communauté Charbon-Acier pour protester contre l'immobilisme des gouvernements dans la construction de l'Europe ; mémorandum du Benelux [*à l'initiative de Paul-Henri Spaak*] proposant à la fois l'établissement d'un marché commun généralisé et la création d'organisations particulières pour les transports, pour l'énergie classique et atomique ; conférence de Messine où les ministres des Affaires étrangères des six pays de la Communauté […] décidèrent qu'une conférence préparerait un ou plusieurs projets de traité avant le 1er octobre ; enfin désignation de M. Spaak, ministre des Affaires étrangères de Belgique, pour animer cette conférence. […] Le choix de M. Spaak pour mener le travail est clair. Jovial et doué d'une volonté farouche, le ministre belge n'admettra pas que, sous des prétextes divers, on marque le pas […]. Les organismes qu'on crée ne sont plus responsables devant les gouvernements mais devant une assemblée parlementaire qui, un jour ou l'autre, sera élue au suffrage universel.

J. L., « La conférence de la relance européenne s'ouvre aujourd'hui à Bruxelles », *Le Figaro*, 10 juillet 1955.

Doc. 4 La CECA et la réconciliation franco-allemande. Caricature de la revue soviétique *Krokodil*, 1950.

Robert Schuman et le chancelier allemand Konrad Adenauer sont mariés par le belge Paul-Henri Spaak. Sur le sac : « Ruhr ».

Doc. 7 La réaction allemande à la proposition de CECA.

La proposition faite par Votre Excellence, le 9 de ce mois de placer sous une autorité commune la production du charbon et de l'acier de la France et de l'Allemagne a provoqué dans ce pays un effet de surprise et d'enthousiasme. […] On a, avant tout, apprécié l'état d'égalité dans lequel seront les deux pays pour négocier le traité, pour désigner un arbitre qui présidera à l'application de celui-ci, pour choisir les membres et le président de la Haute Autorité. C'était là, en régime d'occupation, une proposition sans précédent. […] Vous avez indiqué, en outre, que la Haute Autorité rendrait toute guerre entre la France et l'Allemagne non seulement impensable, mais matériellement impossible. Sans doute une telle garantie ne serait-elle pas immédiatement valable contre toute menace de conflit, contre celle d'un conflit avec l'Est. Mais la constatation faite par Votre Excellence n'en a pas moins parlé à l'imagination d'un peuple las de la guerre, et que la guerre effraie.

André-François Poncet, ambassadeur de France en RFA, lettre à Robert Schuman, 16 mai 1950.

POUR COMPRENDRE

1. Étudier les documents

Doc. 1 Pourquoi Jean Monnet veut-il dépasser les souverainetés nationales ? Pourquoi la Grande-Bretagne refuse-t-elle d'intégrer la CECA ?

Doc. 2, 4 et 7 Quel rôle la Guerre froide joue-t-elle dans la construction européenne ?

Doc. 3 Pour quelles raisons Alcide de Gasperi veut-il faire entrer l'Italie dans les structures européennes ?

Doc. 5 et 6 Quel rôle jouent les caractères personnels dans l'avancée du projet européen ?

2. Analyse de deux documents

BAC À l'aide des documents 1 et 3, vous montrerez le rôle que joue l'économie au début de la construction européenne.

3. Aide à la composition

BAC À l'aide de vos connaissances, vous rédigerez un plan détaillé qui réponde au sujet : « Les origines de la construction européenne (1948-1957) ».

2. Les ambiguïtés politiques de la CEE, de 1957 à 1992

| 1963 Traité de l'Élysée | | 1986 Acte unique | 1992 Traité de Maastricht |

1957
Traités de Rome

1962 Politique
Agricole Commune

1965 De Gaulle,
politique de la chaise vide

1979 Élection au Parlement
européen au suffrage universel

1989
Chute du mur de Berlin

1990
Réunification allemande

→ *Comment la vie politique s'organise-t-elle à l'échelle du continent européen ?*

A. Les traités, moteurs de l'intégration politique

• **La signature de traités entre les États scande les étapes de la construction européenne.** Le traité de Rome qui crée en 1957 la Communauté Économique Européenne (CEE) associe les États signataires dans tous les secteurs économiques, comme l'agriculture en 1962 par l'adoption de la Politique Agricole Commune (PAC). Cette association favorise la création d'entreprises communes à plusieurs États, comme Airbus (1970). Mais le caractère économique et le poids des décisions communautaires créent dans les années 1970 une vague d'**euroscepticisme.**

• **L'Acte unique (1986) prépare une transformation majeure de la Communauté.** Sous l'impulsion du président de la Commission, le français Jacques Delors, cet accord prépare les conditions d'un traité nouveau qui accélérerait les politiques communes. Le Marché commun et la liberté de circulation des biens, des hommes et des services deviennent totalement effectifs.

• **En 1992, le traité de Maastricht transforme la CEE en Union européenne (UE).** L'unification économique est renforcée par des mécanismes d'approfondissement des liens entre les États : la création de la Banque centrale, la perspective d'une monnaie unique et l'extension de la justice, de la défense et de l'enseignement supérieur entrent dans les compétences de l'UE.

B. La naissance d'une vie politique européenne

• **Les institutions européennes reflètent les hésitations politiques de l'Union.** Le Conseil européen, composé des chefs d'État et de gouvernement, fonctionne sur le mode intergouvernemental. La Commission européenne applique les décisions du Conseil et a l'initiative des **directives**, les lois européennes. La Cour de justice joue le rôle d'une cour constitutionnelle chargée de vérifier que les lois européennes sont conformes aux traités, et d'une cour de justice. Ce sont des institutions supranationales.

• **Une institution crée un espace politique légitime : le Parlement.** Créé dès 1957, le Parlement européen siège à Bruxelles et à Strasbourg. Ses députés sont élus au suffrage universel direct pour 5 ans à partir de 1979. Chaque État membre dispose d'un nombre de députés proportionnel à sa population. Chaque député européen représente la population européenne, et non la population de son État d'origine.

• **Des partis politiques européens sont créés.** Fondés sur les affinités idéologiques, ces partis supranationaux reflètent le clivage européen entre fédéralistes et **souverainistes** et non l'opposition nationale traditionnelle gauche/droite. Les partis politiques nationaux en sont membres.

C. La CEE, entre État et super-administration

• **L'Union s'est dotée des symboles d'une nation** : un drapeau à douze étoiles depuis 1955 (unité, solidarité et harmonie entre les peuples), un hymne (l'*Hymne à la joie* de Beethoven) et un jour de fête, le 9 mai depuis 1985 (anniversaire de la déclaration Schuman). Après 1992 viendront la devise « Unie dans la diversité » (2000), et la monnaie unique, l'euro (2002).

• **À la fin des années 1980, l'Europe souffre d'un manque de visibilité politique.** Le poids d'États comme la France et l'Allemagne, moteurs des décisions communautaires depuis 1963 (p. 330), les blocages britanniques (p. 332) ou la politique de la chaise vide gaullienne en 1965, créent le sentiment d'une impuissance institutionnelle. Son caractère d'abord économique la rend perméable aux critiques contre ses fonctionnaires, les « eurocrates ». Le taux de participation aux élections européennes, en chute régulière, est passé de 62 % à 43 % en France.

Citation

« *On ne fait pas de politique autrement que sur les réalités. Bien entendu, on peut sauter sur sa chaise comme un cabri en disant « l'Europe ! l'Europe ! l'Europe ! », mais cela n'aboutit à rien.* »

Charles de Gaulle, entretien télévisé avec Michel Droit, 14 décembre 1965.

Biographie

Jacques Delors (né en 1925)

Haut fonctionnaire français, socialiste, député européen, ministre des Finances entre 1981 et 1984, il est président de la Commission européenne de 1985 à 1994. Il participe à l'élaboration de l'Acte unique et du traité de Maastricht et joue un rôle majeur dans l'idée de monnaie unique. Partisan du réalisme en économie, il met en place les structures qui permettent aux pays du bloc de l'Est de se préparer à intégrer l'Union européenne.

Mots clés

Euroscepticisme : Mouvement d'opinion critique vis-à-vis du principe ou du fonctionnement des institutions européennes.

Intégration : Entrée d'un nouvel État dans la CEE, puis dans l'Union européenne.

Souverainisme : Théorie politique qui refuse le fonctionnement quasi-fédéral de la CEE et veut maintenir aux États leurs compétences d'origine.

Le traité de Rome entre les 6 États fondateurs (1957).

Déterminés à établir les fondements d'une union sans cesse plus étroite entre les peuples européens,

Décidés à assurer par une action commune le progrès économique et social de leur pays en éliminant les barrières qui divisent l'Europe,

Assignant pour but essentiel à leurs efforts l'amélioration constante des conditions de vie et d'emploi de leurs peuples, […]

Ont décidé de créer une Communauté économique européenne.

Le préambule de l'Acte unique entre les 12 États membres (1986).

Décidés à promouvoir ensemble la démocratie en se fondant sur les droits fondamentaux reconnus dans les Constitutions et lois des États membres, dans la convention de sauvegarde des droits de l'homme et des libertés fondamentales et dans la charte sociale européenne, notamment la liberté, l'égalité et la justice sociale,

Convaincus que l'idée européenne, les résultats acquis dans les domaines de l'intégration économique et de la coopération politique ainsi que la nécessité de nouveaux développements répondent aux vœux des peuples démocratiques européens pour qui le Parlement européen, élu au suffrage universel, est un moyen d'expression indispensable, […]

Ont décidé d'établir le présent acte.

1. Quels sont les objectifs du traité de Rome ?
2. Quels éléments sont ajoutés par l'Acte unique ?

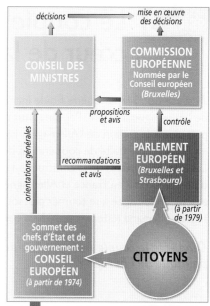

Doc. **2** Le fonctionnement politique de la CEE.

1. La Commission est-elle représentative des citoyens? Pourquoi?

Doc. **3** Une affiche célèbre le traité de Rome.

Une Europe unie pour le progrès et pour la paix.
« *Finalement les frontières de l'Europe s'abaisseront et nous aurons une Communauté unique et la liberté de circulation pour les personnes, les biens, et surtout le travail.* » *Alcide de Gasperi.*
(Rome, 25 mars 1957)
Signature des traités pour le Marché commun et l'Euratom.

1. Quels sont les buts de la CEE exposés sur cette affiche ?
2. Quels sont les objectifs d'un tel document ?

Doc. **4** Jacques Delors et le travail de la Commission européenne.

Président de la Commission de 1985 à 1995, il est le père du traité de Maastricht.

L'Union européenne a ses lois propres. Et d'abord, la méthode communautaire dont la Commission est l'organe moteur et rassembleur, et qui doit être créatrice de consensus dynamique. Tel est l'esprit dans lequel j'ai voulu et j'ai travaillé. La Commission a le monopole du droit d'initiative. Elle propose, et par là-même elle entraîne, mais elle ne peut réussir que si elle est forte de sa collégialité pleinement appliquée. Et c'est la responsabilité du président de créer cet état d'esprit. […] Au lieu d'avoir des commissaires assimilables à des ministres, chacun travaillant dans son domaine sur ses dossiers, réticent à les présenter devant ses collègues, la Commission a besoin que ses membres discutent ensemble de tous les sujets importants, des propositions de loi bien sûr, mais aussi de la stratégie générale, ce qui implique d'aborder chaque semaine les points qui fâchent, sans exclure de recourir éventuellement à un vote.

Jacques Delors, *Mémoires*, Paris, Plon, 2004.

1. Comment qualifier la méthode de travail de J. Delors ?

Doc. **5**

Une affiche du PCF pour le « Non » en 1972.

L'enjeu du référendum porte sur l'élargissement de la CEE au Royaume-Uni, au Danemark et à l'Irlande.

1. Pourquoi le PCF vote-t-il pour le « Non » ?
2. Ce parti est-il antieuropéen ? Justifiez.

Le couple franco-allemand, cœur de la construction européenne

À partir de 1948, la Guerre froide incite le gouvernement français à se rapprocher de l'Allemagne fédérale. Par son statut de puissance occupante, la France participe à la gestion de l'Allemagne. La CECA fait des deux États des partenaires en Europe et le traité de coopération de 1963 installe ce partenariat dans la durée. Les actes importants de la construction européenne sont pour la plupart le fruit d'un compromis en France et Allemagne. Même si la réunification de 1990 amène l'Allemagne à se tourner plus souvent vers l'est de l'Europe, le couple franco-allemand reste au cœur de la construction européenne.

➜ *Quel rôle le couple franco-allemand joue-t-il dans la construction politique de l'Europe ?*

Dates clés

Deux pays, un moteur

1945 Création d'une zone d'occupation française en Allemagne.
1949 Séparation de l'Allemagne en RFA et en RDA.
1950 Déclaration Schuman.
1954 Rejet de la CED.
1963 Traité de l'Élysée.
1988 Brigade franco-allemande.
1990 Réunification de l'Allemagne.
1991 Création de la chaîne de télévision Arte.

Doc. 1 À Reims en 1962, la réconciliation symbolique.
Le 8 juillet 1962, Konrad Adenauer et Charles de Gaulle assistent à un office dans la cathédrale de Reims, ville symbole des destructions de la Grande Guerre. En septembre 1962, le président français se rend en visite officielle en Allemagne.

Doc. 2 Le traité de l'Élysée, 22 janvier 1963.

Les deux gouvernements se consulteront, avant toute décision, sur toutes les questions importantes de politique étrangère et, en premier lieu, sur les questions d'intérêt commun, en vue de parvenir, autant que possible, à une position analogue […]. Cette consultation portera entre autres sur les sujets suivants : problèmes relatifs aux communautés européennes et à la coopération politique européenne ; relations Est-Ouest, à la fois sur le plan politique et sur le plan économique ; affaires traitées au sein de l'Organisation du Traité de l'Atlantique Nord et des diverses organisations internationales auxquelles les deux gouvernements sont intéressés, notamment le Conseil de l'Europe […].
Dans le domaine de l'éducation, l'effort portera principalement sur les points suivants. [Pour] l'enseignement des langues, les deux gouvernements reconnaissent l'importance essentielle que revêt pour la coopération franco-allemande la connaissance, dans chacun des deux pays, de la langue de l'autre. Ils s'efforceront, à cette fin, de prendre des mesures concrètes en vue d'accroître le nombre des élèves allemands apprenant la langue française et celui des élèves français apprenant la langue allemande.

Traité sur la coopération franco-allemande, dit traité de l'Élysée, Paris, 22 janvier 1963.

Le général de Gaulle et le chancelier Adenauer lors de la signature du traité de l'Élysée.

Doc. 3
Verdun, un lieu de mémoire franco-allemand.
Le 22 septembre 1984, le président français François Mitterrand et le chancelier allemand Helmut Kohl rendent hommage aux morts des deux guerres mondiales à Verdun.

Biographie

Konrad Adenauer (1876-1967)
Maire de Cologne destitué pour son opposition au nazisme, emprisonné en 1934 et en 1944, il fonde en 1945 la CDU, le parti démocrate-chrétien allemand. Il est chancelier de la République fédérale de 1949 à 1963. Partisan d'une forte intégration de la RFA dans le bloc de l'Ouest, il insère son pays dans tous les projets européens depuis 1949 et le fait entrer dans l'OTAN en 1955. En 1963, sa signature au bas du traité de l'Élysée fait de l'Allemagne un moteur de la construction européenne.

Helmut Kohl (né en 1930)

Démocrate-chrétien, membre de la CDU, il est chancelier de la RFA de 1982 à 1998. Entretenant des liens d'amitié personnelle avec François Mitterrand, il poursuit l'alliance pro-européenne avec la France. Partisan de la réunification, il met en place les conditions nécessaires à l'absorption de la RDA dans la RFA le 3 octobre 1990, moins d'un an après la chute du mur de Berlin. Confronté aux difficultés économiques et sociales de la réunification, il cède sa place au SPD.

Doc. 4 Un message franco-allemand à l'origine du traité de Maastricht.

Dans notre message commun du 18 avril 1990, nous avions souligné que, en raison des bouleversements en Europe, de la réalisation du marché intérieur et de l'union économique et monétaire, il était nécessaire d'accélérer la construction politique de l'Europe des Douze et, conformément aux objectifs de l'Acte unique, de transformer l'ensemble des relations entre les États membres en une union européenne et de la doter des moyens d'action nécessaires. [...] Nous souhaitons que la conférence intergouvernementale définisse les bases et les structures d'une union politique forte et solidaire, proche du citoyen, engagée dans la voie que trace sa vocation fédérale. À cette fin, nous formulons les propositions suivantes :

1. En ce qui concerne les compétences de l'union et de la Communauté, nous proposons qu'elles soient approfondies et élargies, notamment en ce qui concerne l'environnement, la santé, la politique sociale, l'énergie, la recherche et la technologie, la protection des consommateurs. Certaines questions actuellement traitées dans un cadre intergouvernemental pourraient entrer dans le champ d'action de l'union [...].

2. Nos propositions sur la légitimité démocratique portent notamment sur les points suivants. [*D'abord*] la citoyenneté européenne : le traité devrait définir les fondements et conditions de l'instauration d'une véritable citoyenneté européenne, en particulier sur la base des propositions faites par le gouvernement espagnol. [*Ensuite*] les pouvoirs du parlement : les procédures actuelles seraient renforcées dans le sens d'une codécision du Parlement européen pour les actes de nature véritablement législative. [...]

4. Quant à la politique étrangère et de sécurité commune, elle aurait vocation à s'étendre à tous les domaines. [...] De plus, l'union politique devrait inclure une véritable politique de sécurité commune, qui mènerait à terme à une défense commune.

Message conjoint de François Mitterrand et Helmut Kohl adressé au président en exercice du Conseil européen, Paris, 6 décembre 1990.

Doc. 5 En 2003, les députés français et allemands siègent ensemble.

Le mois dernier, à Copenhague, nous avons ouvert une nouvelle page de l'Histoire, celle des retrouvailles de la famille européenne que le XXᵉ siècle avait déchirée. L'an prochain, nous accueillerons ces peuples qui sont une partie de nous-mêmes. Ils nous apporteront leur goût de la liberté et l'ardeur de leurs espérances. [...]
Cette Europe retrouvée, plus riche de sa diversité mais aussi plus hétérogène, aura besoin plus que jamais du moteur franco-allemand. [...] La voix du couple franco-allemand doit s'élever pour proposer, pour innover, pour ouvrir un chemin à cette nouvelle Europe.

Jacques Chirac, discours prononcé devant les députés français et allemands réunis à Versailles, 22 janvier 2003.

Doc. 6 Des relations franco-allemandes parfois tendues.

À ceux qui voulaient croire que la chute du mur de Berlin ne changerait rien à la construction européenne et qu'une Allemagne unie, toujours plus européenne, succéderait à l'ancienne nation divisée, la réalité d'aujourd'hui pose quelques questions. [...]
Réticences vives devant tout gouvernement économique de la zone euro, opposition réelle de l'opinion allemande aux plans de sauvegarde de la Grèce, de l'Irlande et du Portugal, ou au renforcement du Fonds de soutien européen, abstention au Conseil de sécurité sur la résolution 1973 concernant l'intervention en Libye, et refus d'y participer... La liste est longue des sujets pour lesquels l'Allemagne a fait prévaloir ses vues propres sur des intérêts communautaires ou politico-humanitaires. [...]
En réalité, ces éléments doivent s'inscrire dans une perspective longue, marquée par le fait que l'Allemagne parvient le plus souvent à imposer ses choix en Europe : la reconnaissance unilatérale de la Croatie, ouvrant la boîte de Pandore des guerres yougoslaves, l'empressement pour l'élargissement à l'Est, tandis que l'Union de la Méditerranée était écartée et paralysée. Au plan institutionnel, le rejet par le peuple français du projet de Constitution, fut balayé du revers de la main par un traité de Lisbonne tout entier inspiré des vues de notre partenaire d'outre-Rhin. [...] En maints domaines, l'Allemagne est tentée par faire cavalier seul. [...] L'amitié franco-allemande ne peut se fonder ni sur l'alignement, ni sur l'incompréhension des réalités allemandes.

Jean-Yves Autexier, « France-Allemagne : stupeur et tremblements », Le Monde, 20 avril 2011.

POUR COMPRENDRE

1. Étudier les documents

Doc. 1, 2 et 3 Quel rôle jouent les symboles ? Comment le traité de l'Élysée organise-t-il les relations entre les deux États ?
Doc. 4 Que proposent le président et le chancelier ? Quels éléments font de l'UE une institution politique ?
Doc. 5 et 6 Quel rôle le couple franco-allemand joue-t-il après 1993 ? Quelles tensions existent ? Pourquoi ?

2. Analyse de deux documents

BAC À l'aide des documents 2 et 4, vous montrerez comment la réconciliation franco-allemande est un moteur de la construction européenne.

3. Aide à la composition

BAC À l'aide de vos connaissances, vous rédigerez un plan détaillé qui réponde au sujet : « La réconciliation franco-allemande et la construction européenne ».

À l'image de Winston Churchill, le Royaume-Uni n'a jamais été totalement hostile à une communauté européenne. Cependant, l'archipel cultive depuis l'après-guerre une vision singulière de cette intégration marquée par ses spécificités historiques et géopolitiques (insularité, Commonwealth), son attachement au libéralisme économique, et son refus quasi unanime d'une Europe fédérale et supranationale. La relation britannique à l'Europe est donc complexe, et un grand nombre d'exceptions donnent à ce pays une place particulière dans la construction européenne.

➡ *Que montre le cas britannique des tensions politiques qui sont au cœur de la construction européenne ?*

Doc. 1 Le Royaume-Uni et la politique européenne.

1957 Refus britannique d'adhérer à la CEE.
1960 Le Royaume-Uni crée l'Accord de Libre-Échange Européen (AELE) qui rassemble des pays européens non adhérents à la CEE.
1961 Demande officielle d'intégration à la CEE.
1963 Premier rejet (veto français).
1967 Deuxième rejet (veto français).
1973 Adhésion à la CEE, après un référendum en France.
1984 Rabais sur la participation britannique au budget européen.
1992 Traité de Maastricht : le Royaume-Uni obtient une clause d'exception sur la monnaie unique.
1995 Refus d'intégrer l'espace Schengen.
2003 Opposition à la France et à l'Allemagne pour l'intervention en Irak.

Doc. 2 Le général de Gaulle contre l'adhésion britannique.

La Grande-Bretagne a posé sa candidature au Marché commun. Elle l'a fait après s'être naguère refusée à participer à la Communauté qu'on était en train de bâtir [...] après avoir enfin [...] fait quelques pressions sur les Six pour empêcher que ne commence réellement l'application du Marché commun. [*L'Angleterre*] est insulaire, maritime, liée par ses échanges, ses marchés, son ravitaillement, aux pays les plus divers et les plus lointains. Elle exerce une activité essentiellement industrielle et commerciale et très peu agricole. [...]

La question est de savoir si la Grande-Bretagne, actuellement, peut se placer, avec le continent et comme lui, à l'intérieur d'un tarif qui soit véritablement commun, de renoncer à toute préférence à l'égard du Commonwealth, de cesser de prétendre que son agriculture soit privilégiée, et encore de tenir pour caducs les engagements qu'elle a pris avec les pays qui font partie de sa zone de libre-échange.

La question se pose d'autant plus que, à la suite de l'Angleterre, d'autres États qui sont [...] liés à elle dans la zone de libre-échange [...] voudront entrer dans le Marché commun. [...] Il apparaîtrait une Communauté atlantique colossale sous dépendance et direction américaines et qui aurait tôt fait d'absorber la Communauté européenne.

Charles de Gaulle, conférence de presse du 14 janvier 1963, *Discours et messages*, vol. 4, Paris, Plon, 1970.

Doc. 3 L'opposition française au Royaume-Uni.
Caricature de Cummings, 1967.

Doc. 4 **L'opposition au maintien du Royaume-Uni dans la CEE (1975).**

Trois ans après leur entrée dans la CEE, un référendum demande aux Britanniques s'ils veulent s'y maintenir : 67,2 % des suffrages l'approuvent.

Doc. 5 **Le rôle de la CEE selon Margaret Thatcher.**

La Communauté européenne appartient à tous ses membres, et doit pleinement refléter les traditions et aspirations de chacun. [...] La Communauté n'est pas une fin en soi. Ce n'est pas un gadget institutionnel, destiné à être constamment remanié selon les préceptes d'une quelconque théorie abstraite. [...] Notre objectif ne doit pas être de fabriquer, à partir du centre, des règlements toujours plus nombreux et détaillés ; il doit être de déréglementer, d'éliminer les contraintes commerciales, de nous ouvrir.

Margaret Thatcher, discours au sommet de Bruges, 20 septembre 1988.

Doc. 6 **Une Europe de nations libres, selon Tony Blair.**

Tony Blair est Premier ministre du Royaume-Uni de 1997 à 2007.

L'Europe souffre d'un déficit démocratique. Fort bien, mais nous pourrions passer des heures à essayer de concevoir une forme parfaite de démocratie européenne, nous n'y arriverions pas. Tout simplement parce que les sources essentielles de la démocratie en Europe sont les institutions nationales représentatives et directement élues : les parlements nationaux et les gouvernements. Je n'exclus pas qu'un jour, l'Europe parvienne à se doter d'une administration démocratique forte mais aujourd'hui, elle en est encore loin. [...]

L'Europe est une Europe de nations libres, indépendantes et souveraines, qui choisissent de mettre leur souveraineté en commun pour défendre leurs propres intérêts et l'intérêt général, sachant qu'elles peuvent aller plus loin ensemble qu'elles ne pourraient le faire seules. L'Union européenne restera cette combinaison unique entre inter-gouvernementalisme et supranationalité. Par sa force économique et politique, cette Europe peut être une superpuissance mais pas un super-État.

Tony Blair, discours à la Bourse de Varsovie, 6 octobre 2000.

Doc. 7 **L'antieuropéisme britannique.**
Dessin de Plantu, 1975.

Biographie

Margaret Thatcher
(née en 1925)

Membre du parti conservateur, elle devient Premier ministre en 1979. Jusqu'en 1990, elle mène une politique très libérale et tournée vers l'alliance américaine. Hostile à une Europe fédérale et supranationale, elle obtient de la CEE des exceptions pour son pays. Partisan d'une Europe qui serait un espace de libre-échange économique, elle échoue à orienter dans ce sens la construction européenne.

POUR COMPRENDRE

1. Étudier les documents

Doc. 2 et 3 Pour quelles raisons Ch. de Gaulle s'oppose-t-il à l'adhésion britannique ?

Doc. 1, 4 et 7 Quelles causes intérieures rendent difficile l'intégration britannique ?

Doc. 5 et 6 Pour M. Thatcher, quel doit être le rôle de la CEE ? La position britannique est-elle différente après 1993 ?

2. Analyse de deux documents

BAC À l'aide des documents 2 et 6, vous expliquerez les différences d'interprétation de la construction européenne qui existent entre le Royaume-Uni et la France.

3. Aide à la composition

BAC À l'aide de vos connaissances, vous rédigerez un plan détaillé qui réponde au sujet : « Le Royaume-Uni et la construction politique de l'Europe ».

3. Les défis politiques de l'Union européenne depuis 1993

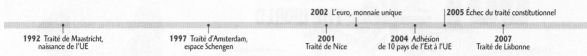

2002 L'euro, monnaie unique |2005 Échec du traité constitutionnel

1992 Traité de Maastricht,   1997 Traité d'Amsterdam,   2001   2004 Adhésion   2007
naissance de l'UE   espace Schengen   Traité de Nice   de 10 pays de l'Est à l'UE   Traité de Lisbonne

→ *À quels enjeux politiques l'Union européenne est-elle confrontée depuis la fin de la Guerre froide ?*

A. Organiser l'élargissement et l'approfondissement de l'Union

• **La fin de la Guerre froide en Europe accélère la réforme des institutions européennes.** L'adhésion des Pays d'Europe Centrale et Orientale (PECO) à l'OTAN leur assure une protection militaire. Leur candidature à l'entrée dans la CEE oblige à réorganiser les institutions : le mode intergouvernemental, fréquemment bloqué à 12 États, rendrait la CEE ingouvernable.

• **Le traité de Maastricht (1992) fait reposer l'Union européenne sur trois piliers.** Le premier est l'ensemble des politiques intégrées menées depuis 1957 : Politique Agricole Commune, union économique et monétaire avec le Marché unique qui remplace le marché commun, transports, enseignement supérieur, etc. Le deuxième pilier est la politique étrangère et de sécurité commune qui dépend de la collaboration des États membres, et se trouve fragilisée lorsqu'ils s'opposent, comme en 2003 face à l'intervention en Irak. Le troisième pilier est la coopération policière et judiciaire en matière pénale.

• **Le traité d'Amsterdam (1997) accélère la mise en pratique de Maastricht** en définissant les conditions d'adhésion des candidats sur des critères liés à la démocratie, les libertés individuelles, la situation économique et financière. Il organise la mise en place de l'euro (**zone euro**) et la libre circulation des personnes, des biens et des marchandises (**espace Schengen**).

B. Donner une visibilité politique à l'Union

• **Les droits des citoyens sont garantis par la Charte des droits fondamentaux (2000).** Elle assure à tout ressortissant d'un pays membre de l'UE la liberté de circuler, d'étudier et de travailler dans l'UE, le droit de vote et d'éligibilité aux élections européennes et locales du pays où il réside, etc.

• **Face à la perspective de l'élargissement de 2004, la réforme du mode de fonctionnement politique de l'UE devient urgente.** En 2001, le traité de Nice échoue à réformer le mode de décision au Conseil européen. En 2005, le projet de traité constitutionnel européen qui aurait fait de l'Union un véritable État souverain, est rejeté par les Pays-Bas et la France par référendum.

• **Le traité de Lisbonne (2007) cherche à donner plus d'efficacité politique à l'UE.** Il définit les règles de vote à la **majorité qualifiée (doc. 3)**, crée un président de l'Union. Par l'extension des clauses d'exception, des États membres peuvent soit déroger, soit renforcer leurs coopérations. C'est ainsi que certains États refusent d'adopter la monnaie unique, de collaborer aux accords de Schengen ou encore de ratifier l'ensemble de la Charte des droits fondamentaux.

C. L'UE, un « nain » diplomatique et militaire

• **L'UE n'est pas une puissance militaire.** Le continent est protégé par les parapluies nucléaires américain, britannique et français, et ses membres liés par les accords de protection de l'OTAN. L'UE n'a pas d'armée commune capable d'agir hors de ses frontières, hors quelques contingents de l'Eurocorps. Une politique européenne commune de défense et sécurité (**PESC**) se met cependant en place depuis 1993, et des partenariats ont été conclus avec la Turquie.

• **L'UE n'est pas une puissance diplomatique.** Le traité de Lisbonne crée un Haut Représentant pour les Affaires étrangères qui dépend des États membres. Son influence à l'ONU dépend de l'action de la France et du Royaume-Uni, membres permanents du Conseil de sécurité.

• **Après le traité de Lisbonne, la construction européenne est toujours tiraillée** entre partisans d'une UE puissance, et partisans d'une zone de libre-échange pour lesquels l'UE n'est qu'un ensemble de moyens au service des États.

*C*itation

« *Les peuples d'Europe, en établissant entre eux une union sans cesse plus étroite, ont décidé de partager un avenir pacifique fondé sur des valeurs communes.* »

Préambule de la Charte des droits fondamentaux de l'Union européenne, 2000.

Doc. **1** Le siège de la Banque Centrale Européenne, à Francfort.

Mots clés

Approfondissement : Augmentation du nombre et de l'intensité des politiques menées par plusieurs États.

Majorité qualifiée : Mode d'adoption d'un nombre croissant des règlements européens qui s'efforce de tenir compte du poids démographique des États membres en accordant aux États un nombre de voix proportionnel à leur population.

@ http://www.tle.esl.histeleve.magnard.fr
L'ouverture des frontières et la naissance du Marché unique (1993), un reportage de la télévision française.

Doc. 2 Le traité de Maastricht (1992).

Par le présent traité, les Hautes parties contractantes instituent entre elles une Union européenne, ci-après dénommée Union.

Le présent traité marque une nouvelle étape dans le processus créant une union sans cesse plus étroite entre les peuples de l'Europe, dans laquelle les décisions sont prises le plus près possible des citoyens.

L'Union est fondée sur les Communautés européennes complétées par les politiques et formes de coopération instaurées par le présent traité. Elle a pour mission d'organiser de façon cohérente et solidaire les relations entre les États membres et entre leurs peuples.

L'Union se donne pour objectifs :

– de promouvoir un progrès économique et social équilibré et durable, notamment par la création d'un espace sans frontières intérieures, par le renforcement de la cohésion économique et sociale et par l'établissement d'une union économique et monétaire comportant, à terme, une monnaie unique conformément aux dispositions du présent traité ;

– d'affirmer son identité sur la scène internationale, notamment par la mise en œuvre d'une politique étrangère et de sécurité commune, y compris la définition à terme d'une politique de défense commune qui pourrait conduire, le moment venu, à une défense commune ;

– de renforcer la protection des droits et des intérêts des ressortissants de ses États membres par l'instauration d'une citoyenneté de l'Union.

Traité signé le 7 février 1992 entre les 12 États membres de la CEE, entré en vigueur le 1er novembre 1993.

1. Quels sont les objectifs du traité ?

2. Quels instruments nouveaux sont annoncés ? Ont-ils été réalisés ?

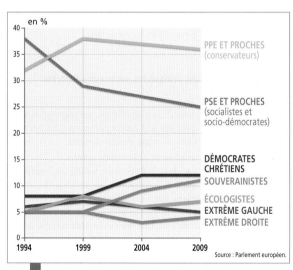

Doc. 4 La composition politique du Parlement européen depuis 1994, en %.

1. Quels partis dominent le Parlement ? Une majorité est-elle facile à trouver ?

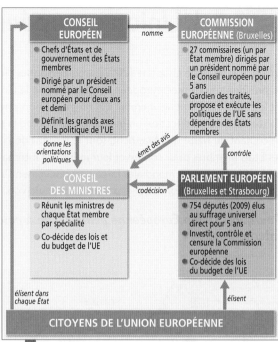

Doc. 3 Les institutions de l'UE après le traité de Lisbonne (2007).

1. Comment le pouvoir exécutif européen est-il constitué ? Comment est-il contrôlé ?

Doc. 5 Simone Veil face à l'évolution de l'opinion publique.

Dans les années 1980, quand je suis arrivée au Parlement européen, j'imaginais encore une évolution de type fédéral. Aujourd'hui, à la fois parce que nous sommes plus nombreux et parce que les mentalités ont changé, je ne peux que constater un attachement croissant des citoyens à leur cadre national et aux facteurs historiques qui ont formé des identités singulières. On l'a constaté aux Pays-Bas et en France avec l'échec du référendum [en 2005].

À cet égard, nous vivons un paradoxe : l'Européen d'aujourd'hui voyage beaucoup, l'euro est devenu une réalité dont la plupart se félicitent, Internet est entré dans les mœurs et la dimension de la mondialisation domine la pensée contemporaine. Cependant, les citoyens semblent beaucoup plus attachés à leur identité nationale qu'il y a vingt ans, au point que partout se développent des tentations communautaristes. [...] S'ils tiennent tant à cette identité, c'est parce qu'ils subissent à jet continu les chocs mondiaux ; leur enracinement devient une valeur refuge, une protection contre toutes les tragédies que la télévision et Internet nous font vivre en temps réel. [...] Si je pensais il y a vingt ans que nous parviendrions à dépasser rapidement le cadre de la nation, j'en suis aujourd'hui moins convaincue, de sorte que l'idée que je me forge désormais de l'Union européenne s'apparente davantage à un agrégat de poupées russes qu'à un édifice monolithique.

Simone Veil, *Une vie*, Paris, Stock, 2007.

1. Quel changement dans les espoirs politiques de l'Union Simone Veil constate-t-elle chez les citoyens ?

2. Pourquoi un tel repli ?

Depuis le traité de Lisbonne (2007), trois personnes dirigent l'Union européenne : le président du Conseil européen, le président de la Commission européenne et le chef d'État du pays membre qui dirige l'Union pour six mois par roulement. Cette absence de direction unique et la faiblesse de la politique étrangère commune découlant du traité de Maastricht, sont le résultat de la lutte que se livrent les États membres pour conserver leur influence internationale. La concurrence des autres puissances mondiales force progressivement les Européens, malgré ces faiblesses institutionnelles, à parler d'une seule voix.

➜ *Pourquoi l'Union Européenne peine-t-elle à peser sur la scène internationale ?*

Dates clés

Quelle politique étrangère ?

1993 Entrée en vigueur du traité de Maastricht et de la PESC.

1995 Massacre de Srebrenica.

2003 Divisions sur l'appui à l'intervention américaine en Irak.

2007 Traité de Lisbonne, création d'un Haut Représentant de l'Union pour les Affaires étrangères et la politique de sécurité.

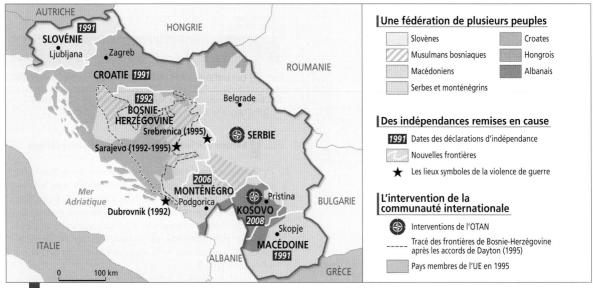

Doc. 1 La guerre en ex-Yougoslavie

Doc. 2 L'impuissance européenne face au conflit yougoslave.
Caricature de G. Million, *Guère épais*, Albertville, 1994.

Doc. 3 Jacques Chirac critique les nouveaux adhérents de l'Union.

En février 2003, huit pays de l'est de l'Europe, qui entrent l'année suivante dans l'UE, apportent leur soutien à l'intervention américaine en Irak, contre l'avis du couple franco-allemand.

Ils ont manqué une bonne occasion de se taire. [...]
On sait très bien que, déjà, les opinions publiques, comme toujours quand il s'agit de quelque chose de nouveau, ont accueilli l'élargissement avec quelques réserves, sans toujours comprendre exactement l'intérêt qu'il y avait à l'approuver. Alors, évidemment, une démarche comme celle que vous soulignez ne peut que renforcer, dans l'opinion publique des Quinze et notamment de ceux qui feront une ratification par voie de référendum, un sentiment d'hostilité. Or il suffit d'un seul pays qui ne ratifie pas par référendum pour que cela ne marche pas.

Jacques Chirac, conférence de presse à l'issue du Conseil européen du 17 février 2003.

*La Turquie est candidate à l'intégration euro-
péenne depuis 1962.*

La question turque divise les Européens. Ils
s'interrogent sur les limites géographiques, historique et politique de l'Europe. Longtemps,
nous avons fui cette question. L'existence du
bloc soviétique était là pour répondre à notre
place. Le rideau de fer nous a imposé nos frontières. Sa disparition nous oblige à choisir le
niveau d'ambition de l'Union. Certains la veulent de plus en plus étroite alors que d'autres la
souhaitent de plus en plus large. [...]
Malgré l'exigence de l'unanimité au sein du
Conseil pour que des négociations soient enta-
mées, la question turque suscite beaucoup de
méfiance dans plusieurs États membres. La
singularité de la Turquie et le fait que sa population est majoritairement musulmane sont
parmi les arguments le plus souvent entendus. [...] L'Europe n'est pas et ne saurait être
un club chrétien et la Turquie ne doit pas être
rejetée parce que sa population est majoritairement musulmane. Notre idée de l'Europe est
celle d'une union fondée sur des valeurs universelles comme la démocratie, l'État de droit
et le respect des droits de l'homme et des libertés fondamentales. [...]
Pour certains, c'est impossible : l'entrée de la
Turquie dans l'UE serait une dénaturation
définitive de la raison d'être de l'Union et
annihilerait sa capacité à peser sur le monde
à travers une politique extérieure commune.
Pour d'autres en revanche, elle est indispensable pour permettre à l'Europe de jouer un rôle
mondial en nouant avec le monde islamique
une relation radicalement différente de celle
que les États-Unis ont établie au Moyen-
Orient.

Josep Borrell, président du Parlement européen,
« Turquie : l'alliance ou le choc »,
Libération, 20 décembre 2004.

**Les critiques contre l'influence
de la Commission de Bruxelles.**

« Les Européens se soulèvent contre
la dictature des bureaucrates »,
dossier de l'hebdomadaire allemand
Der Spiegel, juin 2005, juste après
l'échec du référendum sur le traité
constitutionnel européen en France
et aux Pays-Bas.

La chancelière allemande Angela Merkel, dans un entretien publié par le
quotidien populaire *Bild Zeitung*, le 23 mars [2007], a relancé l'idée de créer
une armée européenne à la veille des célébrations du cinquantième anniversaire du traité de Rome. [...] À la suite du rejet par la France, en août 1954, du
projet de Communauté européenne de défense (CED), qui visait à créer une
armée européenne fédérale, la défense du vieux continent a été prise en charge
par les États-Unis via l'OTAN. Depuis, tous les projets visant à ébrécher ce monopole atlantique, véritable cadeau de la France aux États-Unis, ont été systématiquement torpillés [...]. La Grande-Bretagne, membre de l'Union depuis 1973, est
devenue la gardienne vigilante de l'orthodoxie otanienne. La sortie de la France,
non pas de l'OTAN, mais de sa structure militaire, au début des années 1960, n'a
fait que renforcer l'idée qu'une défense européenne ne pourrait qu'affaiblir
l'OTAN et donc la présence militaire américaine en Europe.
La chute de l'Empire soviétique, en 1989-1990, a changé la donne et les priorités des États-Unis en matière militaire. L'Europe ne peut, à l'avenir, qu'assurer
une part croissante de sa défense. [...] À Paris, on affirme que Merkel a surtout
voulu envoyer un signal à son armée. Celle-ci n'est toujours pas professionna-
lisée, à la différence de presque toutes les autres armées européennes, et est
encore totalement intégrée à l'appareil otanien, ce qui limite sa marge de
manœuvre.

Jean Quatremer, « Vers l'armée européenne ? », blog *Les Coulisses de Bruxelles*, 6 avril 2007.

Sur l'échiquier mondial, l'Europe est un
nain politique. Placée sous la tutelle des États-
Unis depuis la fin de la Seconde Guerre mondiale, elle n'est qu'une dominion américain qui
s'en remet à son protecteur pour assurer sa
défense. Dans un monde en profonde recom-
position, elle n'a ni frontières stables ni exécutif. Avec 500 millions d'habitants, l'empire le
plus riche de la planète est dépourvu d'armée
et de stratégie collective. En un mot, l'Europe,
faible et désunie, est une proie facile.

Jean-François Susbielle, *Le Déclin de l'Empire européen.
Qui dominera l'autre ?*, Paris, First, 2009.

POUR COMPRENDRE

1. Étudier les documents

Doc. 1 et 2 Que montre le conflit en ex-Yougoslavie de la faiblesse poli-
tique de l'UE ?
Doc. 3 et 4 Quels éléments divisent les Européens ? Pourquoi ?
Doc. 5 Pourquoi les institutions européennes sont-elles critiquées ?
Doc. 6 et 7 Quels éléments pourraient faire de l'UE une puissance ?
Quelles en sont les limites ?

2. Analyse de deux documents

BAC À l'aide des documents 3 et 6, vous montrerez comment les problèmes de défense révèlent la faiblesse politique de l'Union.

3. Aide à la composition

BAC À l'aide de vos connaissances, vous rédigerez un paragraphe qui
réponde au sujet : « L'Union européenne, un nain politique face aux États ? »

La citoyenneté européenne, projet ou réalité ?

>>> *Un homme politique et un juriste s'interrogent*

L'Europe manque de symboles politiques.

La citoyenneté européenne n'est que faiblement ressentie. Nous pouvons en discerner les raisons : d'abord, l'Histoire. Les peuples d'Europe se sont battus entre eux depuis deux mille ans, c'est-à-dire depuis toujours. La période que nous venons de vivre depuis 1946 est exceptionnelle : il n'y a plus eu de guerre dans notre espace européen. Mais les traces du passé ne s'effacent pas facilement. [...] Un autre obstacle réside dans la gamme de nos diversités, considérablement accrues par les élargissements successifs. [...]

Enfin, et c'est décisif, l'Europe est privée d'image. Alors que notre monde fonctionne sur l'information en temps réel et continu ; sur la personnalisation, sur l'image, l'Europe reste sans représentation. Elle demeure – malgré ses réalisations politiques, économiques et sociales – un blanc médiatique. C'est pourquoi l'Europe est le plus souvent ressentie, par ses citoyens, comme une lointaine machine technico-administrative. À l'égard de l'étranger, c'est encore plus simple : elle n'existe pas. Car il n'existe pas de « Monsieur Europe » connu pour l'incarner. Elle n'a ni corps, ni visage. [...]

Je ne reprendrai pas ici la description des dispositifs du traité de Lisbonne, directement issus des propositions de la Convention. La démocratisation, les nouvelles règles de gouvernance d'un dispositif aujourd'hui paralysé en raison d'un élargissement politique peu préparé, la plus grande lisibilité de l'action de la Commission, le rôle accru du Parlement, l'extension, dans nos règles de fonctionnement, de l'usage du critère de la population, qui est bien la preuve du primat de la citoyenneté individuelle, sont de nature à rapprocher l'Europe de ses citoyens. [...]

L'abandon, dans le traité « simplifié », des signes distinctifs de l'Europe, est une erreur au regard de la citoyenneté. L'hymne, le drapeau, les insignes européens paraissent, pour les politiciens de court terme, des préoccupations de second ordre. Ce n'est pas mon avis. Car, la citoyenneté européenne n'est pas seulement une affaire de droit écrit. Il lui faut ajouter un supplément d'âme.

Valéry Giscard d'Estaing,
discours devant l'Académie royale de Belgique, 25 avril 2008.

Le 1er décembre 2009 le président portugais Anibal Cavaco Silva inaugure la cérémonie officielle qui marque la promulgation du traité de Lisbonne. Autour de lui, les douze étoiles du drapeau, symbole de perfection.

Valéry Giscard d'Estaing (né en 1926). Démocrate-chrétien, ancien président de la République française (1974-1981), il a dirigé la Convention qui a écrit le traité constitutionnel européen, rejeté en 2005.

Contexte

L'histoire d'une citoyenneté européenne commence en 1979 avec la première élection du Parlement européen au suffrage universel. Cette citoyenneté souffre cependant très tôt d'un manque de prise de conscience dont témoignent le reproche d'un « déficit démocratique » fait à l'Union d'un côté, et l'abstentionnisme important aux élections européennes d'autre part.

L'Europe manque de symboles politiques.

1. Comment Valéry Giscard d'Estaing juge-t-il la citoyenneté européenne ?

2. Dégagez les principales raisons qu'il invoque.

3. Selon lui, quels sont les moyens qui permettront une meilleure appropriation citoyenne ?

Au-delà des nations et des partis, existe-t-il un peuple européen ?

Il manque à l'Union des éléments qui n'existent qu'au niveau des États : les « bases sociales qui constituent le substrat du parlementarisme », « un sentiment d'unité politique et de loyauté à l'égard de l'Union ». [...] Pour l'heure les opinions publiques restent principalement préoccupées par des problèmes nationaux dont les thèmes et le rythme diffèrent profondément d'un État à un autre.

Les partis politiques européens, dont l'importance est soulignée par le traité sur l'Union européenne, demeurent des fédérations de partis nationaux plus que de vrais partis transnationaux. Leurs activités ne sont pas régulières et ils peinent à formuler des programmes de campagne susceptibles de mobiliser les électeurs de tous les pays membres. Dès lors, les partis nationaux centrent leurs discours de campagne sur des préoccupations qui relèvent de la politique intérieure. [...]

Afin que l'Union européenne devienne un « espace public », l'émergence de partis pleinement européens, l'organisation de débats exclusivement centrés sur des thèmes européens, alliés aux formes de participation directes mises en place par le traité de Lisbonne (initiative populaire) pourraient aider à mieux sensibiliser les citoyens. Pour l'heure, ils ne le sont qu'épisodiquement notamment lors des débats sur la ratification des traités. [...]

La vie politique européenne et le parlementarisme européen ne peuvent que pâtir sérieusement de l'absence de peuple européen. Néanmoins, d'une part, on ne peut écarter l'idée qu'un *dêmos* européen puisse émerger sur le long terme et qu'il soit même déjà en germe dans plusieurs des évolutions en cours. D'autre part, l'absence d'une forte identité civique européenne ne saurait à elle seule condamner l'Union européenne en tant que démocratie émergente.

Fabien Terpan, « La démocratie européenne : progrès accomplis et difficultés persistantes », *Questions internationales*, n° 45, La Documentation française, 2010.

Fabien Terpan est maître de conférences en droit public à l'IEP de Grenoble. Il est spécialiste des questions européennes et de géopolitique. Il a publié en 2004 *Les Mots de l'Europe* (Presses de Toulouse-Le Mirail).

Le 24 février 2010, un drapeau européen est brûlé, accroché aux grilles du parlement grec, alors que les États membres de l'UE hésitent à secourir la Grèce dans la crise financière.

Au-delà des nations et des partis, existe-t-il un peuple européen ?

1. Dans quel domaine se place l'argumentation de Fabien Terpan par rapport à celle de Valéry Giscard d'Estaing ?

2. Pourquoi peut-on parler d'un problème d'échelle de citoyenneté ?

3. À quels moments s'exprime au mieux l'idée d'une citoyenneté européenne selon Fabien Terpan ?

Bilan

Quels instruments permettent l'enracinement de la citoyenneté européenne ? Quels éléments le ralentissent ?

Le projet d'une Europe politique depuis 1948

L'essentiel

→ *Quelles formes le rapprochement entre les États européens prend-il depuis 1948 ?*

1. **Une politique de coopération née des conséquences de la Seconde Guerre mondiale (1948-1957).**

• Une réflexion sur les causes de la guerre aboutit à l'essor du mouvement fédéraliste, qui veut dépasser le cadre de l'État-nation pour reconstruire une Europe pacifique et prospère.

• Le plan Marshall et le congrès de La Haye permettent la naissance des premières institutions de coopération : l'OECE et le Conseil de l'Europe.

• Les pères fondateurs poussent à une réconciliation franco-allemande qui crée la CECA mais échouent à mettre en place une armée commune, la CED.

2. **Un ensemble de politiques économiques qui créent un sentiment politique européen (1957-1992).**

• Les traités de Rome créent une Communauté Économique Européenne. Six États membres délèguent une partie de leur souveraineté à des institutions supranationales.

• Les élargissements font de la CEE un grand marché agricole et industriel. Le Parlement européen donne de la CEE l'image d'institutions démocratiques, même sans grand pouvoir.

• L'Acte unique, la fin des démocraties populaires et la réunification allemande obligent à inventer une nouvelle structure de coopération, plus politique. Le traité de Maastricht est signé en 1992.

3. **Depuis 1993, un espace qui adopte inégalement les formes d'un État supranational.**

• Le traité de Maastricht crée l'Union européenne. Les élargissements de 12 à 27 membres rendent difficiles l'application des décisions à l'unanimité.

• La création de la zone euro et de l'espace Schengen font de l'UE un espace politique à géométrie variable. Géant économique et financier, l'UE reste un « nain » politique et militaire.

• Le traité de Lisbonne donne une plus grande visibilité politique à l'UE malgré la crise financière qui débute en 2007.

Mots clés

• Atlantisme • Approfondissement
• Euroscepticisme • Fédéralisme
• Intégration • Majorité qualifiée
• Souveraineté • Souverainisme
• Supranationalité

Personnages

K. Adenauer
(1876-1967)
❱ Bio p. 330

W. Churchill
(1874-1965)
❱ Bio p. 324

J. Delors
(né en 1925)
❱ Bio p. 328

H. Kohl
(né en 1930)
❱ Bio p. 331

Jean Monnet
(1888-1979)
❱ Bio p. 288

R. Schuman
(1886-1963)
❱ Bio p. 322

M. Thatcher
(née en 1925)
❱ Bio p. 333

Synthèse

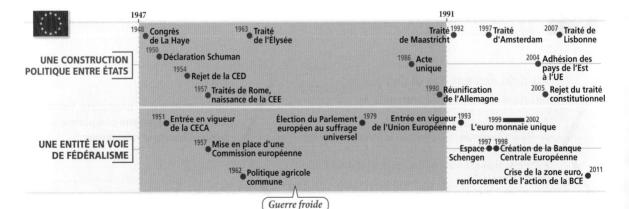

BAC Composition

Introduction	Explication des termes du sujet et du contexte, annonce de la problématique et du plan.
Développement	Argumentation organisée en paragraphes (un paragraphe = une idée + un exemple développé).
Conclusion	Réponse à la problématique et ouverture (une ou deux idées qui montrent l'intérêt du sujet traité).

Méthode
> p. 10

Sujet 1

Conseils

Introduction : une bonne accroche : le congrès de La Haye.
Développement : le sujet propose un plan attendu.
Conclusion : les propositions du congrès de La Haye ont-elles abouti ?

Lecture du sujet

Il s'agit autant des causes que des premières étapes de la construction politique européenne.

Origines, réalisations et limites du projet politique européen (1948-1992).

Attention aux événements politiques liés à ces bornes chronologiques.

Attention aux événements politiques liés à ces bornes chronologiques.

Mots clés

- Atlantisme
- Approfondissement
- Euroscepticisme
- Fédéralisme
- Souverainisme
- Supranationalité

Personnages attendus

- K. Adenauer
- W. Churchill
- J. Monnet
- R. Schuman
- M. Thatcher

Chronologie

1948	Congrès de La Haye	1963	Traité de l'Élysée
1950	Déclaration Schuman	1979	Élection du Parlement européen au suffrage universel
1951	Entrée en vigueur de la CECA		
1954	Rejet de la CED	1986	Acte unique
1957	Traités de Rome, naissance de la CEE	1990	Réunification de l'Allemagne
		1992	Traité de Maastricht
1962	Politique agricole commune		

Sujet 2

Conseils

Introduction : définissez les enjeux (fédéralisme/souverainisme)
Développement : un plan thématique est possible.
Conclusion : insistez sur la particularité de l'UE, ni État fédéral ni association d'États.

Lecture du sujet

La réflexion porte sur la dimension politique du projet européen. L'aspect économique, comme la création de l'euro, est à mentionner dans ses répercussions politiques (qui gère ? les États ou la BCE ?).

Quelle Europe politique à partir de 1993 ?

Pourquoi cette date ? Il s'agit autant de l'entrée en vigueur du traité de Maastricht que de la préparation de l'intégration des PECO.

Mots clés

- Approfondissement
- Fédéralisme
- Intégration
- Majorité qualifiée
- Souverainisme
- Supranationalité

Personnages attendus

- J. Delors
- V. Giscard d'Estaing
- H. Kohl

Chronologie

1992	Traité de Maastricht	2004	Adhésion des PECO à l'UE
1997	Traité d'Amsterdam	2005	Échec du traité constitutionnel
1997	Espace Schengen	2007	Traité de Lisbonne
1998	Création de la Banque Centrale Européenne	2011	Crise de la zone euro, renforcement de l'action de la BCE
1999-2002	L'euro monnaie unique		

Introduction	Explication du sujet et du contexte, annonce de la problématique.	Méthode
Développement	Argumentation organisée en paragraphes qui structurent la réponse à la consigne.	› p. 11
Conclusion	Réponse à la problématique et ouverture (une ou deux idées qui montrent l'intérêt du sujet traité).	

Sujet Altiero Spinelli et les modèles politiques de l'Europe (1985).

Consigne : Après avoir présenté l'auteur et le document dans le contexte de la construction européenne, vous reprendrez chacun des modèles proposés en les comparant aux étapes de la construction européenne. Vous expliquerez quel modèle domine au début du XXIe siècle en Europe.

Fédéraliste, Altiero Spinelli est commissaire européen, initiateur en 1941 du Manifeste de Ventotene en faveur d'un État européen.

Ces modèles ont en commun l'idée d'une unité qui soit faite par les Européens et crée une Europe différente de l'Europe des nationalismes […].

Pour certains hommes d'État, dont l'expérience politique fondamentale était celle de l'État national souverain, […] l'unification européenne devait, fondamentalement, être une confédération, une ligue d'États, dont chacun conserverait sa souveraineté et dont tous, dans des domaines spécifiques, s'engagerait de manière permanente à pratiquer la même politique, définie et adoptée dans des réunions rassemblant les représentants des différents gouvernements. […]

Le deuxième modèle est un modèle fonctionnel. […] Dans le but d'administrer, dans l'intérêt commun, le marché du charbon et de l'acier, ou l'énergie nucléaire ou une armée commune ou une union douanière, chacun des États devait déléguer à une autorité supranationale certaines parties de sa souveraineté administrative tout en gardant toujours sa souveraineté politique. […] La pensée secrète […] était qu'à la longue la bureaucratie l'emporterait sur la politique et que, de l'administration européenne de certains intérêts concrets, naîtrait, quelque jour, de façon ou d'autre, la superstructure de l'Europe.

Le troisième modèle […] est le modèle fédéraliste. [Il] propose de maintenir et de respecter la souveraineté des États nationaux dans tous les domaines, et de la transférer à un gouvernement européen contrôlé démocratiquement par un parlement européen et agissant conformément à des lois européennes en matière de politique étrangère, de défense d'économie et de protection des droits civils. Le modèle fédéraliste propose un État qui soit vraiment supranational et qui cohabite avec ses États membres.

Altiero Spinelli, conférence en 1985, cité dans André Miroir, *Pensée et construction européenne*, Université de Bruxelles, éd. E. van Balberghe, 1990.

Répondre à la consigne

Conseil

Veillez à bien définir les termes politiques (fédéralisme, supranationalité, État-nation, etc.).

En introduction, vous devez notamment…
- Rappeler le contexte des années 1980 : relance du processus européen après l'euroscepticisme des années 1970.
- Présenter l'auteur en précisant qu'il est un acteur politique (donc engagé) mais que son exposé des trois modèles est neutre et rétrospectif.
- Énoncer une problématique claire.

Développement : une explication structurée en paragraphes
- Reprenez l'ordre des trois modèles et expliquez chacun d'eux.
- En reprenant l'histoire de la construction européenne, expliquez à quelles époques ou à quels projets correspondent chacun des modèles proposés.
- Interrogez le troisième modèle proposé par A. Spinelli en le comparant avec les institutions de l'UE.

En conclusion, il faut par exemple…
- Répondre à la problématique posée en introduction.
- Montrer l'intérêt du document en rappelant que la CEE et l'UE hésitent toujours entre fédéralisme et association d'États.

BAC Étude critique d'un document

Méthode
> p. 11

Introduction	Explication du sujet et du contexte, annonce de la problématique.
Développement	Argumentation organisée en paragraphes qui structurent la réponse à la consigne.
Conclusion	Réponse à la problématique et ouverture (une ou deux idées qui montrent l'intérêt du sujet traité).

Sujet L'accélération de la construction européenne au début des années 1990.

Consigne :
Après avoir rappelé le contexte dans lequel s'inscrit ce document, vous expliquerez quels éléments permettent à l'auteur de mettre en avant une rapide unité du continent européen. En expliquant les origines et les étapes de la construction européenne après 1991, vous montrerez l'intérêt et les limites d'un tel document.

Dessin de Tom Toles, « Before, after »,
***Buffalo News*, 4 décembre 1991.**
En bas à droite : « Avant et après quoi ?
Avant et après que tu clignes des yeux. »

Répondre à la consigne

Conseil

Il s'agit d'un dessin de presse humoristique. Certains détails sont fantaisistes.

En introduction, vous devez notamment...
- Rappeler le contexte des années 1989-1991, et l'état d'esprit des Européens sur l'avenir de la construction européenne et le sort des anciennes démocraties populaires.
- Organiser une problématique qui interroge le sens du document.

Développement : une explication structurée en paragraphes
- Après avoir décrit le document, il faut expliquer le déroulé chronologique de chacune des deux étapes.
- En décrivant le fonctionnement de la CEE et les changements apportés par le traité de Maastricht postérieur au document, il s'agit d'expliquer si ce dessin est un but espéré par les Européens ou s'il constate un fait préparé par eux.

En conclusion, il faut...
- Répondre à la problématique posée en introduction.
- Montrer l'intérêt du document en rappelant que l'UE a vocation à s'étendre à tout le continent, et que se pose le problème de ses frontières.

BAC Étude critique de deux documents

Introduction	Explication du sujet et du contexte, annonce de la problématique.
Développement	Argumentation organisée en paragraphes qui structurent la réponse à la consigne.
Conclusion	Réponse à la problématique et ouverture (une ou deux idées qui montrent l'intérêt du sujet traité).

Méthode
> p. 11

Sujet Le poids politique des institutions européennes au début du XXIe siècle.

Consigne : En replaçant ces documents dans le contexte de la construction européenne, vous montrerez le rôle que jouent les institutions européennes, les difficultés politiques qu'elles rencontrent, et vous expliquerez l'importance symbolique de ces institutions dans l'expression de la citoyenneté européenne.

Doc. 1 Un fédéraliste et un souverainiste s'opposent.

Joschka Fischer est le ministre allemand des Affaires étrangères (SPD), Jean-Pierre Chevènement est le ministre français de l'Intérieur (PS).

Joschka Fischer : La question « Veut-on une fédération ou non ? » est académique. Si nous sommes honnêtes, nous devons reconnaître qu'il existe déjà depuis longtemps des éléments essentiels de cette fédération. L'euro est déjà en réalité une fédération. [...]

Jean-Pierre Chevènement : Mais en quoi une fédération européenne nous permettrait-elle de défendre le modèle social européen, le droit du travail par exemple, contre les remises en cause de la mondialisation ?

J. F. : Tout simplement parce qu'une fédération européenne pourrait défendre les intérêts européens d'une manière tout à fait différente. [...] Quand Boeing et [*la société de construction aéronautique*] Lockheed fusionnent et que la Commission de Bruxelles fronce les sourcils, ces messieurs de Seattle se sentent concernés. Si c'était l'autorité française anti-monopole ou l'office allemand des cartels, qui règlent les conflits de concurrence, ça ne les aurait pas vraiment intéressés. [...] Si nous voulons par exemple une politique sociale commune, nous avons besoin d'institutions européennes qui fonctionnent. [...] Avec une confédération très lâche d'États, nous ne réussirons rien à l'ère de la mondialisation.

J.-P. C. : [...] Je pars de l'idée que, pour que la démocratie puisse fonctionner, il faut qu'il y ait un espace commun de débat public. [...] C'est à l'intérieur des nations que le débat a la plus grande vérité, qu'il peut être tranché de la manière la plus claire.

J. F. : [...] Notre devoir est de créer un espace européen commun sans abolir l'espace national. Quelle doit être la pondération entre le national et l'européen ? Pour moi, c'est la question décisive. La réponse est la fédération.

Le Monde, 21 juin 2000.

Doc. 2 Le Parlement européen, un contre-pouvoir face aux États membres ?

Le 19 janvier 2012, lors de l'audition du Premier ministre hongrois Viktor Orban devant le Parlement européen, des députés protestent contre une loi hongroise sur les médias. Sur les affichettes, des titres de la presse hongroise barrés du slogan « censuré ».

1. Lire le sujet et mobiliser ses connaissances

Conseil

Il ne s'agit pas ici de rappeler toute l'histoire de la construction européenne.

Quelles institutions sont présentées dans les documents ?

- **À propos du doc. 1** : la Commission de Bruxelles. Quelle est son origine ? Comment sont nommés les commissaires ? De qui dépendent-ils ?
- **À propos du doc. 2** : le Parlement européen. Depuis quand ses membres sont-ils élus au suffrage universel ? Quel est son rôle ? Que symbolise-t-il ?

Quelles différences entre le fédéralisme et le souverainisme ?

- Position de J. Fischer : repérez les arguments utilisés pour justifier l'option fédéraliste.
- Position de J.-P. Chevènement : repérez les arguments utilisés pour remettre en cause les institutions de l'UE. Que leur reproche-t-il ?

Quel rôle joue l'UE dans la défense des droits des citoyens ?

- Quel thème provoque la colère des députés européens ? Reprenez ce que proclame la Charte des droits fondamentaux.

2. Confronter les documents à ses connaissances

Conseil

À l'aide de votre cours, expliquez le fonctionnement des institutions européennes.

D'où viennent les institutions mises en avant dans ces documents ?

- Expliquez les origines et les modifications entraînées par les traités après 1991. Pourquoi la CEE est-elle devenue UE ?
- Quels nouveaux pouvoirs le parlement a-t-il reçu ?

Opposition fédéralisme/souverainisme

- Remontez aux origines de la construction européenne, et rappelez quels moments ou les positions de quels États ont poussé dans le sens fédéral ou dans le sens des États.
- Attention à ne pas penser que le fédéralisme est d'un bord politique et le souverainisme de l'autre : rappelez de quelle idéologie les intervenants du doc. 1 sont proches.

La faiblesse politique de l'UE

- Reprenez les reproches contre l'UE dans le doc. 1 et confrontez-les au doc. 2. Pourquoi les députés mettent-ils en scène leur colère ?
- Nuancez l'idée d'une faiblesse politique de l'UE en expliquant quelles réformes ont modifié les institutions dans les années 1990-2000 et donné une visibilité politique à l'UE.

3. Répondre à la consigne

Conseil

Attention ! Avec les documents qui expriment des prises de position, vous devez rester neutre et ne prendre parti.

En introduction, vous devez notamment...

- Définir le fédéralisme et le souverainisme.
- Rappeler le contexte.
- Construire une problématique qui montre le caractère particulier de l'UE (ni État ni coopération simple).

Dans un développement structuré en paragraphes, il serait bon de...

- Rappeler le contexte qui a présidé à la création et à l'évolution des institutions politiques de la CEE et de l'UE présents dans les documents.
- Expliquer les causes des difficultés politiques rencontrées par la construction européenne
- Rappeler quels symboles et quels instruments font de l'UE un État en apparence.

En conclusion, il faut par exemple...

- Répondre à la problématique en insistant sur le fait que les discussions sur fédéralisme et souverainisme remontent à l'origine de la construction européenne.
- Montrer l'intérêt des documents : ils montrent une UE qui cherche à affirmer la défense des citoyens (travail, médias).

chapitre 12

La gouvernance économique mondiale depuis 1944

En juillet 1944, la conférence de Bretton Woods (États-Unis) pose les fondements d'un nouvel ordre économique mondial fondé sur le libre-échange. Première monnaie mondiale, le dollar joue alors un rôle majeur dans la croissance des Trente Glorieuses, comme monnaie de circulation ou monnaie de réserve. En 1971, la fin de la convertibilité du dollar en or entraîne l'instabilité des autres monnaies, aggravée par les chocs pétroliers. Les années 1980 voient grandir la part des pays du Tiers-Monde dans les échanges mondiaux et la fin des démocraties populaires en Europe : après la chute de l'URSS, une grande partie des États du monde rejoint le système hérité de Bretton Woods.

De nouveaux modes de coopération économique se mettent alors en place pour gérer les conséquences de l'ouverture presque totale de la planète aux échanges. Face aux crises économiques et financières, les États réorganisent les institutions internationales et multiplient les sommets. Ni simple coopération entre États, ni gouvernement mondial : se met en place depuis 1991 une « gouvernance » de la mondialisation.

➜ *Comment l'essor du commerce mondial pousse-t-il les États, depuis 1945, à gouverner ensemble ?*

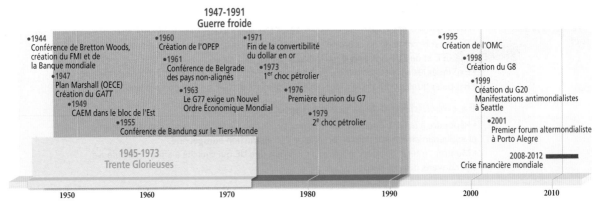

1947-1991
Guerre froide

•1944
Conférence de Bretton Woods,
création du FMI et de
la Banque mondiale

•1947
Plan Marshall (OECE)
Création du *GATT*

•1949
CAEM dans le bloc de l'Est

•1955
Conférence de Bandung sur le Tiers-Monde

•1960
Création de l'OPEP

•1961
Conférence de Belgrade
des pays non-alignés

•1963
Le G77 exige un Nouvel
Ordre Économique Mondial

•1971
Fin de la convertibilité
du dollar en or

•1973
1ᵉʳ choc pétrolier

•1976
Première réunion du G7

•1979
2ᵉ choc pétrolier

•1995
Création de l'OMC

•1998
Création du G8

•1999
Création du G20
Manifestations antimondialistes
à Seattle

•2001
Premier forum altermondialiste
à Porto Alegre

2008-2012
Crise financière mondiale

1945-1973
Trente Glorieuses

1950   1960   1970   1980   1990   2000   2010

La réserve fédérale de New York en 1968. En 2011, 25 % de l'or mondial y est entreposé.

• Jusqu'à la crise de 1929, la valeur de chaque monnaie dépendait des réserves en or de l'État qui émettait cette monnaie : on parlait d'étalon-or. Pendant la Seconde Guerre mondiale, une partie des États européens confie ses réserves en or aux États-Unis pour éviter que l'Allemagne nazie ne s'en empare. En 1944, la banque centrale américaine héberge ainsi plus de 70 % du stock d'or mondial.

• À partir de la conférence de Bretton Woods, la valeur du dollar est fixée sur la valeur de l'or et celle des autres monnaies sur la valeur du dollar, qui sert de monnaie de réserve et de monnaie en circulation : on parle d'étalon dollar-or. Depuis la fin de la convertibilité du dollar en or en 1971, l'équilibre des monnaies est une des difficultés de la gouvernance économique mondiale.

La coopération entre États au XXe siècle

<< *La difficulté n'est pas de comprendre les idées nouvelles, elle est d'échapper aux idées anciennes.* >>

John Maynard Keynes, *Théorie générale de l'emploi, de l'intérêt et de la monnaie*, Paris, Payot, 1942.

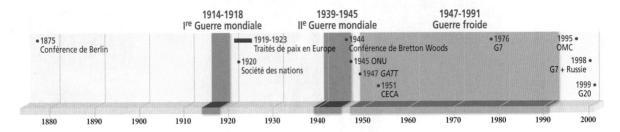

| | **1914-1918**
Ire Guerre mondiale | | **1939-1945**
IIe Guerre mondiale | | **1947-1991**
Guerre froide | |

- 1875 Conférence de Berlin
- 1919-1923 Traités de paix en Europe
- 1920 Société des nations
- 1944 Conférence de Bretton Woods
- 1945 ONU
- 1947 *GATT*
- 1951 CECA
- 1976 G7
- 1995 OMC
- 1998 G7 + Russie
- 1999 G20

1880 1890 1900 1910 1920 1930 1940 1950 1960 1970 1980 1990 2000

1. Berlin 1875, les États européens organisent leurs Empires coloniaux

Lors de plusieurs congrès au XIXe siècle, les grandes nations se réunissent pour régler leurs conflits territoriaux. En 1875, à la conférence de Berlin, les États colonisateurs s'accordent sur le tracé des frontières coloniales.

Couverture de G. Saint-Yves, *À l'assaut de l'Asie*, Paris, Mame, 1901.

Lithographie, 1919.

2. Versailles 1919, les vainqueurs de l'Allemagne créent la SDN

Le traité de Versailles de juin 1919 dessine une partie des nouvelles frontières des États européens après la Première Guerre mondiale et crée la Société des Nations. L'objectif est de mettre en place une instance permanente de négociations entre États pour éviter un nouveau conflit. Le Premier ministre britannique Lloyd George, le président du Conseil français Georges Clemenceau et le président américain Woodrow Wilson sont les principaux animateurs de ces négociations.

3. San Francisco 1945, 50 États créent l'ONU

La SDN n'a pu empêcher la Seconde Guerre mondiale ; 50 États vainqueurs créent l'Organisation des Nations Unies, chargée de maintenir la paix et d'aider au développement des États.

Affiche pour les Nations unies, Henry Eveleigh, *Nous plantons l'arbre des nations*, 1947.

4. Paris 1951, 6 États à l'origine de la construction européenne

En 1950, Robert Schuman propose à l'Allemagne une coopération économique. En 1951, la construction européenne commence.

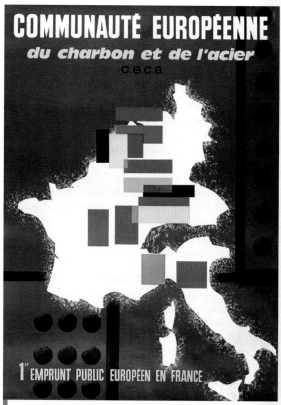

Affiche de promotion du premier emprunt public européen dans le cadre de la CECA, 1964.

5. Depuis les années 1970, les grandes puissances décident ensemble

En février 2011, le G20 se réunit à Paris sous la présidence de Nicolas Sarkozy, pour imaginer des solutions à la crise financière qui atteint l'Amérique du Nord et menace la zone euro.

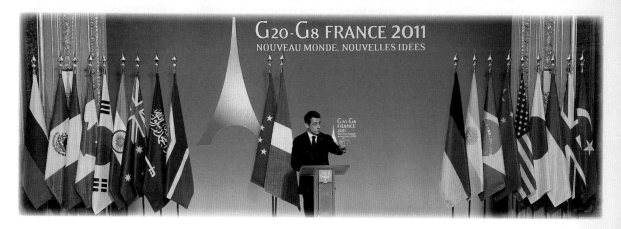

1. Un nouvel ordre économique mondial, 1944-1971

1947 Plan Marshall et *GATT*

1944 Conférence de Bretton Woods : FMI et Banque mondiale

1955 Conférence de Bandung

1960 Création de l'OPEP

1971 Fin de la convertibilité du dollar en or

➜ *Comment le système économique international est-il réorganisé à partir de 1944 ?*

A. Le désordre économique mondial en 1944

• **La Seconde Guerre mondiale provoque un bouleversement de l'économie mondiale.** En Europe comme au Japon, les moyens de productions sont anéantis par les combats, les marchés désorganisés. La livre sterling britannique ne peut plus rivaliser avec le dollar américain.

• **Arsenal des démocraties, les États-Unis sont la plus grande puissance économique mondiale en 1944.** L'URSS et les États-Unis sont les deux géants du nouvel ordre mondial (**doc. 2**). Le conflit a stimulé la puissance industrielle américaine dans l'industrie lourde comme dans les secteurs de pointe. En 1944, 60 % des produits fabriqués dans le monde le sont aux États-Unis. En tête de la production énergétique mondiale de charbon et de pétrole, ils détiennent plus de 70 % du stock d'or mondial (**p. 347**).

• **Pour garantir leur équilibre économique après la fin du conflit**, les États-Unis doivent assurer des débouchés à leur production dans un monde ruiné par la guerre.

B. Une coopération économique internationale indispensable

• **La reconstruction économique se prépare avant la fin des combats.** En juillet 1944, les délégués de 44 nations se réunissent aux États-Unis lors de la Conférence monétaire internationale de **Bretton Woods** (**p. 352**). Il s'agit de tirer les leçons de la crise des années 1930 en bâtissant une coopération économique internationale solide. Le raisonnement est le suivant : la stabilité monétaire garantira la croissance économique internationale indispensable au maintien de la paix mondiale.

• **Le nouveau système monétaire international repose sur un** étalon dollar-or, consacrant la supériorité économique et monétaire des États-Unis. Les États doivent coopérer et régler leurs différends au sein d'**institutions multilatérales : le FMI et une banque mondiale, la BIRD** (**doc. 1**), qui surveille les **balances de paiement**. En 1947, le *GATT* (**doc. 3**) facilite le libre-échange comme règle du commerce international. De plus, une institution de l'ONU, l'Organisation pour l'alimentation et l'agriculture (FAO), met en œuvre les discussions internationales.

C. Les États-Unis, superpuissance du système économique occidental

• Les États-Unis dominent le nouveau système économique international fondé sur les principes du **libéralisme**. Ceci leur permet d'étendre leurs marchés aux zones traditionnellement réservées aux puissances impériales européennes. En 1947, le **plan Marshall** irrigue l'Europe occidentale de dollars pour sa reconstruction. Rempart contre la menace soviétique, l'aide américaine permet l'ouverture du marché européen aux produits américains. Dès 1960, les deux tiers des investissements directs des entreprises américaines à l'étranger concernent l'Europe des Six.

• **La suprématie américaine sur l'ordre économique international rencontre des limites.** Le monde communiste, conduit par l'URSS et la République populaire de Chine, s'érige contre le capitalisme occidental et l'impérialisme américain (**doc. 2**). Lors de la Conférence de Bandung (1955), les pays non-alignés nouvellement indépendants réclament un système économique international plus juste. En 1960, la création de l'OPEP (**p. 358**) montre que les producteurs de pétrole veulent peser sur les prix d'une énergie indispensable au commerce. En 1965, le général de Gaulle s'insurge contre le système monétaire international qui accorde aux États-Unis la possibilité d'émettre des dollars pour régler leurs dettes et financer leurs investissements. Il teste la puissance américaine en exigeant la conversion des dollars en or (**doc. 4**).

• En 1971, les États-Unis sont économiquement à la tête du système bâti en 1944. Mais la quantité de dollars en circulation est depuis les années 1960 supérieure aux réserves d'or des États-Unis.

Citation

« *La solidité de la monnaie mesure dans le monde la réalité et l'efficacité de l'économie du pays dont dépendent celles de sa politique.* »

Charles de Gaulle, *Mémoires d'espoir*, tome 2 : *L'Effort*, Paris, Plon, 1970.

ÉTATS PARTICIPANTS
44 États en 1944 et un observateur de l'URSS

contrôlent — *mettent en place*

INSTITUTIONS
• Fonds monétaire international (**FMI** 1945)
• Banque Internationale pour la Reconstruction et le Développement, dite Banque mondiale (**BIRD** 1945)
• Accord Général sur les tarifs douaniers et le commerce (*GATT* 1947)

utilisent

INSTRUMENTS
• Étalon dollar-or (jusqu'en 1971)
• Fixité des taux de change
• Libre-échange

Doc. 1 Le système de Bretton Woods (1944-1947), inspiré par John M. Keynes. > Bio p. 352

Mots clés

Balance des paiements : Compte retraçant l'ensemble des opérations économiques entre un pays et l'extérieur.

Étalon monétaire : Instrument de mesure de la valeur de la monnaie, fixée sur le rapport entre la valeur de l'or et une monnaie, ou de plusieurs monnaies entre elles.

Libéralisme : Doctrine politique et économique fondée sur la défense des libertés individuelles. En économie, cela se traduit par la libre concurrence qui s'oppose tant à l'intervention de l'État qu'aux monopoles privés.

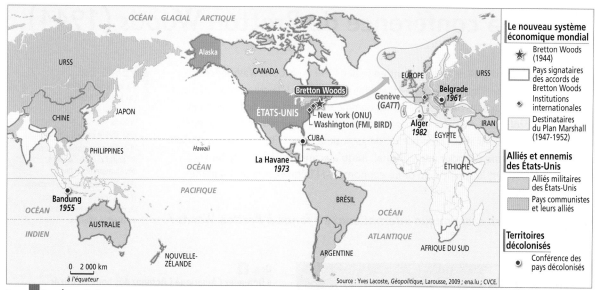

OCÉAN GLACIAL ARCTIQUE

Le nouveau système économique mondial

★ Bretton Woods (1944)

☐ Pays signataires des accords de Bretton Woods

◆ Institutions internationales

☐ Destinataires du Plan Marshall (1947-1952)

Alliés et ennemis des États-Unis

☐ Alliés militaires des États-Unis

☐ Pays communistes et leurs alliés

Territoires décolonisés

● Conférence des pays décolonisés

URSS • Alaska • CANADA • CHINE • JAPON • ÉTATS-UNIS • Bretton Woods • New York (ONU) • Washington (FMI, BIRD) • CUBA • La Havane *1973* • PHILIPPINES • Hawaii • Bandung *1955* • AUSTRALIE • NOUVELLE-ZÉLANDE • ARGENTINE • BRÉSIL • AFRIQUE DU SUD • ÉTHIOPIE • ÉGYPTE • IRAN • Alger *1982* • Belgrade *1961* • EUROPE • URSS • Genève *(GATT)*

OCÉAN INDIEN • OCÉAN PACIFIQUE • OCÉAN ATLANTIQUE

0   2 000 km
à l'équateur

Source : Yves Lacoste, *Géopolitique*, Larousse, 2009 ; ena.lu ; CVCE.

Doc. 2 Les États-Unis, puissance centrale du système financier et militaire occidental pendant la Guerre froide.

1. Où la puissance économique des États-Unis s'exerce-t-elle ? Comment ?

Doc. 3 Le *GATT*, accord général sur les tarifs douaniers et le commerce (1947).

Les gouvernements du Commonwealth d'Australie, du Royaume de Belgique, des États-Unis du Brésil, de la Birmanie, du Canada, de Ceylan, de la République du Chili, de la République de Chine, de la République de Cuba, des États–Unis d'Amérique, de la République française, de l'Inde, du Liban, du Grand-Duché de Luxembourg, du Royaume de Norvège, de la Nouvelle-Zélande, du Pakistan, du Royaume des Pays-Bas, de la Rhodésie du Sud, du Royaume-Uni de Grande-Bretagne et d'Irlande du Nord, de la Syrie, de la République Tchécoslovaque et de l'Union Sud-Africaine,

– Reconnaissant que leurs rapports dans le domaine commercial et économique doivent être orientés vers le relèvement des niveaux de vie, la réalisation du plein emploi et d'un niveau élevé et toujours croissant du revenu réel et de la demande effective, la pleine utilisation des ressources mondiales et l'accroissement de la production et des échanges de produits,

– Désireux de contribuer à la réalisation de ces objets par la conclusion d'accords visant, sur une base de réciprocité et d'avantages mutuels, à la réduction substantielle des tarifs douaniers et des autres obstacles au commerce et à l'élimination des discriminations en matière de commerce international,

– Sont, par l'entremise de leurs représentants, convenus :

Article premier :

Traitement général de la nation la plus favorisée

1. Tous avantages, faveurs, privilèges ou immunités accordés par une partie contractante à un produit originaire ou à destination de tout autre pays seront, immédiatement et sans condition, étendus à tout produit similaire originaire ou à destination du territoire de toutes les autres parties contractantes.

Préambule de l'accord général sur les tarifs douaniers et le commerce, Genève, 30 octobre 1947.

1. Quels sont les moyens et les modes de coopération choisis pour parvenir au libre-échange ?

Doc. 4 Ch. de Gaulle contre l'hégémonie américaine (1965).

En 1964-1965, la France échange la moitié de ses dollars de réserve par de l'or.

Les monnaies des États de l'Europe occidentale ont été restaurées à tel point que les réserves d'or que ces États possèdent, […] équivalent à celui des Américains. […] Le fait que beaucoup d'États acceptent par principe des dollars au même titre que de l'or pour les règlements des différences qui existent à leur profit dans la balance des paiements américaines, ce fait entraîne les Américains à s'endetter et à s'endetter gratuitement vis-à-vis de l'étranger car ce qu'ils lui doivent, ils le lui payent, tout au moins en partie, avec des dollars qu'il ne tient qu'à eux d'émettre. […] Assurément une telle pratique a grandement facilité […] l'aide multiple et considérable que les États-Unis fournissent à de nombreux pays en vue de leur développement et dont, en d'autres temps, nous avons nous-mêmes largement bénéficié. […]

Nous estimons nécessaire que les échanges internationaux soient établis comme c'était le cas avant les grands malheurs du monde sur une base monétaire indiscutable et qui ne porte la marque d'aucun pays en particulier. Quelle base ? En vérité on ne voit pas qu'il puisse y avoir réellement de critère, d'étalon autre que l'or. Et oui l'or qui ne change pas de nature, qui peut se mettre différemment en lingot, en barre, en pièce, qui n'a pas de nationalité. […] Dans les échanges internationaux la loi suprême, la règle d'or, c'est bien le cas de le dire, qu'il faut remettre en honneur et en vigueur, c'est l'obligation d'équilibrer d'une zone monétaire à l'autre par entrée et sortie effective de métal précieux, les balances de paiement qui résultent de leurs échanges.

Charles de Gaulle, conférence de presse du 4 février 1965, *Discours et messages*, vol. 4, Paris, Plon, 1970.

1. Selon Charles de Gaulle, quels avantages le système de Bretton Woods offre-t-il aux États-Unis ?

Dossier 1 La conférence de Bretton Woods (1944)

Lorsque les puissances alliées se réunissent en juillet 1944 au Mount Washington Hotel de Bretton Woods, dans le New-Hampshire (États-Unis), la crise économique des années 1930 demeure dans les mémoires comme une des causes de la guerre en cours. L'URSS, sollicitée, ne participe pas à cette conférence qui réunit 730 délégués représentant 44 nations alliées. Son but est de garantir la prospérité et la paix mondiale en régulant le système financier international. Jusqu'aux années 1970, le système de Bretton Woods est le garant d'un ordre économique libéral et occidental mené par les États-Unis.

→ *Quel nouvel ordre économique international est fondé à Bretton Woods ?*

> ## Dates clés
>
> **Un système centré sur les États-Unis**
>
> **1944** Conférence de Bretton Woods.
>
> **1947** Début de la Guerre froide.
>
> **1971** Fin de la convertibilité du dollar en or, première dévaluation du dollar.
>
> **1973** Taux de changes flottants.
>
> **1976** Accords de Kingston, fin du système monétaire de Bretton Woods.

Doc. 1

« Défendez l'Amérique ! Achetez des bons du trésor pour la Défense ». Affiche de 1943, National Archive Trust, Pennsylvania.

Les bons du trésor américain financent une partie de l'effort de guerre. Le dollar est la principale monnaie mondiale en 1944-1945.

Biographie

John M. Keynes (1883-1946)

Économiste, conseiller du gouvernement britannique, il dénonce dans un livre *Les Conséquences économiques de la paix* (1919) qui écrasent l'Allemagne après le traité de Versailles. En 1936, dans *La Théorie générale de l'emploi, de l'intérêt et de la monnaie*, il prône une intervention accrue de l'État dans l'économie. À Bretton Woods, il propose un système économique fondé sur la création d'une monnaie mondiale, le bancor, détaché de l'or et de toute domination nationale.

Doc. 3 La création du FMI.

Les buts du Fonds Monétaire International sont les suivants :
1. Favoriser la coopération monétaire internationale au moyen d'une institution permanente fournissant un mécanisme de consultation et de collaboration en ce qui concerne les problèmes monétaires internationaux ;
2. Faciliter l'expansion et le développement harmonieux du commerce international et contribuer [...] à l'établissement et au maintien d'un niveau élevé de l'emploi et du revenu réel ainsi qu'au développement des ressources productives de tous les États membres [...] ;
3. Favoriser la stabilité des changes ;
4. Aider à l'établissement d'un système multilatéral de paiements [...] et à l'élimination des restrictions de change qui entravent le développement du commerce mondial ;
5. Donner confiance aux États membres en mettant à leur disposition les ressources du Fonds, moyennant des garanties appropriées, et en leur donnant ainsi la possibilité de corriger les déséquilibres de leur balance des paiements sans recourir à des mesures compromettant la prospérité nationale ou internationale.

Extraits de l'accord relatif au FMI, Bretton Woods, juillet 1944.

Doc. 2 Le dollar « *as good as gold* » (« aussi bon que l'or »).

La valeur au pair de la monnaie de chaque État membre sera exprimée en or, pris comme commun dénominateur, ou en dollars des États-Unis du poids et du titre en vigueur au 1er juillet 1944.

Accord relatif au Fonds monétaire international, article IV, Section 1, signé à Washington et entré en vigueur le 27 décembre 1945.

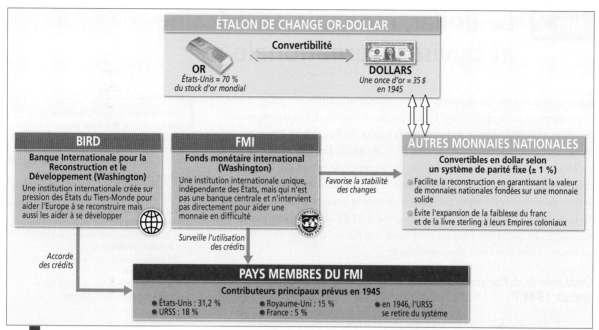

ÉTALON DE CHANGE OR-DOLLAR

Convertibilité

OR
États-Unis = 70 %
du stock d'or mondial

DOLLARS
Une once d'or = 35 $
en 1945

AUTRES MONNAIES NATIONALES

Convertibles en dollar selon
un système de parité fixe (± 1 %)

- Facilite la reconstruction en garantissant la valeur
  de monnaies nationales fondées sur une monnaie
  solide
- Évite l'expansion de la faiblesse du franc
  et de la livre sterling à leurs Empires coloniaux

BIRD
**Banque Internationale pour la
Reconstruction et le
Développement (Washington)**

Une institution internationale créée sur
pression des États du Tiers-Monde pour
aider l'Europe à se reconstruire mais
aussi les aider à se développer

FMI
**Fonds monétaire international
(Washington)**

Une institution internationale unique,
indépendante des États, mais qui n'est
pas une banque centrale et n'intervient
pas directement pour aider une
monnaie en difficulté

*Favorise la stabilité
des changes*

*Surveille l'utilisation
des crédits*

*Accorde
des crédits*

PAYS MEMBRES DU FMI
Contributeurs principaux prévus en 1945

- États-Unis : 31,2 %
- URSS : 18 %
- Royaume-Uni : 15 %
- France : 5 %
- en 1946, l'URSS
  se retire du système

Doc. 4 Le système monétaire international
et les institutions financières
de Bretton Woods.

Doc. 5

La conférence de Bretton Woods, le 4 juillet 1944.

Les représentants des 44 États alliés contre l'Axe
débattent afin de définir les termes d'une coopération
économique internationale garantissant la prospérité
et la paix.

Doc. 6 « Bretton Woods, un esprit plus
qu'un système ».

Si le principe des parités fixes décidé à
Bretton Woods est appliqué immédiatement,
il faut attendre 1958 pour que le régime de la
convertibilité des monnaies soit à peu près
mis en place. Ce régime dure jusqu'en 1968-
1971 seulement, dates des mesures qui rendent le dollar inconvertible. Le « système de
Bretton Woods » [...] a donc existé très peu de
temps. Mais « l'esprit de Bretton Woods » s'est
davantage inscrit dans le long terme : à savoir
la volonté de coopération, voire d'entraide
internationale sur le plan monétaire a été
constante [...]. Cet esprit de Bretton Woods a
existé avant « le système » mis en place en
1958, et, finalement aussi, après la mort du
système en 1971.

Robert Frank, « Bretton Woods, un esprit plus qu'un
système », *La France et les institutions de Bretton Woods
(1944-1994)*, Paris, Comité pour l'Histoire Économique et
Financière de la France, 1988.

POUR COMPRENDRE

1. Étudier les documents

Doc. 1 et 5 Pourquoi réunir une telle conférence aux États-Unis alors que
la guerre n'est pas achevée ?

Doc. 2 et 4 Quels éléments placent les États-Unis au cœur du système ?
Pourquoi ?

Doc. 3 et 6 Qu'est-ce que « l'esprit de Bretton Woods » ? Comment le FMI
le met-il en avant ?

2. Analyse de deux documents

BAC À l'aide de la biographie de Keynes et du document 6, montrez les
contradictions entre ses espoirs et les accords finalement conclus.

3. Aide à la composition

BAC À l'aide de vos connaissances, vous rédigerez un plan détaillé qui
réponde au sujet : « Les accords de Bretton Woods : origines, organisation
et effets ».

En réorganisant les fondements de l'économie mondiale, en juillet 1944, la conférence de Bretton Woods confère au dollar un statut de monnaie de réserve internationale, indexée sur la valeur de l'or, à une époque où les États-Unis détiennent plus de 70 % du stock d'or mondial. En 1971, la fin de la convertibilité du dollar en or ne remet pas en cause cette primauté internationale. Monnaie la plus émise, elle circule dans le monde entier : elle est le principal instrument économique et politique de la puissance américaine. Depuis les années 1970, d'autres monnaies commencent à lui faire concurrence mais seul l'euro, à partir de 2002, est devenu une monnaie de réserve forte.

➜ *Quel rôle le dollar joue-t-il dans le système économique mondial depuis 1944 ?*

Dates clés

Le dollar, instrument de puissance

1944 Conférence de Bretton Woods, taux de changes fixes et étalon dollar-or (1 once d'or = 35 $).

1947 Plan Marshall, début de la Guerre froide.

1964 Début de la guerre du Vietnam, endettement des États-Unis par la fabrication de dollars.

1965 La France échange une partie de ses réserves de dollar en or.

1971 Fin de la convertibilité du dollar en or et première **dévaluation**.

1973 Généralisation des changes flottants, 1er choc pétrolier.

1976 Abandon officiel du rôle légal de l'or dans les échanges internationaux.

Doc. 1 L'influence américaine en Europe.

« La Paix bannie du paradis du plan Marshall », caricature de la revue soviétique *Krokodil*, 1950.

Militaires, hommes politiques, et même le pape figurent ici comme des représentants d'une Europe américanisée.

Mot clé

Dévaluation : Décision d'un État de baisser la valeur de sa monnaie par rapport aux autres monnaies.

Doc. 2 Richard Nixon annonce la fin de la convertibilité du dollar.

J'ai donné l'instruction [...] de suspendre temporairement la convertibilité du dollar en or. Que signifie pour vous cette mesure ? Si vous êtes de l'écrasante majorité qui achète américain, des produits fabriqués en Amérique, votre dollar aura exactement la même valeur demain qu'aujourd'hui. [...]

Je suis fermement décidé à ce que le dollar ne soit plus jamais un otage entre les mains des spéculateurs internationaux. Nous devons protéger la position du dollar américain en tant que pilier de la stabilité monétaire dans le monde. À la fin de la Seconde Guerre mondiale, les économies des principales nations industrielles d'Europe et d'Asie étaient saccagées. Pour les aider à se remettre sur pied et à protéger leur liberté, les États-Unis leur ont fourni 143 milliards de dollars au titre de l'aide à l'étranger. Il nous appartenait de le faire. Aujourd'hui, en grande partie grâce à notre aide, elles ont retrouvé leur dynamisme et sont devenues de fortes concurrentes. À présent qu'elles sont économiquement puissantes, le moment est venu pour elles de porter une part équitable du fardeau pour la défense de la liberté dans le monde. Le moment est venu que les taux de change soient rectifiés et que les principales nations se fassent concurrence sur un pied d'égalité. Il n'y a plus de raison que les États-Unis luttent avec une main attachée derrière le dos. Alors que la menace de la guerre s'estompe, le défi de la concurrence pacifique se précise. [...]

Richard Nixon, *Adresse à la nation américaine*, 15 août 1971.

Biographie

Richard Nixon (1913-1994)

Avocat républicain, sénateur puis vice-président d'Eisenhower, il est battu face à Kennedy en 1960 mais devient président des États-Unis en 1968. Dans une situation financière difficile, les États-Unis se désengagent alors progressivement du Vietnam. Face aux difficultés budgétaires, R. Nixon met fin en août 1971 au système de la convertibilité du dollar en or décidé à Bretton Woods. Réélu en 1972, il démissionne à la suite d'un scandale d'écoutes illégales de ses adversaires politiques, le Watergate.

C'est avec des accents protectionnistes que M. Nixon a [...] donné à ses compatriotes la recette pour ne pas souffrir de la dévaluation masquée du dollar [...]. Quant aux pays étrangers qui envisageaient de se plaindre du traitement qui est désormais réservé à leurs produits, ils se sont entendus rappeler que « pour les remettre sur pied et protéger leur liberté, les États-Unis ont dépensé 143 milliards de dollars d'aides depuis la fin de la Seconde Guerre mondiale ». Ce langage et l'escamotage des vraies raisons des difficultés du dollar et de l'économie américaine (M. Nixon a bien stigmatisé les spéculateurs internationaux mais n'a pas expliqué leur haine du dollar ; il a accusé d'ingratitude la plupart des pays industrialisés mais ne s'est pas étendu sur la non-compétitivité des produits américains), ont fait du discours de M. Nixon essentiellement une intervention de politique intérieure. Il est vraisemblable que le président a été conduit à laisser flotter le dollar beaucoup plus pour des raisons de politique intérieure que d'équilibre monétaire international.

Jacques Amalric, « Les dirigeants américains résignés à la dévaluation du dollar »,
Le Monde, 17 août 1971.

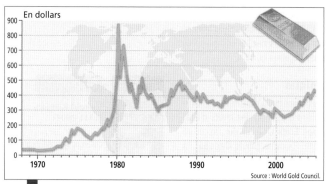

Doc. **5** **L'évolution du prix de l'or, en dollars (1968-2004).**

Doc. **6** **Un historien juge l'influence du dollar depuis 1971.**

Contre toute attente, [...] le dollar désormais détaché de l'or, a vu se confirmer plus que jamais depuis 1973 son statut de monnaie internationale. [...] L'augmentation des liquidités internationales, qui va s'accélérant de la fin des années 1960 à la fin des années 1970, ne dépend plus seulement de la balance américaine des paiements : elle répond aussi [...] au besoin de financement des déficits extérieurs, gonflés par les deux chocs pétroliers. [...] Cette capacité d'adaptation spontanée a permis d'éviter une chute du commerce mondial [...]. Cette croissance explosive des liquidités a eu, en revanche, des effets déséquilibrants manifestes [...]. Comment expliquer dans ces conditions la primauté maintenue du dollar ? Avant tout, par l'absence de véritable « concurrent ». [...] L'or lui-même a perdu, dans la tourmente, son image de stabilité [...]. La spécificité des États-Unis réside finalement dans leur aptitude à subir de très amples variations du taux de change, sans renoncer à leurs objectifs de politique interne. Au reste du monde d'en subir les conséquences : soit qu'un dollar faible freine les exportations et tende à inverser le mouvement des capitaux à long terme de l'Europe vers les États-Unis, soit qu'un dollar fort renchérisse mécaniquement le coût des importations et impose à tous les politiques internes restrictives.

Jean-Charles Asselain, « Le roi dollar »,
Les Collections de l'Histoire. L'Empire américain, HS n° 7, février 2000.

Doc. **4** **Pierre Mendès-France face aux déséquilibres économiques (1971).**

Le président du conseil Pierre Mendès-France (1955-1956) a représenté la France à la conférence de Bretton Woods.

Inévitablement, on va surtout parler du grand sujet d'actualité : la situation créée par la crise monétaire, la faiblesse du dollar, le déficit de la balance américaine, les décisions de Nixon et leurs conséquences sur les échanges internationaux. Quoiqu'il arrive, les Américains vont faire désormais un effort massif pour équilibrer leur balance, ce qui aura pour effet de rendre plus difficiles les exportations européennes et japonaises. [...]
[*Le Japon devra*] trouver de nouveaux clients. Où ? Il y a l'Europe, les pays sous-développés, les pays socialistes. On pense nécessairement à la Chine. Il paraît que les milieux industriels japonais souhaitent une normalisation des relations Tokyo-Pékin pour favoriser les échanges commerciaux, qui sont déjà considérables.
Mais on ne remplace pas facilement et instantanément le marché américain par les marchés chinois ou indonésiens. Vendre plus aux pays socialistes et à ceux du Tiers-Monde pose des problèmes. Le Japon s'est spécialisé dans les produits élaborés incluant une forte proportion de valeur ajoutée. C'est pourquoi la clientèle américaine est si intéressante pour lui. Je comprends que s'il doit exporter moins facilement aux États-Unis, il tentera d'abord de vendre davantage en Europe. [...] Mais l'Europe qui fabrique le même genre d'articles n'acceptera pas aisément cette concurrence que l'efficacité compétitive du Japon, fondée sur une haute productivité et des salaires relativement bas rend dangereuse.

Pierre Mendès-France,
Dialogues avec l'Asie d'aujourd'hui, Paris, Gallimard, 1972.

POUR COMPRENDRE

1. Étudier les documents

Doc. 2 et 3 Pour quelles raisons Nixon renonce-t-il à la convertibilité du dollar en or ?

Doc. 1, 2 et 6 À quoi sert le dollar ? Quelles sont les limites financières d'un tel usage ?

Doc. 4, 5 et 6 Quelles sont les conséquences de la décision de Nixon ? Quel mécanisme permet la régulation du système financier mondial après 1971 ?

2. Analyse de deux documents

BAC À l'aide des documents 2 et 6, expliquez le poids du dollar dans le commerce mondial au début des années 1970.

3. Aide à la composition

BAC À l'aide de vos connaissances, vous rédigerez un paragraphe qui réponde au sujet : « Le dollar, force et faiblesse de la puissance américaine (1944-1971) ».

2. Le temps des crises (1971-1991)

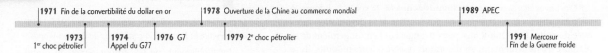

1971 Fin de la convertibilité du dollar en or   **1978** Ouverture de la Chine au commerce mondial   **1989** APEC

1973 1er choc pétrolier   **1974** Appel du G77   **1976** G7   **1979** 2e choc pétrolier   **1991** Mercosur Fin de la Guerre froide

➜ *Quelles formes de coopération économique se développent ?*

A. Crises des années 1970 et transformation de l'ordre économique mondial

• **En 1971, l'ordre établi à Bretton Woods est bouleversé.** Face au coût des dépenses de son pays, le président américain R. Nixon décide de surtaxer de 10 % toutes les importations américaines, ce qui revient à dévaluer le dollar dont la convertibilité en or est suspendue. À partir de 1973, il n'y a plus de parité fixe entre les monnaies : leur valeur est déterminée sur le marché des changes selon l'étalon-dollar. Les États-Unis peuvent ainsi régler leurs investissements étrangers et financer la guerre du Vietnam, simplement en imprimant des dollars. Ils demeurent la grande puissance du système monétaire occidental (**doc. 1**).

• **En octobre 1973, lors de la guerre du Kippour, le premier choc pétrolier** secoue violemment la croissance des pays industrialisés occidentaux. Organisés au sein de l'OPEP, les États arabes exportateurs de pétrole multiplient par quatre le prix du baril. En 1979, un deuxième choc anéantit la reprise qui s'amorçait. Reprenant la main sur des gisements contrôlés par les compagnies occidentales (**p. 273**), l'OPEP entend tirer du pétrole de plus grands revenus (**p. 358**).

B. Les voies nouvelles de la coopération économique

• **Les plus riches pays industrialisés coopèrent face aux crises.** Ils cherchent à maintenir le libre-échange. En 1975, sous l'impulsion du président français V. Giscard d'Estaing, les chefs d'État et de gouvernement de la RFA, de l'Italie, du Royaume-Uni, des États-Unis et du Japon se réunissent et négocient « au coin du feu » à Rambouillet (**doc. 3**). Rejoints par le Canada, ils forment en 1976 le **G7**. Depuis, les choix économiques stratégiques du camp occidental s'effectuent lors de ces sommets annuels.

• **Les pays du Tiers-Monde coopèrent également.** Depuis les conférences de Bandung (1955) et de Belgrade (1961), le mouvement des pays non-alignés s'est organisé dans la seule institution internationale qui les rend visibles, l'ONU. Regroupés en un G77, ils réclament en 1974 un commerce plus juste en leur faveur : il s'agit de sortir du système économique hérité de la colonisation et fondé sur l'exportation des matières premières dont les prix sont soumis aux aléas du marché. Le Tiers-Monde revendique en 1974 le **droit au développement dans un nouvel ordre économique international** (**p. 360**).

C. Les années 1980 : la vague néolibérale

• **L'idée d'intervention de l'État dans l'économie recule face aux crises.** Le président américain R. Reagan (1980-1988) et le Premier ministre britannique Thatcher (1979-1990) favorisent un néolibéralisme fondé sur la défiscalisation et la **déréglementation** des échanges (**doc. 4**), mais le chômage de longue durée augmente fortement.

• **L'extension du commerce mondial s'organise, sous l'arbitrage du *GATT*.** Les flux d'**IDE** passent de 25 à 200 milliards de dollars. Les **firmes transnationales** multiplient les filiales à l'étranger. Les États riverains du Pacifique se regroupent en une APEC (1989), et certains États d'Amérique du Sud dans le Mercosur (1991) pour organiser entre eux le libre-échange.

• **Les pays du Tiers-Monde affrontent une forte crise de la dette**, comme le Mexique en 1982. Le FMI impose des plans de reprise économique fondés sur la restriction des dépenses publiques et sur l'ouverture aux échanges. En 1990, le FMI, la Banque mondiale et les États-Unis incitent les pays en voie de développement à adopter la libéralisation des marchés financiers. En 1991, le Mexique, en pleine crise de la dette, se rapproche des États-Unis et du Canada pour envisager une zone de libre-échange qui devient en 1994 l'Accord de Libre-Échange Nord-Américain (ALENA).

Citation

« *C'est qu'en longue durée, la principale des richesses n'est ni le métal jaune ni l'or noir, mais la matière grise.* »

Jacques Marseille, « D'où vient la crise économique ? », *L'Histoire*, n° 279, septembre 2003.

Biographie

Ronald Reagan (1911-2004)

D'abord acteur de cinéma, Ronald Reagan entre en politique au moment du maccarthysme et s'affirme par son anticommunisme. Gouverneur républicain de Californie (1967-1975), il est élu président des États-Unis en 1980. Alors que les États-Unis sont encore sous le choc de la guerre du Vietnam, Reagan entraîne l'URSS dans une nouvelle course aux armements. Il accroît le libéralisme économique en favorisant la déréglementation internationale. Lors de son deuxième mandat, il opère un rapprochement avec l'URSS de M. Gorbatchev.

Mots clés

Déréglementation : Politique économique libérale visant à réduire le rôle de l'État dans l'activité économique et à abolir les règles qui contrôlent les marchés.

IDE : Investissement Direct à l'Étranger, activité par laquelle un investisseur basé dans un pays acquiert tout ou partie d'une entreprise dans un autre pays.

Doc. **1** **La dévaluation du dollar, un coup de force américain ?**

Caricature de Plantu, février 1973, in Plantu, *Le Douanier se fait la malle,*
20 ans de dessins sur l'Europe, Paris, Éditions Le Monde, 1992.

Sans consulter les autres pays, le président américain Richard Nixon impose ses conditions financières et leurs effets économiques en dévaluant le dollar de 10 %.

1. Quel événement est caricaturé ? Pourquoi représenter une Europe unie face au président américain ?
2. Quelles sont les conséquences de la fin de la convertibilité du dollar en or ?

Doc. **2** **Le port de Singapour en 1986, au cœur de la coopération économique asiatique.**

Après l'ouverture de la Chine au commerce mondial en 1978, et l'essor des Quatre Dragons (Corée du Sud, Taïwan, Hong-Kong, Singapour), ce port s'affirme comme l'une des plaques tournantes du commerce mondial. Depuis 1967, Indonésie, Malaisie, Philippines, Singapour et Thaïlande défendent leurs intérêts économiques dans l'Association des Nations du Sud-Est asiatique (ASEAN).

1. Quel contexte permet le développement économique asiatique ?
2. Comment les États font-ils face à la concurrence de la Chine ?

Doc. **3** **Les sommets des pays les plus industrialisés (G6 puis G7).**

Rejoints par le Canada en 1976, ce groupe des États industrialisés les plus riches de la planète pallie à la fin du système financier de Bretton Woods par une coopération sur les sujets économiques et financiers lors de sommets annuels. À Rambouillet, en novembre 1975, le président français V. Giscard d'Estaing (1) est entouré du Britannique Wilson, de l'Américain Ford (2), de l'Allemand Schmidt (3), du président du Conseil italien et du Premier ministre japonais.

1. Quel contexte conduit ces dirigeants à rechercher un nouveau mode de coopération ?
2. Quels sont les avantages de ce type de réunion ?

Doc. **4** **La déréglementation économique selon Margaret Thatcher (1988).**

La leçon d'histoire économique de l'Europe des années 1970 et 1980 est que la planification centrale ne marche pas, contrairement à l'effort et à l'initiative personnels. Qu'une économie dirigée par l'État est recette de croissance lente, et que la libre entreprise dans le cadre du droit donne de meilleurs résultats. [...] Cela signifie agir pour libérer les marchés, élargir les choix, réduire l'intervention gouvernementale et donc entraîner une plus grande convergence économique.

Notre objectif [...] doit être de déréglementer, d'éliminer les contraintes commerciales, de nous ouvrir.

La Grande-Bretagne a montré l'exemple en ouvrant ses marchés aux autres. [...] Il s'agit de véritables conditions requises car c'est ce dont les milieux d'affaires de la Communauté ont besoin pour pouvoir effectivement concurrencer le reste du monde. Et c'est ce que le consommateur européen veut, car cela va lui permettre d'étendre son choix et de vivre à moindre coût.

Margaret Thatcher, Premier ministre britannique, déclaration au Conseil européen lors du sommet de Bruges, 20 septembre 1988.

1. Selon M. Thatcher, comment les gouvernements doivent-ils collaborer ?
2. Pourquoi la CEE doit-elle ouvrir « ses marchés aux autres » ?

L'OPEP, un cartel au cœur de l'économie mondiale

Le pétrole constitue l'énergie motrice de la croissance économique occidentale des Trente Glorieuses. À cet effet, de grandes compagnies anglo-saxonnes contrôlent le marché pétrolier et imposent aux pays producteurs, principalement arabes, des prix extrêmement bas. En 1960, la création de l'OPEP, reconnue par l'ONU, marque un tournant. Les pays producteurs prennent le contrôle de l'or noir : maîtrise de leurs gisements, de la production et des prix du baril. Ils prennent alors une place stratégique dans le système économique mondial en pesant sur les prix et les choix politiques des pays industrialisés et, de plus en plus, des pays du Tiers-Monde.

→ *Quel rôle cette instance de coopération des pays pétroliers joue-t-elle dans l'économie mondiale ?*

Dates clés

Une influence géopolitique majeure (chap. 9)

1960 Création de l'Organisation des Pays Exportateurs de Pétrole (OPEP) à Bagdad.

1973 Guerre du Kippour, Premier choc pétrolier.

1979-1980 Révolution islamiste en Iran, deuxième choc pétrolier.

1990-1991 Invasion du Koweït par l'Irak, guerre du Golfe.

Doc. 1 L'OPEP et le marché pétrolier.

L'OPEP est née en 1960 en réaction à la baisse des prix du brut – le baril valait moins de deux dollars – et donc des recettes des pays producteurs, ceci dans un contexte d'émancipation des pays du Sud. L'objectif était d'abord de contrebalancer le pouvoir des grandes compagnies internationales et de revaloriser le prix du brut. […]

En 1973, l'organisation décrète la hausse brutale des prix du pétrole (multiplié par 4 en 3 mois) ainsi qu'un embargo des exportations contre les pays occidentaux soutenant Israël. Un second événement géopolitique, la crise iranienne de 1979, suivi par la guerre Iran-Irak, [est] à l'origine du deuxième choc pétrolier.

La réaction des pays occidentaux en termes de demande (économies d'énergie) et d'offre (développement de la production non-OPEP, en particulier en mer du Nord) aboutit à une baisse régulière des prix jusqu'à leur écroulement en 1986. Faute de respect des quotas mis en place en 1982, l'Arabie Saoudite abandonne son rôle de régulateur du marché […] provoquant une baisse allant jusqu'à 10 dollars par baril. Elle joue néanmoins un rôle majeur pour stabiliser le marché dans les années 1990, en compensant les pertes de production de l'Irak après la première guerre du Golfe et celles de l'ex-URSS après son éclatement en 1991.

Guy Maisonnier, ingénieur économiste, sur le site
www.ifpenergiesnouvelles.fr, septembre 2010.

La délégation du Koweït lors de la création de l'OPEP, à Bagdad.

Les cinq membres fondateurs (Venezuela, Arabie Saoudite, Irak, Iran, Koweït) sont rejoints par Abu Dhabi, le Qatar, la Libye, l'Équateur, le Nigeria, l'Indonésie et le Gabon. Au début des années 1970, ces 13 États contrôlent plus de 85 % du pétrole mondial.

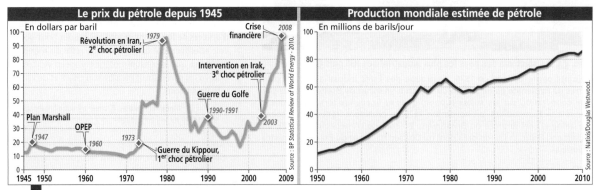

Doc. 2 Production et prix du pétrole depuis 1945 (en dollars).

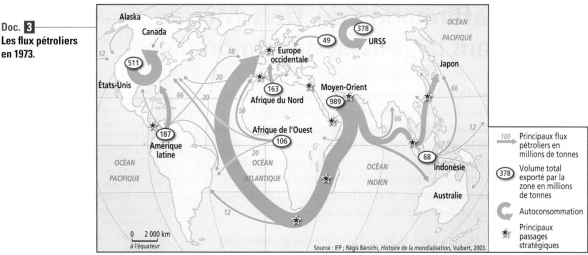

Doc. **3**
Les flux pétroliers en 1973.

Alaska
Canada
(378) URSS
(49)
OCÉAN
PACIFIQUE
(511)
Europe occidentale
18
12
Japon
États-Unis
20
(163)
Moyen-Orient
Afrique du Nord
(989)
66
30
66
(187)
Amérique latine
50
66
12
Afrique de l'Ouest
(106)
(68)
Indonésie
OCÉAN
PACIFIQUE
20
OCÉAN
ATLANTIQUE
OCÉAN
INDIEN
Australie
12

0   2 000 km
à l'équateur

100	Principaux flux pétroliers en millions de tonnes
(378)	Volume total exporté par la zone en millions de tonnes
↺	Autoconsommation
★	Principaux passages stratégiques

Source : IFP ; Régis Bénichi, *Histoire de la mondialisation*, Vuibert, 2003.

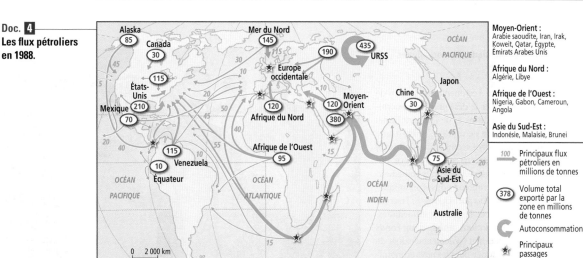

Doc. **4**
Les flux pétroliers en 1988.

Alaska
(85)
Mer du Nord
(145)
Canada
(30)
(190)
(435) URSS
OCÉAN
PACIFIQUE
45
30
(115)
Europe occidentale
10
États-Unis
Japon
Mexique (210)
10
(120)
Moyen-Orient
Chine
(30)
Afrique du Nord
(120)
(70)
20
50
(380)
40
20
40
(115)
Afrique de l'Ouest
55
(95)
10
75
Asie du Sud-Est
10
Venezuela
20
OCÉAN
PACIFIQUE
(10)
Équateur
OCÉAN
ATLANTIQUE
15
OCÉAN
INDIEN
10
45
5
Australie
15

0   2 000 km
à l'équateur

Moyen-Orient :
Arabie saoudite, Iran, Irak, Koweit, Qatar, Égypte, Émirats Arabes Unis

Afrique du Nord :
Algérie, Libye

Afrique de l'Ouest :
Nigeria, Gabon, Cameroun, Angola

Asie du Sud-Est :
Indonésie, Malaisie, Brunei

100	Principaux flux pétroliers en millions de tonnes
(378)	Volume total exporté par la zone en millions de tonnes
↺	Autoconsommation
★	Principaux passages stratégiques

Source : IFP ; Régis Bénichi, *Histoire de la mondialisation*, Vuibert, 2003.

Doc. **5** **L'OPEP et les pays du Tiers-Monde.**

Les pays membres de l'Organisation des Pays Exportateurs de Pétrole (OPEP), signataires du présent accord :

Conscients de la nécessité des liens de solidarité entre les pays en développement pour l'instauration du Nouvel Ordre Économique International ;

Conformément à l'esprit de la déclaration solennelle des souverains et chefs d'État des pays membres de l'OPEP, publiée à Alger en mars 1975, en faveur de la promotion du développement économique des pays en développement ;

Pénétrés de l'importance de la coopération économique et financière entre les pays membres de l'OPEP et les autres pays en développement, ainsi que de l'importance du renforcement des institutions financières communes des pays en développement ;

Désireux d'instituer un mécanisme financier commun pour consolider leur aide aux autres pays en développement, et ce en sus des mécanismes bilatéraux et multilatéraux déjà existants par lesquels ils assurent individuellement leur coopération financière avec ces autres pays ;

Ont, en conséquence, convenu de créer une institution financière internationale sous l'appellation de « Fonds OPEP pour le développement international ».

Préambule de l'accord instituant le fonds OPEP pour le développement international,
27 mai 1980.

POUR COMPRENDRE

1. Étudier les documents

Doc. 1 Qu'est-ce que l'OPEP ? Quels sont ses objectifs ?

Doc. 1, 2 et 5 De quels moyens l'OPEP dispose-t-elle pour peser sur les pays industrialisés ?

Doc. 3 et 4 Comparez ces deux cartes : quels sont les effets des chocs pétroliers ?

Doc. 5 Quel rôle veut jouer l'OPEP auprès des pays du Tiers-Monde ? Pourquoi ?

2. Analyse de deux documents

BAC À l'aide des documents 2 et 3, vous expliquerez l'importance de l'année 1973 pour l'OPEP et l'économie mondiale.

3. Aide à la composition

BAC À l'aide de vos connaissances, vous rédigerez un plan détaillé qui réponde au sujet : « Le pétrole, un enjeu majeur dans l'économie mondiale (1944-1991) ».

L'affirmation du Tiers-Monde dans la gouvernance mondiale

Au milieu des années 1950, les mouvements de décolonisation gagnent l'Asie, puis l'Afrique. Des États nouvellement indépendants exigent une aide accrue de la communauté internationale, au nom des inégalités économiques nées de la colonisation et de la lutte contre l'impérialisme des anciens colonisateurs. Certains d'entre eux, les pays **non-alignés**, s'organisent comme une force d'appui du Tiers-Monde à l'ONU en tenant des conférences régulières. Ils cherchent à peser sur les décisions des grandes puissances et des institutions internationales.

➜ *Quel rôle le Tiers-Monde veut-il jouer dans l'ordre économique mondial ?*

Dates clés

Les conférences du Tiers-Monde

1955 Conférence de Bandung (Indonésie), appel à la décolonisation.

1961 Conférence de Belgrade (Yougoslavie), mouvement des non-alignés.

1964 Création du G77, une coalition de pays sous-développés à l'ONU.

1973 Conférence d'Alger sur les difficultés économiques du Tiers-Monde.

1974 À l'ONU, le président algérien Boumediene plaide pour un nouvel ordre économique mondial.

Doc. 1 L'unité économique des non-alignés (1961).

Les participants [...] estiment qu'il y a lieu de s'efforcer de supprimer le déséquilibre économique hérité du colonialisme et de l'impérialisme. Ils estiment nécessaire de combler, grâce à une action du développement économique, industriel et agricole, l'écart toujours plus prononcé des niveaux de vie entre les quelques pays hautement industrialisés et les nombreux pays économiquement peu développés. Les participants [...] recommandent la création et la gestion immédiates, dans le cadre des Nations unies, d'un Fonds d'équipement. Ils décident également d'exiger de justes termes de l'échange pour les pays économiquement peu développés, et notamment que les efforts constructifs soient faits pour supprimer les fluctuations excessives du commerce des produits de base et les mesures et pratiques respectives contraires au commerce et aux intérêts financiers des pays en voie de développement. [...]

Les pays participants invitent tous les pays en voie de développement à coopérer efficacement dans les domaines économique et commercial de façon à [...] remédier aux conséquences fâcheuses que peut avoir la création des blocs économiques constitués par les pays industriels.

Déclaration finale de la conférence des pays non-alignés, Belgrade, 6 septembre 1961.

Nasser, Nehru et Tito lors d'une conférence des non-alignés sur l'île de Brioni, en Yougoslavie (19 juillet 1956).

En millions de dollars US

NOUVEAUX PRÊTS

PAIEMENT DES INTÉRÊTS

REMBOURSEMENT DU CAPITAL

Source : Olivier Blamangin, *L'Afrique sub-saharienne malade de sa dette extérieure*, aitec.reseauipam.org, 2002.

Doc. 2 L'endettement des pays africains (1970-2000).

Mot clé

Non-alignés : Mouvement constitué en 1961 à Belgrade par des États soucieux d'échapper à la division Est-Ouest et d'œuvrer pour la paix et le développement.

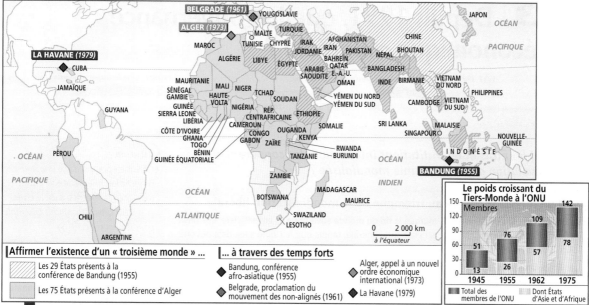

Affirmer l'existence d'un « troisième monde » ...

▨ Les 29 États présents à la conférence de Bandung (1955)

▩ Les 75 États présents à la conférence d'Alger

... à travers des temps forts

◆ Bandung, conférence afro-asiatique (1955)

◆ Belgrade, proclamation du mouvement des non-alignés (1961)

◆ Alger, appel à un nouvel ordre économique international (1973)

◆ La Havane (1979)

Le poids croissant du Tiers-Monde à l'ONU

Membres

	1945	1955	1962	1975
Total des membres de l'ONU	51	76	109	142
Dont États d'Asie et d'Afrique	13	26	57	78

■ Total des membres de l'ONU ▨ Dont États d'Asie et d'Afrique

Doc. 3 Sommets et influence à l'ONU : quel poids pour le « troisième monde » ?

Doc. 4 À l'ONU, l'affirmation d'un nouvel ordre économique international (1974).

Au nom des pays non-alignés, le président algérien obtient la réunion d'une session extraordinaire de l'Assemblée générale des Nations unies sur les matières premières et le développement.

Le nouvel ordre économique international devrait être fondé sur le plein respect des principes ci-après […] :

2. Droit pour chaque pays d'adopter le système économique et social qu'il juge être le mieux adapté à son propre développement et de ne pas souffrir en conséquence d'aucune discrimination ;

3. Souveraineté permanente et intégrale de chaque État sur ses ressources naturelles et sur toutes les activités économiques […] ;

4. Droits pour tous les États, territoires et peuples soumis à une occupation étrangère, à une domination étrangère et coloniale ou à l'apartheid d'obtenir une restitution et une indemnisation totale pour l'exploitation, la réduction et la dégradation des ressources naturelles et de toutes les autres ressources de ces États, territoires et peuples […] ;

5. Réglementation et supervision des activités des sociétés multinationales par l'adoption de mesures propres à servir l'intérêt de l'économie nationale des pays où ces sociétés multinationales exercent leurs activités.

Houari Boumediene, déclaration sur l'instauration d'un nouvel ordre économique international, New York, 10 avril 1974.

Doc. 5 Un juriste explique les difficultés du G77 à s'imposer à l'ONU.

Dans quelle mesure […] présenter des revendications et des programmes d'action ordonnés autour d'objectifs communs ? Telle est la question fondamentale que s'efforcent de résoudre les pays du Tiers-Monde réunis dans le « Groupe des 77 ». […] La troisième conférence des Nations unies pour le commerce et le développement [*réunie au Chili en 1972*] s'est terminée par un constat d'échec dont la responsabilité incombe plus à l'égoïsme des grandes puissances qu'aux divisions du Tiers-Monde. Certes, l'unité du Tiers-Monde n'est probablement qu'un mythe, mais d'Alger à Lima, ces pays sont pourtant parvenus à proposer une liste de revendications qui apparaissent comme autant d'objectifs communs. Parmi ceux-ci, seule la question des pays les moins avancés a fait l'objet d'un accord suffisant à Santiago du Chili. Les autres, notamment […] la reconnaissance d'une situation plus équitable aux pays sous-développés dans ce commerce mondial, la stabilisation des cours des marchés de matières premières, sont victimes de l'intransigeance de quelques puissances et de l'indifférence de l'opinion publique internationale.

Jean-Philippe Colson, « Le "groupe des 77" et le problème de l'unité des pays du Tiers-Monde », *Tiers-Monde*, Armand Colin, 1972.

POUR COMPRENDRE

1. Étudier les documents

Doc. 1 et 3 Comment les pays du Tiers-Monde s'organisent-ils pour faire entendre leurs idées ?

Doc. 2 et 5 Quelles difficultés ces pays rencontrent-ils pour se développer ? Pourquoi ont-ils des difficultés à se faire entendre ?

Doc. 4 Quelles sont, pour Boumediene, les causes des difficultés du Tiers-Monde ? Quelles solutions doivent être mises en place pour y remédier ?

2. Analyse de deux documents

BAC À l'aide des documents 4 et 5, expliquez les difficultés que rencontrent les pays du Tiers-Monde pour se faire entendre sur la scène internationale.

3. Aide à la composition

BAC À l'aide de vos connaissances, vous rédigerez un plan détaillé qui réponde au sujet : « Le Tiers-Monde face au système de Bretton Woods et à la Guerre froide, des années 1950 aux années 1980 ».

3. Depuis 1991, quelle gouvernance économique mondiale ?

1997-1999 Crise financière en Asie, Russie et Argentine   **2008-2012** Crise financière mondiale

1991 Dissolution de l'URSS   **1995** OMC   **2001** 1er forum altermondialiste   **2003** Intervention américaine en Irak

→ *Comment les États et les institutions internationales coopèrent-ils face à l'évolution d'une économie mondialisée ?*

A. D'un monde bipolaire au triomphe de la mondialisation libérale

• **La dissolution de l'URSS en 1991 marque la fin du monde soviétique et collectiviste.** Les pays de l'Est amorcent une transition vers l'économie libérale, tandis que la Chine s'est déjà ouverte à « un socialisme de marché » **(doc. 3)**.

• **Les États-Unis sont le chef d'orchestre de la gouvernance économique mondiale.** Les accords de Marrakech de 1994 marquent la victoire du libre-échange : 124 pays s'entendent sur la réduction de tarifs douaniers, la libéralisation des services et la concurrence dans le domaine agricole. En 1995, le *GATT* cède la place à l'Organisation mondiale du commerce (OMC). En 1997, rejoint par la Russie, le G7 devient le G8. Le modèle libéral triomphe à l'échelle planétaire.

• **Le FMI intervient face aux crises.** En 1994, le Mexique sombre dans une crise financière qui ébranle l'Amérique latine. En 1997, la panique s'empare des marchés asiatiques. En 1998, la Russie voit de grandes banques faire faillite à cause d'investissements douteux en Asie, elle rejoint le G7. En crise depuis 1999, l'Argentine se déclare en faillite. Pour surmonter ces difficultés, le nouveau G8 s'ouvre à 12 pays émergents et crée le **G20**.

B. La société civile, actrice de la gouvernance mondiale

• **En 1999, la mobilisation antimondialiste se développe** : 40 000 personnes manifestent lors d'un sommet de l'OMC à Seattle (États-Unis) contre « la dictature des marchés financiers ». Ils s'opposent aussi au FMI, au G8 et au pouvoir des firmes transnationales ou **FTN** **(doc. 1)**.

• **La même année, les institutions internationales réagissent.** Au forum économique mondial de Davos (Suisse), le secrétaire général de l'ONU Kofi Annan propose un pacte mondial entre l'ONU et les milieux d'affaires. Reconnus acteurs majeurs de la gouvernance économique mondiale, certains dirigeants des FTN s'engagent à respecter les droits de l'homme, les normes internationales du travail et de l'environnement.

• **En 2001, contre Davos, le premier Forum social mondial se réunit à Porto Alegre (Brésil).** Rassemblés sous le slogan « Un autre monde est possible », des dizaines de milliers d'anti-mondialistes deviennent **altermondialistes**. Plutôt que rejeter la mondialisation, il s'agit de proposer les règles d'un commerce mondial solidaire, éthique et écologique **(p. 366)**.

C. Les crises de gouvernance des années 2000

• **Dès 2001, de nouvelles crises transforment la gouvernance mondiale.** Après le 11 Septembre, le forum de Davos, le G8 et le G20, se donnent pour priorité la lutte anti-terroriste, la sécurité et le rétablissement de la confiance des marchés. Mais le coût des interventions en Afghanistan et en Irak déstabilise les finances américaines.

• **En 2007, une crise financière éclate aux États-Unis** et déstabilise les grandes places boursières. Les États du G8 et l'Union européenne renflouent les banques privées, mettent en place des politiques de rigueur budgétaire. Depuis 2008, certaines propositions altermondialistes, comme la taxation des profits spéculatifs ou la lutte contre les paradis fiscaux sont mises en avant.

• **Certains économistes, comme Joseph Stiglitz, y voient une crise de la gouvernance mondiale.** Trop petits, les États seraient impuissants face aux réactions des marchés et à la puissance des FTN. L'Union européenne souffre de ses disparités économiques. D'autres observent dans les relations sino-américaines la mise en place d'un nouveau duo de gouvernance de l'économie mondiale **(doc. 5)**.

Citation

« [Notre époque] *exige une nouvelle coopération internationale entre tous, gouvernements, société civile et secteur privé, travaillant ensemble pour le bien collectif.* »

Ban Ki-Moon, secrétaire général de l'ONU, allocution au forum de Davos, 29 janvier 2009.

Doc. 1 Les firmes transnationales (FTN), au cœur de la mondialisation.

Les FTN occidentales (minières, industrielles ou financières) ont largement influencé à leur avantage les règles organisant la gouvernance économique mondiale par un lobbying incessant, en particulier auprès du FMI, de l'OMC, de la Banque mondiale ou de l'OCDE [...]. Mais elles se heurtent de plus en plus à de nouvelles résistances auxquelles elles doivent s'adapter du fait de l'émergence d'une opinion publique mondiale, de l'apparition des ONG et de l'affirmation des pays émergents.

Laurent Carroué, « Entreprises, le règne des transnationales », *Atlas des mondialisations*, Le Monde-La Vie, 2010-2011.

Mots clés

Antimondialisme : Mouvement politique et social, fondé sur l'anticapitalisme qui conteste la mondialisation.

Altermondialisme : Mouvement politique et économique, situé à gauche, organisé à l'échelle mondiale, qui cherche à modifier les règles du commerce mondial.

Gouvernance : Mode collectif de prise de décision réalisé par plusieurs acteurs de natures différentes (États, institutions internationales, ONG, entreprises).

@ http://www.tle.esl.histeleve.
magnard.fr
En 2008, la jeunesse grecque manifeste contre la corruption et la crise financière.

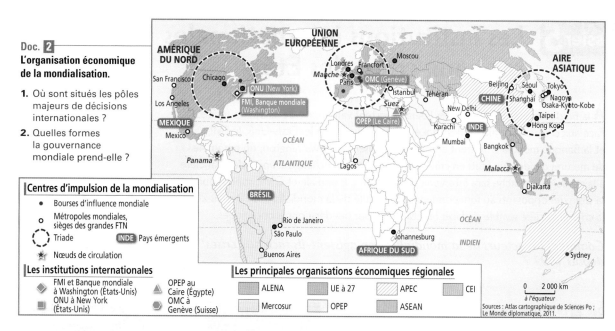

Doc. **2**

L'organisation économique de la mondialisation.

1. Où sont situés les pôles majeurs de décisions internationales ?

2. Quelles formes la gouvernance mondiale prend-elle ?

Centres d'impulsion de la mondialisation

- Bourses d'influence mondiale
- ○ Métropoles mondiales, sièges des grandes FTN
- ⌒ Triade **INDE** Pays émergents
- ★ Nœuds de circulation

Les institutions internationales

◆ FMI et Banque mondiale à Washington (États-Unis)
■ ONU à New York (États-Unis)

⬟ OPEP au Caire (Égypte)
⬢ OMC à Genève (Suisse)

Les principales organisations économiques régionales

ALENA UE à 27 APEC CEI
Mercosur OPEP ASEAN

Sources : Atlas cartographique de Sciences Po ;
Le Monde diplomatique, 2011.

Doc. **3** **Le monde de l'après-Guerre froide selon M. Gorbatchev.**

Trois semaines après la chute du mur de Berlin, se tient le sommet informel de Malte entre le président George Bush et le dirigeant soviétique Mikhaïl Gorbatchev.

Les méthodes de guerre froide, de confrontation, ont échoué en termes stratégiques. Nous l'avons admis. [...] Un grand regroupement des forces est en train de s'opérer dans le monde. Il est clair que nous sommes passés d'un monde bipolaire à un monde multipolaire. Que cela nous plaise ou non, nous aurons désormais à traiter avec une économie européenne unifiée et intégrée. Que nous le voulions ou non, le Japon reste un acteur central dans la politique mondiale. Un jour, vous et moi, discuterons au sujet de la Chine. C'est une évidence capitale : ni nous ni vous ne pouvons jouer l'un contre l'autre. Et il est nécessaire de réfléchir à ce qu'il faut faire pour que la Chine ne se sente pas exclue de tous les processus qui se mettent en place dans le monde. [...] Si je regarde la politique de l'Inde, c'est une politique dynamique. [...] L'Inde adopte une démarche réfléchie qui s'efforce d'établir de bonnes relations à la fois avec nous et avec vous. [...] Et maintenant, l'Europe de l'Est. Sa part dans l'économie mondiale n'est pas très importante. Mais voyez comme nous sommes inquiets, comme nous nous interrogeons. Quelles formes doivent revêtir nos actions, notre coopération ? Que va-t-il arriver sur le plan de l'économie, de l'environnement et dans les autres domaines ? [...] Nous avons commencé à le faire sous le leadership soviétique et nous sommes arrivés à la conclusion que les États-Unis et l'URSS sont tout bonnement condamnés au dialogue, à la coordination et à la coopération. Il n'y a pas d'autre choix. [...] Nous devons garder à l'esprit qu'il est impossible de cantonner nos relations au seul plan militaire.

Mikhaïl Gorbatchev, Conférence de presse donnée au sommet États-Unis/URSS de Malte, 3 décembre 1989.

1. Quelle nouvelle image du monde Gorbatchev dessine-t-il ? Pourquoi sa déclaration est-elle historique ?

2. Quels domaines entrent dans la nouvelle forme de coopération que l'URSS propose aux États-Unis ?

Doc. **4** **La Chine, nouveau Grand face aux États-Unis ?**

L'économiste et historien américain Niall Ferguson a forgé l'expression « Chinamerica » pour évoquer le duo sino-américain. [...] Pour la première fois depuis l'Union soviétique, une puissance montante, celle de la Chine, relativise le pouvoir américain. [...] Depuis l'établissement de relations diplomatiques entre Pékin et Washington en 1979, année qui marque aussi le début des réformes économiques en Chine, tous les présidents américains ont pratiqué [*la doctrine de*] l'engagement : une attitude d'ouverture plus que de confrontation ; la volonté d'impliquer les Chinois dans le système international – commercial, politique, diplomatique – afin qu'ils en deviennent partie prenante et aient intérêt à ne pas le chambarder. [...] Mais depuis trente ans, la Chine a montré une capacité de croissance inégalée face à des économies américaine et européenne fatiguée et malmenées par la crise. [...] Le consommateur américain absorbe une bonne partie de ce que produit la Chine ; glouton, il s'endette pour acheter chinois. Et, logique, avec ses propres intérêts, la Chine paye la dette américaine – en achetant les bons du Trésor américain, dont elle possède aujourd'hui un pactole évalué à plus de 2 500 milliards de dollars. [...] Les Chinois peuvent mettre en péril les finances de l'Amérique, s'ils cessent d'acheter ou vendent massivement, les [*bons du Trésor*] de l'Oncle Sam. Celui-ci peut réduire des dizaines de millions de Chinois au chômage, et déstabiliser le [*Parti communiste chinois*], en fermant ses frontières aux produits made in China. Entre l'URSS et les États-Unis régnait l'équilibre de la terreur nucléaire, entre Pékin et Washington, écrit le politologue américain Joseph Nye, s'installe l'équilibre de la terreur économico-financière.

Alain Frachon, journaliste au *Monde*, « Chinamérica, duo d'ambiguïtés »,
in *Atlas des mondialisations*, Le Monde-La Vie, 2010-2011.

1. Pourquoi les États-Unis ménagent-ils la puissance chinoise ?

2. Comment coopèrent ces deux grandes puissances ? Avec quel objectif ?

À la fin des années 1980, les idées libérales sortent vainqueurs de la Guerre froide. Face aux crises économiques des années 1990, appuyés par les États-Unis, le FMI et la Banque mondiale mettent en place le Consensus de Washington, un ensemble de mesures d'aides aux États en crise qui les incitent, en échange d'une aide financière, à laisser faire le marché sans intervenir. FMI, Banque mondiale et OMC sont depuis lors la cible des opposants au fonctionnement dérégulé de la mondialisation. Depuis 2008, la crise financière semble replacer les États au cœur des décisions économiques.

➜ *Comment les acteurs de la mondialisation agissent-ils face aux crises depuis 1991 ?*

Dates clés

Des institutions critiquées

1990 Consensus de Washington.
1991 Dissolution de l'URSS.
1995 Création de l'OMC.
1999 Conférence de l'OMC à Seattle, naissance du mouvement antimondialiste.
2008 Crise financière mondiale.
2010 Réforme du FMI.

Doc. **1** **Le FMI face à la crise argentine (1999).**

Depuis la fin de 1999, l'Argentine s'enfonce dans le chaos économique. Ce drame illustre bien les exigences et les difficultés de la gouvernance économique globale. Cette gouvernance requiert un type précis d'État. Cet État et surtout sa population, ses dirigeants doivent avoir intériorisé les disciplines économiques internationales – le tant critiqué « Consensus de Washington ». [...] La gouvernance globale réclame des États normalisés, ayant une double mission : utiliser les possibilités des marchés internationaux et, simultanément, faire accepter par leur peuple des obligations claires (par exemple, paiement des impôts). Cette gouvernance est vouée à être boiteuse, aussi longtemps que son responsable institutionnel central, le FMI ne disposera pas d'une légitimité claire. [...]. Les populations ne voient qu'un père fouettard, ne songeant qu'à réduire leur niveau de vie, la mission du FMI étant bien de remettre de l'ordre en général à la suite de gestion trop laxiste (comme en Argentine). Quant aux grandes démocraties riches, membres du G7, elles ne sont pas mécontentes d'avoir une institution polarisant sur elle toutes les déceptions du monde en développement.

Philippe Moreau-Defarges, « La Gouvernance cahin-caha », *Annuaire français des Relations internationales 2003*, 2004.

Doc. **2** **Manifestation contre l'OMC lors de la conférence de Seattle (novembre 1999).**

Durement réprimées, ces manifestations contre l'OMC (en anglais *WTO*, « *World Trade Organisation* ») tournent à l'émeute. Elles sont le point de départ du mouvement altermondialiste.

Doc. **3** **Un économiste favorable à un G20 plus puissant.**

Le G20 était une excellente initiative, et son premier mérite est d'exister. Parmi les leçons de la crise des années 1930, on trouve en effet l'utilisation inadéquate des politiques budgétaire et monétaire, mais plus encore le défaut de coopération internationale. Nous savons désormais que c'est la volonté de faire face ensemble, de manière coopérative, qui permet d'éviter le pire. [...] Un « directoire » des affaires du monde organisé autour d'un G7 était devenu tout à fait anachronique ; le G20 préfigure une forme d'organisation mieux adaptée à l'état du monde où des pays comme la Chine, l'Inde ou le Brésil jouent un rôle plus important. Quels ont été les résultats ? Le sommet de Londres au printemps 2009 a été un succès parce qu'il a permis d'établir une stratégie commune de lutte contre la récession et de mettre sur pied les axes de réforme de la finance mondiale. Le sommet de Pittsburgh à l'automne 2009 a par comparaison était très décevant [...]. Le système financier international est à nouveau fragilisé car les marchés s'inquiètent de l'effet dévastateur sur les finances publiques du sauvetage de la finance privée. [...] Le sommet de Toronto ne s'annonce pas très bien.

Jacques Mistral, « Économie mondiale. Turbulences financières autour de l'Europe ! », *RAMSES 2011*, Paris, IFRI, 2010.

Doc. 4 L'ONU plaide pour une coopération entre États et entreprises au forum de Davos.

J'ai appelé cette année l'année des crises multiples. Les économies sont en difficulté. [...] Le changement climatique constitue une menace pour l'ensemble de nos objectifs en matière de développement et de progrès social. [...] Il y a exactement 10 ans, mon prédécesseur, Kofi Annan, se trouvait à ma place et a demandé aux dirigeants d'entreprises de conclure un « pacte mondial » [...]. Il a poussé les entreprises à adopter des principes universels et à s'associer avec l'ONU pour s'attaquer aux grands problèmes. [...]

Nous vivons une nouvelle époque. [...] Elle exige une nouvelle coopération internationale entre tous – gouvernements, société civile et secteur privé, travaillant ensemble pour le bien collectif du monde entier. [...] Aujourd'hui, du fait de la récession économique et du changement climatique, les enjeux n'ont jamais été aussi importants pour les entreprises. [...] Au cours des derniers mois, un mouvement s'est dessiné avec de plus en plus de force en faveur de ce que j'appelle un « New Deal vert » mondial. [...] Je vous demande de donner l'exemple. Montrez la voie à vos consommateurs, à vos fournisseurs et à vos employés. Partagez vos technologies avec les pauvres. C'est le seul moyen d'assurer un avenir durable avec pour perspective la prospérité pour tous.

Ban Ki-Moon, Secrétaire général de l'ONU, allocution au Forum économique mondial, Davos (Suisse), 29 janvier 2009.

Doc. 6 Dominique Strauss-Kahn ouvre le FMI aux pays émergents (2010).

Depuis 1944, le FMI est contrôlé par les seuls pays industrialisés.

Le Conseil d'administration du FMI a approuvé aujourd'hui des propositions qui conduiront à une vaste réforme des quotes-parts et de la gouvernance du FMI, et renforceraient la légitimité et l'efficacité du FMI. « Cet accord historique constitue la réforme la plus fondamentale de la gouvernance du FMI depuis sa création il y a 65 ans et du plus grand transfert d'influence jamais opéré en faveur des pays émergents et des pays en développement en reconnaissance de leur rôle croissant dans l'économie mondiale [...]. Une allocation plus juste des quotes-parts relatives, qui reflète mieux l'importance économique de nos pays membres, ainsi qu'un Conseil d'administration plus représentatif, rendront plus crédibles et plus efficaces les efforts que le FMI déploie pour stabiliser la situation financière mondiale », a noté M. Strauss-Kahn, directeur général du FMI. « L'ensemble de mesures que nous avons approuvé est équilibré. Les négociations n'ont pas été faciles, mais nos pays membres ont montré qu'ils avaient la volonté de trouver un compromis et étaient prêts à faire preuve de la flexibilité nécessaire en vue d'atteindre un accord pour le bien de tous. » [...] Les dix plus grands membres du FMI seront les États-Unis, le Japon, les BRIC (Brésil, Fédération de Russie, Inde, Chine) et les quatre plus grands pays européens (Allemagne, France, Italie, Royaume-Uni).

Fonds Monétaire International, communiqué de presse du 5 novembre 2010.

Doc. 5 Un intellectuel fustige l'impuissance du G20.

La réunion du G20 n'a servi à rien. Le sommet réuni au Canada était supposé traiter de deux sujets majeurs : la réglementation du système financier et la réduction de l'endettement public. Et en fait, sur ces sujets, aucune décision n'a été prise. [...] On ne pouvait pas attendre mieux : le G20 n'a aucun pouvoir ; il ne peut imposer aucune règle planétaire. [...] Les Américains ont obtenu de continuer à faire du dollar la monnaie principale de référence, à emprunter au monde entier sans avoir jamais l'intention de rembourser à personne, et à ce que personne ne s'occupe de leurs paradis fiscaux. Les Chinois ont obtenu qu'on ne critique ni leur taux de change, ni leur politique exportatrice, ni la faiblesse de leur consommation intérieure. Et qu'on n'impose aucun contrôle à leurs places financières et à leurs paradis fiscaux. Les Européens, eux, divisés et sans stratégie, se sont laissés donner des leçons de bonne gestion [...]. Tout se passe donc comme si les gouvernements avaient décidé de renoncer à maîtriser leurs systèmes financiers [...]. Rien n'a donc changé depuis le premier G20. Jour après jour, la démocratie recule devant le marché. Jour après jour, se prépare une nouvelle crise financière, qui viendrait ruiner tous les efforts de réduction des déficits budgétaires.

Jacques Attali, « G vain ? persiste et signe », sur www.lexpress.fr le 28 juin 2010.

POUR COMPRENDRE

1. Étudier les documents

Doc. 1, 2 et 6 Quelles critiques sont portées contre les institutions financières et commerciales ? Comment D. Strauss-Kahn y répond-il en 2010 ?

Doc. 4 Pourquoi Ban Ki-Moon s'adresse-t-il aux entreprises ? Contre quels types de crises appelle-t-il à lutter ?

Doc. 3 et 5 Quelles sont les principales critiques portées contre le G20 ? Quels sont les avantages d'une telle structure ?

2. Analyse de deux documents

BAC À l'aide des documents 3 et 5, montrez les solutions trouvées pour améliorer la gouvernance économique mondiale.

3. Aide à la composition

BAC À l'aide de vos connaissances, vous rédigerez un paragraphe qui réponde au sujet : « La réforme des institutions économiques internationales depuis 1991 ».

L'altermondialisme et l'essor d'une opinion publique mondiale

Avec l'ouverture de la Chine au commerce et la fin de l'URSS, la circulation de marchandises et de devises s'étend à toute la planète. L'essor du libre-échange, notamment grâce aux organisations régionales, et de la déréglementation favorisée par les institutions internationales, permet aux firmes transnationales d'investir un grand nombre de marchés. Certaines de ces FTN sont plus puissantes que les États d'Amérique du Sud, d'Afrique ou d'Asie. Les manifestations populaires se développent à partir de la fin des années 1990 contre les effets sociaux et environnementaux de cette situation.

➜ *Quel rôle les mouvements altermondialistes jouent-ils dans la critique de la gouvernance économique mondiale ?*

Dates clés

Un mouvement provoqué par les crises

1972 James Tobin propose de taxer les transactions financières.

1997 Crise asiatique.

1998 Crise russe, création d'ATTAC.

1999 Conférence de l'OMC à Seattle.

2001 Premier Forum Social Mondial altermondialiste à Porto Alegre (Brésil).

2012 La France propose une taxe Tobin européenne.

Doc. **1**

La critique de la consommation, fondement du mouvement altermondialiste.

Graffiti de l'artiste britannique Banksy, sur un mur de Londres, en 2008.

Des enfants-consommateurs saluent l'enseigne de la firme transnationale Tesco, premier groupe de distribution britannique.

Doc. **2** La naissance du mouvement altermondialiste ATTAC (1998).

Devenue l'Association pour la Taxation des Transactions financières et pour l'Action Citoyenne, ATTAC est présente dans 32 pays en 2011.

Le typhon sur les Bourses d'Asie menace le reste du monde. La mondialisation du capital financier est en train de mettre les peuples en état d'insécurité généralisée. Elle contourne et rabaisse les nations et leurs États en tant que lieux pertinents de l'exercice de la démocratie et garants du bien commun. La mondialisation financière a d'ailleurs créé son propre État. Un État supranational, disposant de ses appareils, de ses réseaux d'influence et de ses moyens d'action propres. Il s'agit de la constellation Fonds monétaire international (FMI), Banque mondiale, Organisation pour la coopération et le développement économiques (OCDE) et Organisation mondiale du commerce (OMC) [...].

La liberté totale de circulation des capitaux déstabilise la démocratie. C'est pourquoi il importe de mettre en place des mécanismes dissuasifs. L'un d'entre eux est la taxe Tobin, du nom du Prix Nobel américain d'économie qui la proposa dès 1972. Il s'agit de taxer, de manière modique, toutes les transactions sur les marchés des changes [...]. Au taux de 0,1 %, la taxe Tobin procurerait, par an, quelque 166 milliards de dollars, deux fois plus que la somme annuelle nécessaire pour éradiquer la pauvreté extrême d'ici au début du siècle [...].

Pourquoi ne pas créer, à l'échelle planétaire, l'organisation non gouvernementale Action pour une Taxe Tobin d'Aide aux Citoyens (Attac) ? En liaison avec les syndicats et les associations à finalité culturelle, sociale ou écologique, elle pourrait agir comme un formidable groupe de pression civique auprès des gouvernements pour les pousser à réclamer, enfin, la mise en œuvre effective de cet impôt mondial de solidarité.

Ignacio Ramonet, « Désarmer les marchés », *Le Monde diplomatique*, décembre 1997.

Doc. **3** Des économistes analysent le succès d'ATTAC.

Le succès populaire de ATTAC mérite que l'on y réfléchisse soigneusement. La campagne pour la taxe Tobin a rencontré un succès inespéré car ce projet incarne plusieurs logiques latentes :

1. La crainte des marchés financiers. Les crises ont puissamment renforcé cette crainte qui se mélange dans l'inconscient populaire avec le mythe du banquier exploiteur ;

2. La demande de redistribution. « Les riches paieront » reste un slogan qui a une forte résonance. Les riches sont aujourd'hui les multinationales, les financiers et les pays développés ;

3. Le devoir de solidarité à l'égard des pays pauvres, perçus comme des victimes de la mondialisation, elle-même parfaitement symbolisée par les marchés financiers ;

4. Un intérêt latent pour une fiscalité mondiale, perçue par les mondialistes comme l'amorce du gouvernement mondial qu'ils appellent de leurs vœux.

P. Jacquet, J. Pisani-Ferry, L. Tubiana, « La taxe Tobin : un symbole riche de leçons », *Gouvernance mondiale. Rapport de synthèse*, La Documentation française, mai 2002.

Doc. 4 Le Forum Social Mondial depuis 2001.

Contrairement au Forum économique mondial, qui se réunit à Davos (Suisse) au même moment, le Forum Social Mondial (FSM) n'est pas une organisation, mais un espace de débat qui accueille des représentants de partis politiques, de syndicats, d'associations.

2001 Porto Alegre (Brésil)

2002 Porto Alegre (Brésil)

2003 Porto Alegre (Brésil)

2004 Mumbai (Inde)

2005 Porto Alegre (Brésil)

2006 Bamako (Mali), Caracas (Venezuela) et Karachi (Pakistan)

2007 Nairobi (Kenya)

2009 Belém (Brésil)

2011 Dakar (Sénégal)

Doc. 5 Une manifestation lors du premier Forum Social Mondial, à Porto Alegre (2001).
L'affiche jaune, à gauche, indique : « Assez de guerre, de faim et d'ignorance. Mort au capitalisme. Vive le socialisme. »

Doc. 6 Être altermondialiste après le 11 septembre 2001.

Les suites du 11 septembre peuvent-elles affecter le débat sur la mondialisation [...] ? [Ils ont] certainement changé la perspective politique sur le pilotage de la mondialisation économique. Après la chute du mur de Berlin, l'utopie d'une économie mondiale autorégulée avait peu à peu pris corps.

Alors qu'historiquement l'ouverture commerciale et financière postérieure à la Seconde Guerre mondiale avait été mise au service de la cohésion de l'alliance contre le communisme, il a semblé, l'espace d'une décennie, que l'organisation des relations économiques et financières internationales pouvait être pensée indépendamment de toute réflexion sur les enjeux politiques de la mondialisation.

Cette utopie est très probablement morte le 11 Septembre. La problématique de la gouvernance mondiale va désormais devoir intégrer les objectifs de la lutte contre le terrorisme mais surtout, et c'est plus difficile, une réflexion sur les conditions de soutenabilité politique de la mondialisation. Vont ainsi s'inviter au débat les questions d'équité et de légitimité qu'une vision trop étroitement économique avait voulu évacuer. »

Pierre Jacquet, Jean Pisani-Ferry, Laurence Tubiana,
« Les Institutions économiques de la mondialisation »,
Gouvernance mondiale, Rapport de synthèse,
La Documentation française, mai 2002.

Doc. 7 Les altermondialistes, victimes de leur succès ?

Leur critique du néolibéralisme a été validée par la crise financière des subprimes. En face, l'économiste suisse Klaus Schwab, président-fondateur du Forum économique de Davos (Suisse), continuait en janvier 2010 à déplorer la « schizophrénie » du monde « car l'économie va bien » ! Paradoxe, alors que les faits, leur donnent largement raison, les altermondialistes font preuve d'une relative discrétion. On peut en imputer la faute aux grands médias, peu enclins à traiter cette mosaïque sans leader, ni programme. [...] Et si l'altermondialisme était d'abord victime de son succès ? « Notre discours s'est banalisé car tout le monde utilise désormais nos arguments, souligne [un] membre du Conseil international du FSM. Et c'est le catalogue de nos propositions qui se trouve aujourd'hui sur la table des réunions internationales. » Ainsi, au début des années 2000, les altermondialistes sont seuls à réclamer une taxe mondiale sur les mouvements de capitaux [...]. À présent, c'est Nicolas Sarkozy qui défend ce « financement innovant » ! Même évolution sur les paradis fiscaux, désormais à l'agenda du G20. Du coup les altermondialistes, qui ont toujours affiché leur diversité, se trouvent tiraillés entre ceux qui plaident pour une régulation plus effective et ceux qui évoquent un « dépassement du capitalisme ».

Philippe Merlant, « Où sont passés les altermondialistes ? »,
Atlas des mondialisations, Le Monde-La Vie, 2010-2011.

POUR COMPRENDRE

1. Étudier les documents

Doc. 1, 2 et 3 Quelles sont les idées portées par le mouvement altermondialiste ?

Doc. 2, 4 et 5 Comment ce mouvement s'organise-t-il pour peser sur l'opinion publique ?

Doc. 6 et 7 Comment évolue l'influence du mouvement dans les années 2000 ?

2. Analyse de deux documents

BAC À l'aide des doc. 2 et 7, montrez l'évolution qu'ont connues les idées portées par le mouvement altermondialiste depuis 1998.

3. Aide à la composition

BAC À l'aide de vos connaissances, vous rédigerez un paragraphe qui réponde au sujet : « La critique de la gouvernance économique mondiale après 1991 ».

Réformer la gouvernance économique mondiale

>>> *L'opposition idéologique de deux espaces de débat*

L'Américaine Melinda Gates, co-présidente de la fondation du propriétaire de Microsoft, la Chinoise Margaret Chan, présidente de l'Organisation Mondiale de la Santé (OMS) et le leader du groupe U2, l'Irlandais Paul David Hewson (dit « Bono ») participent le 28 janvier 2011 au Forum économique mondial de Davos, consacré alors « aux nouvelles normes pour un monde qui change. » Ce Forum est une fondation à but non lucratif qui se réunit depuis 1971.

Le Forum économique mondial de Davos, un forum libéral.

Partenariat, sécurité, prospérité : ces trois mots-clés composent cette année le thème de la réunion du Forum économique mondial [...]. Le risque d'incidents à faible probabilité, mais à impact élevé – dont le terrorisme est l'exemple le plus abouti – a crû considérablement depuis les attentats du 11 septembre 2001. [...] Des régions entières sont interdites au business en raison de l'insécurité qui y règne [...]. La sécurité doit également s'entendre au sens large, en termes de ce que les Nations unies appellent la « sécurité humaine ». [...]

Questions morales mises à part, il est dans l'intérêt des pays riches d'aider les pays pauvres. Pourquoi ? Parce que nous vivons désormais dans un village global, marqué par une interdépendance croissante. La pauvreté, la misère, la frustration des autres deviendront très rapidement notre problème : un manque de débouchés pour nos produits et nos services, un accroissement de l'immigration illégale, davantage de pollution, de maladies contagieuses, une montée en puissance [...] du terrorisme. Il faut par conséquent comprendre le mot prospérité au sens large : non seulement la capacité qu'ont les pays développés de croître à un rythme décent et soutenable, mais aussi dans le sens d'un partage équitable des fruits de la croissance [...] entre les pays pauvres et les pays riches [...].

Comment résoudre ces problèmes globaux ? Par le partenariat. [...] Les temps sont révolus où les gouvernements pensaient résoudre à eux seuls les problèmes du monde, tandis que le business se concentrait sur son compte d'exploitation et que la société civile se contentait de critiquer sans rien offrir de concret. Aujourd'hui, la recherche de solutions viables passe par la gouvernance en réseau, autrement dit, par la création de partenariats entre le business (les institutions qui créent de la valeur), le politique (les gouvernements, les Parlements) et la société civile au sens large : les ONG, les leaders syndicaux, religieux et d'opinion. [...] C'est la raison pour laquelle le Forum économique mondial réunit [...] plus de 2 000 décideurs.

Philippe Bourguignon et Thierry Malleret, « Les trois mots-clés de Davos »,
Le Monde, 22 janvier 2004.

Philippe Bourguignon
a dirigé Eurodisney
et le Club Méditerranée.
Il a été codirecteur général
du forum de Davos en 2003-2004.

Thierry Malleret, économiste,
spécialiste en risques financiers.
Il a été le directeur exécutif
du forum de Davos entre 2003
et 2007.

Contexte

La gouvernance économique mondiale nécessite que ses acteurs débattent et décident ensemble. États, firmes transnationales, ONG, partis politiques, institutions internationales sont amenées à organiser, à leur échelle, le fonctionnement de la mondialisation. Deux tendances voient le jour : les libéraux cherchent à limiter le nombre de règles, les interventionnistes veulent que les acteurs du commerce mondial, du producteur au consommateur, agissent sur le fonctionnement du commerce.

Le Forum économique mondial de Davos, un forum libéral.

1. Pourquoi les pays riches doivent-ils aider les pays pauvres ?

2. Quels acteurs doivent participer à la résolution des problèmes ?

3. Quelle menace le terrorisme fait-il peser sur l'économie mondiale ?

Le Forum Social Mondial né à Porto Alegre, le premier des forums altermondialistes.

Le comité des instances brésiliennes qui a conçu et organisé le premier Forum Social Mondial, qui s'est tenu à Porto Alegre [...] a jugé nécessaire et légitime d'instaurer une Charte des Principes visant à orienter la poursuite de cette initiative.

1. Le Forum Social Mondial est un espace de rencontre ouvert visant à approfondir la réflexion, le débat d'idées démocratique, la formulation de propositions, l'échange en toute liberté d'expériences, et l'articulation en vue d'actions efficaces, d'instances et de mouvements de la société civile qui s'opposent au néolibéralisme et à la domination du monde par le capital et toute forme d'impérialisme, et qui s'emploie à bâtir une société planétaire axée sur l'être humain.

2. Le Forum Social Mondial, [...] avec la certitude proclamée à Porto Alegre qu'« un autre monde est possible » devient un processus permanent de recherche et d'élaboration d'alternatives, qui ne se réduit pas aux manifestations sur lesquelles il s'appuie.

3. Le Forum Social Mondial est un processus à caractère mondial. [...]

4. Les alternatives proposées au Forum Social Mondial s'opposent à un processus de mondialisation capitaliste commandé par les grandes entreprises multinationales et les gouvernements et institutions internationales au service de leurs intérêts. Elles visent à faire prévaloir, comme nouvelle étape de l'histoire du monde, une mondialisation solidaire qui respecte les droits universels de l'homme [...] et l'environnement, étape soutenue par des systèmes et institutions internationaux démocratiques au service de la justice sociale, de la légalité et de la souveraineté des peuples [...].

8. Le Forum Social Mondial est un espace pluriel et diversifié, non confessionnel, non gouvernemental et non partisan, qui articule de façon décentralisée, en réseau, des instances et mouvements engagés dans des actions concrètes, au niveau local ou international, visant à bâtir un autre monde.

Charte de Principes du Forum Social Mondial, Sao Paulo, 2002, inspirée notamment par le mouvement ATTAC fondé par Bernard Cassen et le Mouvement des Sans-Terres brésilien.

Forum Social Mondial à Dakar (Sénégal) en 2011.

Depuis le succès de Porto Alegre en 2001 au Brésil, le Forum Social Mondial, réunit chaque année des ONG, syndicalistes, hommes politiques et intellectuels altermondialistes. Le forum est organisé par une assemblée composée d'ONG venues de plus de 40 pays.

Bernard Cassen (né en 1937) est un journaliste français, directeur du *Monde diplomatique* jusqu'en 2008. Il fonde l'association ATTAC en 1998, une des organisations à l'origine des premiers forums sociaux mondiaux.

Le Forum Social Mondial né à Porto Alegre, le premier des forums altermondialistes.

1. Comment se définit le Forum social mondial ?

2. Contre quel type de mondialisation s'oppose-t-il ? Par quels moyens ?

3. Quel type de mondialisation propose-t-il ? Comment l'atteindre ?

Bilan

En comparant les objectifs et les moyens de ces deux forums, vous vous demanderez sur quels fondements s'organise la réforme de la gouvernance économique mondiale.

La gouvernance économique mondiale depuis 1944

L'essentiel

→ *Comment l'essor du commerce mondial pousse-t-il les États, depuis 1945, à gouverner ensemble ?*

1. À partir de 1944, le système de Bretton Woods organise l'économie mondiale.

• Les 44 pays alliés réunis à Brettons Woods créent des institutions internationales qui consacrent la puissance économique des États-Unis.

• FMI, Banque mondiale et *GATT* sont les moteurs d'une mondialisation économique libérale et du libre-échange.

• Dès le début de la Guerre froide, les États-Unis sont la superpuissance économique du monde occidental, s'opposant à l'économie collectiviste du monde communiste.

2. Les crises des années 1970 favorisent l'émergence de nouveaux acteurs.

• Les chocs pétroliers mettent en lumière le rôle de l'OPEP dans le secteur stratégique de l'énergie.

• Dès 1975, les pays industrialisés les plus riches organisent des sommets (G6-G7) pour approfondir leur coopération face aux crises monétaires et énergétiques.

• Le Tiers-Monde, formé en G77 au sein de l'ONU, propose en 1974 un nouvel ordre économique mondial.

3. Depuis 1991, la gouvernance économique mobilise des partenaires publics et privés dans le monde entier.

• À partir de 1991, les États-Unis deviennent la grande puissance d'une mondialisation économique libérale incarnée par le G8, le G20 et l'OMC.

• Firmes transnationales et altermondialistes participent à la gouvernance économique mondiale par leurs forums mondiaux.

• Depuis 2007, la crise mondiale interroge la capacité des organisations internationales, du G7-G20, des États, à réglementer les marchés internationaux.

Mots clés

- Altermondialisme
- Antimondialisme
- Balance des paiements
- Déréglementation
- Dévaluation
- Étalon monétaire
- Gouvernance
- IDE
- Libéralisme
- Non-alignés

Personnages

J. M. Keynes
(1883-1946)
❱ Bio p. 352

R. Nixon
(1913-1994)
❱ Bio p. 354

R. Reagan
(1911-2004)
❱ Bio p. 356

Synthèse

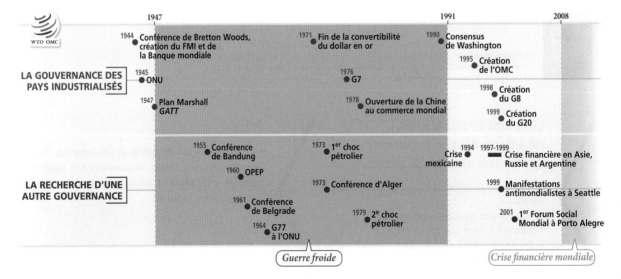

BAC Composition

Méthode > p. 10

Introduction	Explication des termes du sujet et du contexte, annonce de la problématique et du plan.
Développement	Argumentation organisée en paragraphes (un paragraphe = une idée + un exemple développé).
Conclusion	Réponse à la problématique et ouverture (une ou deux idées qui montrent l'intérêt du sujet traité).

Sujet 1

Conseils

Introduction : définissez le terme de gouvernance.
Développement : attention au risque de vouloir raconter l'histoire économique : c'est la place des États-Unis qui importe ici.
Conclusion : il ne s'agit pas ici de résumer le développement mais de montrer l'intérêt du sujet.

Lecture du sujet

L'État, ses institutions mais aussi une pluralité d'acteurs privés comme les firmes transnationales.

Ce terme renvoie aux formes de coopérations économiques : avec qui les États-Unis coopèrent-ils ?

Les États-Unis dans la gouvernance économique internationale (1944-1991).

Attention, international ne signifie pas mondial : l'influence américaine ne s'étend qu'à la partie non communiste du monde.

Les bornes du sujet renvoient à des événements qui ont affecté le système économique mondial. Il faut réfléchir aux ruptures pour trouver le plan.

Mots clés
- Balance des paiements
- Déréglementation
- Dévaluation
- Étalon monétaire
- Gouvernance
- Libéralisme

Personnages attendus
- J. M. Keynes
- R. Nixon
- R. Reagan

Chronologie

1944 Conférence de Bretton Woods, création du FMI et de la Banque mondiale	**1971** Fin de la convertibilité du dollar en or
1947 Plan Marshall, *GATT*	**1973** 1er choc pétrolier
1960 OPEP	**1976** G7
	1979 2e choc pétrolier
	1990 Consensus de Washington

Sujet 2

Conseils

Introduction : définissez les différents types d'acteurs.
Développement : prêtez attention aux ruptures pour construire les bornes chronologiques de vos parties. Un plan thématique est possible.
Conclusion : la question de la gouvernance est attendue.

Lecture du sujet

Institutions internationales, États, forums mondiaux, firmes transnationales, dans toutes les aires spatiales liées au sujet.

Quelles sont les formes de coopération, de concertation ou d'opposition entre les différents acteurs à l'échelle mondiale, et pas seulement dans les pays industrialisés ?

Les acteurs de l'économie mondiale face aux crises (1944-2011).

Quelles crises rythment la vie quotidienne mondiale et comment modifient-elles la gouvernance économique mondiale ?

Mots clés
- Altermondialisme
- Déréglementation
- Dévaluation
- Étalon monétaire
- Gouvernance
- IDE
- Libéralisme

Personnages attendus
- J. M. Keynes
- R. Nixon
- R. Reagan

Chronologie

1944 Bretton Woods, création du FMI et de la Banque mondiale	**1973** 1er choc pétrolier
1945 ONU	**1976** G7
1947 Plan Marshall, *GATT*	**1995** Création de l'OMC
1960 OPEP	**1999** Manifestations antimondialistes à Seattle
1961 Conférence de Belgrade	**1999** Création du G20
1971 Fin de la convertibilité du dollar en or	**2001** 1er Forum Social Mondial

BAC Étude critique d'un document

Méthode
> p. 11

Introduction	Explication du sujet et du contexte, annonce de la problématique.
Développement	Argumentation organisée en paragraphes qui structurent la réponse à la consigne.
Conclusion	Réponse à la problématique et ouverture (une ou deux idées qui montrent l'intérêt du sujet traité).

Sujet   La déclaration de Rambouillet des grands pays industrialisés (1975).

Consigne : Présentez le document et son contexte. Montrez en quoi cette déclaration atteste une nouvelle forme de coopération économique internationale inscrite dans la crise des années 1970. Vous présenterez les limites de ce document.

Nous nous sommes réunis parce que nous partageons les mêmes convictions et les mêmes responsabilités. Nous sommes chacun pour notre part responsables de la conduite d'une société ouverte, démocratique, profondément attachée à la liberté individuelle et au progrès social. [...]

Dans un monde marqué par une interdépendance croissante, nous sommes décidés [...] à développer nos efforts en vue d'une coopération internationale accrue et d'un dialogue constructif entre tous les pays. [...] La tâche la plus urgente consiste à assurer le redressement de nos économies et à réduire le gaspillage de ressources humaines que provoque le chômage. [...]. Nous nous sommes aussi attachés à définir les nouveaux efforts qui sont nécessaires dans les domaines du commerce international, des questions monétaires et des matières premières, y compris l'énergie. [...] Nous estimons que les négociations commerciales multilatérales devraient être accélérées. [...]

Des rapports de coopération et une meilleure compréhension entre les pays en développement et le monde industrialisé sont fondamentaux pour la prospérité de chacun. [...]. En conséquence, nous jouerons notre rôle au Fonds Monétaire International et dans les autres instances internationales compétentes [...]. Dans ce contexte, il convient de donner la priorité aux pays en développement les plus pauvres.

L'expansion économique mondiale est manifestement liée à la disponibilité croissante de sources d'énergie. [...]. Nos intérêts communs rendent nécessaires que nous continuions de coopérer afin de réduire notre dépendance vis-à-vis de l'énergie importée par la conservation et le développement de sources alternatives. Par ces mesures, ainsi que par une coopération internationale entre pays producteurs et consommateurs conforme à leurs intérêts à long terme, nous n'épargnerons aucun effort pour assurer des conditions plus équilibrées et un développement harmonieux et régulier du marché énergétique mondial.

> Déclaration de Rambouillet, 17 novembre 1975, approuvée par les six Chefs d'État et de gouvernement réunis par le président V. Giscard d'Estaing.

Répondre à la consigne

Conseil

Lisez une première fois le texte du début à la fin. Relisez-le pour noter au brouillon les passages que vous citerez.

En introduction, vous devez notamment...

- Rappeler le contexte du document (fin de la convertibilité, choc pétrolier, hausse du chômage, etc.).
- Vous demander quels sont ces pays : quelles valeurs politiques et économiques partagent-ils ?
- Énoncer une problématique simple et claire.

Développement : une explication structurée en paragraphes

- Demandez-vous comme les chefs d'États et de gouvernement ont décidé de coopérer et pourquoi ils veulent le faire.
- Au sein de quelles autres organisations, ces six États entendent-ils coopérer ?
- Quels problèmes sont à traiter de manière prioritaire ? Qu'en est-il de la relation avec les autres groupes de pays ?
- Montrer l'intérêt et les limites du document : pourquoi ces États ne se contentent-ils pas de coopérer au sein des organisations nées à Bretton Woods ?

En conclusion, il faut par exemple...

- Répondre à la problématique.
- Montrer l'intérêt du sujet à ce moment charnière de la gouvernance économique mondiale.

BAC Étude critique d'un document

Méthode > p. 11

Introduction	Explication du sujet et du contexte, annonce de la problématique.
Développement	Argumentation organisée en paragraphes qui structurent la réponse à la consigne.
Conclusion	Réponse à la problématique et ouverture (une ou deux idées qui montrent l'intérêt du sujet traité).

Sujet   Le directeur général de l'OMC et la régulation du commerce mondial (2011).

Consigne : En présentant le document dans son contexte, reprenez les arguments qui s'opposent à la démondialisation. Expliquez pourquoi il est hostile au protectionnisme, et quelle politique de régulation il propose. Montrez que d'autres, dans le monde, ne partagent pas ces opinions face à la mondialisation.

Les moteurs de la mondialisation sont technologiques : le porte-conteneurs et Internet. Gageons que la technologie ne reviendra pas en arrière ! Vouloir démondialiser, c'est jeter le bébé avec l'eau du bain. Et même si c'était souhaitable, ce ne serait plus possible. [...] Aujourd'hui, les frontières entre le commerce international et le commerce domestique s'effacent. Les chaînes de production se sont globalisées pour gagner en efficacité. Cela signifie que freiner vos importations revient à pénaliser vos exportations. [...]

Beaucoup en France font comme si l'économie nationale était asservie aux pays émergents, et surtout à la Chine, en raison de leur dumping environnemental et social. Les chiffres ne disent pas cela : les deux tiers du commerce français sont réalisés avec l'Union européenne. [...]

Des réponses aux perturbations douloureuses que vivent les populations occidentales sont nécessaires, mais en utilisant d'autres formes de protection que le protectionnisme, qui ne protège pas. Il faut une régulation qui équilibre et maîtrise le jeu des forces en présence. En matière de finances, les États-Unis et le Canada n'ont pas vécu la crise de la même façon. Les premiers ont explosé sous l'impact des subprimes, alors que l'économie canadienne n'a pas vacillé du tout. Comment expliquer ce découplage, alors que les deux pays vivent en symbiose ? Le Canada dispose d'une régulation efficace, et les États-Unis, non. Ce n'est pas la mondialisation qui fait problème, mais l'insuffisance de garde-fous, de régulations. [...]

L'OMC et son ancêtre le *GATT* ont, de tout temps, prévu des règles spécifiques pour les pays en développement : les pays riches ne sont pas traités comme les pays émergents, qui ont eux-mêmes plus de contraintes que les pays les moins avancés. [...] Nous allons tenter de nous focaliser sur le développement des pays les moins avancés, en éliminant les restrictions tarifaires ou quantitatives qui frappent leurs exportations. Et réformer les procédures, simplifier les formalités, accélérer le transit, de manière à diminuer les coûts de traitement des échanges commerciaux. [...]

Alain Faujas, « La démondialisation est une mauvaise réponse », entretien avec Pascal Lamy, directeur général de l'OMC, *Le Monde*, 1er juillet 2011.

Répondre à la consigne

Conseil

Veillez à bien répondre dans l'ordre aux différents points de la consigne.

En introduction, vous devez notamment...
• Rappeler le contexte du document (crise financière de 2007, rôle de l'OMC).
• Énoncer une problématique simple et claire.

Développement : une explication structurée en paragraphes
• Dressez la liste des arguments que P. Lamy oppose aux partisans de la démondialisation, et expliquer ce qu'est l'altermondialisme.
• Expliquez pourquoi, selon P. Lamy, le protectionnisme est moins efficace qu'une régulation mise en place par des États qui coopèrent entre eux pour la gérer.
• Utilisez vos connaissances sur les idées du mouvement altermondialiste pour expliquer leur différence avec les idéaux de P. Lamy.

En conclusion, il faut...
• Répondre à la problématique.
• Montrer l'intérêt du sujet en pleine crise de légitimité des institutions internationales.

BAC Étude critique de deux documents

Introduction	Explication du sujet et du contexte, annonce de la problématique.
Développement	Argumentation organisée en paragraphes qui structurent la réponse à la consigne.
Conclusion	Réponse à la problématique et ouverture (une ou deux idées qui montrent l'intérêt du sujet traité).

Méthode ❯ p. 11

Sujet Du *GATT* à l'OMC, une même gouvernance économique ?

Consigne : Après avoir présenté les deux documents dans leur contexte,
vous montrerez l'évolution et les enjeux des négociations économiques internationales
entre 1973 et 1995.

Doc. 1 L'ouverture du round de négociation de Tokyo (1973).

L'univers économique d'aujourd'hui est marqué par le dérèglement du système monétaire […]. Et cette situation succède à une période de vingt années qui a permis la libération presque complète des échanges réalisée dans la sécurité monétaire. C'est le moment que choisissent quatre-vingts nations pour chercher les moyens de progresser ensemble dans la voie de la libéralisation. […]

Entre pays industrialisés, il convient de rechercher une réduction soigneusement équilibrée des protections. […] Je souhaite que, plus encore que dans les précédentes négociations, un traitement particulier soit consenti aux pays en voie de développement […] « une justice déséquilibrée ». Dans les différents domaines des négociations, et spécialement pour ce qui touche aux produits agricoles et aux matières premières, les intérêts à l'exportation des pays en voie de développement devront être pris en compte. […]

Sans poser de préalable monétaire à l'ouverture des négociations, la France considère que leur poursuite et leur aboutissement doivent être soumis à deux conditions. La première est une volonté commune des participants de maintenir les fluctuations monétaires dans des marges précises […]. La seconde, est que le progrès des négociations commerciales aille de pair avec celui des négociations engagées ailleurs pour l'établissement d'un nouvel ordre monétaire, durable et équitable, fondé sur des parités fixes mais ajustables, et sur la convertibilité générale des monnaies. Notre position doit être connue sans équivoque sur ce point.

Valéry Giscard d'Estaing, ministre français de l'Économie et des Finances, allocution lors de la séance d'ouverture du Tokyo Round du *GATT*, Tokyo, 12 septembre 1973.

Doc. 2 La déclaration de Marrakech annonçant l'OMC (1994).

Les ministres affirment que l'établissement de l'Organisation Mondiale du Commerce (OMC) marque l'avènement d'une ère nouvelle de coopération économique mondiale, répondant au désir généralisé d'opérer dans un système commercial multilatéral plus juste et plus ouvert […]. Ils considèrent que la libéralisation des échanges et les règles renforcées mises en place dans le cadre du Cycle d'Uruguay conduiront à un environnement commercial mondial de plus en plus ouvert. […]

Les ministres confirment leur résolution d'œuvrer en faveur d'une plus grande cohérence, au niveau mondial, des politiques menées dans les domaines commercial, monétaire et financier, […] entre l'OMC, le FMI et la Banque mondiale.

Les ministres se félicitent du fait […] que les pays en développement y ont joué un rôle remarquablement actif. C'est là une étape historique sur la voie d'un partenariat commercial global plus équilibré et intégré. Les ministres notent que, pendant la période au cours de laquelle ces négociations se sont déroulées, d'importantes mesures de réforme économique et de libéralisation autonome du commerce ont été mises en œuvre dans de nombreux pays en développement et pays ayant eu une économie planifiée.

Les ministres rappellent que les résultats des négociations comprennent des dispositions accordant un traitement différencié et plus favorable aux économies en développement, y compris une attention spéciale à la situation particulière des pays les moins avancés.

Déclaration de Marrakech adoptée par les représentants de 124 pays et de la CEE lors des négociations dites « de l'Uruguay », 15 avril 1994.

Panneaux exposés en Provence, janvier 1993.

1. Lire le sujet et mobiliser ses connaissances

Conseil

*Utilisez votre brouillon.
Notez les grandes
idées et organisez-les.*

Qu'est-ce que le *GATT* ? Et l'OMC ?

• **À propos du doc. 1** : rappelez d'où vient le *GATT*, sa place dans le système de Bretton Woods,
ses objectifs initiaux.
• **À propos du doc. 2** : rappelez le contexte dans lequel l'OMC est créée : la fin de l'URSS,
l'ouverture de nouveaux marchés, l'essor chinois, etc.

Quel rôle les institutions internationales jouent-elles dans la régulation du commerce mondial ?

• Comment fonctionne le *GATT* ? et les autres institutions internationales ?
• Qu'a modifié la fin de la convertibilité du dollar en or pour le commerce mondial ?
Et les chocs pétroliers ?

Quelles critiques ces institutions internationales rencontrent-elles ?

• Les institutions internationales peuvent-elles imposer à un pays un traitement particulier ?
Est-ce légitime ? Pourquoi ?

2. Confronter les documents à ses connaissances

Conseil

*Attention à bien
respecter
la chronologie.*

La fin de la stabilité de Bretton Woods

• Pourquoi le doc. 1 parle-t-il d'un « dérèglement du système monétaire » ?
D'où vient ce « dérèglement » ?
• Qui veut libéraliser ? Qui veut des protections ? Pourquoi ?

La place des pays en voie de développement

• Pourquoi V. Giscard d'Estaing veut-il un « traitement particulier » pour ces pays ?
Quel est l'intérêt de la France après la décolonisation de son Empire ?
Cette place particulière a-t-elle évolué lors des accords de Marrakech ? Pourquoi ?

Quelle gouvernance mondiale ?

• Quelle est l'importance de la stabilité monétaire dans les négociations de Tokyo ? Pourquoi ?
Pourquoi harmoniser les politiques des institutions internationales, comme le propose le doc. 2 ?

3. Répondre à la consigne

Conseil

*Écrivez proprement,
les correcteurs
y sont sensibles.*

En introduction, vous devez notamment...

• Rappeler quelles sont ces institutions, et le contexte de leur création.
• Énoncer une problématique claire.

Dans un développement structuré en paragraphes, il serait bon d'expliquer...

• Comment sont négociés les accords commerciaux internationaux ? entre qui ?
les principes généraux ont-ils changé ?
• Quelle est l'attention réservée aux pays en développement ? Quel est le rôle du FMI ?
• Quelles sont les divergences d'intentions entre les auteurs ? Comment les expliquer ?

En conclusion, il faut...

• Répondre à la problématique sans répéter votre argumentation.
• Montrer l'intérêt du sujet en expliquant en une phrase pourquoi il est toujours d'actualité.

Biographies

Konrad Adenauer (1876-1967) Maire de Cologne destitué pour son opposition au nazisme, emprisonné en 1934 et en 1944, il fonde en 1945 la CDU, le parti démocrate-chrétien allemand. Il est chancelier de la République fédérale de 1949 à 1963. Partisan d'une forte intégration de la RFA dans le bloc de l'Ouest, il insère son pays dans tous les projets européens depuis 1949 et le fait entrer dans l'OTAN en 1955. En 1963, sa signature au bas du traité de l'Élysée fait de l'Allemagne un moteur de la construction européenne.

Yasser Arafat (1929-2004) Né au Caire, Arafat est proche des thèses du nationalisme arabe de Nasser. En 1969, il prend la tête de l'OLP avec son parti, le Fatah, et combat Israël par le terrorisme. En 1974, l'ONU reconnaît l'OLP comme représentant des Palestiniens. En 1988, contre le Hamas, il reconnaît le droit à l'existence d'Israël. Signataire des accords d'Oslo en 1993, il reçoit avec Rabin le prix Nobel de la paix (1994). Élu en 1996 à la tête de l'Autorité palestinienne, il est confronté à la radicalisation de la population mécontente de sa politique.

Klaus Barbie (1913-1991) Officier SS, il devient en 1943 chef de la Gestapo de la région lyonnaise. Surnommé le « boucher de Lyon », il fait arrêter de nombreux Juifs et résistants qu'il torture longuement. Réfugié en Bolivie, il est extradé vers la France en 1983, jugé et condamné en 1987 pour crimes contre l'humanité.

David Ben Gourion (1886-1973) Né en Pologne, parti en Palestine en 1906, il s'impose comme l'un des premiers leaders du mouvement sioniste. À la tête de l'Organisation sioniste mondiale en 1935, il mène les négociations en vue d'obtenir la création d'un État juif. Le 14 mai 1948, il proclame l'indépendance de l'État d'Israël dont il devient le Premier ministre et ministre de la Défense. En 1963, il se retire dans son kibboutz, incarnant le modèle du pionnier juif.

Hubert Beuve-Méry (1902-1989) Correspondant du *Temps* à Prague avant 1939, élève de l'école des cadres de Vichy puis résistant, il est appelé en 1944 par de Gaulle pour fonder un nouveau quotidien de référence. Le 19 décembre 1944 le premier numéro du *Monde* sort sous sa direction avec une partie de la rédaction du *Temps* et nombre de journalistes et chroniqueurs résistants. De 1944 à 1969, il fait du *Monde* un journal de réputation internationale, modéré dans ses opinions que l'éditorial révèle et qu'il signe sous le pseudonyme de Sirius.

Otto von Bismarck (1815-1898) De vieille famille prussienne, il défend la petite noblesse au Parlement, devient ambassadeur en Russie et en France, puis ministre-président du roi Guillaume Ier de Prusse. Artisan de la victoire contre l'Autriche (1866) et la France (1870), il organise l'unification de l'Allemagne autour de la Prusse en 1871. Chancelier de la nouvelle Allemagne, il organise la Constitution, met en place l'unité militaire, monétaire et législative du nouvel Empire, et crée des lois sociales pour lutter contre l'influence marxiste (1883-1889).

Marc Bloch (1886-1944) Historien spécialiste du Moyen Âge, professeur à l'Université de Strasbourg puis à la Sorbonne, co-fondateur de la revue *Annales*, qui a transformé la manière de faire de l'Histoire. Ancien combattant de la Grande Guerre, il est mobilisé en 1939 et assiste à la défaite. Il est un des chefs de la résistance en région lyonnaise, avant d'être arrêté, torturé et fusillé par la Gestapo, le 16 juin 1944.

Jacques Pâris de Bollardière (1907-1986) Résistant à Londres dès juin 1940, Compagnon de la Libération, il est général en Algérie en 1956. En 1957, pour défendre le journaliste Jean-Jacques Servan-Schreiber, directeur de *L'Express*, il condamne à son tour l'usage de la torture, et est mis aux arrêts. Opposé à l'OAS mais aussi à de Gaulle, il démissionne de l'armée en 1963. Militant dans des mouvements non-violents, chrétien engagé, il refuse d'être réintégré dans l'armée en 1982.

René Bousquet (1909-1993) Secrétaire général de la police de Vichy, il met en place la collaboration de la police française dans le fichage, l'arrestation et la déportation des Juifs de France. Condamné à l'indignité nationale en 1949, il voit sa peine commuée pour faits de résistance. Inculpé en 1991 pour crime contre l'humanité, il est assassiné peu avant son procès.

Willy Brandt (1913-1992) Jeune militant socialiste, il choisit dès 1933 de fuir l'Allemagne nazie. Membre actif du SPD, il est élu bourgmestre (maire) de Berlin en 1957. Président du parti à partir de 1966, il devient chancelier en 1969, et entreprend de normaliser les relations entre la RFA et les pays d'Europe de l'Est, en particulier la RDA, dans le cadre de l'*Ostpolitik*. Il obtient en 1971 le prix Nobel de la paix.

Robert Brasillach (1909-1945) Écrivain et journaliste français, partisan d'un fascisme à la française, chantre de la collaboration avec l'Allemagne, directeur de l'hebdomadaire antisémite *Je suis partout*, il publie des écrits d'une grande violence contre la République et contre les Juifs. Son talent littéraire lui vaut d'être défendu en 1945, lors de son procès, par un certain nombre de résistants. Il est condamné à mort, et Charles de Gaulle refuse sa grâce, considérant dans ses *Mémoires de guerre* que « le talent est un titre de responsabilité ».

Bertolt Brecht (1898-1956) Poète et auteur dramatique allemand, marxiste, il fuit le nazisme et quitte l'Allemagne dès l'arrivée d'Hitler au pouvoir. De retour d'exil en 1948, il fonde à Berlin-Est une troupe de théâtre, le *Berliner Ensemble*, et promeut l'avènement d'un État socialiste dans l'espoir d'un monde meilleur. Devenu une figure officielle du régime, autorisé à voyager dans le monde entier, il critique le gouvernement de RDA, notamment après la révolte de Berlin-Est.

George W. Bush (né en 1946) Après une carrière dans l'industrie pétrolière familiale, G. W. Bush entre dans l'équipe électorale de son père, le républicain George Bush, élu président en 1988. Élu gouverneur du Texas en 1994, il devient à son tour président en 2000 et est réélu en 2004. Suite au 11 septembre 2001, il fait de la guerre contre le terrorisme sa priorité et engage son pays en Afghanistan en 2001 puis en Irak, en 2003.

Winston Churchill (1874-1965) Homme politique britannique, Premier ministre du Royaume-Uni de 1940 à 1945, il organise la défense du pays contre l'Allemagne nazie, aide les mouvements de résistance, notamment française, et renforce l'alliance avec les États-Unis par la Charte de l'Atlantique. Anticommuniste, il dénonce le rideau de fer lors d'un discours à Fulton (États-Unis) en mars 1946, pousse à l'unité européenne à Zürich (septembre 1946) et au congrès de La Haye (mai 1948). Il reçoit en 1953 le prix Nobel de littérature.

Bill Clinton (né en 1946) Gouverneur démocrate de l'Arkansas (1978-1980 puis 1982-1992), Bill Clinton devient le 52e président des États-Unis en 1992. À ce poste qu'il occupe 8 ans, il remporte de nombreux succès diplomatiques, parvenant notamment à parrainer un accord entre Israéliens et Palestiniens en 1993 et à apaiser le conflit yougoslave avec les accords de Dayton. La fin de sa présidence est entachée par sa liaison avec une stagiaire de la Maison-Blanche. Il échappe alors de peu à une procédure de destitution (*Impeachment*).

Charles Darwin (1809-1882) Ce géologue et naturaliste britannique élabore deux théories qui transforment les sciences. La théorie de l'évolution énonce l'idée que les espèces, dont l'espèce humaine, naissent et disparaissent pour des raisons biologiques et physiques. La sélection naturelle stipule que seules les espèces adaptées aux modifications du milieu survivent. Ces deux théories sont combattues par les fondamentalistes chrétiens créationnistes, partisans d'une lecture littérale de la Bible, donc immuable, selon laquelle Dieu a créé l'homme à son image.

Léon Daudet (1867-1942) Écrivain, journaliste et homme politique français, membre fondateur en 1908 du quotidien d'extrême droite *L'Action française*, il incarne la figure du journaliste nationaliste et antisémite. En 1934, il qualifie les élus concernés par l'affaire Stavisky de « stavisqueux », et n'a de cesse de lutter contre le régime parlementaire. Il se félicite de l'arrivée de Pétain au pouvoir en 1940, mais, nationaliste, condamne l'occupation allemande.

Michel Debré (1912-1996) Docteur en droit, auditeur au Conseil d'État, il entre dans la Résistance en 1943. En reprenant une idée du socialiste Jean Zay émise en 1936, il crée en 1945 l'École Nationale d'Administration. En 1958, il dirige la rédaction de la Constitution de la Ve République. Premier ministre de 1959 à 1962, il démissionne en opposition à l'indépendance algérienne. Successivement ministre de l'Économie, des Affaires étrangères, de la Défense, il défend, après la présidence de Charles de Gaulle, les idées gaullistes.

Jacques Delors (né en 1925) Haut fonctionnaire français, socialiste, député européen, ministre des Finances entre 1981 et 1984, il est président de la Commission européenne de 1985 à 1995. Il participe à l'élaboration de l'Acte unique et du traité de Maastricht et joue un rôle majeur dans l'idée de monnaie unique. Partisan du réalisme en économie, il met en place les structures qui permettent aux pays du bloc de l'Est de se préparer à intégrer l'Union européenne.

Paul Delouvrier (1914-1995) L'un des hauts fonctionnaires les plus importants de la IVe et de la Ve République. Dans les années 1950, il participe à l'élaboration du plan et à la mise en œuvre du traité de Rome, qui crée la Communauté européenne. Dans les années 1960, il est délégué général au district de la région de Paris, puis préfet de la région parisienne. Il devient ainsi responsable de l'aménagement de la région et notamment, de la création des cinq villes nouvelles. Dans les années 1970, comme président d'EDF, il développe les programmes nucléaires dans toute la France.

Albert Einstein (1879-1955) Physicien allemand, suisse, puis américain, prix Nobel de physique en 1921, il est à l'origine de la théorie de la relativité générale, et bouleverse en 1915 toute l'histoire des sciences du XXe siècle. Pacifiste et juif, il quitte l'Allemagne au moment des premières persécutions antisémites. En 1939, il avertit le président Roosevelt des recherches que font les nazis sur une bombe très puissante, et se trouve ainsi à l'origine du projet Manhattan de construction de la bombe atomique. Il lutte en vain pour un contrôle international de la bombe atomique.

Dwight D. Eisenhower (1890-1969) Ancien commandant en chef des forces alliées en Europe en 1944-1945, républicain, président des États-Unis de 1952 à 1960, Eisenhower est élevé dans une famille de témoins de Jéhovah et baptisé dans le culte protestant presbytérien. Dès son entrée en fonction en 1952, il fait rajouter la mention « *under God* » (« sous le regard de Dieu ») dans le serment d'allégeance. Sa politique intérieure est en partie tournée vers la lutte contre l'influence communiste, et sa politique étrangère entièrement orientée vers la lutte contre l'URSS.

Zhou En-Lai (1898-1976) Issu d'une famille aisée, lettré, il passe par le Guomindang avant de devenir à partir de 1927 un des principaux dirigeants du Parti communiste, et un proche de Mao. Premier ministre à partir de 1949, responsable des affaires étrangères, il est un des grands acteurs de la conférence de Bandung (1955). Partisan d'une politique réaliste, il prend ses distances avec la Révolution culturelle et est l'initiateur de la modernisation de la Chine, que met en œuvre Deng Xiaoping après sa mort.

Charles de Gaulle (1890-1970) Chef de la France libre (1940-1944), président de la République française entre 1958 et 1969, Charles de Gaulle est partisan d'une France indépendante et puissante. Il s'oppose à la IVe République qu'il considère prisonnière des partis politiques. De retour à la tête du gouvernement en 1958, il fonde la Ve République qui fait du président, élu pour la première fois au suffrage universel en 1965, la « clé de voûte » des institutions. Il accompagne la décolonisation de l'Afrique noire française, met fin à la guerre d'Algérie, et dote la France d'une industrie forte et de l'arme nucléaire.

Valéry Giscard d'Estaing (né en 1926) Centriste, proche de la démocratie-chrétienne, il est ministre des Finances puis de l'Économie et des Finances, de 1962 à son élection comme président de la République française en 1974. Confronté aux crises pétrolières et à la montée du chômage, il est battu en 1981 par F. Mitterrand. Favorable à une accélération de la construction européenne, il a dirigé la Convention qui a écrit le traité constitutionnel européen, rejeté par la France et les Pays-Bas en 2005.

Calouste Gulbenkian (1869-1965) Diplomate et financier d'origine arménienne, il sert d'intermédiaire à l'Empire ottoman lors de la constitution de la Turkish Petroleum Company (TPC) en 1912. Il en achète 5 % des parts et touche 5 % des bénéfices. En 1927, « Monsieur 5 % » est le partenaire du Royaume-Uni dans la création de l'Irak Petroleum Company. Il devient l'un des hommes les plus riches du monde. En négociant avec le gouvernement soviétique, à court d'argent, l'achat d'un grand nombre d'œuvres d'art, il devient un des plus grands collectionneurs d'art du monde.

Georges-Eugène Haussmann (1809-1891) Préfet de la Seine pendant tout le Second Empire, il met en œuvre le vaste plan de modernisation voulu par Napoléon III. Élargissement et alignement de larges avenues, élévation d'immeubles de prestige ou de rapport le long de tous les axes nouveaux, création d'un vaste système d'égouts, d'adduction d'eau et de gaz, monuments majeurs comme l'opéra Garnier, gares, parcs et jardins publics, annexion de villages limitrophes : malgré le très important coût financier et humain des travaux, Haussmann a totalement modifié le paysage parisien.

Robert Hersant (1920-1996) Homme politique et éditeur de presse français, il rachète plusieurs journaux à partir des années 1950 et fonde un groupe de presse Hersant dont *Le Figaro* est le fleuron. « Le papivore », à la tête d'un véritable empire de 70 titres de journaux dans les années 1980, mène en parallèle une carrière politique sous les couleurs de la droite. En 1987, il devient l'opérateur principal de la chaîne de télévision La Cinq, mais cette entreprise vire à l'échec. N'ayant pas su aborder le virage des nouveaux médias, le groupe Hersant disparaît avec son fondateur.

Saddam Hussein (1937-2006) Sunnite, membre du parti Baas, de tendance laïque et socialiste, il vit en exil de 1959 à 1963 après l'échec d'un complot politique. Il revient après la révolution et gravit les marches du pouvoir avant de devenir président en 1979. Il mène une politique nationaliste et expansionniste – guerre contre l'Iran, 1980-1988, invasion du Koweït, août 1990 – qui lui vaut une condamnation internationale. Il est renversé en 2003, capturé par les troupes américaines avant d'être jugé par un tribunal irakien à partir de 2005. Il est pendu le 30 décembre 2006.

Jean Jaurès (1859-1914) Chef du mouvement socialiste français lors de l'Affaire Dreyfus. Il fonde le journal *L'Humanité* en 1904 et la SFIO en 1905. Pacifiste, il est assassiné à la veille de la Grande Guerre.

Mustafa Kemal Atatürk (1881-1938) Chef du mouvement nationaliste Jeunes-Turcs, le général Mustafa Kemal dépose le sultan en 1922 et proclame en 1923 la République turque. Influencé par la Révolution française et les idées républicaines, il instaure la laïcité, impose l'alphabet latin, accorde le droit de vote aux femmes et déplace la capitale d'Istanbul à Ankara. Dirigeant autoritaire, il supprime le multipartisme en 1925. Considéré comme le père de l'indépendance turque, il prend en 1934 le surnom d'Atatürk (« Turc-Père »).

John Fitzgerald Kennedy (1917-1963) Catholique, élu sénateur démocrate du Massachussetts en 1952, J. F. Kennedy est élu à la présidence en 1960. À ce poste, il approfondit les liens entre les États-Unis et l'Amérique latine en proposant en 1961 l'Alliance pour le progrès. En 1962, il parvient à faire reculer les Soviétiques lors de la crise de Cuba. Il meurt assassiné à Dallas le 22 novembre 1963 dans des circonstances qui demeurent mystérieuses.

John M. Keynes (1883-1946) Économiste, conseiller du gouvernement britannique, il dénonce dans un livre *Les Conséquences économiques de la paix* (1919) qui écrasent l'Allemagne après le traité de Versailles. En 1936, dans *La Théorie générale de l'emploi, de l'intérêt et de la monnaie*, il prône une intervention accrue de l'État dans l'économie. À Bretton Woods, il propose un système économique fondé sur la création d'une monnaie mondiale, le bancor, détaché de l'or et de toute domination nationale.

Rouhollah Khomeiny (1900-1989) Après avoir étudié et enseigné la théologie à Qom (Iran), il devient un des principaux opposants au régime du shah. Arrêté en 1963, exilé en Irak, en Turquie puis en France, il lance en 1978 un appel à la révolution en Iran. En 1979, il est porté au pouvoir après le départ du shah. Guide suprême de la Révolution, il instaure un régime autoritaire, fondé sur une application rigoureuse de l'islam chiite. Il conduit la guerre contre l'Irak (1980-1988) et soutient les mouvements islamistes au Moyen-Orient.

Helmut Kohl (né en 1930) Démocrate-chrétien, membre de la CDU, il est chancelier de la RFA de 1982 à 1998. Entretenant des liens d'amitié personnelle avec François Mitterrand, il poursuit l'alliance pro-européenne avec la France. Partisan de la réunification, il met en place les conditions nécessaires à l'absorption de la RDA dans la RFA le 3 octobre 1990, moins d'un an après la chute du mur de Berlin. Confronté aux difficultés économiques et sociales de la réunification, il cède sa place au SPD.

Biographies

Claude Lanzmann (né en 1925) Résistant durant la guerre, devenu professeur de philosophie puis journaliste, écrivain et cinéaste, il collabore avec Jean-Paul Sartre et Simone de Beauvoir à la revue *Les Temps Modernes*. En 1985, il réalise un documentaire, *Shoah*, composé de témoignages de survivants des camps, mais aussi de bourreaux et de témoins de l'extermination, sans recours aux documents d'archives.

Pierre Laroque (1907-1997) Auditeur au Conseil d'État, il participe à l'action de la France libre. Créateur du premier plan de protection sociale en 1944, il est directeur général de la Sécurité sociale et met en place les ordonnances de 1945-1946 qu'il contribue à écrire. Président de la Caisse nationale de Sécurité sociale entre 1953 et 1967, il met en garde contre les problèmes de vieillissement de la population. Professeur à l'Institut d'Études Politiques de Paris et à l'ENA, il forme des générations de spécialistes de l'administration sociale.

Ferdinand Lassalle (1825-1864) Théoricien et homme politique allemand, il fonde en 1863 le premier mouvement socialiste européen, l'Association générale des travailleurs allemands. Proche de Marx, il refuse néanmoins d'accepter l'expropriation des moyens de production du capital par les prolétaires, et s'engage dans une approche réformiste du socialisme. Ses idées influencent la création du SPD et le mouvement réformiste allemand.

Thomas Edward Lawrence, dit Lawrence d'Arabie (1888-1935) Archéologue britannique, il est chargé en 1916 par le Foreign Office d'obtenir le soutien des Arabes dans la lutte contre l'Empire ottoman. Il prend part à la révolte conduite par le chérif de la Mecque Hussein et son fils Faysal, qui cherchent à créer un État arabe de la Syrie au Yémen. Partisan du nationalisme arabe, il doit se résoudre à la politique des mandats.

Alexandre Lenoir (1761-1839) Archéologue, conservateur, il évite la dispersion des biens royaux en les faisant regrouper à Paris. En 1793, malgré la frénésie révolutionnaire, il sauve une partie des tombeaux royaux de la nécropole royale de Saint-Denis. En ouvrant en 1795 le musée des Monuments français dans un ancien couvent, devenu depuis l'École des Beaux-Arts, il veut préserver et montrer les richesses de l'art et de l'architecture de la France. Il est considéré comme l'un des pères de la protection des Monuments historiques.

Karl Liebknecht (1871-1919) Avocat, député SPD au Reichstag en 1912, fils du principal opposant à Bismarck Wilhelm Liebknecht, il s'engage résolument contre l'entrée en guerre de l'Allemagne en 1914, comme Jean Jaurès en France au même moment. Emprisonné de 1916 à 1918, il fonde le KPD en décembre 1918 avec Rosa Luxemburg et mène l'insurrection révolutionnaire contre la République de Weimar, en prenant modèle sur la révolution d'octobre 1917 menée par Lénine. Arrêté le 15 janvier 1919, il est exécuté sans délai. Sa mort est un des éléments d'opposition violente entre le SPD et le KPD jusqu'à l'avènement du nazisme.

Martin Luther King (1929-1968) Pasteur baptiste, Martin Luther King s'engage dans la lutte contre la ségrégation raciale au début des années 1950. Après le succès du boycott des bus de Montgomery, il organise le mouvement des droits civiques en un mouvement populaire. Après la fin de la ségrégation scolaire en 1954, l'appui du président Kennedy à son mouvement et la marche sur Washington d'août 1963, toute forme de discrimination est abolie en juillet 1964. Le prix Nobel de la paix vient couronner ce combat la même année. En s'engageant contre la guerre du Vietnam, il est assassiné à Memphis en 1968 par un ségrégationniste.

Rosa Luxemburg (1871-1919) Née en Pologne alors sous domination russe, cette militante socialiste est contrainte à l'exil et devient une figure de la social-démocratie allemande. Selon elle, les lois sociales ne peuvent changer que superficiellement la société : c'est aux travailleurs de s'emparer du pouvoir. Cette théoricienne de la révolution lutte contre la guerre dès 1914 et fonde avec Karl Liebknecht, en prison, la Ligue spartakiste. Libérée en 1918, elle rédige le programme du KPD. Elle est exécutée le 15 janvier 1919.

André Malraux (1901-1976) Écrivain, intellectuel engagé aux côtés des Républicains dans la guerre d'Espagne, résistant auprès de la France libre, il dirige entre 1959 et 1969 le nouveau ministère des Affaires culturelles. Il crée les Maisons des Arts et de la Culture, installe les Directions régionales des Affaires culturelles, développe les prêts aux musées étrangers, invente le système des avances sur recettes pour financer le cinéma, sauve le château

de Versailles de l'abandon et classe une partie de Paris au Patrimoine pour éviter sa bétonisation (loi Malraux de 1962).

Karl Marx (1818-1883) Économiste et philosophe allemand, Karl Marx pense que le prolétariat peut s'emparer du pouvoir par la révolution et remplacer le capitalisme par le socialisme. Le socialisme est la première étape vers le communisme, un système idéal dans lequel à chacun est redistribué en fonction de ses besoins. Cette lutte des classes est pour lui le moteur de l'histoire. Après l'échec de la Première Internationale créée par Marx en 1864, Friedrich Engels fait naître en 1889 la Deuxième Internationale, qui regroupe mouvements politiques et syndicats européens proches des idées marxistes.

Jacques Massu (1908-2002) Compagnon de la Libération, Jacques Massu combat dans la 2e DB de Leclerc, puis en Indochine. Il se voit confier pendant la guerre d'Algérie la « pacification » d'Alger. Démis de ses fonctions par le président allemands pour ses critiques sur la politique algérienne, il reconnaît en 2000 avoir permis l'utilisation de la torture.

Prosper Mérimée (1803-1870) Historien, archéologue et écrivain, Mérimée est nommé en 1834 Inspecteur général des Monuments historiques par le Premier ministre de Louis-Philippe Ier, F. Guizot. Par ses inspections à travers toute la France, on lui doit la sauvegarde de nombreux monuments du patrimoine, comme les basiliques du Puy-en-Velay et de Vézelay, le baptistère Saint-Jean de Poitiers, Notre-Dame de Paris ou la cité de Carcassonne.

François Mitterrand (1916-1996) Né dans une famille conservatrice, prisonnier de guerre en Allemagne, il s'évade fin 1941 et rejoint Vichy. Décoré de la francisque, il dirige pourtant dès juin 1942 un réseau de résistance sous le nom de Morland. Entré dans la clandestinité, il s'évade à l'été 1943 avec l'aide indirecte de René Bousquet. Membre du GPRF, puis de onze gouvernements de la IVe République, il devient dès 1958 le principal opposant de Charles de Gaulle et condamne la Ve République dans *Le Coup d'État permanent* (1964). Devenu secrétaire général du Parti socialiste, il met en place l'union de la gauche avec les radicaux et les communistes et devient président de la République de 1981 à 1995. S'il échoue à combattre le chômage, il maintient la France dans une politique européenne volontariste. Il fait évoluer la pratique des institutions en acceptant, en 1986 et en 1993, l'existence d'une cohabitation au sein de l'exécutif. Il engage résolument la France dans une politique européenne.

Jean Monnet (1888-1979) Négociant en cognac, anglophone, il est à 32 ans secrétaire général adjoint de la Société des Nations. Organisateur du *Victory Program* américain pendant la Seconde Guerre mondiale, il devient en France commissaire général au Plan de 1946 à 1952 : il est ainsi le principal organisateur de la reconstruction du pays. Inspirateur de la CECA (1950) et de la CEE (1957), il est un des fondateurs de la construction européenne.

Jean Moulin (1899-1943) Préfet en 1940, il refuse de se soumettre aux autorités allemandes, et gagne Londres en 1941. Chargé par de Gaulle d'unifier les différents mouvements de résistance, il forme le Conseil national de la Résistance en 1943. Arrêté par la Gestapo, il meurt des suites des tortures subies lors de son transfert en Allemagne, ordonnées par le SS Klaus Barbie. Ses cendres sont déposées au Panthéon en 1964.

Gamal Abdel Nasser (1918-1970) Ce militaire nationaliste égyptien rejoint en 1949 le mouvement clandestin des Officiers libres contre la présence anglaise, participe au renversement du roi Farouk (1952), et s'empare du pouvoir (1954). Le « raïs » s'affirme comme une des figures du Tiers-Monde lors des conférences des pays non-alignés à Bandung (1955) ou Belgrade (1961). Opposé à la France, au Royaume-Uni et à Israël lorsqu'il nationalise le canal de Suez, il se rapproche de l'URSS. Très populaire dans un monde arabe qu'il rêve d'unifier, il échoue à créer une République Arabe Unie avec la Syrie (1958-1961). Son successeur, Anouar el-Sadate, met fin au panarabisme officiel de l'Égypte.

Richard Nixon (1913-1994) Avocat républicain, sénateur puis vice-président d'Eisenhower, il est battu face à Kennedy en 1960 mais devient président des États-Unis en 1968. Dans une situation financière difficile, les États-Unis se désengagent alors progressivement du Vietnam. Face aux difficultés budgétaires, R. Nixon met fin en août 1971 au système de la convertibilité du dollar en or décidé à Bretton Woods. Réélu en 1972, il démissionne à la suite d'un scandale d'écoutes illégales de ses adversaires politiques, le Watergate.

Barack Obama (né en 1961) Ancien travailleur social à Chicago, devenu avocat à sa sortie de Harvard, membre du parti démocrate, Barack Obama est élu au Sénat des États-Unis en 2004. En 2008, il remporte les élections présidentielles devenant le premier Afro-américain à accéder à ce poste. Dans le domaine diplomatique, il rompt avec l'unilatéralisme de l'équipe Bush et entame le retrait des troupes américaines d'Irak et d'Afghanistan.

Maurice Papon (1910-2007) Haut fonctionnaire, secrétaire général de la préfecture de la Gironde entre 1942 et 1944, il se rapproche de la Résistance à la fin de la guerre. Préfet en Algérie, puis à Paris (1958-1967), il porte la responsabilité policière des manifestations du 17 octobre 1961 et du 8 février 1962. *Le Canard enchaîné* révèle en 1981 sa responsabilité dans la déportation des Juifs bordelais. Accusé de crimes contre l'humanité, il est condamné en 1998 à dix ans de prison et libéré en 2002 pour raisons de santé.

Philippe Pétain (1856-1951) Général considéré en France comme le vainqueur de Verdun, maréchal de France en 1918, Pétain est très populaire auprès des anciens combattants en 1940. Ministre de la Guerre puis ambassadeur dans les années 1930, il devient président du Conseil et demande la cessation des combats le 17 juin 1940. Chef du régime de Vichy après le 10 juillet 1940, il engage la France sur la voie de la collaboration avec l'Allemagne et de la « Révolution nationale ». Jugé en 1945, condamné à mort, sa peine est commuée en prison à vie par le général de Gaulle.

Alain Peyrefitte (1925-1999) Homme politique, diplomate et écrivain français. Élu député en 1958, il entre dans le gouvernement Pompidou en 1962. Il est en charge de l'Information, d'abord comme secrétaire d'État de 1962 à 1966. Porte-parole du président, considéré par l'opinion comme le « ministre de la censure », il tente d'œuvrer à la libéralisation de l'audiovisuel public malgré les réticences du général de Gaulle. Il est l'artisan de la création de l'ORTF en 1964.

Edgard Pisani (né en 1918) Résistant, plus jeune sous-préfet de la Libération, gaulliste de gauche, il est ministre de l'Agriculture (1959-1966), de l'Équipement puis du Logement (1966-1967). Il représente la France à la Commission de Bruxelles entre 1981 et 1983. Inventeur de la Politique Agricole Commune en 1962, il développe le productivisme à l'échelle européenne. Depuis les années 1980, il appelle à une réforme des institutions agricoles et à une réflexion sur l'usage des ressources à l'échelle mondiale.

Yitzhak Rabin (1922-1995) Le général Rabin participe aux guerres de 1948 et 1967. Député du parti travailliste, il devient Premier ministre (1974-1977), participe à de nombreux gouvernements et soutient la politique répressive vis-à-vis de l'OLP. Premier ministre en 1992, il négocie les accords d'Oslo et accepte en 1993 de reconnaître l'OLP comme représentant de la Palestine. Il signe en 1994 un accord de paix avec la Jordanie, et reçoit le prix Nobel avec Yasser Arafat et Shimon Pérès (ministre israélien des Affaires étrangères lors des accords d'Oslo). Il est assassiné le 4 novembre 1995 par un nationaliste extrémiste israélien.

Ronald Reagan (1911-2004) D'abord acteur de cinéma, Ronald Reagan entre en politique au moment du maccarthysme et s'affirme par son anticommunisme. Gouverneur républicain de Californie (1967-1975), il est élu président des États-Unis en 1980. Alors que les États-Unis sont encore sous le choc de la guerre du Vietnam, Reagan entraîne l'URSS dans une nouvelle course aux armements. Il accroît le libéralisme économique en favorisant la déréglementation internationale. Lors de son deuxième mandat, il opère un rapprochement avec l'URSS de M. Gorbatchev.

Franklin D. Roosevelt (1882-1945) Gouverneur démocrate de New York, Roosevelt est élu président des États-Unis en 1932, puis réélu plusieurs fois. Il met en œuvre un plan de grands travaux et d'aides sociales (*New Deal*) pour atténuer les effets de la crise de 1929. Après l'attaque de Pearl Harbor, il lance les États-Unis dans la Seconde Guerre mondiale, organise une industrie de guerre et lance la recherche atomique. Héritier politique de Wilson, il pose en 1945 les fondements d'un nouvel ordre mondial par la conférence de Bretton Woods et la création de l'ONU.

Anouar el-Sadate (1918-1981) Officier de l'armée égyptienne, compagnon de Nasser, il participe au renversement du roi Farouk en 1952. À la mort de Nasser, en 1970, il lui succède. En 1973, il engage son pays dans une guerre contre Israël. En se rendant en 1977 devant le Parlement israélien, il fait de l'Égypte le premier pays arabe à reconnaître l'existence d'Israël. En signant en 1978 les accords de Camp-David avec Israël, il ancre l'Égypte dans le camp occidental. Il est assassiné par des militaires proches des Frères musulmans en 1981, et remplacé par Hosni Moubarak.

Robert Schuman (1886-1963) Démocrate-chrétien, membre du MRP (centre-droit), il est une grande figure de la vie politique sous la IVe République. Ministre des Affaires étrangères en 1950, il propose à l'Allemagne la création de la Communauté Européenne du Charbon et de l'Acier (CECA) et crée le premier moteur de la construction européenne. Président du Mouvement européen, il devient en 1958 le président de l'Assemblée parlementaire européenne, futur Parlement européen.

Margaret Thatcher (née en 1925) Membre du parti conservateur, elle devient Premier ministre en 1979. Jusqu'en 1990, elle mène une politique très libérale et tournée vers l'alliance américaine. Hostile à une Europe fédérale et supranationale, elle obtient de la CEE des exceptions pour son pays. Partisan d'une Europe qui serait un espace de libre-échange économique, elle échoue à orienter dans ce sens la construction européenne.

Paul Touvier (1915-1996) Chef de la Milice de Lyon, condamné à mort pendant l'épuration, il réussit à prendre la fuite. Dans les années 1970, des victimes déposent plainte contre lui pour crimes contre l'humanité. Malgré l'aide de filières liées à l'Église catholique, il est arrêté en 1989. Après avoir bénéficié d'un non-lieu, il est rejugé en 1994 sur de nouvelles preuves, et condamné à la prison à vie.

Harry S. Truman (1884-1972) Vice-président de F. D. Roosevelt, il lui succède en juillet 1945 et décide d'utiliser, en août, la bombe atomique. En 1947, il engage les États-Unis dans une politique d'endiguement du communisme. Partisan de la fermeté à l'égard de l'URSS, il défend Berlin-Ouest lors du blocus de la ville en 1948-1949 et place les États-Unis à la tête des troupes de l'ONU lors de la guerre de Corée (1950-1953).

Pierre Vidal-Naquet (1930-2006) Historien spécialiste de l'Antiquité, résistant, Pierre Vidal-Naquet est un intellectuel engagé. Il est l'un des premiers à dénoncer l'usage de la torture pendant la guerre d'Algérie, après la disparition d'un jeune mathématicien, son ami Maurice Audin. Son livre *La Torture en République (1954-1962)*, publié en 1972, est la première grande étude sur les crimes de l'armée et de la police française. Il dénoncera ensuite avec vigueur le négationnisme de la Shoah.

Thomas Woodrow Wilson (1856-1924) Gouverneur démocrate du New-Jersey, Wilson est élu en 1912 à la présidence des États-Unis. À l'intérieur, il mène une politique de modernisation de l'État instituant notamment un impôt fédéral sur le revenu en 1913 et le vote des femmes en 1920. Réélu en 1916 sur le thème isolationniste « il nous a préservé de la guerre », il engage son pays dans la Première Guerre mondiale en avril 1917. Malgré la victoire, il achève sa présidence sur un échec en ne parvenant pas à convaincre le Congrès de ratifier le traité de Versailles et son projet de Société des Nations.

Deng Xiaoping (1904-1997) Ancien compagnon de route de Mao depuis les années 1930, il occupe des hauts postes dans les années 1950. Écarté du pouvoir pendant la « révolution culturelle », il revient sur le devant de la scène dans le sillage de Zhou En-Lai. Pragmatique, modernisateur, « le petit timonier » réintègre en 1977 les instances dirigeantes, élimine ses rivaux et devient le véritable dirigeant de la Chine jusqu'à sa mort en 1997.

Sun Yat-Sen (1866-1925) Médecin de formation, nourri d'influence occidentale, opposé à la dynastie mandchoue, il fonde le Guomindang en 1905 et devient en 1911 président de la République chinoise. Écarté du pouvoir dès 1912, il revient en Chine en 1917 après un exil au Japon, pour réunifier le pays aux mains des seigneurs de la guerre. Affaibli par la maladie, il laisse de plus en plus de pouvoir au général Tchang Kaï-Chek qui lui succède à sa mort. Surnommé le « père de la République chinoise », son héritage est revendiqué en Chine communiste comme à Taïwan.

Mao Zedong (1893-1976) Instituteur, fils de paysans aisés, il est en 1921 un des fondateurs du Parti communiste chinois dont il prend progressivement le contrôle. Après la rupture avec le Guomindang dans les années 1920, il s'implante dans les zones rurales. La Longue Marche et la guerre contre le Japon accroissent sa popularité. Il proclame en 1949 la République populaire de Chine après la fuite des nationalistes à Taïwan, et conserve le pouvoir jusqu'en 1976. Les purges et l'échec du Grand Bond en avant et de la Révolution culturelle n'empêchent pas le développement d'un fort culte de la personnalité, en Chine comme en Occident, autour du « Grand Timonier ».

Lexique

A

Affirmative action : « Discrimination positive ». Ensemble de règles instituées à partir des années 1960 pour favoriser l'intégration des minorités dans les écoles, les universités et les entreprises.

Altermondialisme : Mouvement politique et économique, situé à gauche, organisé à l'échelle mondiale, qui cherche à modifier les règles du commerce mondial.

Alternance : Changement de majorité politique à la suite d'une élection présidentielle ou législative.

Antiaméricanisme : Attitude de rejet du modèle américain.

Antimondialisme : Mouvement politique et social, fondé sur l'anticapitalisme, qui conteste la mondialisation.

Approfondissement : Augmentation du nombre et de l'intensité des politiques menées par plusieurs États.

Atlantisme : Alliance militaire et de coopération économique et politique entre les États-Unis et l'Europe de l'Ouest dans le contexte de la Guerre froide.

Audimat : Mesure de l'audience d'une émission télévisée. Elle est calculée depuis 1981 à partir d'un panel de foyers dont le téléviseur est équipé d'un boîtier enregistrant les changements de chaînes.

Ayatollah : Membre le plus élevé du clergé chiite musulman.

B

Balance des paiements : Compte retraçant l'ensemble des opérations économiques entre un pays et l'extérieur.

Bipolarisation : Division de la vie politique en deux grands ensembles de partis politiques, la gauche et la droite.

BIRD : Banque Internationale pour la Reconstruction et le Développement. Proposée à Bretton Woods, créée en 1945, cette institution internationale de la Banque mondiale finance et conseille les États en difficulté économique. Elle siège à Washington.

Blogosphère : Ensemble des sites personnels agissant les uns sur les autres par des renvois (liens hypertextes).

Born-again : Nom donné aux évangélistes revenus à une pratique rigoriste par une conversion personnelle.

Bourrage de crâne : Expression véhiculée par les Poilus pour qualifier le décalage entre les discours lus dans les médias et la réalité vécue sur le front.

C

Califat : Territoire placé sous l'autorité d'un calife, qui est à la fois chef politique et chef spirituel comme successeur du Prophète.

Cartel : Entente des principales entreprises d'un secteur économique pour gérer la production et s'assurer la constance des prix.

CECA : Communauté Européenne du Charbon et de l'Acier, créée en 1951. Elle met en commun la production de charbon et d'acier des pays membres.

Coexistence pacifique : Doctrine de la politique extérieure soviétique qui consiste à entretenir des relations pacifiées avec le bloc de l'Ouest.

Cohabitation : Coexistence d'un président et d'une majorité parlementaire de bords politiques opposés. En conséquence, l'exécutif est partagé entre un président et un gouvernement qui s'opposent.

Concession : Enclave territoriale d'une ville chinoise dans laquelle la population, les impôts, la justice, la police et l'armée sont gérées par un État étranger.

Cogestion : Système de négociation permanent entre direction, encadrement et salariés d'une entreprise, par l'égalité de représentation dans les instances de direction.

Collaborateurs : Les Français qui participent activement au régime de Vichy ou à l'administration française en zone Nord.

Collaborationniste : Néologisme créé par l'historien Jean-Pierre Azéma pour désigner les politiques, militaires et intellectuels qui prônent l'instauration d'un régime fasciste ou nazi en France, et qui sont favorables à la victoire de l'Allemagne.

Containment : En français, endiguement. Politique officielle des États-Unis à partir de 1947 pour faire barrage au communisme.

Corps francs : Unités armées de combattants formées pour lutter contre les communistes. Les Sections d'Assaut du parti nazi en sont issues.

Crime contre l'humanité : Depuis le procès de Nuremberg, ce terme qualifie les actions mortelles planifiées et réalisées contre des populations civiles, selon un plan concerté. Depuis 1964 en France, ces crimes sont imprescriptibles.

D

Décentralisation : Mécanisme par lequel l'État donne à des collectivités (région, département, commune), sur leur territoire, les moyens légaux et financiers de gouverner à sa place.

Décolonisation : Processus par lequel un territoire colonisé, soumis à l'autorité d'une métropole, accède à l'indépendance.

Déréglementation : Politique économique libérale visant à réduire le rôle de l'État dans l'activité économique et à abolir les règles qui contrôlent les marchés.

Dévaluation : Décision d'un État de baisser la valeur de sa monnaie par rapport aux autres monnaies.

Djihad : Combat que le musulman doit livrer contre lui-même. Par extension, combat que livrent les musulmans pour étendre l'islam.

Doctrine Monroe : Principe de politique étrangère énoncé en 1823 par le président Monroe selon lequel le continent américain est sous la protection des États-Unis contre un retour de l'influence européenne.

E

Enlargement : Doctrine énoncée par le président Clinton qui consiste à promouvoir dans le monde l'économie de marché, la démocratie et le respect des droits de l'homme.

Épuration : Mise à l'écart des collaborateurs du régime de Vichy et de l'Allemagne nazie en France. Organisée par les tribunaux, elle est légale. Spontanée et aux jugements expéditifs, elle est sauvage.

Eretz Israël : Nom donné, dans la tradition juive, à la terre d'Israël. Le terme est utilisé après 1967 pour qualifier l'extension maximale voulue par les nationalistes israéliens.

Étalon monétaire : Instrument de mesure de la valeur de la monnaie, fixée sur le rapport entre la valeur de l'or et une monnaie, ou de plusieurs monnaies entre elles.

État-providence : Régulation par l'État des inégalités par prélèvement et redistribution des richesses auprès de la population.

Euroscepticisme : Mouvement d'opinion critique vis-à-vis du principe ou du fonctionnement des institutions européennes.

Évangélisme : Mouvement protestant fondé sur l'idée de la nécessité de la conversion individuelle et la conviction de l'exactitude littérale du texte biblique.

F

Fatwa : Condamnation religieuse prononcée par une autorité musulmane.

Fédéralisme : Système politique dans lequel des États délèguent à une autorité supérieure le pouvoir de décider des lois.

FLN : Front de Libération National algérien. Mouvement politique et militaire fondé en novembre 1954 pour obtenir l'indépendance algérienne. Devenu parti politique en 1962, il est de fait parti unique de 1965 à 1991.

FMI : Fonds Monétaire International. Proposé à Bretton Woods, créée en 1945, cette institution internationale conseille et surveille les États en difficulté financière. Elle siège à Washington.

Fondamentalisme : Doctrine qui prône une lecture littérale de la Bible, notamment de la Genèse.

Fuite des cerveaux (*Brain drain*) : Capacité d'une puissance à attirer les meilleurs chercheurs d'autres États par des conditions financières, techniques et scientifiques supérieures.

G

GATT : *General Agreement on Tariffs and Trade* (« accord général sur les tarifs douaniers et le commerce »). Créée en 1947, remplacée en 1995 par l'OMC, cette institution internationale organise les négociations commerciales entre ses États membres. Elle siège à Genève.

Gégène : Torture pratiquée par les parachutistes pendant la bataille d'Alger, consistant à électrocuter un détenu pour en obtenir des renseignements.

Gestapo : Police politique du régime nazi, rouage essentiel dans l'appareil totalitaire du IIIe Reich en faisant régner la terreur auprès des opposants au régime.

Gouvernance : Mode collectif de prise de décision réalisé par plusieurs acteurs de natures différentes (États, institutions internationales, ONG, entreprises).

Grand Bond en avant : Politique de développement lancée en 1958 qui repose sur la mobilisation des masses rurales dans des « communes populaires » pour le travail.

Guerre des ondes : Guerre psychologique menée par les radios des belligérants afin d'informer ou de galvaniser les auditeurs.

Guerre froide : Popularisée par le journaliste américain Walter Lippmann en 1947, cette expression synthétise l'impossibilité d'affrontement entre États-Unis et URSS, deux nations nucléaires.

Guomindang : Parti nationaliste fondé en 1905 par Sun Yat-Sen qui prône l'indépendance de la Chine, la démocratie représentative et la séparation des pouvoirs.

H

Harkis : Soldats algériens engagés dans l'armée française par fidélité à la France. En 1962, malgré le refus d'accueil du gouvernement français, un grand nombre d'entre eux quittent l'Algérie pour échapper à la mort.

I

IDE : Investissement Direct à l'Étranger. Activité par laquelle un investisseur basé dans un pays acquiert tout ou partie d'une entreprise dans un autre pays.

IDS : Initiative de Défense stratégique. Projet lancé en 1983 par le président Reagan pour protéger par des satellites militaires le sol des États-Unis et de leurs alliés.

Impérialiste : Partisan d'une politique d'expansion d'un État qui cherche à dominer politiquement, économiquement et culturellement un peuple et son territoire.

Intégration : Entrée d'un nouvel État dans la CEE, puis dans l'Union européenne.

Internationale ouvrière : Association fondée en 1864 liant tous les partis socialistes anticapitalistes.

Interventionnisme : Principe selon lequel un pays intervient politiquement, militairement ou par une action économique dirigée par l'État, dans les affaires intérieures d'un autre État.

Intifada : Soulèvement palestinien dans les territoires occupés par Israël.

Islamisme : Doctrine politique qui prend le Coran comme programme politique et prône à la fois d'unité du monde arabe sous une même autorité et la conformité des lois aux principes de l'islam.

Isolationnisme : Principe selon lequel un pays se refuse à intervenir, politiquement ou militairement, dans les affaires d'autres pays.

J

Jacobinisme : Doctrine politique, dont le nom est né sous la Révolution française, qui considère que le pouvoir doit être organisé et exécuté par une administration centralisée.

Justes parmi les nations : Titre décerné par le mémorial Yad Vashem, au nom de l'État d'Israël, en l'honneur de ceux qui ont risqué leur vie pour sauver des Juifs de la Shoah.

K L

Kémalisme : Doctrine politique qui veut transformer la Turquie en imposant la république, la laïcité, les droits des femmes, l'abandon des traditions, l'intervention de l'État dans l'économie, et le nationalisme.

Kibboutz : Communauté rurale ou industrielle gérée collectivement, en Israël, suivant les idées du socialisme associatif et du sionisme. Au pluriel, kibboutzim.

Libéralisme : Doctrine politique et économique fondée sur la défense des libertés individuelles. En économie, cela se traduit par la libre concurrence qui s'oppose tant à l'intervention de l'État qu'aux monopoles privés.

Ligue arabe : Organisation de coopération politique et économique régionale, la Ligue des États arabes est fondée en 1945 au Caire. Une partie de ses membres est aussi membre de l'OPEP.

Lutte des classes : Pour Marx, l'opposition violente entre les détenteurs de l'outil de travail (la bourgeoisie) et ceux qui ne possèdent que leur force physique (les prolétaires), est à l'origine et le moteur de toutes les révolutions de l'histoire du monde.

Lexique

M N

Majorité qualifiée : Mode d'adoption d'un nombre croissant des règlements européens qui s'efforce de tenir compte du poids démographique des États membres en accordant aux États un nombre de voix proportionnel à leur population.

« Malgré-Nous » : Terme utilisé en Alsace et en Moselle pendant la Première et la Seconde Guerre mondiale pour qualifier les personnes incorporées de force dans l'armée allemande.

Mandat : Pouvoir accordé par la Société des Nations à un État pour gouverner en son nom un territoire sans autorité reconnue.

Marxisme : Théorie politique fondée par Karl Marx, selon laquelle les prolétaires qui ne possèdent que leur force de travail doivent renverser l'ordre social capitaliste pour organiser une société sans classes sociales et sans État.

Melting pot : Creuset dans lequel les immigrants se fondent pour former le peuple américain, en adoptant la langue, la culture et les valeurs américaines.

Mémoire : Présence sélective des souvenirs du passé dans une société donnée. Souvent plurielle et conflictuelle, la mémoire montre la manière dont l'histoire est vécue par une population, parfois longtemps après les faits.

Métropole : Pays d'origine des colons et centre du pouvoir colonial d'un Empire.

MIT : Massachusetts Institute of Technology. Centre de recherche en sciences et technologies, près de Boston, le MIT est l'une des plus prestigieuses universités du monde.

Multilatéralisme : Attitude politique et militaire d'un groupe d'État puissants qui coopèrent afin de faire respecter le droit international.

Naqba : « La catastrophe », nom donné au départ volontaire ou forcé de 700 000 Arabes palestiniens dans l'année qui suit la proclamation de l'État d'Israël.

Négationnisme : Position niant l'existence du génocide des Juifs pendant la Seconde Guerre mondiale. Depuis la loi Gayssot (1990), exprimer une telle opinion est un délit.

Non-alignés : Mouvement constitué en 1961 à Belgrade par des États soucieux d'échapper à la division Est-Ouest et d'œuvrer pour la paix et le développement

O

OAS : Organisation Armée Secrète. Mouvement militaire clandestin partisan du maintien de l'Algérie dans la France, il mène en métropole et en Algérie des attentats contre de Gaulle et les représentants de l'État en 1961-1963.

OLP : Organisation de Libération de la Palestine créée en 1964 et dirigée, à partir de 1969, par Yasser Arafat. Elle rassemble les différents mouvements nationalistes palestiniens.

Opinion publique : Ensemble des convictions, des jugements et des croyances qui reflètent les idées de la majorité d'une population.

OPEP : Organisation des pays exportateurs de pétrole, créée en 1960 pour affaiblir l'influence des compagnies pétrolières occidentales et fixer les quotas de production – donc les prix – du pétrole et du gaz.

ORTF : Office de Radio-Télévision Française, créé en 1964 pour unifier sous une même autorité politique les médias audiovisuels contrôlés par l'État. Il est démantelé en 1974 par le président Giscard d'Estaing.

Ostpolitik : « Politique à destination de l'Est ». Politique de pacification des relations entre la RFA et la RDA menée par le chancelier SPD Willy Brandt entre 1970 et 1973. Elle aboutit à la reconnaissance mutuelle des deux Allemagne.

OTAN : Organisation du Traité de l'Atlantique Nord. Créé en 1949 par la signature du pacte atlantique entre les États-Unis et leurs alliés, il organise une réponse militaire commune à l'agression d'un pays membre.

OTASE : Organisation du Traité de l'Asie du Sud-Est. Créée en 1954, dissoute en 1977, cette institution militaire regroupait les États-Unis et une partie de ses alliés asiatiques dans une alliance défensive contre le bloc communiste.

P

PAC : Politique Agricole Commune. Politique commune des pays de la CEE, prolongée par l'Union européenne en 1993, pour garantir une production agricole qui permette d'atteindre l'autosuffisance, entretenir les territoires et maintenir certains emplois ruraux.

Pacte de Varsovie : Traité d'alliance militaire signé entre l'URSS et les démocraties populaires en 1955.

Panarabisme : Mouvement politique qui vise à l'unité de tous les Arabes.

Patrimoine : Ensemble des biens hérités du père, de la famille, et par extension des monuments et des richesses artistiques d'une nation ou d'une communauté.

Patrimoine mondial : Ensemble des sites, biens culturels ou naturels, considérés comme un héritage commun de l'humanité.

Patrimoine immatériel : Ensemble des éléments non monumentaux, véhicules de traditions culturelles, considérés comme un héritage commun de l'humanité.

Pays-atelier : Pays qui fonde sa puissance sur une masse salariale peu coûteuse attirant l'installation d'industries à vocation exportatrice.

Plan Marshall : Programme d'aide à la reconstruction des pays européens, proposé par le Secrétaire d'État Georges Marshall en juin 1947. Mis en place quelques semaines plus tard, il octroie des crédits préférentiels aux États et la fourniture de matériels et d'experts.

Poujadisme : Mouvement politique mené par Pierre Poujade, qui associe petits commerçants et artisans puis anciens de Vichy et colonialistes.

Prix garantis : Prix de vente des produits agricoles jugés acceptable pour le niveau de vie des agriculteurs. Si les prix du marché se situent au-dessous des prix garantis, l'Europe verse la différence aux agriculteurs. À partir de 1992, l'Europe décide de baisser les prix garantis.

Puritanisme : Doctrine des premières communautés religieuses calvinistes installées dans les colonies anglaises des Amériques au XVIIe siècle, qui prône une rigueur morale et une stricte observance des règles religieuses.

Porteur de valise : Membre d'un réseau de soutien au FLN, chargé de rassembler des fonds, de trouver des d'armes et de transmettre des informations aux indépendantistes. Terme forgé par Jean-Paul Sartre au moment du procès Jeanson (1960).

Q R

Quatre Modernisations : Politique menée par Deng Xiaoping à partir de 1978 pour rattraper le retard sur les pays développés en matière agricole, industrielle, scientifique et militaire.

Radios libres : Radios associatives qui contournent le monopole d'État en utilisant illégalement la bande FM, souvent avec du matériel à bas coût installé sur des toits d'immeubles.

Radios périphériques : Radios émettant depuis une antenne située hors du territoire français pour échapper au contrôle formel de l'État.

Référendum : Consultation directe des citoyens sous forme d'une question à laquelle ils sont appelés à répondre par oui ou par non.

Réformisme : Volonté de transformer la société dans un cadre démocratique, en participant aux élections et au vote de lois sociales.

Régie : Établissement public chargé de la gestion d'une activité contrôlée par l'État.

Remembrement : Réorganisation de la propriété rurale par regroupement de petites parcelles agricoles, afin d'accélérer la mécanisation et d'augmenter la productivité des exploitations.

Réseau social : Ensemble d'individus ou d'organisations reliées entre eux par l'usage d'une même plateforme de communication, comme Facebook, ou une même technique d'envoi de messages, comme Twitter.

Résistancialisme : Néologisme formé par l'historien Henry Rousso en 1987 pour qualifier l'idée, diffusée par les gaullistes et les communistes, d'une France unanimement résistante.

Révisionnisme socialiste : Mouvement de pensée né des idées de l'Allemand Éduard Bernstein, qui prône l'abandon de l'idée marxiste selon laquelle le capitalisme mourrait de l'inaction volontaire du travailleur, par la grève. Il propose que, par l'action politique, des lois changent l'organisation du travail ouvrier.

Révolution culturelle : Politique de reprise en main du parti communiste par Mao, de 1966 au début des années 1970. Elle se traduit par une remise en cause de la culture traditionnelle, de la bureaucratie et du fonctionnement des institutions publiques, et fait plus d'un million de morts.

S

Sécurité sociale : Système de protection sociale fondé sur la solidarité nationale. Employeurs et salariés cotisent pour des caisses qui couvrent la plupart des risques (maladie, accident, chômage, vieillesse, maternité).

Ségrégation : Système judiciaire et social de séparation des populations en fonction de la couleur de la peau.

Sionisme : Idéologie née au XIXe siècle, théorisée par Theodor Herzl dans les années 1890, qui vise à doter le peuple juif d'un État. Sion est le nom d'une des collines de Jérusalem.

Socialisme de marché : Expression de Deng Xiaoping pour définir le mariage du libéralisme économique et de l'absence de libéralisme politique.

Souveraineté : Droit exclusif que possèdent les États à gouverner un peuple sur un territoire.

Souverainisme : Théorie politique qui refuse le fonctionnement quasi-fédéral de la CEE et veut maintenir aux États leurs compétences d'origine.

Spartakisme : Fraction révolutionnaire du SPD qui prend pour modèle la révolution bolchévique de 1917. Ce mouvement adopte le nom de Spartacus qui prit la tête d'une révolte d'esclaves à Rome en 73 avant J.-C.

Supranationalité : Échelle de décision qui se situe au-dessus des États et qui s'impose à eux.

Syndicalisme : Mouvement de défense des intérêts des travailleurs face aux propriétaires d'entreprises et aux décideurs politiques.

T

Taïkonaute : Nom donné aux astronautes chinois depuis le premier lancement d'une fusée habitée dans l'espace, en 2003.

Télévangélisme : Phénomène médiatique massif créé par des pasteurs fondamentalistes pour promouvoir l'évangélisme.

Témoin : Terme utilisé à partir des années 1980 pour qualifier les survivants de la Shoah dans la lutte contre le négationnisme et pour l'enseignement de la déportation.

Thèse du glaive et du bouclier : Idée développée par l'historien Robert Aron en 1956 selon laquelle un partage des rôles était prévu entre Pétain (le « bouclier ») et de Gaulle (le « glaive ») pour aboutir à la victoire. Les archives et les témoignages ont dès cette époque réduit à néant cette thèse qui conserve des adeptes.

Tiers-Monde : Expression créée en 1952 par l'économiste Alfred Sauvy pour qualifier les pays ou territoires qui ne sont membres d'aucun des deux blocs de la guerre froide.

Traités inégaux : Ensemble des traités signés dans la deuxième moitié du XIXe siècle qui accordent aux Occidentaux des zones d'influence en Chine.

Tripartisme : Alliance de gouvernement menée entre 1945 et 1947 par le PCF, la SFIO et le MRP. Elle éclate avec le début de la guerre froide.

Troisième force : Alliance de gouvernement entre tous les partis politiques, sauf le PCF et les gaullistes, entre 1947 et 1951. Elle éclate à cause d'une querelle sur le financement de l'école privée.

U V

UEO : Union de l'Europe occidentale née en octobre 1954. Elle prévoie une défense collective et une collaboration économique.

Unilatéralisme : Politique étrangère qui n'associe pas la communauté internationale au contraire du multilatéralisme.

Union française : Terme désignant les territoires d'outre-mer de 1946 à 1958. Les populations d'outre-mer gagnent de nouveaux droits, mais restent sous la domination de la métropole. La colonisation n'est pas vraiment abolie.

Vichysto-résistant : Néologisme inventé par l'historien Denis Peschanski pour qualifier une personne qui, attachée aux idées de la Révolution nationale (Vichy), participe progressivement aux actions de la Résistance.

W Y Z

WASP : *White Anglo Saxon Protestant*, nom donné aux protestants blancs d'origine anglo-saxonne constituant la population d'origine des colons britanniques d'Amérique.

Yishouv : Nom donné au peuplement juif en Palestine.

ZES : Zone économique spéciale. Territoire dans lequel les entreprises étrangères, associées à une entreprise chinoise, peuvent s'installer et bénéficier de larges avantages fiscaux et réglementaires.

Crédits photographiques

Couverture : NASA/GSFC/DMSP/*Ciel et Espace* Photos ; Shutterstock ; AKG-images ; Coll. Grob/Kharbine-Tapabor ; SuperStock/Leemage ; Diamond Images/Getty Images ; Universal History Archive/Getty Images ; Bettmann/Corbis ; P. Robert/Sygma/Corbis ; M. Bazo/Reuters ; Gamma ; K. Dietsch/UPI Photo/Gamma-Rapho ; Corbis ; D. Ducros/CNES/AFP

Intérieur : p. 4 : ECPAD – p. 5 : Bridgeman Art Library – p. 6 : R. Clark/Institute – J. Juinen/Getty Images/AFP – p. 12-13 : ECPAD – p. 16 : Bridgeman Art Library ; Bridgeman Art Library – p. 17 : P. Parrot/Sygma/Corbis ; Bridgeman Art Library ; S. Klein/Sygma/Corbis – p. 18 : D. Pearson/JAI/Corbis ; Bridgeman Art Library – p. 19 : Ch. E. Rotkin/Corbis ; Rue des Archives – p. 20 : Grand Tour/Corbis ; Corbis – p. 21 : Fototeca/Leemage ; S. Bianchetti/Corbis – p. 22 : AFP – p. 23 : Costa/Leemage ; Getty/AFP ; M. Donato/ANSA/Corbis – p. 24 : Y. Zamir/epa/Corbis ; APA/Corbis – p. 25 : Bridgeman Art Library – p. 26 : Z. Radovan/Bridgeman Art Library ; Josse/Leemage – p. 27 : Bettmann/Corbis ; D. Rubinger/Corbis – p. 28 : AFP – p. 29 : R. Rosen/Corbis SABA ; Z. Radovan/Bridgeman Art Library – p. 30 : Y. Arthus-Bertrand/Altitude – p. 31 : P. Parrot/Sygma/Corbis ; Josse/Leemage – p. 32 : RMN – Droits réservés ; Bridgeman Art Library – p. 33 : Josse/Leemage ; Superstock/Leemage ; Josse/Leemage – p. 35 : Aisa/Leemage ; Josse/Leemage ; Y. Arthus-Bertrand/Altitude ; Atlantide Phototravel/Corbis – p. 36 : Coll. Sirot-Angel/Leemage – p. 37 : Corbis ; C*INTRACT Romain/hemis.fr* – p. 38 : L. Ricciarini/Leemage ; L. Monier/Rue des Archives – p. 39 : AFP ; U Andersen/Gamma – p. 40 : Josse/Leemage ; Coll. Sirot-Angel/Leemage ; Josse/Leemage – p. 42 : Coll. Perrin/Kharbine Tapabor – p. 44 : V. Rastelli/Corbis – p. 46 : Prod DB © A. Dauman/DR/TCD ; Prod DB © NDR-TSR/DR/TCD ; Prod DB © Lanzmann/DR/TCD – p. 47 : *L'Humanité*/Keystone-France – p. 48 : Rue des Archives/Tal ; Selva/Leemage – p. 49 : Keystone-France ; A. Zucca/BHVP/Roger-Viollet ; LAPI/Roger-Viollet – p. 50 : Rue des Archives – p. 51 : Coll. A. Gesgon/CIRIP ; Rue des Archives/AGIP – p. 53 : Prod DB © NDR-TSR/DR/TCD - P. Pean/Gamma – p. 54 : *Time & Life* Pictures/Getty Images ; AFP – p. 55 : Keystone-France – p. 56 : Coll. A. Gesgon/CIRIP – p. 57 : Keystone-France – p. 58 : Rue des Archives/Tal ; Coll. Archives municipales de Colmar – p. 59 : Don Shaver's pix – p. 60 : Gamma – p. 61 : Plantu ; DR – p. 62 : Benainous-Duclos/Gamma ; Prod DB © Lanzmann/DR/TCD – p. 63 : AFP ; AFP ; Duclos-Ribeiro/Gamma ; AFP ; Plantu – p. 64 : AFP ; Josse/Leemage – p. 65 : Archives du CDJC – Mémorial de la Shoah, Paris – p. 66 : Keystone-France ; Rue des Archives/PVDE – p. 67 : coll. D. Cordier/Diffusion Gallimard ; R. Demaret/Réa – p. 68 : Keystone-France ; Rue des Archives ; AFP ; Rue des Archives/PVDE ; Josse/Leemage ; DR ; Benainous-Duclos/Gamma – p. 71 : Bridgeman Art Library – p. 74 : Prod DB © Argos/DR/TCD ; Films de la Pléiade/DR/TCD ; Coll. ChristopheL ; Coll. ChristopheL ; Prod DB © Little Bear/DR/TCD – p. 75 : M. Jarnoux/PARISMATCH/SCOOP – p. 76 : Roger-Viollet ; ECPAD – p. 77 : ECPAD ; Rue des Archives/RDA ; Kharbine-Tapabor ; *L'Humanité*/Keystone – p. 78 : AFP – p. 79 : A. Kaminsky, *Une Vie de faussaire,* de S. Kaminsky, Calmann-Lévy, 2009 ; Photo12 – p. 81 : AFP ; M. Poveda/LDH ; AFP – p. 82 : Bianchetti/Leemage – p. 83 : Bianchetti/Leemage ; La Courneuve, archives municipales – p. 84 : Keystone-France – p. 85 : L. Monier/Rue des Archives ; Photo12 – p. 86 : K. Taconis/Magnum Ph. – p. 87 : Coll. ChristopheL – p. 90 : DR – p. 91 : G. Ducher ; DR – p. 92 : AFP ; Keystone-France ; AFP ; L. Monier/Rue des Archives – p. 98-99 : Bridgeman Art Library – p. 101 : Archiv der sozialen Demokratie/Friedrich-Ebert-Stiftung – p. 102 : Coll. Association des amis du Petit Palais, Genève/Studio Monique Bernaz, Genève ; Coll. CEDIAS-Musée social – p. 103 : Roger-Viollet ; Coll. Dixmier/Kharbine-Tapabor ; Photo12 ; AKG-images – p. 104 : Heritage Images/Leemage – p. 106 : Fototeca/Leemage ; Corbis – p. 107 : AKG-images ; Photo12/Ullstein Bild – p. 108 : Fototeca/Leemage – p. 109 : La Collection ; Evans/Keystone-France – p. 110 : Bettmann/Corbis ; Keystone/Getty Images – p. 111 : Library of Congress ; Leemage – p. 112 : AKG-images ; AKG-images – p. 113 : Keystone-France ; Bridgeman Art Library – p. 114 : AFP – p. 115 : bpk/RMN – p : 116 : RMN ; R. Bossu/Sygma/Corbis ; Granger Coll. NYC/Rue des Archives – p. 117 : Deutsches Historisches Museum, Berlin – p. 118 : Leemage – p. 119 : Corbis – p. 120 : Josse/Leemage ; Coll. Sirot-Angel/Leemage – p. 121 : A. Nogues/Sygma/Corbis ; D. Simon/Gamma – p. 122 : Fototeca/Leemage ; Corbis ; Leemage ; Fototeca/Leemage ; Rue des Archives ; AFP – p. 125 : AKG-images – p. 126 : AKG-images – p. 129 : Coll. Kharbine-Tapabor – p. 130 : BNF ; Rue des Archives/AGIP ; Dalmas/Sipa – p. 131 : Coll. Dixmier/Kharbine-Tapabor ; *http://www.elysee.fr* – p. 133 : Coll. Dixmier/Kharbine-Tapabor ; Keystone-France – p. 134 : Keystone-France – p. 135 : Bridgeman Art Library ; Coll. Kharbine-Tapabor – p. 136 : Coll. Dixmier/Kharbine-Tapabor ; Kharbine-Tapabor – p. 137 : BNF ; BNF ; A. Harlingue/Roger-Viollet ; Selva/Leemage – p. 138 : Keystone-France – p. 139 : AFP ; Keystone-France ; Coll. Dixmier/Kharbine-Tapabor – p. 140 : Roger-Viollet ; Coll. Bachollet/Kharbine-Tapabor – p. 141 : M. Desjardins/Rapho – p. 142 : Keystone-France ; Coll. Dixmier/Kharbine-Tapabor – p. 144 : G. Aimé/Rapho ; Bridgeman Art Library – p. 145 : Reporters Associés/Gamma – p. 146 : Gamma – p. 147 : Keystone-France ; INA, 1981 ; INA, 1987 – p. 148 : Coll. Grob/Kharbine-Tapabor ; E. Feferberg/AFP – p. 149 : Plantu ; D. Allard/Réa – p. 150 : Selva/Leemage ; M. Desjardins/Rapho ; Keystone-France ; Gamma – p. 154 : J. Faizant ; *Hara-Kiri* - p. 156 : Prod. DB © Epoch Producing Corporation-D.W. Griffith/DR/TCD – p. 157 : L. Ricciarini/Leemage/ADAGP, Paris 2012/© Figge Art Museum, successors to the Estate of Nan Wood Graham/Licensed by VAGA, New York, NY – p. 158 : Leemage – p. 159 : Corbis ; Bettmann/Corbis ; B. Kraft/Corbis – p. 162 : Bettmann/Corbis – p. 163 : Bettmann/Corbis – p. 164 : The Gallery Coll./Corbis ; Aisa/Leemage ; University of Minesota/DR – p. 165 : Bettmann/Corbis ; p. 166 : Prod DB © Epoch Producing Corporation-D.W. Griffith/DR/TCD – p. 167 : Coll. Kharbine-Tapabor ; Bettmann/Corbis – p. 168 : Corbis – p. 169 : Bettmann/Corbis ; Bettmann/Corbis ; B. Gomel/Sygma/Corbis – p. 170 : Bettmann/Corbis ; F. Miller/*Time & Life* Pictures/Getty Images – p. 171 : Bettmann/Corbis ; *Libération* – p. 172 : AP/Sipa – p. 173 : Bettmann/Corbis ; D. Halstead/*Time & Life* Pictures/Getty Images – p. 174 : Bridgeman Art Library ; J. Chatin/*Expansion*-Réa – p. 175 : R. Sachs/CNP/Sygma/Corbis – p. 176 : Corbis ; AFP ; Bettmann/Corbis – p. 180 : G. Smith/Corbis – p. 182-183 : R. Clark/Institute – p. 185 : Bettmann/Corbis – p. 186 : Bettmann/Corbis ; Bettmann/Corbis ; General Photographic Agency/Getty Images ; Haley/Sipa – p. 187 : Car Culture/Corbis ; MPI/Getty Images ; Dalle APRF – p. 188 : O. White/Corbis – p. 189 : TopFoto ; Bridgeman Art Library – p. 191 : North Wind Pictures/Leemage ; Library of Congress ; Bridgeman Art Library – p. 192 : Bettmann/Corbis – p. 193 : G. Dorel, cartographie de Madeleine B. Guyod, *Atlas de l'Empire américain* © Éditions Autrement, 2006 ; Keystone-France – p. 194 : Bettmann/Corbis – p. 195 : Bettmann/Corbis ; Bridgeman Art Library – p. 196 : Coll. A. Gesgon/CIRIP – p. 197 : Bettmann/Corbis – p. 200 : Getty Images ; Aisa/Leemage ; Bettmann/Corbis – p. 201 : NASA/*Ciel et Espace* – p. 202 : Bridgeman Art Library – p. 203 : R. Nickelsberg/*Time & Life* Pictures/Getty Images – p. 204 : AFP – p. 205 : Corbis ; L. Downing/Sygma/Corbis – p. 206 : AFP ; J. Lane/Corbis ; A. Kenare/AFP – p. 207 : R. Haidar/AFP ; B. Kraft/Corbis – p. 208 : Keystone-France ; AFP – p. 209 : B. Denton/Corbis ; DR – p. 210 : North Wind Pictures/Leemage ; O. White/Corbis ; Bettmann/Corbis ; AFP ; AFP ; AFP ; B. Kraft/Corbis – p. 213 : AFP – p. 214 : A. Gyori/Sygma/Corbis – p. 218 : G. Gil/hemis.fr – p. 218 : Bettmann/Corbis ; Coll. Kharbine Tapabor – p. 219 : Imaginechina/AFP ; Bridgeman Art Library ; Bettmann/Corbis ; P. Woods/Institute – p. 222 : Selva/Leemage – p. 223 : *www.bridgemanart.com* ; Photo12/Xinhua ; Corbis – p. 224 : Imaginechina/AFP ; Bettmann/Corbis – p. 225 : Bettmann/Corbis – p. 226 : Bettmann/Corbis – p. 227 : AFP ; Coll. A. Gesgon/CIRIP – p. 228 : Coll. privée Kharbine-Tapabor ; AKG-images ; Gamma – p. 229 : SuperStock/Leemage ; M. Abreu/AWL Images/The Andy Warhol Foundation for the Visual Arts, Inc./ADAGP, Paris 2012 – p. 230 : AFP – p. 231 : Bettmann/Corbis – p. 232 : A. Harlingue/Roger-Viollet ; J. Fuste Raga/Corbis – p. 234 : F. Nureldine/AFP – p. 236 : AFP ; Corbis – p. 237 : *cartoons@courrierinternational.com* ; V. Niquet/DR – p. 238 : Selva/Leemage ; SuperStock/Leemage ; Bettmann/Corbis ; AFP – p. 242 : A. Prudhomme/Gamma – p. 245 : L. Downing/Sygma/Corbis – p. 246 : J. Arnold/hemis.fr ; Bettmann/Corbis – p. 247 : Coll. Kharbine-Tapabor ; epa/Corbis – p. 250 : Hulton-Deutsch Coll./Corbis – p. 252 : Coll. Zullo/Leemage ; Bridgeman Art Library – p. 253 : Bettmann/Corbis – p. 255 : F. Shershel/GPO *via* Getty Images/AFP ; J.-Ph. Charbonnier/Rapho ; Gamma – p. 256 : Keystone-France – p. 257 : Keystone-France ; W. McNamee/Corbis – p. 258 : D. Rubinger/*Time Life* Pictures/Getty Images – p. 259 : B. Barbey/Magnum Ph. – p. 260 : AFP – p. 261 : Bettmann/Corbis ; Bettmann/Corbis ; Coll. A. Gesgon/CIRIP ; Bettmann/Corbis – p. 262 : Sipa ; AFP – p. 263 : K. Kazemi/Getty Images ; *www.globecartoon.com* – p. 265 : M. Philippot/Sygma/Corbis – p. 267 : K. Sahib/AFP ; A. Gharabli/AFP – p. 268 : AFP – p. 269 : AGF/Leemage ; L. Heidi/Sipa ; M. Longari/AFP – p. 270 : AFP ; IRNA/AFP – p. 271 : J. Pavlovsky/Sygma/Corbis ; P. Chauvel/Corbis ; J. Moore/Pool/epa/Corbis – p. 272 : Photo12/Coll. Taponier – p. 273 : Bettmann/Corbis ; Bettmann/Corbis ; Corbis – p. 274 : Bettmann/Corbis ; DR – p. 275 : R. Halawani/Sygma/Corbis ; J. Chatin/*Expansion*-Réa – p. 276 : Leemage ; Rapho ; AFP ; Leemage ; AFP ; AFP ; AFP – p. 280 : AFP – p. 282-283 : J. Juinen/Getty Images/AFP – p. 285 : Bridgeman Art Library – p. 286 : Bridgeman Art Library ; Universitätsbibliothek Bern, Zentralbibliothek – p. 288 : Keystone-France ; Bridgeman Art Library – p. 289 : DR ; Bridgeman Art Library – p 291 : R. Cummins/Corbis ; Bettmann/Corbis – p. 292 : Selva/Leemage – p. 293 : AFP – p. 295 : Sipa – p. 296 : Gamma – p. 297 : AFP ; Keystone-France – p. 298 : Mopy/Rapho ; Keystone-France – p. 300 : Bettmann/Corbis – p. 301 : Ph. Wojazer/Reuters ; Dondero/Leemage – p. 302 : Corbis – p. 303 : A. Boulat/VII – p. 305 : Ph. Virapin/CIT'images – p. 306 : Architectes R. Piano et R. Rogers/Y. Arthus-Bertrand/Corbis ; J.-M. Marcel/Rapho – p. 307 : W. Stevens/Gamma ; P. Le Segretain/Sygma/Corbis ; B. Bisson/Sygma/Corbis – p. 308 : P. Kovarik/AFP ; Ph. Charliat/Rapho – p. 309 : J. Saget/AFP ; Keystone-France – p. 310 : Gamma ; Keystone ; Keystone ; AFP ; Rapho ; DR ; Keystone ; Leemage – p. 314 : Ch. Platiau/Reuters – p. 317 : Coll. A. Gesgon/CIRIP – p. 318 : Bridgeman Art Library ; Bridgeman Art Library – p. 319 : Bridgeman Art Library ; Bridgeman Art Library ; J. Jones/Sygma/Corbis ; Th. Tronnel/Sygma/Corbis – p. 322 : AFP – p. 323 : Bridgeman Art Library ; Coll. A. Gesgon/CIRIP – p. 324 : National Library of Wales - Solo Syndication ; Corbis ; Coll. A. Gesgon/CIRIP – p. 326 : Rue des Archives/Coll. J.-J. Allevi – p. 327 : Coll. GROB/Kharbine Tapabor ; Keystone-France – p. 328 : Commission européenne – p. 329 : Représentation de la Commission européenne au Luxembourg (Europa grafica) ; Rue des Archives/CCI/ADAGP, Paris 2012 – p. 330 : Bridgeman Art Library ; AFP ; Witt/Sipa ; Suddeutsche Zeitung/Rue des Archives – p. 331 : AFP – p. 332 : Cummings/DR – p. 333 : J. Wilds/Keystone/Getty Images ; A. Clopet/Réa ; Plantu – p. 334 : Hannelore Foerster/Bloomberg *via* Getty Images – p. 336 : G. Million – p. 337 : 2005 *Der Spiegel* – p. 338 : Corbis ; Frilet/Sipa – p. 339 : C. Wherlock/Demotix/Corbis ; DR – p. 340 : Rue des Archives ; Corbis ; Commission européenne ; Sipa ; AFP ; Keystone ; AFP ; Réa – p. 343 : T. Toles/*Buffalo News* – p. 344 : G. Gobet/AFP – p. 347 : Bettmann/Corbis – p. 348 : Bridgeman Art Library ; Bridgeman Art Library – p. 349 : Bridgeman Art Library ; Bridgeman Art Library ; I. Langsdon/Pool/Epa/Corbis – p. 352 : Bridgeman Art Library ; Bridgeman Art Library – p. 353 : Bettmann/Corbis – p. 354 : Bridgeman Art Library ; Keystone-France – p. 356 : S. Sherbell/Corbis – p. 357 : Plantu ; R. Francis/Corbis ; AFP – p. 358 : AFP – p. 360 : Bettmann/Corbis – p. 364 : K. Hamilton/Sygma/Corbis – p. 365 : P. Klaunzer/epa/Corbis – p. 366 : Corbis – p. 367 : P. Siccoli/Gamma – p. 368 : F. Coffrini/AFP ; Ludovic/Réa ; DR – p. 369 : El Korchi Abdellah/Demotix/Corbis ; J.-C. Moschetti/Réa – p. 370 : Bridgeman Art Library ; Keystone-France ; S. Sherbell/Corbis – p. 374 : Ph. S. Giraud/Terres du Sud/Sygma/Corbis.

ÉDITION	Jean-Rémi CLAUSSE
COUVERTURE	Delphine d'INGUIMBERT, Valérie GOUSSOT, *Oxygène*
MAQUETTE INTÉRIEURE	Delphine d'INGUIMBERT, Valérie GOUSSOT, Frédérique BUISSON
MISE EN PAGES, INFOGRAPHIE	Frédérique BUISSON
ICONOGRAPHIE	Valérie DEREUX
CARTOGRAPHIE	Carl VOYER, coordination Marie-Christine LIENNARD assistée de Sonia LAMBERT

Les auteurs saluent la naissance de Justine Pautet, au cours de la réalisation de ce manuel.

Impression & reliure SEPEC en mai 2018 - France

Numéro d'impression : 09463180424 - Dépôt légal : avril 2012 - Numéro d'éditeur : 2018-0242

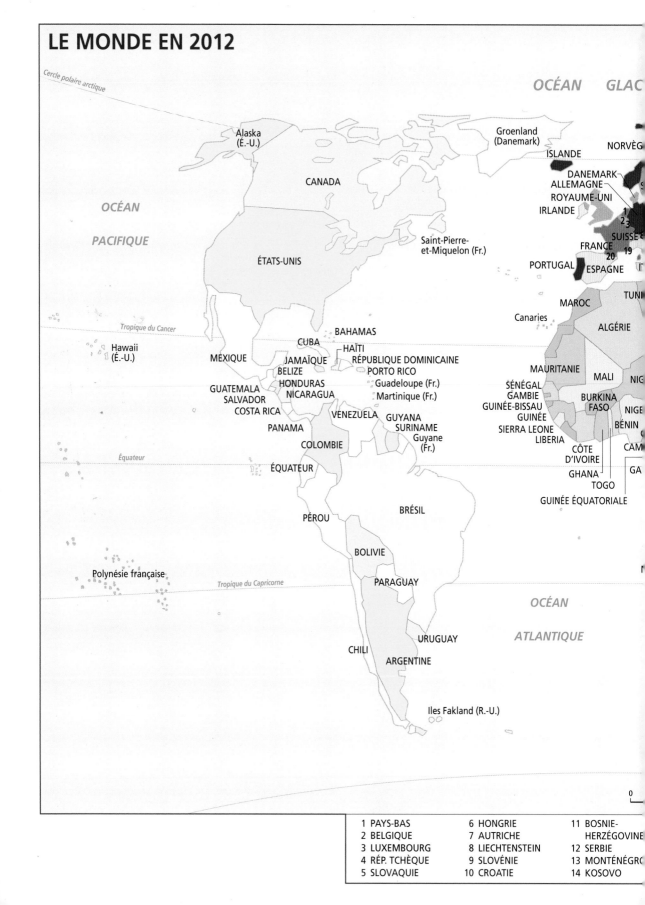

LE MONDE EN 2012

Cercle polaire arctique

OCÉAN   GLAC

Alaska
(É.-U.)

Groenland
(Danemark)

NORVÈG

ISLANDE

DANEMARK
ALLEMAGNE
ROYAUME-UNI

CANADA

IRLANDE

OCÉAN

Saint-Pierre-
et-Miquelon (Fr.)

1
2
3
SUISSE

PACIFIQUE

ÉTATS-UNIS

FRANCE   19
20

PORTUGAL   ESPAGNE

MAROC

Canaries

ALGÉRIE   TUN

Tropique du Cancer

BAHAMAS

Hawaii
(É.-U.)

CUBA

HAÏTI

MAURITANIE

MALI   NIG

MEXIQUE

JAMAÏQUE   RÉPUBLIQUE DOMINICAINE
BELIZE   PORTO RICO

SÉNÉGAL
GAMBIE

BURKINA
FASO

HONDURAS   Guadeloupe (Fr.)
GUATEMALA   NICARAGUA   Martinique (Fr.)
SALVADOR
COSTA RICA

GUINÉE-BISSAU
GUINÉE

NIGE

BÉNIN

VENEZUELA   GUYANA
SURINAME

SIERRA LEONE
LIBERIA

PANAMA   Guyane
(Fr.)

CÔTE
D'IVOIRE

CAM

COLOMBIE

GHANA

GA

Équateur

ÉQUATEUR

TOGO

GUINÉE ÉQUATORIALE

BRÉSIL

PÉROU

BOLIVIE

Polynésie française

Tropique du Capricorne

PARAGUAY

OCÉAN

ATLANTIQUE

URUGUAY

CHILI

ARGENTINE

Iles Fakland (R.-U.)

0

1 PAYS-BAS	6 HONGRIE	11 BOSNIE-
2 BELGIQUE	7 AUTRICHE	HERZÉGOVINE
3 LUXEMBOURG	8 LIECHTENSTEIN	12 SERBIE
4 RÉP. TCHÈQUE	9 SLOVÉNIE	13 MONTÉNÉGRO
5 SLOVAQUIE	10 CROATIE	14 KOSOVO